Feddayin

Robert Ferrigno

Feddayin

Traduit de l'anglais (États-Unis)
par Diniz Galhos

Collection
NéO
dirigée par Hélène Oswald

le cherche midi

Direction éditoriale : Arnaud Hofmarcher
Coordination éditoriale : Roland Brénin

Titre original : *Prayers For the Assassin*
© Robert Ferrigno, 2006
© le cherche midi, 2009
23, rue du Cherche-Midi, 75006 Paris

Vous pouvez consulter notre catalogue général et l'annonce
de nos prochaines parutions sur notre site Internet :
cherche-midi.com

À ceux qui ont soif et s'accrochent au rêve de l'eau.

Le chameau qui tombe attire de nombreux couteaux.
Ancien proverbe arabe

PROLOGUE

Bizarre d'être allongé comme ça sur le parking d'un Wal-Mart qui vient d'être pillé, une jambe tordue sous soi, le regard rivé au ciel. Jason avait l'habitude d'aller à Wal-Mart pour acheter des jeans, des DVD et des Frosties. À présent, c'était là qu'il allait mourir. Des corbeaux se laissaient tomber en piqué des lampadaires, et des battements d'ailes noires traversaient son champ visuel. Ils semblaient grossir un peu plus chaque minute. S'enhardir également. Ce n'était pas si dur de mourir. Cela avait été douloureux au début, horriblement douloureux, mais plus maintenant. Et c'était une vraie bénédiction, parce qu'il n'était pas courageux. Il avait peur des araignées, des dentistes, des jolies filles, et, plus que tout cela, d'être seul. Mais il n'avait plus peur à présent. Le fait de mourir dans une guerre sainte signifiait qu'il entrerait directement au paradis. C'est ce que Trey lui avait dit, et Trey connaissait bien mieux le Coran que lui. Trey disait toujours que ce qui importait vraiment, c'était que Jason fasse sa profession de foi – *il n'est de Dieu qu'Allah, et Mahomet est Son messager* – et tout serait réglé.

Trey était déjà mort. Touché en pleine poitrine trois semaines auparavant par un sniper rebelle alors qu'ils approchaient de Newark. Jason s'était penché au-dessus de lui, avait pris sa main, et l'avait supplié de ne pas mourir, mais Trey avait déjà rendu l'âme, ne laissant derrière lui que son expression étonnée. Le sergent avait ordonné à la compagnie de reprendre la route, mais Jason avait refusé. Il avait déclaré qu'il voulait s'assurer qu'on s'occuperait convenablement du corps de Trey, et le sergent, un ancien

11

comptable de chez H & R Block, avait fini par laisser tomber pour mettre le peloton à couvert. Tous étaient de nouveaux musulmans, tout comme Jason, peu sûrs d'eux-mêmes. Jason avait attendu que les services de la morgue aient recouvert le corps de Trey d'un drap blanc, et les avait ensuite aidés à creuser sa tombe. Le temps qu'il rejoigne sa compagnie, le sergent était déjà mort. C'était à présent son tour de mourir, et il ne restait plus assez de draps blancs pour tous. Allah comprendrait. C'est ce que Trey avait aussi l'habitude de dire quand Jason se faisait du souci, parce qu'il aimait encore les côtelettes de porc et le bacon : « Lis le saint Coran, Allah comprendra. »

Jason ne voyait à présent quasiment plus, mais cela n'avait aucune importance. Il en avait assez vu. Le parking était recouvert de corps, tout Newark n'était plus qu'un cimetière. Civils et soldats, musulmans et rebelles des États de la Bible mélangés. Américains contre Américains. Chaque camp livrant bataille sur son territoire, luttant pour chaque tronçon d'autoroute, chaque supermarché, des villes entières livrées aux flammes aux quatre coins du pays. À deux ou trois reprises la semaine précédente, les rebelles auraient pris Newark si le major Kidd, ce géant noir, n'avait réussi à rallier les troupes pour mener lui-même la contre-attaque, ignorant les balles qui sifflaient autour de lui, sans peur et sans reproche.

Jason était vraiment heureux de ne pas avoir été envoyé sur le front de Nashville. Sa famille avait quitté cette ville pour Detroit plusieurs années auparavant, afin de travailler dans les usines automobiles, et il avait encore des parents là-bas, des parents qui, sûrement, devaient être en train de se battre dans le camp adverse.

Les temps avaient été durs, dans les États de la Bible, comme partout ailleurs, durant les années qui avaient précédé la transition : des tas de gens au chômage, ou redoutant de perdre leur emploi, les usines et les écoles qui fermaient, des gamins affamés. Mais ça n'avait pas suffi à les faire changer d'avis. Au contraire, ils s'étaient encore plus entêtés. Les seuls lieux où l'on pouvait trouver du réconfort dans les temps de doute... les seuls lieux à offrir des réponses étaient les mosquées. C'était évident, aux yeux de tous. Le reste du pays s'était fait une raison, s'était converti ou tout du moins avait fait avec, mais pas les gars du Sud. Ils s'étaient accrochés à leur ancien mode de vie, à leur ancienne religion. C'était pour cela qu'en dépit de tout Jason n'arrivait pas à les haïr. Il les comprenait. Ils aimaient un pays qui les avait laissés tomber, un pays qui n'existait plus... mais ils continuaient à l'aimer. Guerre sainte ou pas, c'était quelque chose qu'on ne pouvait que respecter.

Même Redbeard[1] aurait été d'accord. Le sous-directeur de la Sécurité intérieure était un guerrier aussi fort que droit, mais il comprenait. La loyauté des rebelles ne servait pas la bonne cause, mais Redbeard disait qu'une telle loyauté était honorable, et ferait de leur future conversion une victoire d'autant plus éclatante. Jason l'avait vu un nombre incalculable de fois à la télé. Les troufions l'aimaient presque autant que le major Kidd. Des tas de politiciens voulaient réduire les États de la Bible à un tas de cendres, mais un simple coup de gueule de Redbeard suffisait à les faire taire. Bâti comme un taureau, avec des yeux féroces et une barbe de la couleur d'un feu de forêt... pas étonnant que ses ennemis aient peur de lui.

Il faisait à présent complètement noir. Mais Jason n'était pas seul. Il entendait battre de grandes ailes, et il répéta en son for intérieur sa profession de foi. Le fait de mourir pour la foi signifiait qu'il aurait tout un tas d'épouses vierges une fois au paradis. Jason n'était pas du genre à discuter avec Allah de Ses choix, mais il espérait quand même qu'une ou deux d'entre elles soient un peu expérimentées, parce que c'était vraiment loin d'être son

---

1. « Barbe Rouge ». *(N.d.T.)*

cas. Ç'aurait été sympa de finir son lycée. Il aurait été en terminale, cette année. Allez, la promo 2017 ! Sa photo dans le trombinoscope... ç'aurait vraiment été terrible. Enfin bon, comme disait Trey, *Allahou akbar*, Dieu est grand. Comme qui dirait « c'est pas grave ». Jason sourit. Le battement des ailes se faisait plus sonore à présent, le bruit des ailes des anges qui l'emmèneraient au paradis.

1

La seconde partie du Super Bowl commença tout de suite après la prière de la mi-journée. Les supporters présents dans le stade Khomeini avaient pratiqué leurs ablutions machinalement, s'étaient prosternés maladroitement, les talons tournés vers l'extérieur, le front ne touchant même pas le sol. Seul le vigile du couloir supérieur avait convenablement fait la prière. C'était un homme d'un certain âge, au visage lacéré de cicatrices. Ses mouvements avaient été calmes et précis, ses doigts joints, ses orteils alignés droit devant, en direction de La Mecque. Remarquant que Rakkim Epps l'observait, le vigile se raidit, puis, apercevant l'anneau des feddayin qu'il portait au doigt, s'inclina et lui adressa une bénédiction : Rakkim, qui n'avait pas prié depuis plus de trois ans, lui retourna sa bénédiction avec la même sincérité. Pas un homme sur mille n'aurait su reconnaître la bague en titane dénuée du moindre motif, mais le vigile faisait partie des tout premiers convertis, ceux qui formaient le noyau irréductible de la foi, ceux qui avaient tout risqué, en n'espérant en retour rien d'autre que le paradis. Rakkim se demanda si le vigile croyait encore que la guerre en avait valu la peine.

Rakkim porta son regard au-delà du vigile alors que les croyants se hâtaient de regagner leur place. Toujours aucun signe de Sarah. Un peu plus loin dans les tribunes, il aperçut Anthony Jr. qui gravissait les marches. Le tout nouveau blouson orange de l'équipe des Bédouins qu'il portait avait dû valoir à son père une semaine de salaire.

Anthony Sr. le gâtait trop. C'était toujours comme ça : les flics les plus durs étaient en fin de compte les plus tendres.

De l'endroit stratégique où il se tenait, Rakkim pouvait voir les dômes et les minarets qui ponctuaient les collines environnantes, ainsi que le Space Needle[1], écroulé au loin, au côté duquel on avait bâti le musée de la Guerre. En centre-ville se trouvait un agglomérat de gratte-ciel de verre et de très hauts immeubles résidentiels coiffés de paraboles satellites. Au sud se dressaient le nouveau Capitole, deux fois plus grand que l'ancien de Washington, et, tout à côté, la mosquée du Grand Calife, dont les mosaïques bleu-vert resplendissaient. Dans les tribunes en contrebas, Rakkim observa les croyants ranger les tapis de prière mis à leur disposition dans le dossier de leur siège, tandis que les chrétiens faisaient semblant de ne rien voir. Rakkim voyait tout, à l'exception de Sarah. Une promesse brisée de plus. La dernière fois qu'elle le prendrait pour un imbécile. Remarque qu'il s'était déjà faite la dernière fois qu'elle lui avait posé un lapin.

Trente ans, de corpulence moyenne, avec un poids à peine supérieur à celui qu'il avait lorsqu'il avait quitté les feddayin, mais toujours mince et nerveux. Les cheveux noirs coupés ras, la moustache et le bouc bien taillés, les traits anguleux, presque maghrébins, un avantage depuis la transition. Un couvre-chef de tissu noir. Rakkim releva son col pour se protéger de l'humidité de Seattle et du vent qui, du Puget Sound[2], apportait jusqu'ici l'odeur du poisson mort suite à la marée noire de la semaine précédente. Dans sa poche, il effleura son poignard, dont la lame en polymère passait inaperçue devant les bornes des détecteurs de métaux, à l'instar des extrémités de ses bottes, renforcées du même matériau.

---

1. Tour futuriste au sommet de laquelle se trouve une plate-forme, célèbre monument et haut lieu touristique de Seattle. *(N.d.T.)*
2. Bras de l'océan Pacifique qui baigne Seattle, entre autres villes. *(N.d.T.)*

La musique retentit alors que, en lieu et place des anciennes majorettes, des hommes surgissaient de la ligne de touche, levant haut la jambe et faisant scintiller les sabres au-dessus de leur tête. L'équipe des Bédouins et celle des Seigneurs de guerre firent irruption sur le terrain, et la foule se souleva pour les acclamer. Rakkim chercha une dernière fois Sarah du regard. Il aperçut le vigile. Quelque chose avait attiré son attention. Rakkim suivit son regard et se mit en marche, accélérant à présent, gravissant les marches deux à deux. Son timing fut impeccable : il rattrapa Anthony Jr. au moment précis où celui-ci atteignit les plus hauts gradins, complètement désertés. Il y avait là une sortie de secours, un coin laissé sans surveillance qui ne figurait sur aucun des plans placardés à l'attention du public. Le gamin avait beau être un piètre voleur, le fait qu'il connaissait cette issue témoignait de la qualité de la préparation de son plan.

« Qu'est-ce que tu fais, Rakkim ? » Anthony Jr. se tortillait, ado robuste, la tête recouverte de la capuche de son sweat-shirt. Coups de coude et fierté bafouée. « Ne me touche pas.

– Vilain garnement. » Rakkim lui tapota le nez avec le portefeuille que le gamin venait de piquer. Anthony Jr. n'avait même pas senti que Rakkim le lui avait pris, et palpa son blouson pour s'assurer qu'il avait bien disparu. Rakkim lui asséna un nouveau coup, plus fort cette fois. « Si les flics t'attrapent, c'est ton père qui sera déshonoré. Et si ce sont les Robes noires, tu perdras une main. »

Anthony Jr. avait hérité de son père une mâchoire volontaire. « Je veux que tu me rendes mon fric. »

Rakkim l'attrapa par la peau du cou et le poussa à travers la sortie. Lorsque Rakkim se retourna, le vigile au visage ravagé était déjà là. Rakkim lui tendit le portefeuille : « Ce jeune frère a trouvé ceci et ne savait pas à qui le remettre. Peut-être pourrez-vous le rendre à son propriétaire.

– Je l'ai vu trouver le portefeuille. Il était tombé de la poche d'un marchand.

– Notre jeune frère doit avoir de vrais yeux de faucon pour l'avoir remarqué », répondit Rakkim.

Le visage du vigile se plissa sous le coup de l'amusement et, un bref instant, il redevint beau. Il saisit le portefeuille. « Que Dieu t'accompagne, feddayin.

– Cesse-t-Il jamais de nous accompagner ? » dit Rakkim avant de retourner dans sa loge VIP.

Anthony Colarusso Sr. ne releva pas même les yeux lorsque Rakkim s'assit à côté de lui. « Je me demandais si tu reviendrais. » Il enfourna dans sa bouche un énième hot-dog rempli à craquer de garnitures, laissant tomber pickles et rondelles d'oignon sur ses genoux.

« Il faut bien que quelqu'un reste à côté de toi pour les premiers secours, au cas où tu t'étoufferais. »

Colarusso avala une autre bouchée de hot-dog. C'était un inspecteur trapu, d'âge moyen, aux paupières tombantes et à l'énorme bedaine, aux phalanges poilues, sur lesquelles dégoulinait du piccalilli. Les tribunes VIP du stade étaient réservées aux politiciens de la ville, aux représentants des entreprises sponsors, et aux haut gradés de l'armée, les feddayin bénéficiant des meilleures places. Colarusso, simple flic et qui plus est catholique, n'aurait pu s'asseoir dans une telle loge s'il n'y avait été invité par Rakkim.

Le quaterback des Bédouins attrapa le ballon, et le coinça contre son oreille en reculant à toute vitesse. À deux reprises, il fit mine de renvoyer la balle, avant de faire une passe à son receveur préféré, un missile aux mains aussi larges que des feuilles de palmier. Le ballon frôla les nuages, et le receveur se mit à courir de toutes ses forces, laissant sa couverture loin derrière lui. Le ballon effleura le bout de ses doigts tendus, mais il ne se découragea pas et courut après. Un de ses crampons accrocha un bout de pelouse, et il fut précipité tête la première sur l'herbe. Le ballon rebondit devant lui, libre.

Les huées résonnèrent dans tout le stade. Rakkim se retourna pour lancer à nouveau un regard en direction de la mezzanine. Toujours aucun signe de Sarah. Il se rassit. Elle ne viendrait pas. Ni aujourd'hui ni un autre jour. Il abattit son poing contre le siège vide face à lui, manquant presque d'en arracher les rivets.

« Je ne savais pas que tu étais à ce point fan des Bédouins, soldat, dit Colarusso.

– C'est ça, ouais... ils sont en train de me briser le cœur. »

Le receveur gisait sur la pelouse, plié en deux, tandis que les grognements des supporters des Bédouins emplissaient le stade. Rakkim entendit même quelques jurons. Dans une tribune fondamentaliste toute proche, une Robe noire, décharnée, lança un bref coup d'œil alentour. Ce membre de la police religieuse portait un turban noir fermement enroulé, et sa barbe noire, irrégulière et négligée, semblait un grossier tas de ronces. Il gigotait sur son siège, froissant sa robe, tâchant de localiser le délinquant. Rakkim lui trouvait un air de calmar enragé. Les yeux du fanatique se plissèrent en direction de Colarusso et de son costume gris maculé de moutarde.

« J'ai l'impression que cet eunuque est tombé amoureux de toi, Anthony. »

Colarusso essuya sa bouche d'un revers de serviette. « Parle moins fort.

– Nous vivons dans un pays libre... n'est-ce pas, inspecteur ? »

C'était encore le cas. La majorité de la population était musulmane, mais la plupart d'entre eux étaient des modérés, et certains, plus laïques encore, étaient appelés « modernes » : ils faisaient partie des croyants, mais ne partageaient pas la ferveur des fondamentalistes. Bien que ces extrémistes fussent une minorité, leur énergie sans borne leur assurait un pouvoir politique disproportionné comparé à leur nombre. Le Congrès tentait de les apaiser en augmentant les budgets des mosquées et des écoles religieuses, mais les ayatollahs et ceux qu'ils chargeaient de surveiller et promouvoir la vertu du peuple, les Robes noires, n'étaient jamais satisfaits.

Le receveur se releva, le visage dégoulinant de sang. L'écran géant du stade le montra en train de cracher une nuée rosâtre, qui souleva de furieux applaudissements.

« Je me souviens d'un temps où les casques avaient encore une visière de sécurité, fit remarquer Colarusso.

– Quel honneur pouvait-il y avoir à ça ? demanda Rakkim. Un coup puissant ne devait pas faire couler la moindre goutte de sang.

– Ouais, enfin... le fait de faire couler le sang n'était pas ce qui importait, dans le temps. »

La Robe noire dardait à présent un regard mauvais sur les gradins des modérés, de jeunes employés en jupes et en jeans, femmes et hommes assis les uns à côté des autres. Les Robes noires n'avaient d'autorité que sur les fondamentalistes mais, depuis peu, ils s'étaient mis à rudoyer les chrétiens dans la rue, ainsi qu'à jeter des pierres aux modernes qui faisaient étalage public de leurs sentiments. Les fondamentalistes qui abandonnaient leur courant de pensée étaient considérés comme apostats : ils encouraient la défiguration ou la mort dans les zones rurales. Et dans les villes plus cosmopolites, leur famille les reniait.

Le petit dirigeable du Super Bowl flottait au-dessus du stade. L'appareil était estampillé du drapeau des États-Islamiques d'Amérique, identique à celui de l'ancien régime, à l'exception du croissant de lune d'or qui avait remplacé les étoiles. Rakkim suivit du regard le cheminement du dirigeable qui cachait progressivement le soleil de cet après-midi. En dépit des Robes noires, la vue du drapeau faisait toujours grossir une boule dans sa gorge.

« Regarde qui est là, dit Colarusso en pointant le doigt vers une loge VIP remplie de politiciens, de stars de cinéma et d'ayatollahs. Ce serait pas ton vieux chef ? »

Le général Kidd, commandant des feddayin, salua les caméras chargées de la retransmission, ainsi que l'ensemble du public du stade. L'air stoïque, cet immigré somalien était resplendissant dans sa tenue de cérémonie bleue toute simple. À son côté se trouvait le mollah Oxley, chef des Robes noires, les doigts recouverts de bijoux, portant une robe de soie et une barbe qui était un véritable nid de boucles huilées. Un enculé de poseur. Tous deux faisaient un couple aussi incongru qu'inquiétant. Trois ans auparavant, lorsque Rakkim avait pris sa retraite, le général Kidd ne se serait jamais assis à côté d'Oxley, ou de n'importe quel autre politicien, à l'exception du président. Les feddayin étaient indépendants, et n'avaient à répondre qu'à leur propre hiérarchie et aux besoins de la nation. C'était du moins le cas en ce temps-là.

« Le général me donne l'impression d'être un vrai gros dur. » Colarusso abaissa son hot-dog. « Même du temps de ma jeunesse, où j'étais en meilleure forme, je n'aurais pas tenu cinq minutes dans votre uniforme. »

Les feddayin étaient le corps d'élite des États-Islamiques d'Amérique, et opéraient dans la majorité des cas en petites unités, dans le cadre d'opérations secrètes contre les États de la Bible. Les États renégats de l'ancienne Confédération disposaient d'un important arsenal de têtes nucléaires, et seul l'équilibre de la terreur empêchait les deux nations de s'engager dans une guerre ouverte. À la place s'était instauré un conflit constant de faible intensité, une suite sans fin de mises à l'épreuve et de feintes. Un combat mortel, sans quartier ni protestation.

« Cinq minutes dans le meilleur des cas, poursuivait Colarusso. Bon sang, ils ne m'auraient même pas autorisé à passer la porte.

– Qu'est-ce que tu veux, Anthony ? »

Colarusso se trémoussa brièvement. « Anthony Jr. veut s'engager dans les feddayin. Il a 19 ans, et il ne parle que des feddayin. Il rêve de faire partie de ce groupe de tueurs d'élite. Il est en ce moment même dans la salle de musculation, en train de s'entraîner au lieu de regarder le match avec ses potes. Le gamin prend ça vraiment au sérieux. »

Rakkim regarda Colarusso droit dans les yeux. « Dis-lui de s'engager dans l'armée. Mieux encore, dis-lui d'apprendre un métier. Le pays a plus besoin de métallurgistes que de feddayin. »

Colarusso épousseta des miettes sur sa cravate. « Ma femme voulait que je te demande de le recommander. Il a prévu de se convertir, mais une recommandation de ta part...

– L'engagement standard est de huit ans. 30 % de ceux qui finissent leurs classes ne vivent pas assez longtemps pour rempiler. Est-ce que Marie sait cela ?

– Elle sait ce que le fait d'avoir un fils chez les feddayin pourrait nous apporter, répondit Colarusso. Tu connais nos filles. Ce ne sont pas des beautés fatales, mais si Anthony Jr. est accepté, elles n'auront pas à se rabattre sur un prétendant catholique, elles pourront choisir le meilleur parti qui se présentera. »

Le visage du général Kidd s'étalait sur le gigantesque écran du stade, au-dessus de la zone d'en-but. « Rends un service à ton gamin. Dis à Marie que je n'ai plus ce genre d'influence.

– Un officier feddayin décoré à plusieurs reprises, parti à la retraite avec tous les honneurs... impossible qu'elle gobe cette histoire.

– Alors dis-lui la vérité. Dis-lui que tu as demandé et que j'ai refusé. »

Colarusso parut soulagé. « Merci. Il fallait que je te demande, mais merci.

– Tu devrais garder un œil sur Anthony Jr. Histoire d'être sûr qu'il n'a pas trop de temps libre.

– C'est un chouette gamin, il rêve juste d'un avenir hors du commun. » Colarusso avala une gorgée de son Djihad Cola et grimaça. « Un Super Bowl sans bière, sans vraie bière, c'est pas vraiment un Super Bowl.

– Messieurs ? » Un entrepreneur spécialisé dans la programmation de logiciels, assez rondelet et assis dans la loge adjacente réservée aux professionnels, se pencha dans leur direction. « Si je puis me permettre, j'ai ici une flasque de jus de fruit panaché de vodka. »

Colarusso rota, ignorant l'homme.

« Monsieur ? » L'entrepreneur montra à Rakkim le goulot de la flasque qu'il faisait dépasser de la poche intérieure de son maillot de football américain vert clair.

Rakkim refusa d'un simple geste. L'entrepreneur était l'un de ces modernes qui voulaient le beurre et l'argent du beurre, portant des maillots de sport et des treillis, et arborant un keffieh afin de plaire aux fondamentalistes. Il avait sûrement dû acheter une vidéo afin de savoir comment enrouler convenablement le foulard noir et blanc autour de sa tête, mais le résultat était tout à fait désolant.

Les Seigneurs de guerre s'étaient mis en formation sur la ligne des dix-huit yards des Bédouins, tripotant impatiemment la pelouse, lorsque les Bédouins demandèrent un temps mort.

Rakkim se releva, s'étira, et parcourut à nouveau du regard la mezzanine, en quête de Sarah. Un dernier regard. Elle n'était pas là. Peut-être son oncle avait-il sollicité sa présence à la dernière minute. Peut-être avait-elle eu une panne de moteur en se rendant au stade, et avait préféré ne pas l'appeler, par peur d'être sur écoute. Peut-être même l'avait-elle appelé et les interférences dues à des taches solaires avaient-elles empêché toute communication. Pourquoi pas ? Ça pouvait arriver. Dans un monde de merde.

Le quaterback des Seigneurs de guerre s'absorba dans le compte de ses yards. Rakkim détourna les yeux du terrain, et aperçut deux membres de la police morale se frayer un chemin sans ménagement dans l'une des tribunes. Les Robes noires firent claquer leurs longues cannes flexibles sur les dos de trois femmes assises, avant de les précipiter à terre et de les pousser vers une sortie. Les femmes ne cessaient de couvrir leurs cheveux, tout en essayant d'éviter les coups.

23

Rakkim se redressa et cria à l'attention des Robes noires, mais sa voix pleine de colère se perdit dans le vacarme de la foule, alors que le quaterback des Seigneurs de guerre franchissait la ligne d'en-but pour réaliser un touchdown. Rakkim était trop loin pour aider les trois femmes, et quand bien même aurait-il été à leurs côtés, il n'aurait rien pu faire. Le fait d'empêcher l'exercice de l'autorité religieuse constituait un très sérieux délit. Les femmes elles-mêmes auraient témoigné contre lui, sans se faire prier.

« C'est moche », commenta Colarusso, debout près de lui.

Impossible de dire quel avait été le crime des trois femmes. Elles avaient peut-être dévoilé leurs chevilles, ou leur tchador avait simplement glissé. Peut-être avaient-elles ri trop bruyamment. Rakkim se rassit, tremblant encore de rage alors que les Robes noires continuaient à fouetter l'air de leurs cannes. C'était la première fois qu'il assistait à un événement retransmis internationalement au cours duquel les Robes noires avaient fait usage si ouvertement de leurs fouets. Eux qui d'habitude se souciaient plus de leur image semblaient aujourd'hui s'en moquer. C'était presque une invitation faite aux caméras.

La Robe noire qui se trouvait à quelques rangs devant Rakkim avait lui aussi remarqué les agissements de ses confrères, et ses doigts se tortillaient avec délectation au rythme des coups de canne. Rakkim le scruta avec une telle intensité que l'homme dut sentir le poids de son regard et se retourna. Il inclina la tête pour le saluer. Rakkim ne répondit pas à son geste, et la Robe noire détourna les yeux, touchant son turban comme pour se protéger.

« Attitude dangereuse, soldat, lui souffla Colarusso à l'oreille. Ça ne vaut pas la peine de se faire un ennemi.

– Trop tard. »

Colarusso examina son doigt. « On a toujours le choix. »

Rakkim observa la Robe noire. « Oui. Et je viens de faire le mien. »

2

Ils vinrent le chercher peu avant minuit. Deux hommes de Redbeard, qui se glissèrent dans le club Blue Moon avec le reste des supporters du Super Bowl, complètement saouls. Rakkim aurait dû les remarquer plus tôt, mais il avait l'esprit ailleurs, étalé au côté de Mardi dans le grand lit de celle-ci, défait et confus après l'amour. Il observa la fumée de la cigarette glisser contre le plafond, et pensa à Sarah.

« Bon sang, c'est vraiment ce qui me fallait, dit Mardi, la tête appuyée sur son oreiller. Ça faisait longtemps. Très, très longtemps. » Elle tira une bouffée de sa cigarette, les yeux brillant à la lueur des bougies. « J'aurais dû faire commander plus de bière. » Elle tapota sa cendre qui tomba par terre. « Je pensais que quarante fûts auraient suffi. »

Rakkim sentait sa chaleur, là où leurs corps se touchaient, le long de leurs cuisses. Le doux vent qui passait par la fenêtre dispersait la fumée, refroidissait la sueur qui couvrait ses bras et ses jambes, mais il ne tenta pas de rabattre le dessus-de-lit. Elle non plus. Tous deux étaient parcourus de frissons, encore sous le contrecoup du plaisir, à des années-lumière l'un de l'autre.

« Tu es bien silencieux. Quelque chose est arrivé pendant le match ? demanda Mardi.

– Non. »

Elle se pencha vers lui, ses seins balançant dans le mouvement et, du pouce, fit le signe de la croix sur le front de Rakkim.

Il frotta la croix invisible, mécontent. Il lui avait déjà dit qu'il n'aimait pas qu'elle lui fasse cela, mais cela n'avait fait que l'encourager.

Mardi l'embrassa avant de glisser hors du lit. « Je crois que je ne t'ai jamais vu aussi en colère. Oh, je ne me plains pas. Une partie de baise un peu violente, ça me plaît. Est-ce que je dois remercier ta petite princesse des Mille et Une Nuits ?

– Ne l'appelle pas comme ça. » Il l'observa traverser la chambre et écarter les rideaux. Elle resta là, à regarder la rue, appuyée sur une hanche, provocante dans sa nudité. Elle avait 38 ans, elle était dure, blonde, et libertine.

De la musique leur parvenait du club en bas, filtrant à travers le plancher... encore une reprise d'un des classiques grunge de Nirvana, un morceau qui avait près de cinquante ans. Mardi dut surprendre son expression. « La musique ne te plaît pas ? Délecte-toi, Rakkim, c'est le bruit de l'argent qui tombe dans nos poches.

– Vraiment ?

– Les touristes vont à Los Angeles pour manger du poulet au môle et écouter des mariachis. Ils viennent à Seattle pour visiter le Capitole, pleurer un bon coup dans la maison des Martyrs, et écouter du grunge. »

Rakkim n'avait pas envie de discuter. Il était l'actionnaire minoritaire du Blue Moon, mais cela n'aurait rien changé s'il avait possédé les 80 %, et elle les 20 % restants. Mardi savait ce qu'elle faisait. Elle savait quelle configuration donner à la piste de danse pour s'assurer un maximum de profits. Elle savait qui proposait les meilleurs prix de gros sur la bière et l'infusion de khat. Elle savait qui engager et qui virer. Mardi avait besoin de Rakkim pour ses contacts plus ou moins avouables, pour travailler en bonne entente avec la police et les gangs, mais elle aurait pu se contenter de lui payer une simple commission pour ses services, plutôt que de lui assurer 20 % des bénéfices. Cet élément était extrêmement révélateur.

Rakkim jeta un coup d'œil au mur recouvert d'écrans de vidéosurveillance, face au lit, et observa les fêtards qui se pressaient à l'étage du dessous. Le club était plein quasiment tous les soirs mais, après chaque Super Bowl, c'était l'ensemble des bars de la Zone qui étaient envahis, tandis que les trottoirs s'emplissaient de noceurs dont l'état d'euphorie variait. Le restaurant annonçait une attente de deux heures, la piste de danse n'était praticable qu'en jouant des coudes, et le bar était flanqué sur toute sa longueur de trois rangées de supporters des Seigneurs de guerre, d'humeur bagarreuse.

Le Blue Moon était situé dans la Zone, dont le nom officiel était le Quartier chrétien, un coin de la ville gros de trente à quarante pâtés de maisons, où les night-clubs et les cafés abondaient, où les salles de cybergames et les cinémas n'avaient quasiment rien à craindre de la censure. La Zone était un lieu bruyant et asphyxiant, ses rues étaient recouvertes de détritus, ses immeubles souillés de graffitis, c'était un lieu libre de toute contrainte morale, ouvert à tous, chrétiens, musulmans, modernes, technos, freaks, à n'importe qui, à n'importe quoi. Sauvage, innovatrice et en grande partie illégale, la Zone était le haut lieu des conduites à risque.

Toutes les grandes villes possédaient un quartier semblable à la Zone, sorte de soupape de sécurité pour une population dont l'ancienne culture reposait sur les notions de liberté et d'individualisme poussées à l'extrême. La police mutait ses hommes en uniforme après deux ans de service dans la Zone, dans l'espoir de réduire le nombre de cas de corruption, mais, en règle générale, deux ans suffisaient aux flics du quartier pour s'acheter une résidence secondaire au Canada ou à Hawaï, loin des yeux inquisiteurs de la police des polices.

Mardi se tenait toujours face à la fenêtre ouverte, et la brise froide plaqua les rideaux contre elle. Le bruit de la pluie emplit la chambre. Encore recouvert de sueur, son corps brillait dans la lueur rougeâtre de l'enseigne néon qui se trouvait dehors. Elle se balançait au rythme de la musique et de la pluie, et Rakkim vit ses mamelons durcir dans la douce lumière rouge. Cela lui rappela Sarah.

Il avait arrêté de fréquenter Mardi lorsque Sarah l'avait recontacté pour la première fois, il y avait de cela un an et demi. À présent que c'en était fini entre Sarah et lui, il s'était précipité dans les bras de Mardi. Par lâcheté et par ressentiment : un cocktail mortel. Il était heureux de ne pas voir son propre visage dans un miroir. Il se serait aussitôt tranché la gorge. Faire l'amour avec Mardi... la laisser lui faire l'amour... cela avait été une erreur. Il l'observa en train de danser, ses cheveux raides plaqués à ses épaules, et il se demanda où pouvait bien être Sarah, ce qu'elle faisait, et pourquoi elle n'était pas venue aujourd'hui.

« Il me manque », dit faiblement Mardi.

Rakkim n'avait pas besoin de lui demander de qui elle parlait. « À moi aussi.

– Je le retrouve un peu en toi. Pas dans l'apparence physique... c'est cette confiance. Cette confiance absolue en soi... c'était comme une odeur qu'il dégageait naturellement. » Le vent faisait claquer les rideaux, la pluie gouttait par terre, mais elle ne bougeait pas. « La plupart des hommes passent leur existence entière à vivre dans la peur, mais pas lui. Toi non plus. »

Mardi parlait toujours de Tarik, après. Elle parlait parfois de leur première rencontre, ou du dernier moment qu'ils avaient passé ensemble, mais Tarik faisait toujours partie de leurs moments d'intimité. Comme si elle essayait de s'expliquer pourquoi elle venait de faire l'amour avec son meilleur ami. Cela ne dérangeait pas Rakkim. Tous deux jouaient le rôle de quelqu'un d'autre, quelqu'un de meilleur que la personne avec laquelle ils étaient, quelqu'un qui était hors de leur portée.

« Je lui ai coûté une promotion. » Les rideaux se gonflèrent et la drapèrent. « Je n'ai pas voulu me convertir.

On lui a dit de divorcer, et d'épouser une musulmane...
mais il n'en a rien fait. » Elle secoua la tête. « J'aurais dû
me convertir. » Puis elle émit un rire creux. « Après tout,
je suis loin d'être une catholique modèle.

– Une promotion ne l'aurait pas sauvé.

– Il aurait été promu chef d'escouade, il aurait été à
l'abri, loin du front. Il aurait...

– C'était un guerrier. Il est mort comme il le souhaitait.
C'est arrivé trop tôt, voilà tout.

– Tu es un guerrier, toi aus...

– Plus maintenant.

– C'est vrai. Tu as toujours été plus malin que lui.
Il était plus courageux, mais tu es plus malin. » Son visage
était tendu lorsqu'elle se retourna vers lui. « J'aurais voulu
que ce soit toi », murmura-t-elle. Le vent fit vaciller les
flammes des bougies, projetant des ombres fugaces sur
les murs. « J'aurais voulu que ce soit toi qui te fasses tuer.

– Je sais.

– Tu devrais te marier, dit-elle.

– *Toi*, tu devrais te marier. »

Elle saisit maladroitement son paquet de cigarettes et
s'empressa d'en allumer une. Le vieux Zippo se referma
dans un claquement. Le briquet de Tarik. « Je *suis* mariée. »

La fumée n'incommodait pas Rakkim. Les gestes
mécaniques autant que la nicotine semblaient apaiser
Mardi. La suite implacable de longues inhalations et
exhalaisons, la braise luisant à l'extrémité, tel un phare
dans l'obscurité. L'odeur elle-même ne le dérangeait pas.
Le tabac turc était plus grossier et âcre que celui de jadis,
mais la Virginie, la Caroline du Nord et la Caroline du
Sud faisaient partie des États de la Bible sécessionnistes,
et l'embargo était toujours en vigueur.

« Mon épicier s'est fait battre par des Robes noires,
hier », dit Mardi avant de tirer sur sa cigarette. Elle avait
sûrement dû attendre le moment propice pour lui en
parler. « Ils l'attendaient devant sa boutique avant l'ouverture, juste avant l'aube. Ils l'ont défoncé, et son épicerie

avec. Il s'était converti, bien sûr, tout de suite après la transition. La conversion suffisait amplement, avant, mais plus maintenant. Maintenant, c'est un juif, un point c'est tout. » Une autre bouffée. « Ça fait des années que je lui achète des fruits et des légumes. C'est lui qui m'a appris à reconnaître un ananas mûr. Marrant, les trucs dont on peut se souvenir. » Elle jeta son mégot par la fenêtre.

Rakkim ne répondit rien. Il savait où elle voulait en venir.

Redbeard avait fait beaucoup de choses abominables en tant que chef de la Sécurité nationale mais, dès les premières années de la République, il avait insisté sur le fait que tout juif converti à l'islam devait être épargné. Bien que les sionistes eussent été accusés du meurtre de son frère, il s'était refusé à ordonner un pogrom, avait cité plusieurs versets du Coran selon lesquels les convertis devaient être accueillis avec bienveillance, et aucune Robe noire, aucun politicien n'avait osé s'opposer à sa volonté. Redbeard était parvenu à assurer la survie des convertis, mais personne n'avait réussi à leur assurer un traitement décent. Et à présent, les choses empiraient.

« Est-ce que tu peux les aider, Rakkim ? L'épicier et sa famille... il faut absolument qu'ils s'en aillent. »

L'un des écrans de surveillance montrait quatre jeunes femmes assises à une petite table en retrait, tout près de la partie restaurant du club. Sans doute des étudiantes, leurs sacs à main collés contre elles, remuant leur paille dans leur cocktail non alcoolisé orange vif. Elles portaient toutes les quatre sur leur tête un voile minuscule, la dernière mode chez les musulmanes modérées, qui n'avait d'un couvre-chef que le nom.

« Les cols sont encore enneigés, répondit Rakkim. Les routes du sud sont contrôlées par des barrages.

– Ils sont prêts à prendre le risque.

– Pas moi. »

Mardi croisa les bras.

« Dis à l'épicier que nous partirons au printemps, lors du dégel, dit Rakkim. Les patrouilles frontalières ne sortiront pas de leur campement, par peur des avalanches.

– Merci. »

Les étudiantes continuaient à regarder à la dérobée les groupes tout proches de jeunes hommes, sans pour autant accepter les verres qu'ils leur proposaient. Elles ne faisaient que tremper un orteil dans la séduisante obscénité de la Zone, toutes les quatre d'une beauté innocente. Amusez-vous, mesdemoiselles, profitez bien de la maison aux horreurs, et ramenez quelques histoires que vous partagerez dans vos chambres d'étudiantes. Et pour le reste de vos jours, que ce souvenir vous fasse rougir de temps en temps. Il existait une multitude d'autres clubs dans la Zone, des lieux de rencontre et des bars psychédéliques sans gardes ni videurs, mais Rakkim imposait ses propres règles à la clientèle du Blue Moon. Pas de drogues, pas de bagarres, pas de back-room. Il savait que l'être humain restait un animal, et il savait ce dont cet animal était capable. Le plaisir était d'autant plus grand lorsqu'on le tenait en laisse.

« Mardi... c'était une mauvaise idée de faire ce que nous avons fait. »

Elle éclata de rire. « C'est pour ça que c'était si bon.

– Ça ne se répétera pas.

– Je survivrai. » Elle pinça les lèvres. « Tu es un romantique, Rakkim, c'est ça, ton problème.

– J'ajouterai ça à la liste. » Rakkim commença à se rhabiller, et s'arrêta net, les yeux rivés sur un écran de surveillance. Rien de bien précis ne les démasquait tous les deux. Ils étaient bien entraînés. Tous deux étaient de taille moyenne, avec des coupes d'abrutis standard et des boucles d'oreilles. De parfaits modernes. L'un des deux portait un maillot des Seigneurs de guerre, à l'instar de la moitié des hommes présents dans le club ; l'autre arborait une de ces vestes en métal flexible, très prisé par les mordus de haute technologie. Rien de plus que deux amis descendus en ville, venus s'amuser au Blue Moon. Venus répondre par l'affirmative au néon qui brillait au-dessus du bar : « S KE VOUS KIFFEZ ? »

Mais tous deux faisaient partie de la Sécurité nationale. Il y avait quelque chose dans leur attitude, une certaine arrogance. D'infimes indices, mais en nombre suffisant. Redbeard, le chef de la Sécurité nationale, avait lui-même entraîné Rakkim. Il l'avait éduqué dès ses 9 ans, lui avait tout appris, sans jamais cesser de le tester. Ils n'avaient jamais traversé une foule sans que Redbeard lui eût soufflé un bref commentaire, lui enseignant à lire un visage ou un geste, à en apprendre assez par une cravate nouée à la hâte ou certains types de chaussures. Redbeard était entré dans une rage folle lorsque Rakkim s'était engagé chez les feddayin plutôt que dans la Sécurité natio-nale, mais avec le temps il avait accepté ce rejet. Ce qu'il ne pouvait en revanche pas pardonner, c'était le fait que sa nièce, Sarah, et Rakkim soient tombés amoureux l'un de l'autre.

« Qu'est-ce qui ne va pas ? » demanda Mardi.

Rakkim pointa du doigt l'écran. « Ces deux-là... ils sont de la Sécurité nationale.

– *Ici ?* » Elle plissa les yeux en considérant leur image. « Tu en es sûr ?

– Redbeard les a envoyés. » Rakkim observa les agents postés au bar. « Tu vois comment ils bougent ?

– Non.

– Ils imitent le mouvement global de la salle. Ils n'en ont même pas conscience. C'est ce qu'on appelle de l'observation active. » Rakkim avait l'habitude d'avoir affaire aux autorités. Des flics du quartier jusqu'aux imams progressistes, en passant par les politicards à la petite semaine, tout le monde finissait un jour ou l'autre par passer au Blue Moon. Pas la Sécurité nationale. La Sécurité nationale ne posait pas de questions, elle ne marchan-dait pas, elle ne donnait aucun avertissement. Ces deux hommes étaient là pour attraper quelqu'un. Il passa en revue les écrans de vidéosurveillance, à la recherche d'autres agents. Il y en avait forcément d'autres. « Ne t'inquiète pas. C'est après moi qu'ils en ont.

– Je croyais que Redbeard et toi ne vous parliez plus.

– Je suppose qu'il a décidé de changer les règles. »

Le groupe finit sa chanson, tandis que les danseurs se collaient les uns aux autres dans les faisceaux rouges et jaunes des projecteurs. La chanteuse trinqua avec l'ensemble de la foule, une flûte de champagne au khat à la main, qu'elle vida d'un trait avant de la briser par terre. Tous ses fans firent de même. Mardi devrait augmenter les prix pour maintenir les bénéfices. La lumière d'un projecteur parcourut la foule et Rakkim tapota de l'index l'un des écrans. « Ah, te voilà. »

Un autre agent était appuyé contre le mur du fond, observant les danseurs. Rakkim ne l'avait aperçu qu'un bref instant dans le faisceau du projecteur, mais c'était bien assez. Le troisième agent était un dandy mince au visage grêlé, vêtu d'un pantalon de toréador rouge, avec un visage cruel et une très fine moustache. Le dandy était sûrement entré dans le club plus tôt ; il avait dû inspecter le sous-sol, flâner dans les salles du fond en faisant semblant de s'être perdu. À présent, il attendait que Rakkim se montre, ou tente de s'échapper.

« File par mon issue secrète, dit Mardi. Je dirai aux hommes de Redbeard que je ne t'ai pas vu. »

Peut-être était-ce pour cette raison que Sarah n'était pas allée le retrouver au stade, cet après-midi. C'était presque un soulagement de se dire que Redbeard lui-même l'en avait empêchée, et qu'elle n'avait pas agi de sa propre initiative. Rakkim n'avait plus peur pour Sarah. Redbeard serait furieux qu'elle lui ait désobéi, mais sa colère n'irait pas plus loin. Rakkim ne se faisait aucune illusion quant à son propre statut privilégié. Il avait beau appeler Redbeard « mon oncle », ce n'était là qu'une simple marque de respect. Sarah était la fille du seul frère de Redbeard.

Elle était de son sang, pas Rakkim. Il réfléchit un instant à la proposition de Mardi : il existait une bonne douzaine d'endroits dans la Zone où il aurait pu se cacher sans craindre d'être retrouvé. Il pourrait rencontrer Redbeard au jour et à l'heure qui lui conviendraient.

Les spots éclairèrent à nouveau la foule. Le dandy au visage grêlé regardait une jolie fille qui traversait la salle. Il releva soudain les yeux, et fixa la caméra de surveillance dissimulée dans une cloison.

« Va-t'en », dit Mardi.

Rakkim pensa à Sarah. Impossible de savoir ce que Redbeard devait être en train de lui dire. Il se dirigea vers la porte de la chambre.

3

Rakkim enleva ses chaussures avant de se laver les mains à l'eau légèrement parfumée de la fontaine. Il s'éclaboussa le visage, et passa ses doigts humides sur ses cheveux. Lorsqu'il se retourna, Angelina était là, une serviette à la main. Il l'embrassa sur les deux joues. *« Assalam aleïkoum.*

– Aleïkoum as-salam. » La servante de Redbeard était une femme d'un certain âge, assez petite, au large visage encadré par les plis de son tchador noir, dont les pans amples tombaient presque au sol. Il était près de deux heures du matin, mais Angelina était tout à fait alerte. Encore enfant, lorsqu'il faisait des cauchemars, c'était Angelina qui le réconfortait, lui murmurant des berceuses jusqu'à ce que ses yeux se ferment. Il avait longtemps cru qu'elle ne dormait jamais. Vingt ans plus tard, il ne savait toujours pas quoi penser.

Tout comme Redbeard, Angelina était une musulmane modérée mais fervente. Elle savait conduire, avait fréquenté une école laïque et possédait son propre compte en banque. Elle faisait ses cinq prières quotidiennes, suivait à la lettre les prescriptions alimentaires de l'islam, et s'habillait humblement. Elle pratiquait le jeûne du ramadan, faisait don de 2,5 % de ses revenus annuels à des œuvres caritatives, et un jour, *un jour,* elle ferait le pèlerinage à La Mecque, *al hadj,* que tout bon musulman se devait de faire au moins une fois dans sa vie.

Angelina effleura tendrement la tête de Rakkim, à l'endroit où ses cheveux avaient été légèrement roussis par le pistolet étourdissant du dandy. « Tu nous as manqué, Rikki. »

Il sourit : « Parle pour toi.

– Tu nous as manqué, à nous tous.

– Où est Sarah ? Elle va bien ? »

Angelina le serra dans ses bras, dans un froissement de robe, et Rakkim sentit les odeurs épicées qui semblaient s'accrocher à elle, l'ail, la cannelle et le basilic, ces odeurs de cuisine qui remontaient à son enfance. « Inquiète-toi de *ton* sort. »

Il l'embrassa à nouveau, et se dirigea vers le bureau de Redbeard. Il se retourna une dernière fois pour constater qu'elle ne l'avait pas quitté des yeux, et qu'elle se tordait les mains.

Ils avaient mis quarante-cinq minutes à le transporter de la Zone à la villa de Redbeard, à l'arrière d'une ambulance, sirène hurlante. Les deux agents subalternes étaient assis devant, tâchant de se remettre de leurs blessures, tandis que Stevens, le dandy, était affalé sur le banc qui faisait face à Rakkim, allumant et éteignant sans cesse son pistolet étourdissant. L'odeur d'ozone avait très vite envahi l'habitacle. Il avait essayé de sourire à Rakkim, mais sa lèvre fendue et son nez sanguinolent rendaient l'exercice douloureux. Rakkim avait souri pour eux deux.

Rakkim tapa deux coups à la porte, attendit, et entra. Le bureau était tel qu'il se le rappelait : c'était une pièce sans fenêtre, aux murs recouverts de panneaux de bois, contenant un vaste bureau et un fauteuil en noyer, deux ordinateurs, un standard téléphonique équipé d'un filtre de sécurité, et un sofa en cuir sur lequel personne ne s'était jamais assis. Des tapis de prière d'Afghanistan et du Pakistan, en grossière laine de chèvre, recouvraient le sol : Redbeard préférait à toute autre leurs teintures naturelles et discrètes. Dans l'un des murs latéraux, une porte donnait sur le jardin d'eau. Dans l'autre, une deuxième menait à l'abri antiatomique.

Aucune peinture ne figurait aux murs, aucun titre honorifique, aucune photographie de Redbeard en compagnie de présidents ou d'ayatollahs. Rien d'autre qu'une carte de l'Amérique du Nord, et trois photos de surveillance aérienne, prises immédiatement après le 15 mai 2015.

Rakkim contempla les images en noir et blanc de New York et Washington en ruine, s'efforçant de supporter la vue de tous ces kilomètres de béton brisé et de métal tordu. En vain. La photo du Ground Zero de La Mecque était moins dramatique, mais tout aussi effroyable. Les charges atomiques introduites à New York et Washington avaient été conçues pour détruire ces villes, mais La Mecque bénéficiait d'un meilleur dispositif de sécurité. Le dispositif qui avait explosé alors que le *hadj* battait son plein était contenu dans une simple valise : une bombe « sale ». Plus de cent mille pèlerins avaient péri par la suite, contaminés par le plutonium, mais la ville elle-même était intacte. Sur la photo, on pouvait voir très clairement la Grande Mosquée, entourée de croyants qui refusaient de s'en aller. Bien que la ville fût encore contaminée, les fidèles continuaient de s'y rendre afin de remplir leur devoir. Rakkim essuya ses larmes, embarrassé, certain que la pièce était équipée de caméras, et que Redbeard était en train de l'observer.

Dans un premier temps, les médias américains avaient désigné comme responsables de ces attaques les djihadistes, ces islamistes qui n'avaient jamais pardonné aux Saoudiens leur rapprochement avec l'Occident. La supercherie aurait pu passer inaperçue mais, une semaine plus tard, le FBI captura l'un des conspirateurs sionistes qui étaient les véritables responsables, et celui-ci leur désigna les autres individus ayant pris part au complot. Leurs aveux furent retransmis dans le monde entier. Les États-Unis retirèrent alors leur dispositif de défense qui, depuis sa création, avait permis de protéger Israël, et, en l'espace d'un mois, l'État sioniste fut renversé par une coalition arabo-européenne. Seule la Russie, qui leur offrit asile, sauva les sionistes d'un génocide total.

La carte d'Amérique du Nord était identique à celles des livres d'école de Rakkim, avec les États-Islamiques d'Amérique en vert et les États de la Bible en rouge. Les États rouges incluaient toute l'ancienne Confédération, plus l'Oklahoma, le nord de la Floride, et plusieurs parties du Missouri. Ce dernier État avait fait l'objet d'une question piège lors de son examen final d'histoire. La carte présentait le Kentucky et l'ouest de la Virginie comme des États rouges, mais leur statut était encore contesté sur le champ de bataille. L'État Libre du Nevada était blanc, couleur qui signifiait son statut unique d'indépendance. Le sud de la Californie, l'Arizona et le Nouveau-Mexique étaient des États politiquement verts, parties intégrantes des États-Islamiques, mais, socialement, c'était des extensions de l'Empire mexicain.

Rakkim s'approcha du bureau de Redbeard où il saisit un livre ouvert, se demandant s'il s'agissait d'un test ou d'un piège que Redbeard avait laissé là à son attention. *Comment l'Occident fut vraiment conquis : La création des États-Islamiques d'Amérique à travers la conquête de la culture populaire.* Ce livre était initialement la thèse de doctorat de Sarah, récrite et publiée à l'attention du grand public deux ans auparavant. Cela avait été un best-seller, mais les idées qu'il exposait étaient si controversées que l'éditeur avait eu la sage idée de ne pas faire figurer la photo de Sarah sur la couverture. Encore aujourd'hui, personne ne la reconnaissait dans la rue.

Les historiens avaient discuté de la transformation des anciens États-Unis d'Amérique en République islamique depuis que le président Damon Kingsley était entré dans ses fonctions en prêtant serment une main sur le Coran. La plupart des chercheurs s'accordaient à y voir la volonté d'Allah, en notant d'autre part que le malaise post-Irak qui persistait ainsi que la menace perpétuelle d'attaques terroristes avaient préparé la nation entière à un large éveil spirituel. La trahison sioniste n'avait été que le coup de grâce qui avait fini de faire s'écrouler l'économie et institué la loi martiale. Dans un tel chaos, la rectitude morale de l'islam était apparue comme l'antidote parfait au vide sinistre des églises et à la corruption de la classe politique. Après avoir perdu une élection nationale cruciale, un grand nombre de chrétiens mécontents s'étaient réfugiés dans les États de la Bible et avaient déclaré leur indépendance. Dans un accès de lucidité politique, on avait accordé aux chrétiens restants, en grande partie des catholiques, un statut de citoyen identique à celui de la majorité musulmane, au sein de la nouvelle République islamique. L'unité de la nation avait été préservée.

Bien qu'elle reconnût la dimension spirituelle du changement de régime, Sarah affirmait dans son ouvrage que la transformation avait été bien moins spontanée qu'on ne pouvait le croire, initiée par des décennies d'aide financière saoudienne accordée à de grands décideurs américains, et, bien plus encore, par une série de conversions publiques de personnages connus. Sarah citait à ce titre l'exemple d'une comédienne qui, en recevant son oscar de la meilleure actrice, avait fait part au public de sa toute récente conversion, et celui d'une star de la musique *country* qui avait loué Allah au cours d'une des émissions de musique *live* les plus connues et les plus écoutées, événements qui avaient fait boule de neige et conduit à la conversion de plusieurs millions de personnes en l'espace de quelques semaines. L'interprétation historique de Sarah avait rendu fous de rage les ayatollahs, qui avaient qualifié son livre de blasphématoire. Mais Redbeard était intervenu, et les fondamentalistes étaient revenus sur leurs premières déclarations, et avaient émis un communiqué où ils présentaient l'ouvrage comme « une analyse erronée guidée par une honnête intention ».

Rakkim feuilleta le livre, et trouva la note de l'auteur :

Je ne m'attendais ni au succès ni aux critiques que souleva la publication des bonnes pages de Comment l'Occident fut vraiment conquis. *Les historiens traditionalistes et les membres du clergé ont avancé que mon ouvrage prêtait une importance injustifiée à des événements séculiers et superficiels, et réduisait d'autant le rôle de l'intervention divine dans le cours de l'histoire. Très vite, les attaques sont devenues personnelles. On m'a accusée de profiter de mon nom à des fins mercantiles. D'être instrumentalisée par mon oncle, qui, toujours selon eux, se serait servi de moi pour récrire l'histoire et couper court à ses opposants politiques. J'ai été accusée d'être une femme, et, ce qui est pire, une* moderne. *À ce titre, je serais doublement indigne de traiter de sujets d'une telle importance.*

À ceux qui prétendent que mes travaux confèrent un poids injustifié à une interprétation séculière de l'histoire, je réponds qu'Allah, Celui qui sait tout, choisit peut-être d'appliquer Son dessein aux aspects séculiers du monde. À ceux qui m'accusent de népotisme et de naïveté, je réponds que mon oncle, le très respecté Redbeard, n'a besoin d'aucun homme ni d'aucune femme de paille, pas plus que je ne permettrais qu'on se serve de moi de cette façon. Et face à ceux qui m'accusent d'être une femme, et une moderne… *je plaide coupable, sans excuse ni circonstances atténuantes.*

Rakkim reposa le livre sur le bureau. Il aimait la férocité de Sarah, mais il n'était pas sûr d'être d'accord avec sa thèse. Il accordait plus d'importance aux forces armées qu'aux stars de cinéma ou aux fans religieux, et l'ouvrage n'abordait que légèrement la question des attentats atomiques et du désastre social qu'ils avaient entraîné.

Son regard se posa à nouveau sur la photo de New York, attiré par les moignons grisâtres d'immeubles qui jonchaient la ville morte, cimetière de rêves à jamais disparus. Sa mère se trouvait ce jour-là en voyage d'affaires

40

à New York, et il n'avait jamais su si elle avait succombé à l'explosion atomique elle-même, ou à la panique qui avait saisi la ville aussitôt après. Il n'avait que 4 ans à l'époque, il se souvenait à peine d'elle. Il se rappelait beaucoup mieux son père, surtout sa colère et son sentiment d'impuissance, cet état d'esprit qui lui avait valu la mort trois ans après les attaques terroristes, alors que la nourriture était encore rationnée, et les tensions à fleur de peau. Ils faisaient la queue à la soupe populaire, son père le tenait par la main, lui disant d'arrêter de gigoter, *bon sang!* Un homme les avait doublés, son père avait élevé la voix, et la dispute s'était vite envenimée. Rakkim ne s'était rendu compte qu'on avait enfoncé un tournevis entre les côtes de son père qu'en sentant la main de ce dernier se détendre et échapper à la sienne. Il était resté planté là, tandis que la file d'attente continuait à défiler sous ses yeux. Deux ans plus tard, il avait repéré Redbeard dans la rue, et...

« Je te dérange, mon garçon ? »

Rakkim se retourna en direction de cette voix familière, bourrue.

Redbeard le dévisageait, debout au milieu de la pièce. C'était un homme puissamment bâti, la petite soixantaine, au visage carré marqué de rides si profondes qu'elles semblaient creusées jusqu'à l'os. Ses cheveux blond-roux étaient coupés court, ses oreilles collées à son crâne, et bien que sa barbe fût à présent tachetée de gris, ses yeux bleus brûlaient toujours du même feu. Un petit cercle calleux au centre de son front dénotait de nombreuses années de prière. Il portait une tenue de jogging de coton gris, à travers laquelle on devinait la musculature de l'athlète qu'il n'avait cessé d'être. Ancien lutteur à l'université, champion à maintes reprises à en croire ses biographes, il avait gardé de ce sport un cou large, ainsi qu'un rapport direct, agressif, aux autres. Rakkim l'avait souvent vu déstabiliser ses adversaires politiques en envahissant leur espace personnel, passant négligemment un bras autour de leurs épaules, les intimidant du simple poids de sa chair.

« Mon oncle. » Rakkim mit un genou à terre.

« Ne m'appelle pas comme ça... et relève-toi, personne n'est dupe, ici. » Redbeard le toisa. « Tu as l'air en bonne santé. Le fait de gâcher ta vie te profite, apparemment. »

Rakkim se releva, et attendit en silence.

« Deux de mes agents boitaient lorsqu'ils t'ont fait entrer.

– Leurs chaussures doivent être trop petites.

– Stevens a le nez cassé. Son visage aussi était trop petit ?

– J'ai évité de les tuer, mais je ne pouvais pas me permettre de me laisser faire sagement. Je ne voulais pas te décevoir.

– Trop tard. C'est déjà fait depuis longtemps. »

Rakkim garda la tête haute, mais ces mots le frappèrent de plein fouet.

Redbeard se pencha légèrement dans sa direction et, un bref instant, Rakkim crut qu'il allait lui demander pardon. « Es-tu sur le point de pleurer, Rakkim ?

– Pas même si tu m'arrachais les yeux, mon oncle. »

Redbeard éclata de rire. Rakkim ne l'accompagna pas, mais Redbeard ne parut pas s'en soucier. « Garde donc tes yeux. » Il ouvrit la porte qui donnait sur le jardin d'eau. « Allons parler dehors. »

Rakkim hésita, puis pénétra dans le jardin. Dans l'ambiance moite, il sentit son T-shirt se coller à sa peau, tandis que Redbeard, lui, rayonnait littéralement dans la chaleur humide, à l'aise malgré ses vêtements chauds.

Le jardin d'eau était une enclave tropicale coiffée d'un dôme, un quart d'hectare recouvert d'une dense végétation, de caoutchoutiers et de lauriers-roses au bouquet entêtant, une luxuriance de bulbeuses grimpantes et d'hibiscus roses. Les parois transparentes étaient recouvertes de buée qui gouttait au-dessus de leurs têtes. Rakkim suivait Redbeard, s'enfonçant de plus en plus profondément dans ce monde verdoyant. Les branches de palmier caressaient leurs visages alors qu'ils s'avançaient sur le sentier étroit qui serpentait à travers le jardin. Éclairé simplement par la lune et de faibles lanternes jaunes, l'endroit était peuplé d'ombres.

De petites orchidées blanches, semblables à des flocons de neige, semblèrent leur jeter un coup d'œil, remuant à leur passage. Une petite cascade, des brumisateurs à moitié cachés et un ruisseau peu profond produisaient une rumeur constante. Aucun capteur de son, actif ou passif, aucun microlaser n'aurait pu filtrer le son ambiant pour en extirper des voix humaines. Le dôme, recouvert d'une infime couche de tungstène, empêchait toute surveillance satellite, et protégeait les plantes des fronts froids. Le jardin d'eau était sûr, serein et harmonieux, il était la quintessence du paradis selon le peuple du désert à qui Allah avait en premier révélé Sa vérité. Redbeard se retirait en ces lieux pour, prétendait-il, méditer, mais Rakkim savait qu'il se consacrait à d'autres affaires. Redbeard abattit sa main sur l'épaule de Rakkim, massant les muscles jusqu'au seuil de la douleur, et légèrement au-delà. « Tu te souviens de la première fois que je t'ai amené ici ?

– C'était le jour où tu m'as dit que je pouvais rester. Que je pouvais rester vivre avec toi et Sarah. » Rakkim observa le visage de Redbeard lorsqu'il prononça le prénom de sa nièce. Redbeard ne réagit pas, mais ses doigts se resserrèrent insensiblement sur l'épaule de Rakkim, avant de le lâcher, et Rakkim eut alors la certitude que Sarah était la raison de sa convocation en ces lieux. Il se demanda depuis combien de temps Redbeard savait qu'ils étaient amants. L'avait-il soudain découvert, ou le savait-il depuis des mois, attendant de voir comment se déroulerait leur histoire, en pesant le pour et le contre de son silence ?

« À quoi penses-tu ? demanda Redbeard.

– Je me souviens du jour où nous avons fait connaissance. »

Ce matin lointain, Rakkim s'était déguisé en étudiant religieux, un écolier en pourpoint blanc. Il avait repéré

43

Redbeard qui descendait Pine Street d'un pas rapide. Il avait tout de suite compris que Redbeard était un personnage important à la façon dont les gens s'écartaient pour le laisser passer, mais Rakkim n'avait pas reculé d'un pas, le saint Coran serré contre sa poitrine, les lèvres remuant à toute vitesse alors qu'il récitait les versets qu'il avait appris par cœur. Redbeard s'était arrêté, l'avait questionné sur un point précis de la loi coranique, et, ne recevant pas la réponse qu'il désirait, l'avait giflé. Rakkim avait profité du coup pour soulager Redbeard de son portefeuille, puis avait reculé en reniflant de fausses larmes. Il était presque arrivé au bout de la rue lorsque Redbeard l'avait rattrapé pour le secouer si fort que ses dents en avaient claqué.

« Tu vois cette bestiole ? » Redbeard désignait une toute petite grenouille perchée sur un brin d'herbe, presque transparente dans la lumière pâle, la gorge palpitant au gré de sa respiration. « Son espèce vit de buée et de végétaux microscopiques. Elle prospère, invisible, en se repaissant d'ineffable. J'attache une grande valeur à ces êtres. La vie à l'extrême marge de l'existence nous donne à contempler la miséricorde d'Allah. » Il releva les yeux sur Rakkim. « Ce jour où nous avons fait connaissance, j'ai vu un voleur famélique au regard sûr, un garçon qui ne s'est pas dérobé à ma poigne, qui ne m'a pas imploré de le relâcher, mais qui s'est débattu jusqu'à épuisement total. » Il sourit. « Une chance pour toi que ma curiosité fût alors plus grande que mon sens de la justice. »

Redbeard observa à nouveau la grenouille, fasciné, comme s'il n'en avait jamais vu de toute sa vie.

« Et c'est alors que j'ai fait la connaissance d'Angelina, et je n'ai plus eu peur. » Rakkim s'agenouilla aux côtés de Redbeard et scruta la grenouille dont la peau verdâtre scintillait. « Je me suis dit que si elle pouvait survivre à ton mauvais caractère, moi aussi je le pouvais.

– Elle t'a plus que gâté. La première semaine, elle est à peine sortie de la cuisine, occupée qu'elle était à tourner et retourner sur la poêle les omelettes, les steaks et les pommes sautées. Jusqu'à ce jour, je n'ai jamais vu personne manger comme toi. » D'un bond, la grenouille alla se réfugier dans l'herbe plus haute qui bordait le ruisseau. « Je lui ai dit que tu étais un voleur, mais elle a continué à cuisiner, en répondant que, aux yeux d'Allah, nous étions tous des voleurs. Je l'ai avertie de ne pas trop se faire d'espoir, que je n'étais pas encore sûr de te garder, mais elle savait que j'avais déjà fait mon choix.

– Moi aussi. Je ne l'ai pas compris tout de suite, mais j'étais exactement ce que tu recherchais.

– C'est ce que je croyais, en tout cas. » Redbeard passa une main sur sa barbe. « Je n'ai jamais été marié. J'avais assez de travail comme ça, plus qu'assez, même, mais un fils... je me suis toujours dit qu'avoir un fils aurait été une bonne chose. Un fils à mes côtés, un fils qui aurait continué mon ouvrage après moi. » Au cœur du jardin, un oiseau poussa un cri, et Redbeard se releva, plus lentement que Rakkim ne s'y était attendu. « C'était un souhait aussi vain que sot.

– Tu regrettes de m'avoir emmené chez toi ce jour-là ?

– Quelle importance cela peut-il avoir à présent ?

– Ça en a pour moi.

– Les regrets sont bons pour les poètes et les femmes, répliqua Redbeard.

– Tout est ma faute », lâcha Rakkim, fatigué de cette mascarade, de ce jeu, toujours le même, dont Redbeard était toujours seul maître des règles. « La rencontre au Super Bowl, c'était mon idée. Quoi qu'ait pu te dire Sarah, c'était mon idée.

– Épargne-moi ta chevalerie. Sarah a toujours été incontrôlable, dès sa naissance. » Redbeard fronça les sourcils. « Parle-moi du Super Bowl. »

Rakkim adopta la plus grande circonspection. L'aveu de la faute n'était jamais une fin en soi pour Redbeard, ce n'était qu'un début. Chaque piste devait être remontée jusqu'à ce que toute personne impliquée fût prise au piège, désignée nommément, afin que soient révélées de nouvelles pistes qu'il convenait de suivre par la suite. « Sarah et moi étions censés nous retrouver au Super Bowl. C'est bien pour ça que tu m'as fait venir ici, n'est-ce pas ?

– J'aurais préféré *mille fois* qu'il ne s'agisse que d'une simple désobéissance de votre part, à vous deux. » Redbeard sembla un bref instant déstabilisé, mais il reprit aussitôt le contrôle de lui-même. « J'ai besoin de ton aide. Sarah... Sarah a disparu. »

4

Le Vieux Sage observa son assistant se prosterner sur le tapis, sans pouvoir se souvenir de son nom. *John, c'est ça.* Il portait le nom du prophète que les chrétiens appelaient Jean le Baptiste. Celui-là même qui avait annoncé la venue de Jésus. John, oui, c'était bien le nom de ce jeune homme qui se relevait à présent lentement. Un prénom populaire. Tant d'assistants étaient à son service, tant d'autres l'avaient été au cours des ans qu'il était difficile de se souvenir de tous. Le nom de naissance du Vieux Sage était Hassan Muhammed, mais personne ne l'avait appelé ainsi depuis des années. Le son de son propre nom lui aurait paru étranger à présent, même si quelqu'un se l'était rappelé.

« Redbeard a fait venir son neveu chez lui », dit l'assistant d'une voix douce et monocorde, comme si la moindre trace de passion était susceptible de meurtrir les oreilles du Vieux. Tant d'imbéciles confondaient l'âge avec la faiblesse.

« Il s'appelle Rakkim et ce n'est pas son neveu, gronda le Vieux. C'est un pion que Redbeard a élevé pour en faire un cavalier. »

L'assistant, un intellectuel au teint cireux et à la barbe blonde irrégulière, s'aplatit sur le tapis. La blancheur de sa tunique et de son pantalon large était censée signifier la pureté mais, aux yeux du Vieux, elle n'était que le signe d'une adhésion complaisamment affichée au dogme. Avec le temps, ce jeune homme apprendrait que bien que le Vieux accordât à la dévotion sa juste valeur, il appréciait encore plus l'intelligence. La dévotion seule ne faisait que limiter l'utilité d'un outil.

Le Vieux était assis au milieu d'un canapé jaune agrémenté de broderies, les bras posés de tout leur long, sans façon, sur le dessus du dossier. Sa barbe était impeccablement taillée, ses cheveux blancs, que l'âge rendait plus fins, étaient plaqués en arrière, comme lorsqu'il était jeune : il avait l'élégance majestueuse d'un homme vaniteux dont l'autosatisfaction n'avait fait que s'accroître avec les années. Il croisa ses bras décharnés en admirant le pli parfait de ses manchettes. La plupart de ses assistants se contentaient de porter robes, tuniques et babouches, mais il préférait pour sa part des costumes de chez Barrons Ltd., et de souples mocassins noirs à pompons, réminiscences de son éducation britannique. Les Anglais étaient une race faible et exsangue, mais leurs tailleurs demeuraient les meilleurs au monde. Le costume du jour était bleu sombre, croisé, avec une chemise ivoire sur mesure et une cravate club. Un nœud Windsor, bien entendu, et des boutons de manchettes en lapis-lazuli. Il examina ses ongles et, du haut de son estrade, baissa les yeux sur l'assistant. « Ce renseignement au sujet de Rakkim est-il encore d'actualité ?

– Nous pensons qu'il se trouve toujours dans la villa de Redbeard, répondit l'assistant, toujours allongé sur le ventre.

– Vous *pensez* ?

– Oui... oui, Mahdi. »

Mahdi. Ces derniers temps, ces assistants l'avaient appelé ainsi plus souvent qu'auparavant. Le mahdi était l'élu, le messager attendu dont il était question dans les Écritures. Un personnage messianique qui, à en croire les prophéties, devait apparaître à la fin des temps, au moment où les musulmans se trouveraient le plus menacés. Le destin du mahdi serait alors de rallier l'ensemble des croyants pour les conduire à la victoire sur les infidèles et initier une ère de paix et de justice. Un califat mondial. La première fois qu'on l'avait appelé « mahdi », cela avait ennuyé le Vieux Sage. Il avait considéré cette dénomination comme présomptueuse, et, de plus, nombreux avaient été ceux qu'on avait appelés ainsi, des incapables comme Oussama ben Laden, qui n'avaient pas vécu assez longtemps pour remplir la tâche supposée leur incomber. Mais à présent... le Vieux préférait remettre la façon dont on l'appelait, ainsi que toute chose, entre les mains d'Allah.

« Dans le plus grand des secrets, Redbeard a dépêché une équipe aux abords de la ville, plus tôt dans la nuit, s'empressa d'ajouter l'assistant. Nos frères les ont suivis, mais ce n'était qu'une ruse. Pendant que nous les prenions en filature, trois agents de Redbeard se sont infiltrés dans la Zone et ont emmené Rakkim jusqu'à la villa, dans une ambulance, sirène hurlante. Redbeard reçoit souvent la visite d'ambulances, afin que nous ne puissions connaître son véritable état médical. »

Le Vieux roula des yeux terribles. Il n'avait nul besoin d'un blanc-bec à la barbe filasse pour comprendre la stratégie de Redbeard.

« Mais la diversion a échoué, ajouta l'assistant.

– La diversion n'a pas échoué, autrement vous sauriez si Rakkim se trouve encore à la villa ou pas, corrigea le Vieux. Qui vous a prévenus de l'appréhension de Rakkim ?

– Nous... nous avons reçu un appel téléphonique de l'un de nos sympathisants habitant dans la Zone. » La lèvre inférieure de l'assistant tressaillit. « Nous... nous n'avons reçu cet appel que sur le tard, et il a fallu quelque temps pour que l'information soit transmise.

– Alors c'est que nous avons eu de la chance. » Le Vieux sourit. « Ne sois pas si terrifié. J'ai été chanceux toute ma vie, grâces en soient rendues à Allah. » Il admira son reflet sur sa chaussure droite, parfaitement cirée. « Néanmoins, ne penses-tu pas que nous aurions dû affecter un frère à la surveillance de Rakkim, plutôt que de ne nous en remettre qu'à la bienveillance de Dieu ?

– Nous n'envisagions pas que Redbeard ferait appel à lui. Le dernier contact entre eux deux remonte à plusieurs années. Rakkim est un renégat incapable de la moindre dissimulation. Il se contente de s'occuper de ses affaires...

– Et qui es-tu pour prétendre connaître la nature de ses affaires ? Rakkim a été initié dans l'art de la tromperie et de la dissimulation par Redbeard en personne. » Le Vieux congédia l'assistant d'un revers de la main, et l'observa passer à reculons la porte de son luxueux appartement. « Bien. À présent, nous savons.

– Oui, père. À présent, nous savons », répéta son premier conseiller, Ibrahim, son fils aîné. Du moins, l'aîné de ceux qui étaient encore en vie. Il était arabe, grand et mince, sa peau était plus foncée que celle de son père, mais il était vêtu comme lui d'un complet à la mode occidentale. Âgé de 53 ans, avec son front haut, ses yeux noirs et ses paupières tombantes, il aurait pu passer pour un universitaire. En fait, Ibrahim avait un doctorat en mathématiques et en finance internationale, mais il avait tué lui-même cinq personnes, parmi lesquelles un frère plus jeune qui, lorsqu'il buvait un verre de trop, avait la fâcheuse manie de se vanter des gloires familiales auprès d'épouses-à-louer aux yeux bleus.

« Lorsque cette Sarah a disparu, j'ai prié pour qu'il s'agisse d'un congé sabbatique, mais si Redbeard a appelé Rakkim à la rescousse, cela signifie qu'elle n'a pas simplement disparu, mais qu'elle a fui. Qu'elle a fui Redbeard, et qu'elle *nous* a fuis. » Le Vieux soupira. « Tu avais raison, mon fils. Nous aurions dû agir plus tôt. J'aurais dû l'attraper dès que nous avons eu vent de ce nouvel ouvrage qu'elle est en train d'écrire.

– Ce qui est fait est fait, père. Ainsi en a décidé Allah.

– J'aurais dû m'emparer d'elle, exactement comme tu me le conseillais. À présent, elle a disparu, et nous sommes vulnérables.

– Connaître la vérité est une chose, la prouver en est une autre, déclara Ibrahim. Si cette fille avait des preuves, elle aurait déjà fini de rédiger son ouvrage, et le monde entier se serait déjà retourné contre nous. Mais nous sommes bien là, vivants et bien portants. Nous n'avons qu'à la retrouver, et la menace sera tuée dans l'œuf. »

Le Vieux tapota sa bouche de son index, ravi par la réponse pleine d'allant de son fils. Au cours de ces longues années, il avait pressenti successivement quatre de ses fils comme ses successeurs potentiels : deux d'entre eux avaient été tués alors qu'ils accomplissaient le grand œuvre, et un troisième s'était avéré être un traître à la cause. Seul restait Ibrahim. Il avait bien d'autres fils plus jeunes, la plupart très prometteurs, mais aucun n'aurait été capable d'assumer la mission qu'il s'était fixée. Il repensa à toutes les choses qu'il avait faites pour en arriver là, tout ce qu'il avait dû abandonner, abandonner avec joie, bien sûr. Pourtant, lorsqu'il s'était engagé sur cette route tortueuse, il ne s'était pas imaginé un seul instant qu'il lui serait peut-être impossible de remplir cette mission lui-même.

« Père ?

– Le fait de retrouver la nièce de Redbeard n'est qu'une partie de la tâche qui s'impose à nous. La preuve qu'elle recherche est également une priorité, d'une importance qui dépasse celle de cette femme. Si nous trouvons cette preuve, toute menace sera anéantie pour toujours.

– Et si cette preuve n'existait pas ? Après toutes ces années, si elle existait, il ne fait aucun doute que quelqu'un l'aurait déjà révélée.

– Peut-être le temps n'était-il pas encore venu de le faire. » Le Vieux lissa sa cravate. Son estomac se mit à gargouiller. Tout au long de cette dernière année où il avait mis en place les dernières étapes de son plan, sa digestion avait été des plus capricieuses. « Vingt ans à tout planifier, et maintenant, alors que nous sommes si proches du but... » Son visage s'empourpra, et un relent de bile lui brûla le fond de la gorge. « Vingt longues années et cette catin menace de tout anéantir.

– Nous la retrouverons, père.

– Ta confiance est tout à ton honneur. Mais dis-moi, Ibrahim, as-tu la moindre idée de l'endroit où elle se trouve ?

– Cette fille est... extrêmement prudente. »

Le Vieux posa sur lui un regard qui aurait suffi à faire trembler un homme moins courageux.

Ibrahim inclina la tête. « Je n'ai pas la moindre idée de l'endroit où elle peut se trouver, père. »

Le Vieux détourna les yeux. Ils ignoraient où Sarah était, ils ignoraient même ce qu'elle savait en vérité. Tout ce dont ils disposaient, c'était la liste des ouvrages qu'elle avait consultés à la bibliothèque de l'université, et une trace à peine perceptible laissée sur un bloc-notes, une idée de titre pour son prochain ouvrage : *« La Trahison sioniste ? »* C'était ce point d'interrogation qui faisait toute la différence.

Un frère musulman qui travaillait comme agent d'entretien dans la section histoire de la bibliothèque avait trouvé le bloc-notes, et le lui avait apporté aussitôt. Encore une fois, la chance. Sans ce bout de papier... Le Vieux sentit son estomac se soulever à nouveau. Le frère qui avait trouvé le bloc-notes ne savait pas ce que signifiait la trace invisible du stylo, mais le Vieux l'avait quand même fait exécuter. Il se rappela le dévouement absolu de cet homme, qui louait encore le Vieux Sage en présentant sa nuque à la lame. Le Vieux éprouva à ce souvenir une bouffée de colère, et cette colère lui redonna la sensation d'être jeune, assez jeune pour détruire le monde, dans l'espoir de le remodeler à son image. Le détruire à nouveau. S'il avait suffi de tuer la fille pour détruire le secret dont traitait son prochain ouvrage, il l'aurait étranglée de ses propres mains.

« Redbeard n'est pas plus avancé que nous, père. Il ignore lui aussi où elle est. Si Rakkim avait un accident en sortant de la villa, nous serions alors les seuls à la rechercher. »

Le Vieux lui lança un regard sombre. « Pas d'accident. Non seulement je doute que tes hommes soient capables d'assassiner Rakkim, mais, qui plus est, même un imbécile serait capable de comprendre que nous avons besoin de lui vivant. »

Ibrahim s'humecta les lèvres.

« Redbeard a assez confiance en la valeur de Rakkim pour l'utiliser comme limier, expliqua le Vieux. Eh bien, nous aussi, nous ferions mieux de nous servir de lui. Je prie simplement pour qu'il soit aussi doué que Redbeard semble le penser. » Il se leva et s'avança jusqu'à la vaste baie vitrée panoramique. « Approche. »

Ibrahim s'exécuta, se tenant à moins d'un pas derrière lui.

Sous eux s'étirait le Las Vegas Strip, cette longue portion du Las Vegas Boulevard qui battait au rythme des lumières qui l'éclairaient : les stroboscopes bleus, verts et rouges des entrées principales des hôtels, les arcs de couleur incandescente, et les faisceaux des projecteurs qui parcouraient le ciel en une prière au dieu de l'argent facile. Le repaire du Vieux incluait les dix derniers étages du gratte-ciel qui en comptait quatre-vingt-dix, et que la presse avait baptisé Le Colosse. Son acte notarié le désignait sous l'appellation moins évocatrice de « bâtiment de l'International Trust Services ». Les autres étages étaient occupés par des banques et des sociétés de courtage, des conglomérats d'assurance, ces institutions toutes décorées de marbre qui s'engraissaient d'usure et d'intérêts, le cœur même de la Bête, jamais rassasiée. Le Vieux ne se lassait jamais de cette vue.

Prise entre les États-Islamiques d'Amérique et les États chrétiens, Las Vegas était une anomalie géopolitique, un territoire neutre et indépendant qui faisait office d'agent de change entre les deux nations. Avec une population de plus de 14 millions d'individus qui ne cessait de s'accroître, Las Vegas était le centre névralgique de la finance et de l'information à l'échelle du continent tout entier, au-delà de toute notion doctrinale ou politique : un mal aussi nécessaire qu'utile, qui répondait parfaitement aux besoins du

Vieux. Libre de toute allégeance à tout gouvernement et à tout pays, fidèle à sa seule mission divine, le Vieux avait confortablement passé ces vingt dernières années au sommet du Colosse, invisible aux yeux de ses ennemis, agissant en toute impunité. Il avait supervisé la construction de l'immeuble, en avait truffé de dispositifs de sécurité les murs, les sols et les plafonds. Le fait de louer les étages inférieurs aux usuriers que tout bon musulman se devait de haïr n'était pas à ses yeux dénué de drôlerie. C'était le meilleur des camouflages, d'une délicieuse ironie, qui lui rappelait sans cesse les détours longs et sinueux que nécessitait la réalisation de son destin.

« Nous devons suivre la piste de Rakkim », déclara le Vieux. Son index droit accompagnait le jeu des lumières multicolores du Las Vegas Strip, comme s'il dirigeait une symphonie, comme si la ville tout entière était sous son empire. « C'est lui qui nous mènera jusqu'à la fille, et lorsque nous aurons la fille... *Inch'Allah*, nous découvrirons d'où lui est venue l'idée d'écrire ce nouvel ouvrage. Car une chose est sûre : elle ne l'a pas eue toute seule.

– Je vais lancer une équipe de nos frères les plus dignes de confiance sur la trace de Rakkim, s'empressa de répondre Ibrahim. Qu'il mange une tranche de pain et qu'une miette tombe de ses lèvres, et nous le saurons.

– Si une miette tombe de ses lèvres, c'est parce qu'il aura compris qu'on l'observe. » Le Vieux observa un hélicoptère qui passait silencieusement au-dessus de l'énorme pyramide noire de l'hôtel casino Luxor, dont la surface était constellée de petites lumières bleutées et scintillantes. Lorsqu'il était enfant, il pensait que les hélicoptères et les libellules appartenaient à la même espèce, et puis on lui avait expliqué leur mode de propulsion. À présent, ils ressemblaient à nouveau à ses yeux à des libellules. « Non. Je préfère plutôt contacter notre ami. Il est bien plus indiqué pour cette tâche. »

Ibrahim se crispa. « On ne peut pas faire confiance à Darwin.

– Bien sûr que non. Les meilleurs professionnels ne suivent jamais que leurs propres intérêts.

– C'est un vrai démon, père.

– Oui, tout à fait. Un démon, un diable, un djinn... mais Darwin est le seul à pouvoir prendre Rakkim en filature. Lorsque Rakkim retrouvera la fille, Darwin sera là, à les observer. Et s'ils parviennent à mettre la main sur la preuve qu'ils rechercheront, Darwin sera également présent. » Le Vieux balaya l'air de ses doigts à l'attention de son fils. « À présent retire-toi. Je t'épargnerai une peine inutile en traitant moi-même avec lui. »

Ibrahim se hâta de sortir à reculons et referma les battants de la porte.

Tout en bas, les voitures se frayaient lentement un chemin dans les rues encombrées de passants. Le Vieux s'imagina le son des klaxons qui retentissaient. L'épais vitrage garantissait une isolation sonore parfaite. Il pensa à ce Rakkim, ce rat de caniveau à présent devenu homme, la créature de Redbeard. Il aurait aimé en savoir plus sur lui. Bien entendu, il avait lu le dossier de Rakkim, mais il ignorait ce qu'il devait en retenir. Les dossiers des feddayin étaient classés secrets, et connus pour leur extrême manque de fiabilité : ils servaient dans la majorité des cas à la désinformation des espions potentiels. Il n'était pas même sûr que le nom qu'il portait fût son véritable nom. Mais Redbeard le tenait en haute estime, et c'était tout ce qui comptait.

Redbeard et son frère aîné, James, avaient joué les empêcheurs de tourner en rond depuis la création même des États-Islamiques. James Dougan avait été le premier directeur de la Sécurité nationale, et Redbeard avait été son second. James s'était révélé être un chef charismatique, tandis que Redbeard se chargeait du sale boulot. Au moment propice, le Vieux Sage avait tenté de faire assassiner les deux frères, afin que sa taupe, le numéro trois de la Sécurité, en prenne la direction. L'attentat n'avait été que partiellement couronné de succès. James n'y avait pas survécu, mais Redbeard, bien qu'ayant reçu plusieurs balles, s'était accroché à la vie, luttant contre la mort comme si l'enfer l'attendait. Aussitôt recousu comme un ours en peluche, Redbeard avait assumé la direction de la Sécurité nationale.

En l'espace de quelques jours, Redbeard avait ordonné l'exécution de dizaines de ses propres agents, dont le premier fut la taupe du Vieux. Plus d'une centaine de policiers et feddayin furent également exécutés, et certaines Robes noires disparurent sans laisser de trace. La plupart n'étaient coupables que d'une implication des plus indirectes dans le complot, mais quarante-trois d'entre eux étaient de fidèles acolytes du Vieux. Deux de ses plus proches assistants, des hommes qui l'avaient servi pendant des décennies, furent capturés. S'ils ne s'étaient pas aussitôt suicidés, le Vieux Sage aurait partagé leur sort.

La brutale répression de Redbeard avait retardé les plans du Vieux de plusieurs années. À présent, sa nièce menaçait tout ce pour quoi il avait œuvré au cours des ans. Il y avait véritablement dans cette famille quelque germe obscur, semé par le diable en personne à seule fin de contrecarrer ses nobles intentions. Une fois la nièce interpellée et incinérée avec son futur ouvrage, le Vieux chargerait Darwin d'éliminer Redbeard afin de mettre un terme à tous ces tracas, une fois pour toutes.

Son sourire s'estompa lorsqu'il se souvint de la tâche qui s'imposait à lui dans l'immédiat. Il n'avait aucun désir de s'entretenir avec Darwin, mais c'était nécessaire. Une conversation téléphonique avec cet homme n'était pas dangereuse, mais tout simplement répugnante. La saveur acide et amère remonta à nouveau le long de sa gorge. *Tu te fais bien précieux avec l'âge*, se dit-il à lui-même. *Combien de bêtes immondes as-tu accueillies dans ta propre demeure ? Combien de porcs et de singes ont-ils dîné avec toi, et se sont-ils vu traiter avec tant d'égards qu'aucun ne sut quelle véritable opinion tu avais d'eux ? Parle avec cet homme, soumets-lui tes ordres, et écoute son rire. Puis va te laver.*

Oui, oui, oui. Assez. Les doutes affaiblissaient le corps et l'âme, et le Vieux ne pouvait se permettre de voir l'un ou l'autre diminué. Il observa les éoliennes au loin, juchées au sommet des montagnes, et les lumières du Strip ne furent plus qu'une simple distraction. Il sentait une paix infinie descendre sur lui avec la douceur d'un baiser. Les intrépides nomades de son pays de naissance croyaient qu'Allah avait d'ores et déjà écrit le livre de la vie. Aussi, si la prière était à leurs yeux une obligation, ils savaient que leurs supplications n'avaient aucune influence sur Dieu. Les yeux fixés sur les éoliennes qui tournaient au gré du vent froid du désert, il pensa à Redbeard qui n'avait jamais cessé de contrecarrer chacun de ses plans. Répondant coup sur coup. C'était à présent au tour de Redbeard de tourner au gré du vent, à la merci de la destinée, craignant pour la sécurité de sa nièce qu'il était incapable d'assurer. Sur ce seul et unique point, Redbeard et le Vieux s'accordaient enfin : tous deux espéraient de tout leur être que Rakkim parvienne à la retrouver.

5

« Sarah a *disparu* ? Qu'est-ce que ça signifie au juste ?

– Elle a fui il y a de cela deux jours. » Redbeard consulta sa montre. « Disons trois jours, maintenant. Elle a disparu vendredi matin, après avoir donné son premier cours de la journée. »

Rakkim posa sa main sur l'épaule de Redbeard : « Tu es *sûr* qu'elle n'a pas été kidnappée ? »

Redbeard chassa sa main d'un revers, et quitta le sentier principal d'une démarche un peu raide.

Rakkim le suivit dans les profondeurs du jardin, baissant la tête pour éviter les fougères tropicales et les lys au parfum capiteux. Des fleurs pour les morts. Malgré la pleine lune, il faisait très sombre dans le jardin, mais Redbeard savait où il allait. Rakkim également. Dans une petite clairière jouxtant une cascade de roche nue, Redbeard s'assit en prenant un bref instant appui sur sa main. Rakkim l'imita.

Redbeard pinça les lèvres. « Sarah est partie de son plein gré. J'ai tout d'abord cru qu'elle s'était enfuie avec toi, mais elle a appelé vendredi soir. Elle a dit qu'elle était en sécurité et que je ne devais pas m'inquiéter.

– Qu'est-ce qui l'a poussée à s'enfuir ? Qu'est-ce que tu as fait ?

– Je n'ai fait que veiller à son bien-être, répondit Redbeard en lui lançant un regard menaçant. J'avais arrangé un mariage entre elle et un homme convenable, chose peu aisée vu l'âge de Sarah, et plus particulièrement après la publication de son maudit bouquin. L'ambassadeur saoudien m'a proposé son cinquième fils, Soliman, patron d'une entreprise pétrochimique, et j'ai accepté. Soliman a deux épouses, mais elles habitent le royaume d'Arabie saoudite, à l'abri de la supposée permissivité morale de notre pays. Sarah aurait été la première épouse de Soliman, et ils auraient vécu ici, dans la résidence sécurisée de l'ambassadeur. Soliman a bénéficié d'une bonne éducation, cosmopolite...

– Comme c'est attentionné de ta part. » Rakkim les avait vus ensemble, il les avait suivis sans même que Sarah l'ait su. Le Saoudien tenait sa tasse à café des deux mains, comme s'il ne faisait pas même confiance à ses propres doigts. « Tu lui as trouvé un modéré. Sarah aurait pu continuer à enseigner et à aller au cinéma. Elle aurait pu danser à son propre mariage.

– Aurais-je dû attendre que quelqu'un découvre que vous deux vous vautriez dans le péché en cachette ? Aucun prétendant n'aurait alors voulu d'elle. »

Rakkim se tut. Lui pouvait se permettre d'ignorer les volontés de Redbeard, mais Sarah, en dépit de son âge et de ses revenus, était supposée obéir à son protecteur.

« Je veux que tu la retrouves.

– Tu as assez d'agents comme ça. Pourquoi me demander ça à moi ?

– J'ai confiance en toi.

– Et pourquoi te la ramènerais-je ? Mon seul regret, c'est qu'elle ne m'ait pas appelé en premier.

– Elle risque de se faire tuer, dit Redbeard d'un ton posé. Une femme non mariée qui quitte sa demeure sans permission se met toujours en danger, et ses écrits ont fait d'elle une cible. Elle ne se rend pas compte de la situation...

– Tu penses que les Robes noires oseraient s'en prendre à *ta* nièce ?

– Ce serait idiot, mais ceux qui possèdent une once de pouvoir commettent toujours des actes idiots.

– Oxley est bien trop prudent, bien trop malin... » Rakkim s'interrompit. « Qu'est-ce que tu ne me dis pas ?

– Le mollah Oxley est effectivement très prudent, mais il en est certains, parmi les Robes noires, à ne pas considérer cela comme une qualité. » Redbeard tripota sa barbe. « J'ai dissimulé la disparition de Sarah de mon mieux. Il lui est déjà arrivé de prendre soudainement des congés sabbatiques, lorsque ses recherches l'imposaient. Ça a suffi pour berner la direction du département d'Histoire de l'université. Mais quelqu'un d'autre n'a pas été dupe de cette couverture. » Une veine apparut dans son cou épais, saillante. « Le lendemain de sa fuite, j'ai appris que certains chasseurs de primes avaient reçu pour mission de la retrouver. Des hommes spécialisés dans les affaires de fugues d'épouses ou de filles. Mes hommes ont intercepté deux équipes de chasseurs de primes. L'un de mes meilleurs agents, Stevens, celui dont tu as cassé le nez pour t'amuser, a dirigé lui-même les captures, mais je suis convaincu que d'autres équipes sont encore à la recherche de...

– Qui les a engagés ?

– On les a contactés anonymement. Impossible de remonter jusqu'aux commanditaires.

– Ne t'inquiète pas, mon oncle. Je la retrouverai. Je ne te la ramènerai pas pour que tu la maries, mais je la retrouverai. Ensuite, tu pourras envoyer Stevens à notre recherche.

– Épargne-moi tes menaces. J'ai déjà présenté mes excuses à l'ambassadeur. Je lui ai dit que Sarah avait pris une retraite spirituelle. Ça a suffi pour qu'il annule le mariage. Les pieux se méfient toujours de la dévotion d'autrui.

– Tu aurais dû nous laisser nous marier.

– Il y a bien des choses que j'aurais dû faire.

– J'étais officier feddayin, à l'époque, je t'avais fait honneur. Tu n'avais aucune raison de nous refuser ta bénédiction.

– Ma bénédiction semble bien être la seule chose qui vous ait été refusée. »

Rakkim sentit ses joues s'empourprer.

« Vous avez été extrêmement prudents, je te l'accorde. Je me disais que, une fois mariée, elle aurait cessé tous ces enfantillages. » Redbeard trempa une main dans le petit ruisseau, laissant l'eau froide couler entre ses doigts, les yeux mi-clos. « J'ai parlé avec ton imam. Il m'a dit que cela fait maintenant des années que tu ne vas plus à la mosquée.

– Je plaide coupable.

– Tu évites la compagnie des croyants. Tu passes ton temps avec des catholiques, et pire encore.

– Oh, bien pire.

– Tu as donc renié ta foi ?

– Je témoigne qu'il n'est de dieu qu'Allah, et que Mahomet est son messager. C'est *tout* ce dont je suis sûr. Je reste un musulman. Pas un bon musulman, mais un croyant tout de même.

– Alors c'est qu'il existe encore un espoir. » Redbeard le regarda attentivement. « J'ai entendu une histoire qui t'intéressera peut-être. Celle d'un agent de voyages qui ne demande pas un sou contre ses services. Tu imagines ? L'émigration sans autorisation est un acte de trahison. Toute personne ayant pris part de près ou de loin à pareil acte est considérée comme coupable, au même titre et au même degré. Pourtant il existe un passeur qui travaille gratuitement. Qu'est-ce qui pourrait bien pousser un homme à agir de la sorte ?

– Un bon musulman se doit de garantir le gîte et le couvert à toute personne tapant à sa porte. »

Redbeard parut amusé. « Ah, mais tu n'es pas un bon musulman. N'est-ce pas ce que tu viens de me dire à l'instant ? »

Rakkim ne lui renvoya pas son sourire. « Étais-je un aussi mauvais parti ?

– J'avais d'autres projets pour Sarah. D'autres projets pour toi. » La main de Redbeard remonta à contre-courant, éclaboussant le feuillage qui bordait le ruisseau. « Pour le bien que ça m'a apporté. »

Rakkim remarqua que le côté droit du visage de Redbeard semblait plus flasque que l'autre. Il avait cru auparavant qu'il ne s'agissait que d'un simple jeu d'ombre dans les ténèbres du jardin. « Qu'est-ce qui t'est arrivé ? » Il se rapprocha. « Tu t'appuies davantage sur ta jambe gauche lorsque tu marches, et là... » Il effleura la joue de Redbeard. « Une cicatrice encore toute fraîche. Ta barbe ne pousse plus à cet endroit. Quelque chose est arrivé.

– On a attenté à ma vie le mois dernier. Ils sont morts. Pas moi. C'est tout.

– Les Robes noires. »

Redbeard haussa les épaules. « Comme tu l'as dit si bien, le mollah Oxley est bien trop prudent pour m'attaquer directement, mais quelqu'un appartenant à la hiérarchie, l'un de ses adjoints sans doute, a peut-être voulu gagner ses faveurs. À moins que ce ne fût là l'œuvre de quelqu'un d'autre. Un nouvel arrivant dans la partie, qui sait.

– De qui s'agit-il, selon toi ? insista Rakkim.

– Retrouve Sarah, et peut-être que toi et moi pourrons nous pencher bientôt sur ce mystère. »

Il était inutile d'espérer soutirer la moindre information supplémentaire à Redbeard. « Si Sarah s'est enfuie vendredi, elle peut être n'importe où à l'heure qu'il est. Tu aurais dû faire appel à moi plus tôt.

– Elle se trouve toujours en ville. L'appel téléphonique de vendredi était local. Son signalement avait déjà été transmis aux gares et aux aéroports...

– Il existe d'autres moyens de sortir de la ville.

– Sarah ignore que sa vie est en danger. Elle croit qu'il lui suffira de rester à l'écart un certain temps pour que le mariage soit annulé. Elle connaît Seattle comme sa poche. Elle ne sentira pas le besoin de quitter la ville. Elle pense pouvoir m'appeler dans un mois pour m'inviter à déjeuner, et que je lui pardonnerai. Et c'est ce que je ferai, bon sang, si seulement nous en avons l'occasion. » Redbeard se redressa en grimaçant. « J'ai préparé un dossier entier à ton attention : la liste de tous ses appels téléphoniques ces six derniers mois, le contenu de ses ordinateurs, une liste de connaissances. » Il semblait calme. « Si tu as besoin d'autre chose, n'importe quoi, tu n'as qu'à le...

– Ça ira. »

Redbeard évita son regard. « Lorsque tu as quitté les feddayin, je me suis promis que j'en avais fini avec toi. J'ai voulu me convaincre que tu étais mort... mais tu ne l'étais pas. Les nuits deviennent plus longues à mesure que les ans passent. De plus en plus souvent, j'erre dans cette maison avec mes propres pas pour seuls compagnons, et ton absence me pèse. » Il eut quelque difficulté à avaler sa salive. « Sarah... » Sa voix se brisa, mais il garda la tête haute. « À présent, elle aussi est partie. Je ne peux en vouloir qu'à moi-même. »

Si Redbeard attendait que Rakkim l'assure du contraire, il pouvait attendre encore longtemps.

Ils restèrent là au bord de la cascade, sans dire un mot, à écouter l'eau se précipiter contre la roche. Seuls dans le jardin, à l'abri du regard des étoiles et des satellites. Ni l'un ni l'autre ne savait si Dieu les regardait.

Rakkim retroussa sa manche, plongea le bras dans la cascade, et sortit de la cachette de Redbeard deux bouteilles de Coca-Cola. Il en tendit une à Redbeard, décapsula l'autre, et en but une gorgée. Le liquide était si froid qu'il en eut mal aux dents. « Aaah. On a beau dire, le Djihad Cola ne vaut rien. » Il fit tinter sa bouteille contre celle de Redbeard. « Qu'ils aillent se faire foutre avec leur embargo. »

Redbeard restait médusé. « Depuis quand es-tu au courant ?

– Depuis le premier mois que j'ai passé ici. »

Redbeard hocha la tête en décapsulant sa bouteille. « Ça m'apprendra à ne jamais les compter. »

Rakkim avait toujours veillé à ne se servir dans la réserve que lorsque Redbeard renouvelait le stock disponible dans l'anfractuosité secrète. Et bien qu'il eût partagé les Cocas qu'il chapardait avec Sarah, il n'avait jamais révélé à celle-ci l'emplacement de la cachette de son oncle. Elle aurait été incapable de se réfréner et ils se seraient fait prendre tous les deux, non pas à cause de sa gourmandise, mais de cet abandon joyeux que lui procurait le non-respect délibéré des règles. Rakkim adorait ce sentiment d'invulnérabilité qui semblait guider constamment Sarah, mais il préférait de loin sa façon de faire.

Il avala une grosse gorgée. « Ces péquenauds qui vivent en pays chrétiens ont beau être des infidèles à l'âme corrompue et des mangeurs de porc, il faut bien l'avouer, ils savent faire du Coca. »

Redbeard sirota une courte gorgée. « Ces péquenauds ont la formule, voilà la différence.

– Il serait temps que nos scientifiques se penchent sur cette fichue formule. » Rakkim admira la bouteille. « Qui pourrait penser que quelque chose d'aussi bon soit illégal ? demanda-t-il innocemment. Recel de contrebande. Deux ans de travaux forcés, incompressibles.

– N'essaye pas de comprendre la loi.

– La loi est au-delà de ma compréhension, nous le savons parfaitement tous les deux. » Rakkim avala une autre gorgée. « Tu as déjà bu du RC Cola ?

– Il y a très longtemps.

– J'en ai bu il y a huit ans... dans le Tennessee... ma première mission de reconnaissance en solitaire dans les États de la Bible. Pour vérifier la véracité de rumeurs concernant des activités nucléaires dans les vieux laboratoires de la ville d'Oak Ridge. » Rakkim savoura une énième gorgée. « J'ai passé trois mois à me mêler à la population, aussi imberbe qu'un nouveau-né. J'ai recueilli de la térébenthine, j'ai réparé de l'outillage électronique de maison en faisant du porte-à-porte, j'ai discuté avec des femmes au foyer et des ouvriers d'usine. J'ai rejoint la paroisse du coin. Je m'asseyais à côté du shérif, un Noir maigrichon qui avait une tache de naissance sur la joue, et on chantait tous les deux *The Old Rugged Cross*. J'aimais bien cette chanson chrétienne. » Une autre gorgée. « On ne m'a jamais mis un seul serpent entre les mains à l'église. Pourtant, on raconte que les chrétiens du Sud font toujours ça aux offices. Je n'ai jamais rien vu de tel. Rien que des bonnes gens... ça aussi, ça m'a surpris. Bêtement, je crois. Sarah a toujours dit qu'ils n'étaient pas si différents de nous. "Lis tes bouquins d'histoire, Rakkim", me disait-elle. »

Il sentit le regard de Redbeard se poser sur lui alors qu'il tripotait la bouteille. « Et la nourriture. Tu te retrouves un jour à une réunion de paroissiens pentecôtistes, avec une tarte aux pêches fraîches, de la pêche fraîche avec un tas de glace à la vanille faite maison, et tu penses sérieusement à te reconvertir à l'ancienne religion. Ne me fais pas ces yeux-là, tout ce que je te raconte est vrai. J'y étais. Les gens, la bouffe, les petites attentions... les filles dans leurs robes d'été... des détails, mais s'il n'y avait pas eu Sarah, si son souvenir ne s'était pas accroché ainsi à mon esprit... » Il regarda Redbeard. « Je n'ai trouvé aucune arme nucléaire. En tout cas, mon détecteur de radiations n'a jamais bronché. » Il observa les bulles qui remontaient à la surface de son Coca. « Les gens d'Oak Ridge ont un faible pour le RC Cola. Leurs routes sont encore pires que les nôtres, la viande de bœuf est rare, mais ils ont tout ce que tu peux rêver de boire. Du Bubble-Up, du Seven-Up, de la gnôle de contrebande à 90°, et du bourbon si doux qu'on a l'impression de boire un rayon de soleil. J'ai bu de tout, Redbeard. Il le fallait. Ils sont constamment à l'affût du moindre agent infiltré, et un homme qui refuse un whisky de maïs attire systématiquement les doutes. Mais ma boisson préférée entre toutes reste quand même le Coca-Cola. Alors tu peux dire à mon imam que je ne suis pas complètement irrécupérable. » Rakkim but une ample gorgée, et le liquide sucré et glacé coula dans sa gorge telle une avalanche. Il regarda attentivement Redbeard. « Quand je repense à tout ce Coca-Cola, tout frais sorti de l'usine... et pourtant, aucune bouteille que j'ai pu boire dans le Sud n'était aussi savoureuse que celles que je volais dans ta réserve secrète. Comment expliques-tu cela, mon oncle ?

– Trouve-la, Rikki. S'il te plaît. »

Même au prix du plus grand effort, Rakkim fut incapable de se souvenir de la dernière fois où il avait entendu Redbeard prononcer les mots « s'il te plaît ». Sa surprise fut si grande qu'il en fut presque incapable de réfléchir. Presque. « Pourquoi Sarah s'est-elle enfuie maintenant ?

– Qu'est-ce... qu'est-ce que tu veux dire par là ?

– Pourquoi ne s'est-elle pas enfuie il y a une semaine ? Pourquoi n'a-t-elle pas attendu la semaine prochaine ? Pourquoi maintenant ? Quel a été le déclencheur ?

– Il n'y a pas eu de déclencheur.

– Ce n'est pas ce que tu m'as appris. Tu m'as toujours dit qu'à chaque fois que quelqu'un prenait une décision soudaine, à chaque fois que quelqu'un faisait un choix qui changeait sa vie, il existait un déclencheur. "Trouve ce déclencheur et tu comprendras tout", ce sont tes propres mots.

– Ça n'a pas été une décision soudaine, il n'y a donc pas eu de déclencheur, répondit Redbeard. Elle m'a berné. Je croyais qu'elle avait accepté ses fiançailles, mais elle avait prévu de disparaître depuis longtemps. Cela faisait des mois qu'elle prélevait des sommes de son compte en banque, des sommes trop petites pour attirer mon attention. » Il fronça les sourcils. « Avec ses 26 ans, elle aurait dû me remercier d'avoir réussi à lui trouver un bon parti.

– Tu n'as pas la moindre idée de ce qui a pu la pousser à s'enfuir ? »

Redbeard le regarda droit dans les yeux. « Pas la moindre.

– Je la retrouverai. » Rakkim posa par terre la bouteille de Coca-Cola vide. Il savait que Redbeard mentait.

6

Au volant d'une voiture, Rakkim observa en sortant de la villa de Redbeard la formation d'avions de combat qui passait au-dessus de la ville. Des avions furtifs F-117, encore fiables malgré leur âge, qui faisaient leur patrouille habituelle dans l'espace aérien de la capitale, interdit à tout autre aéronef. Le faible rugissement qu'on entendait à leur passage avait quelque chose de rassurant. Il courba la nuque pour lancer un dernier coup d'œil, puis se concentra sur la route, plein est sur l'I-90 : il rentrerait chez lui par un détour, au cas où on l'aurait suivi. La surveillance de la Sécurité nationale ne l'inquiétait pas : la Ford silencieuse que Redbeard lui avait prêtée avait sans aucun doute un dispositif GPS quelque part dans le châssis, probablement deux émetteurs, l'un facilement décelable, et l'autre intégré à la voiture lors de sa construction. Redbeard saurait précisément où se trouverait l'automobile, à n'importe quel moment, mais Rakkim s'en moquait. Ce n'était pas Redbeard qui l'inquiétait, mais bien la personne ou le groupe de personnes qui inquiétaient Redbeard. Si la villa était sous surveillance, n'importe quelle voiture entrant ou sortant pouvait être considérée comme potentiellement digne d'intérêt.

La majorité des véhicules circulant à 3 heures du matin était des semi-remorques qui transportaient des marchandises au-delà des cols montagneux, dans l'est de l'État de Washington, et des buggies des neiges en route pour le mont Snoqualmie. Rakkim maintint la Ford juste au-dessus de la vitesse autorisée et jeta un coup d'œil au rétroécran.

Un petit camion de livraison vert changea de file sans la moindre raison.

Rakkim avait encore le ventre rempli par le petit déjeuner d'après-minuit qu'Angelina l'avait quasiment forcé à avaler, des pancakes aux myrtilles, des œufs et de la saucisse de veau. Pendant qu'elle le sermonnait sur sa supposée maigreur, il avait mangé ce qu'elle lui servait en la questionnant au sujet de Sarah. Les pancakes l'avaient bien plus satisfait que ses réponses : cela faisait bien longtemps que Sarah ne s'était confiée à elle, avait-elle avoué en s'essuyant les yeux.

Rakkim composa le numéro de Mardi au Blue Moon. « Yo », dit-il lorsqu'elle répondit. Ce salut convenu entre eux la prévenait qu'ils étaient peut-être sur écoute. « Je vais prendre quelques vacances. »

Mardi hésita. « Tout va bien ?

– Je dois rendre un service à un ami. On se revoit d'ici quelques...

– J'espère que ça n'a rien à voir avec ce que j'ai pu dire ce soir.

– Je m'en remettrai. » Rakkim mit fin à la communication.

L'autoroute était parsemée de nids-de-poule, la chaussée déformée par endroits par les orages de l'automne dernier. Il prit la sortie d'Issaquah, l'un des pôles technologiques de la région, dont les parkings de bureaux et les centres de recherches souterrains étaient protégés par toute une batterie de détecteurs biométriques cachés. Le camion vert emprunta la même sortie, tourna à droite au feu, et poursuivit sa route. Rakkim le regarda s'éloigner dans son rétroécran, tout en continuant à rouler, sur ses gardes. Un kilomètre plus loin, il surprit un deuxième véhicule de filature, un break métallisé. Même avec un agrandissement maximal, il ne parvenait pas à voir le visage du conducteur. Une voiture familiale avec un pare-brise de sécurité opaque ? Ben voyons.

Une demi-heure plus tard, il s'engagea sur une route détournée, et le trafic se fit de plus en plus fluide, jusqu'à ce qu'il se retrouve seul dans les ténèbres, avec pour seule lumière celle de ses phares. Le break se trouvait toujours derrière lui, à environ un kilomètre : ses phares n'apparaissaient que sporadiquement, au gré des virages de la route étroite et sinueuse. Celle-ci tranchait dans une forêt de pins et de cèdres géants qui recouvrait les collines au pied de la Chaîne des Cascades. C'était une vieille route, qui remontait à avant la transition, bien conçue, et qui s'était bien conservée malgré les ans. On avait construit dans le coin quelques maisons, dix ans auparavant, mais le projet immobilier avait été abandonné, faute d'acheteurs : la zone était trop éloignée des lieux de travail, les maisons n'avaient aucun charme et avaient été bâties à la va-vite, avec de mauvais matériaux. À présent, des squatters en occupaient les ruines, sans centrale électrique ni usine de retraitement des eaux, sous des toits percés, sur des planchers défoncés, entourés de jardins envahis par les ronces et les herbes folles. Les culs-de-sac soigneusement dessinés par les architectes étaient à présent barricadés par des épaves de voitures, strictement interdits aux inconnus, et ignorés par les autorités. Rakkim aperçut des braseros ardents à travers les arbres qu'il dépassa sans ralentir.

Une pluie légère tombait, balayée par le va-et-vient des essuie-glaces sur le pare-brise. Le break métallisé avançait très précautionneusement sur le terrain traître. Il n'y avait ni éclairage public, ni bas-côté, rien qu'un ravin d'un côté, et les bois impénétrables de l'autre. La Ford disposait d'un pilote automatique. Rakkim aurait pu entrer sa destination et piquer un somme s'il l'avait voulu, mais il ne souhaitait communiquer à personne son point d'arrivée, et, de plus, l'ordinateur de bord ne connaissait pas le chemin qui permettait de traverser le *no man's land*. Rakkim, lui, connaissait par cœur cette route, il savait où elle s'effondrait pour laisser place à un ravin, où elle était submergée durant la saison des pluies. Il passait par le *no man's land* pour conduire des personnes hors du pays, des juifs, des homosexuels, d'anciens fondamentalistes, prêts à tout pour rejoindre la relative sécurité du Canada ou des territoires mormons. Rakkim ne s'arrêta pas.

Il avait passé une heure dans la suite de Sarah, à la villa, et son odeur lui avait fait tourner la tête. Sa peluche préférée, un vieux lapin en tissu, borgne, les oreilles effilochées, était toujours sur son lit. À l'époque où Redbeard avait recueilli Rakkim chez lui, le lapin avait déjà perdu la majeure partie de son rembourrage. Le jour même de son arrivée, Rakkim avait examiné cet objet plat et flasque, et il avait pensé à tous ces corps pendus à des ponts, après la déclaration de la loi martiale. Il avait détesté cette peluche dès le premier coup d'œil, et il la détestait toujours, mais, cette nuit, il l'avait doucement calée contre l'oreiller de Sarah. Puis il avait fouillé sa chambre : son placard, son bureau, sa collection de Barbie musulmanes. Il avait réservé les tiroirs pour la fin, et avait fait glisser ses doigts sur ses soies et ses dentelles.

La voiture dérapa un peu dans un crissement de graviers, et Rakkim dut se forcer à ralentir. Il ignorait si Redbeard lui avait volontairement menti à propos des conditions de la fuite de Sarah, mais il savait pertinemment qu'elle n'avait pas prévu de disparaître ce vendredi matin, alors qu'elle sortait de la villa. Il ignorait ce que c'était, mais il y avait bel et bien eu un déclencheur, quelque chose qui l'avait poussée à prendre cette décision. Quelque chose était arrivé après son arrivée à l'université, quelque chose qui l'avait contrainte à partir. La preuve se trouvait à présent dans la poche intérieure de Rakkim : c'était une simple photographie, pas plus grande qu'un portefeuille.

Cette photo était le bien le plus précieux de Sarah, qui la cachait soigneusement dans un compartiment secret de sa boîte à musique. Elle la lui avait montrée une fois, en lui faisant promettre de ne jamais en parler, et il avait tenu parole. C'était une photo de Sarah et de son père. Sarah n'était encore qu'un nourrisson, elle dormait, sereine, dans les bras de son père qui regardait droit vers l'objectif. Il existait de nombreux portraits officiels de James Dougan (le premier directeur de la Sécurité nationale était considéré comme l'un des plus grands martyrs nationaux), mais c'était la seule photo de lui où Rakkim l'avait vu vraiment heureux. Rakkim n'avait jamais demandé à Sarah pourquoi elle cachait cette photographie. Seule une personne qui n'avait pas grandi dans cette maison se serait posé cette question. Tout secret qui échappait à Redbeard était une victoire en soi. Rakkim tapota sa poche intérieure pour se rassurer. Si Sarah avait su qu'elle s'enfuirait ce matin, elle n'aurait jamais laissé cela derrière elle.

Une coupe rase dans la forêt dévoila un bref instant une vue de Seattle, scintillant au loin, des dizaines d'aéronefs flottant au-dessus de la colline de la Reine Anne, protégeant le palais présidentiel. Un long virage, et les phares lointains du break qui le suivait disparurent.

Le bureau de bois de pin dans la chambre de Sarah était recouvert de vrais livres et de carnets de notes noircis de sa main minutieuse. Elle adorait les antiquités, les ordinateurs à clavier, les stylos à bille, les bandes dessinées et les DVD. Il n'y avait pas une seule photographie de sa mère dans sa chambre : il n'y en avait jamais eu. Katherine Dougan avait disparu juste après l'assassinat de son époux, et nombreux étaient ceux qui la considéraient comme complice de ce meurtre odieux et de la conspiration ourdie par des fondamentalistes chrétiens à seule fin de déstabiliser le nouveau régime islamique. En dépit des efforts considérables de Redbeard, on ne l'avait jamais retrouvée, et bien que cette traque eût été depuis longtemps abandonnée, Redbeard interdisait encore à ceux qui vivaient dans sa demeure de prononcer son nom.

Rakkim se souvint de sa première visite de la villa, dès son arrivée, pièce après pièce. Il se rappela avoir trempé un orteil dans la piscine et s'être dit de ne pas prendre ses aises, car tout pouvait se terminer aussi soudainement que cela avait commencé. Il avait tout juste 9 ans, c'était un gamin des rues aussi malin que prudent. Sarah, elle, avait 5 ans, c'était une orpheline, tout comme lui, elle était pleine de vie, intelligente, et lisait sans cesse. La première fois qu'ils s'étaient vus, elle avait paru soulagée, comme si elle attendait sa venue depuis déjà bien longtemps.

Ils avaient grandi ensemble dans cette vaste demeure, avaient parcouru des kilomètres dans cette piscine, ramassé des insectes dans les bois sous l'œil de leurs gardes du corps, et fait leurs devoirs côte à côte dans la salle d'étude. Redbeard, qui ne s'était jamais caché d'être un modéré, avait tenu à ce que Sarah soit instruite comme un garçon : il l'encourageait à poser des questions, lui permettait de faire du sport et de porter des vêtements modernes, sauf le vendredi. Après la parution de son livre, il avait sans doute regretté de ne pas avoir été plus strict avec elle.

La route rétrécit encore. Rakkim ouvrait grand les yeux, à l'affût de bris de verre ou de câbles tendus en travers de la voie entre deux arbres. On voyageait dans cette région à ses risques et périls. Même l'armée ne traversait ces lieux qu'en convoi. Rakkim s'en moquait. Moins de cinquante kilomètres plus loin, la route devenait encore plus difficile à pratiquer, se transformant en un réseau de pistes sinueuses de terre et de gravier, de chemins miniers abandonnés, de voies ferrées et de sentiers forestiers dont la plupart ne figuraient plus sur aucune carte.

Les cartes n'étaient qu'une approximation, il l'avait appris chez les feddayin. *Fie-toi à ton instinct, fie-toi à tes yeux, et fie-toi à ton frère feddayin.* Ce n'était que lorsque tout tombait à l'eau qu'il convenait de se fier à une carte. Alors que devait-il penser de cette carte qu'il avait vue dans la chambre de Sarah, plus tôt dans la nuit ? C'était une carte du monde, accrochée au-dessus de son bureau, ponctuée de punaises de couleur à divers endroits qui, de toute évidence, étaient liés à ses recherches dans le domaine de l'histoire américaine contemporaine.

Les punaises rouges indiquaient les premières incursions de la République islamique dans les États de la Bible : Charleston, Richmond, Knoxville, Abilene, La Nouvelle-Orléans. Toutes ces offensives avaient été repoussées par les chrétiens sécessionnistes, qui se battaient comme des chiens enragés, jusqu'à la mort, préférant se faire exploser en petits morceaux que d'être capturés. Les contre-attaques des chrétiens étaient indiquées par des punaises jaunes... Chicago, Indianapolis, Topeka, Newark. Newark avait été une véritable boucherie, à l'échelle industrielle : plus de cinq cent mille morts, des civils pour la plupart. Après Newark, les appels à un armistice avaient été trop nombreux et trop insistants pour que l'un des deux camps puisse les ignorer. La fausse paix instaurée alors était toujours d'actualité.

Les punaises dorées indiquaient les opérations feddayin de Rakkim lui-même, en tout cas celles dont Sarah avait eu vent. L'armée s'était vu reléguer à un rôle strictement défensif depuis le traité, mais les unités d'élite feddayin avaient été engagées dans des opérations secrètes, chez eux comme à l'étranger. Des punaises dorées étaient plantées dans les territoires mormons de l'Utah et du Colorado, quelques autres dans l'Idaho et le Montana où ils s'étaient opposés aux résistants de l'Identité aryenne, d'autres encore au Brésil et au Nigeria. Aucune pour Corpus Christi et Nashville, Biloxi ou Atlanta. C'était aussi bien ainsi.

Rakkim avait pourtant vu quelque chose d'étrange sur cette carte. En plissant les yeux. Ce n'était que sous un certain angle qu'on pouvait distinguer le trou minuscule qui perçait le cœur de la Chine. Il s'était approché, avait passé ses doigts sur la carte, et senti l'infime perforation. Un trou de punaise sur le fleuve Yangzi. Le seul sur toute la carte à ne pas avoir de punaise. Ce n'était ni une erreur ni un raté. Il n'y avait aucune punaise sur la Chine. Rien d'autre que cet unique trou au milieu de nulle part. Les États-Islamiques d'Amérique n'avaient jamais mené une seule attaque militaire sur le territoire national de la Chine.

Ce pays, la seule véritable grande puissance au monde, avait observé une stricte neutralité face aux troubles qui avaient suivi la Trahison sioniste. Alors pourquoi Sarah avait-elle marqué le Yangzi ?

Rakkim ralentit, guettant l'endroit précis... l'entrée de la cachette. Il s'en était déjà servi, mais il était difficile d'y voir à travers la pluie. La cachette se trouvait juste après un virage en épingle, dans lequel ses phares arrière resteraient invisibles à d'éventuels poursuivants. Il roula au pas. Là. Il s'arrêta, puis s'engagea en marche arrière sur le bout de chemin, les branches cognant contre les parois de la voiture, pour finalement se garer à la perpendiculaire de la route principale. Le moteur ronronnait. Il éteignit ses phares. Il baissa un peu la vitre, et la douce humidité de la forêt emplit l'habitacle. La pluie gouttait des arbres, grésillait lorsqu'elle heurtait le capot chauffé par le moteur, et il pensa à Sarah.

Il avait 18 ans lorsque les choses avaient changé entre eux deux. Fou d'enthousiasme à l'idée de quitter la maison pour l'Académie militaire feddayin, Rakkim s'était penché pour lui dire au revoir et l'embrasser.

« Je me marierai avec toi un jour », avait-elle murmuré en se hissant à son cou. Elle n'avait alors que 13 ans, elle était maigre et peu gracieuse, mais elle avait parlé avec la certitude et l'assurance d'une femme.

Il avait caressé ses cheveux, affectueusement, pensant qu'elle plaisantait.

Elle s'était accrochée plus fort encore à lui. « Tu sais que c'est vrai. »

Il en avait ri mais, au fur et à mesure que les années passaient, il avait ressenti lui aussi la même attirance. À chaque fois qu'il revenait à la villa, en permission, il la trouvait plus mûre, plus sage, et toujours capable de percer à jour ses pensées, avec un petit sourire narquois ou un regard entendu. Leurs sentiments réciproques n'étaient alors accompagnés d'aucun acte, et tous deux n'en parlaient que rarement : ils étaient bien trop forts pour être exprimés par des mots. Sur l'injonction de Redbeard, Sarah avait accepté d'aller à la mosquée avec le fils du chef de la majorité au Sénat. Après les prières, ils faisaient de longues balades ensemble, sous l'œil attentif de la femme chargée de les chaperonner. Ce flirt dura quatre mois, au bout desquels elle décida d'y mettre un terme définitif. Ce printemps, alors que Rakkim revenait tout juste des pays chrétiens, Sarah et lui étaient entrés dans le bureau de Redbeard et lui avaient demandé sa bénédiction. Rakkim avait 25 ans, il venait d'être promu et on lui avait proposé un poste en ville. Sarah venait de finir ses études universitaires. Ils étaient amoureux. Il était temps de se marier.

« Hors de question ! » avait grondé Redbeard. Rakkim lui avait exposé ses perspectives professionnelles, tandis que Sarah avait assuré son oncle de la pureté de leur amour et du fait qu'ils s'étaient comportés jusque-là selon les règles de la bienséance. Redbeard avait rejeté tous leurs arguments d'un revers de la main. Puis il avait congédié Rakkim.

Si Rakkim était resté feddayin, peut-être aurait-il obéi à la volonté de Redbeard qui lui avait ordonné de ne plus jamais revoir Sarah. Pressenti malgré son jeune âge pour un poste de commandant, décoré pour son courage et son intrépidité, il aurait pu se marier, avoir des enfants, et continuer à servir son pays. Mais après deux autres longues missions dans les États de la Bible, Rakkim avait démissionné et s'était installé dans la Zone. Il ne se passa pas un jour sans qu'il pensât à contacter Sarah, mais ce fut elle qui fit le premier pas. Un an et demi s'était écoulé lorsqu'une femme âgée, légèrement voilée, le bouscula dans la rue, devant le musée de la Guerre, pressant dans sa main une puce-message avant de disparaître.

Le lendemain, Sarah se glissait à ses côtés, dans les ténèbres du dernier rang de fauteuils d'une salle de cinéma. « Moi qui croyais les feddayin audacieux. J'attendais que tu donnes de tes nouvelles. Tu comptais laisser Redbeard décider à ta place du cours de ta vie ?... »

Rakkim l'avait embrassée.

« Voilà qui est mieux. » Sarah avait caressé sa joue.

Ils s'étaient vus à peu près une fois par semaine pendant l'année qui avait suivi, parfois à la tombée de la nuit, lorsqu'il faisait assez sombre, parfois au beau milieu de la matinée, lorsqu'elle ne donnait pas de cours, mais toujours avec la plus grande prudence : il lui était arrivé de conduire des raids militaires avec moins de soins. Leur histoire d'amour était dangereuse, et par essence destinée à être un jour découverte, mais elle n'en était justement que plus douce encore. Un jour, après qu'un policier eut reconnu Rakkim et lui eut serré la main, ils s'étaient promis de tout arrêter. Leur promesse fut brisée une semaine plus tard sous un croissant de lune, un sourire d'amoureux dans la nuit.

« Nous devrions nous marier, avait dit alors Rakkim, essoufflé après l'amour, comblé de joie d'être à nouveau avec elle. Nous n'avons pas besoin de la permission de Redbeard.

– Bien sûr que nous en avons besoin, avait-elle répondu, toujours aussi pragmatique.

– Alors nous devons cesser de nous voir. Une femme de ton rang... ce que nous faisons pourrait te nuire.

– C'est déjà le cas, avait-elle dit dans un éclat de rire. Ne t'inquiète pas. Redbeard changera d'avis. »

Il pleuvait plus fort à présent. Il se souvint de la caresse des lèvres de Sarah, de son goût, et de la façon dont elle frottait ses pieds contre lui, sous les draps. Il s'était attendu à ce que leur histoire finisse un jour, mais la brutalité de cette fin le surprenait encore à présent. Il était entré dans la maison d'un ami parti en vacances, et l'avait attendue. En vain. Le lendemain, elle lui avait téléphoné et lui avait dit qu'ils ne pourraient plus jamais se revoir. Que la situation était inextricable. Le combiné lui avait paru presque trop lourd à porter. Il lui avait demandé si elle était bien sûre de son choix. Oui, elle l'était. Cela remontait à six mois. Elle l'avait contacté à trois reprises depuis, et à trois reprises, elle lui avait posé un lapin. À présent, elle avait disparu et...

Rakkim entendit le moteur du break métallisé avant d'apercevoir ses phares au travers des arbres.

Des yeux brillèrent sur le bord de la route. Un cerf, l'air hagard, pris dans la lumière des phares.

Rakkim engagea la première vitesse de la Ford silencieuse alors que le break ralentissait pour aborder le virage. Il enfonça la pédale d'accélérateur, pied au plancher, lorsque le break passa devant sa cachette, et la Ford percuta le véhicule de plein fouet, l'envoyant rouler par-delà le remblai. Il entendit sa chute dans la végétation du ravin, et le bruit de la tôle froissée contre les deux épaves d'automobiles qui se trouvaient déjà en bas.

Le cerf cligna des yeux, et détala.

Rakkim s'engagea sur la route principale. Aucun phare, derrière ni devant lui. Rien que la pluie, lui et ses souvenirs.

7

Le mollah Oxley ouvrait si grand la bouche lorsqu'il riait que Khaled ibn Aziz pouvait quasiment voir le fond de son immonde gosier. Mais ce dont il riait était encore plus immonde. Oxley présidait la table du banquet, entouré par le sommet de la hiérarchie des Robes noires, avec Ibn Aziz à sa droite. Une place d'honneur avec une vue d'horreur.

« Souris un peu, Khaled, dit Oxley, le chef des Robes noires. Mais souris donc ! Ton visage suffirait presque à nous gâcher la fête. »

Ibn Aziz obéit. Ou plutôt, il essaya.

« Regardez-le, meugla Oxley, crachotant des bouts de pigeon rôti. Il jeûne, comme toujours. À regarder notre frère famélique, on croirait que la nourriture est notre ennemi. » On rit encore. « J'exige de mes subordonnés la plus parfaite bienséance en public, mais tu es entouré d'amis, ici, Khaled. Ceci est une fête, un banquet en l'honneur de notre pouvoir qui ne cesse de croître, qu'Allah en soit loué. Et mon second fait grise mine comme un juif le jour du Jugement dernier ! »

L'assistance rugit de rire, les autres ministres de la foi tapant la table de leurs poings, faisant trembler les assiettes et les verres de cristal. Les Robes noires les plus puissantes avaient passé leur nuit à manger et à boire. L'aube allait bientôt poindre, et ils n'en avaient pas encore fini.

Ibn Aziz regarda autour de la table, et ne vit que des faibles et des lâches vêtus de robes de soie noire, une douzaine d'hommes qui, à présent gras et avides, avaient oublié leur mission. Seuls Tanner et Faisal baissaient la tête, embarrassés, face à leur assiette qu'ils n'avaient pas touchée, les mains posées sur leurs cuisses.

La hiérarchie de la police religieuse était infestée d'hypocrites, d'hommes qui étaient entrés dans ce saint ordre par intérêt personnel, des adorateurs du luxe et de la luxure qui dissimulaient leurs bas instincts sous leurs robes, croyant que personne ne pouvait ainsi les percer à jour. Oxley était le pire de tous. En public, ses manquements n'allaient guère très loin, mais en privé c'était un ivrogne et un pédophile. Petites filles, petits garçons, peu importait aux yeux d'Oxley, tant qu'il leur restait assez d'innocence pour assouvir sa soif. Ses perversions étaient autant d'abominations, mais il y avait pire : il était partisan de la conciliation avec les modérés, et ne manquait jamais une occasion de conclure des marchés avec les autorités séculières. Oxley était le troisième mollah que la police religieuse avait suivi en vingt ans. La dernière fois où il s'était mis en danger au nom de sa foi remontait au jour où il avait assassiné son prédécesseur.

Oxley congédia d'un mouvement de la main les inférieurs hiérarchiques qui les servaient, saisit une bouteille de vin et versa le liquide proscrit dans le verre déjà plein d'Ibn Aziz. Le verre déborda, et le vin rouge macula la nappe blanche. « Bois, Khaled. Bois, bon sang ! » Il continuait à vider la bouteille, et le vin dégoulinait de la table, tombant sur la robe d'Ibn Aziz. « Je ne laisserai pas ta triste figure se moquer ainsi de moi. »

Ibn Aziz saisit doucement le verre, et n'avala que de minuscules gorgées. Il eut envie de vomir.

Oxley posa la bouteille sur la table avec fracas. « Voilà qui est bien mieux. » Il leva son propre verre, attendit que le reste de l'assistance fît de même, puis le vida d'un trait. Il s'essuya la bouche, et rota dans un soubresaut de son double menton. « Il reste peut-être un espoir de te sauver, mon jeune squelette. »

Ibn Aziz regardait droit devant lui. Ascète au teint pâle et aux yeux protubérants, il avait un air maladif, mais détenait une force surnaturelle, et un tempérament plus féroce encore. Sa barbe était clairsemée, ses cheveux noirs tombaient sur ses épaules, emmêlés et sales car il ne se lavait que rarement, de peur que sa propre nudité n'éveille en lui quelque pensée impure. Il était entré dans l'ordre des Robes noires sous les moqueries, mais il en avait bien vite gravi les échelons. Choisi par Oxley parmi de nombreux prétendants plus âgés, Ibn Aziz était devenu le bras droit et le fléau de justice du mollah. Lorsqu'il pénétrait dans une pièce, tous les yeux se baissaient à présent. Oxley se servait de lui pour intimider ses adversaires politiques et ses subordonnés ambitieux, mais la pureté d'Ibn Aziz avait été une bien mauvaise surprise. Ibn Aziz était célibataire. Il ne possédait rien d'autre que deux robes et un exemplaire du Coran. Il ne pouvait être ni acheté ni tenté. Il considérait modérés et modernes comme plus dangereux encore que les sionistes : ils étaient à ses yeux une pourriture humaine qui souillait la perfection des États-Islamiques.

Oxley observa Ibn Aziz. « Je ne comprends pas pourquoi tu t'obstines à ne pas t'amuser. La victoire d'aujourd'hui au Super Bowl a été totale. Les caméras ont filmé nos frères en train de fouetter des modernes pour les punir de leur impudeur. Le monde entier a pu admirer notre intransigeance.

– Nos frères n'ont quasiment pas versé la moindre goutte de sang, déclara Ibn Aziz alors que le vin continuait de couler sur sa robe.

– Patience, Khaled. » Oxley se tourna vers le reste de la tablée. « Notre jeune frère aurait préféré que l'ayatollah al-Azufa dirige la prière de la mi-temps, plutôt que l'ayatollah Majani. »

Ibn Aziz savait qu'il aurait dû garder le silence, mais la franchise était le seul petit plaisir qu'il se permettait en ce bas monde. « L'ayatollah al-Azufa est un véritable guerrier de Dieu. Majani n'est qu'un beau parleur, un bouffon auprès duquel même les modernes se sentent pieux. »

Oxley plissa les yeux, le visage rutilant sous l'effet de la boisson. « Majani était celui que j'avais choisi, comme tu n'es pas sans le savoir. »

Toute l'assistance fut plongée dans le silence. Les deux gardes du corps d'Oxley se penchèrent légèrement en avant, main sur leur dague. Ils se tenaient respectivement de part et d'autre du mollah, un robuste Yéménite à la peau sombre, et un Américain plus grand que son collègue, et qui jadis avait brillé dans l'équipe des Faucons de San Francisco au cours d'un Super Bowl.

Oxley appliqua une tape sur l'épaule d'Ibn Aziz en éclatant de rire, et tous rirent avec lui, heureux de voir la tension s'estomper. « Si j'avais autorisé al-Azufa à diriger la prière, il se serait répandu en injures contre le président pour son manque de piété, et aurait probablement fait lapider à mort quelques hommes et femmes adultères, pour faire bonne mesure. À ton avis, qu'est-ce que cela aurait donné devant toutes ces caméras ? » Oxley rayonnait. « Khaled ne sera pas heureux tant qu'on n'aura pas remplacé les ballons du Super Bowl par des têtes de mécréants. » Il gratifia le dos d'Ibn Aziz d'une tape paternaliste. « Il te reste beaucoup à apprendre, mon très jeune frère. La finesse est la plus grande des qualités en politique.

– Nous sommes chargés de faire respecter la loi d'Allah, répliqua Ibn Aziz. Pas de jouer à faire de la politique.

– La politique nous est aussi nécessaire qu'Allah pour nous débarrasser de Redbeard », aboya Oxley.

Ibn Aziz baissa les yeux, choqué par ce blasphème.

« Tel est notre but, n'est-ce pas ? sermonna Oxley, tandis que les autres convives marmonnaient leur approbation. C'est Redbeard qui se tient en travers de notre chemin.

– Alors faisons-lui sentir nos fouets une bonne fois pour toutes. » Ibn Aziz parcourut des yeux l'assistance, en quête d'éventuels soutiens. « Il y a une heure de cela, un véhicule de la Sécurité nationale a délibérément heurté l'une de nos voitures chargée de sa filature. Trois frères ont été grièvement blessés. » Il tapota la table de son index. « L'heure n'est ni à l'oisiveté ni à la frivolité.

– Notre frère se meurt de s'engager dans la bataille mais, dans sa hâte, il provoquerait notre chute à tous. » Oxley pointa un pilon de dinde dans la direction d'Ibn Aziz, lui enjoignant de se calmer. « Nous devons jouer sur du velours, déclara Oxley, l'esprit échauffé par sa propre voix. Pas plus tard que la semaine dernière, suivant mes ordres personnels, l'imam de la mosquée même de Redbeard a prononcé une fatwa contre l'immoralité de la culture populaire, désignant la mode et la musique modernes comme des "actes de terrorisme social aussi dangereux que n'importe quelle menace émanant des États de la Bible". Ce fut une énorme cause d'embarras pour Redbeard. » Oxley rongea son pilon de dinde. « Tu vois, Khaled, c'est ainsi que nous vaincrons : par petites bouchées. Nous grignoterons Redbeard petit bout par petit bout, jusqu'à ce qu'il ne reste plus rien de lui.

– Par petites bouchées ?... » Ibn Aziz poussa son assiette pleine de côté. « Vous nous demandez donc, à nous, les instruments de la volonté du Tout-Puissant, de nous transformer en souris ? »

Oxley laissa tomber l'os de dinde. « Te crois-tu meilleur qu'une souris, Khaled ? Est-ce pour cela que tu m'as désobéi ? »

Les autres Robes noires se trémoussèrent inconfortablement sur leurs sièges, et les gardes du corps s'éloignèrent insensiblement d'Oxley.

« Khaled est venu me trouver vendredi dernier, poursuivit Oxley. Il était persuadé que la nièce de Redbeard s'était enfuie, persuadé que la luxure s'était emparée d'elle, et qu'elle courait rejoindre un amant...

– Cette catin n'est pas apparue pour donner ses cours. Mon informateur au sein du département d'histoire nous a signalé que le directeur n'avait pas été prévenu de cette absence. C'était une occasion inespérée, pour nous tous.

– Une occasion inespérée ? » Oxley ouvrit grand les bras. « Cette chienne a ses chaleurs, et Khaled attrape une crampe ! »

Les Robes noires hurlèrent de rire. Les gardes eux-mêmes sourirent de toutes leurs dents.

« Notre frère m'a demandé la permission d'envoyer des hommes sur la piste de cette femme, reprit Oxley, le visage à présent menaçant. Que t'ai-je répondu, Khaled ?

– Vous avez dit qu'il valait mieux ne pas prendre le risque de la traîner devant la justice.

– J'ai répondu que nous étions en train de remporter la bataille, corrigea Oxley. Il est inutile d'attaquer Redbeard de front. Pas tant qu'il bénéficiera de la confiance du président.

– Le président n'est plus qu'une ombre, dit Ibn Aziz. Sans force, sans...

– Tu m'as demandé la permission, et je t'ai répondu "non". Qu'as-tu fait alors ? Je t'en prie, Khaled, révèle à tes frères la façon dont tu as obéi à un ordre de ton mollah. »

Le sang d'Ibn Aziz se glaça, jusqu'à ce qu'il ne ressente plus rien. Ni douleur ni plaisir, rien qu'une certitude cristalline.

« Nous attendons tous, Khaled, lança Oxley.

– J'ai désobéi à mon mollah, en préférant obéir à la volonté d'Allah.

– Tu confonds le bourdonnement de tes oreilles avec la voix d'Allah, répliqua Oxley d'un air méprisant. Toi qui es très savant, Khaled, dis-nous : quel est le prix de la désobéissance ? »

Ibn Aziz se leva, s'inclina à l'attention d'Oxley, et posa ses mains à plat sur la table.

« Tu as été un serviteur de grande valeur, déclara Oxley. Intelligent et déterminé. » Il fit signe à ses gardes. « Je récompenserai ces qualités par une mort rapide et sans douleur. Puisses-tu découvrir dans l'au-delà ces plaisirs charnels que tu rejetas en ce monde. »

Le garde américain se posta aux côtés d'Ibn Aziz. « N'aie crainte, mon frère, dit d'une voix douce et légèrement nasillarde le grand et blond assassin du Wyoming. Je vais te tordre le cou si vite que tu te verras enlacé par des vierges parfumées avant même d'avoir compris que tu es mort. »

Ibn Aziz scrutait Oxley lorsque le garde américain poussa un cri. Un faible cri. Un cri de bébé. Oxley écarquilla les yeux, et Ibn Aziz sourit.

Le garde yéménite posa délicatement l'Américain par terre, et retira sa dague de son large dos.

Oxley voulut se relever, mais l'alcool et la surprise le ralentirent. Ibn Aziz était déjà derrière lui, passant une serviette autour de son cou. Il la serra. Les mains d'Oxley remontèrent le long de la serviette, et se mirent à griffer Ibn Aziz.

Celui-ci ne prêtait aucune attention aux efforts désespérés d'Oxley. Il continuait à serrer. Oxley était deux fois plus gros que lui, mais le péché l'avait amolli. Ibn Aziz avait le cœur pur, avec la force et la clarté d'esprit du juste. *Dieu te fera paraître face à Lui pour que tu rendes compte de tout ce que révélera ton âme, et de tout ce qu'elle dissimulera,* récitait-il en serrant plus encore son étreinte.

Oxley émit un gargouillement, les yeux exorbités, en se débattant sauvagement. Les pans de sa robe de soie noire claquaient contre ses flancs. Des larmes coulaient sur ses joues pour se perdre dans sa barbe.

Ibn Aziz s'appuya de tout son poids sur Oxley. *Et Allah dit... Allah dit à Iblis, le diable : « La voie qui mène vers Moi est droite, et tu n'auras aucun pouvoir sur Mes serviteurs, à l'exception du dévoyé... des dévoyés qui te suivront. Et l'enfer sera leur lieu de rendez-vous à tous. »*

Les lèvres d'Oxley étaient aussi pourpres que la vigne mûre. Il s'agrippa à la nappe, renversant plats, verres et couverts. Ses mouvements ralentirent, ralentirent encore, jusqu'à ce qu'il s'effondre tête la première.

Ibn Aziz le relâcha et Oxley tomba à terre, mort. Ibn Aziz essuya ses mains avec la serviette, puis la jeta de côté. Il considéra l'ensemble de la tablée. Les Robes noires avaient les yeux rivés sur leur assiette, tremblant, à l'exception de Tanner et Faisal, qui manipulaient leurs chapelets respectifs. Posément, avec un certain sens de la cérémonie, Ibn Aziz s'assit à la place à présent vacante pour présider la table. Le garde yéménite se posta derrière lui. Ibn Aziz se sentait nimbé d'une lueur immaculée. Il avait 26 ans. Il y avait encore tant à faire, et il s'était à peine mis au travail.

8

Le lendemain après-midi, Rakkim se trouvait derrière le bureau de Sarah à l'université. Il regardait posément autour de lui, en essayant de se mettre à sa place. Il sourit. Rangée au fond de sa bibliothèque se trouvait une photo d'elle-même en parka orange, les bras triomphalement dressés au sommet du mont Rainier. En regardant de plus près, Rakkim pouvait voir son propre reflet dans les lunettes de montagne de Sarah, vêtu d'une parka bleue et pointant l'objectif de son appareil photo dans sa direction. Encore un secret de Sarah, encore une de leurs plaisanteries personnelles.

Des étudiantes passèrent devant la porte du bureau en traînant des pieds alors qu'il fouillait le bureau de Sarah. La deuxième sonnerie les avertit qu'il ne leur restait plus que cinq minutes pour rejoindre leur salle de cours. L'université était très stricte sur la ponctualité et la correction de la tenue vestimentaire, mais son budget de maintenance et d'entretien était manifestement bien trop faible. Le campus était impeccable, sans le moindre détritus, mais les planchers vernis des bâtiments étaient craquelés et inégaux, les salles de cours inconfortables, avec des chaises et des tables dépareillées. Les bureaux des professeurs ne valaient pas mieux : le mobilier était de mauvaise qualité et les murs dans un piètre état. Les ordinateurs de l'université étaient de véritables antiquités, sans liaison satellite et avec un accès limité à Internet, supposément pour se prémunir contre les virus russes qui foisonnaient. La première fois qu'il s'était rendu en ces lieux, Rakkim avait été stupéfié par ce flagrant manque de moyens : les installations feddayin réunissaient le meilleur de la technologie, des bureaux intelligents, entièrement tactiles, aux systèmes holographiques d'entraînement au combat. En comparaison, l'université était un taudis, sans soin ni budget. Le verrou du bureau de Sarah était une insulte, et n'avait de verrou que le nom.

Tôt ce matin, Rakkim avait laissé la voiture de Redbeard dans un parking souterrain du centre-ville de Seattle. Alors qu'il en sortait, l'appel à la prière avait résonné, la voix du muezzin ondulant du haut du minaret de la mosquée principale, *Dieu est le plus grand, Dieu est le plus grand. Je témoigne qu'il n'est de dieu que Dieu. Je témoigne que Mahomet est le messager de Dieu. Je témoigne que Mahomet est le messager de Dieu. Venez à la prière ! Venez à la prière !* Dans toute la ville, tout l'État, tout le pays, à travers le monde entier, la multitude des musulmans pieux entendait des appels similaires et y répondait comme un seul homme.

Rakkim resta planté dans la lueur rosâtre de l'aube, tremblant au son de l'appel, à sa perfection. Un seul cœur. Une seule âme. Un seul Dieu. Il n'avait pas prié depuis trois ans, mais il se surprit à murmurer les mots du muezzin alors que les gens se hâtaient en direction de la mosquée, des hommes d'affaires vêtus de costumes trois-pièces, des adolescents en jeans, des femmes qui tenaient la main de leurs enfants, les pressant afin de ne pas arriver en retard. On disait que les prières en communauté étaient vingt-sept fois supérieures aux prières solitaires, et que les premiers arrivés dans la mosquée étaient plus bénis que les autres. Dans quelques minutes, les croyants seraient agenouillés, tournés vers la Ka'ba de La Mecque, une vague parfaite de soumission, dénuée d'ego, infinie, qui se déroulerait dans l'éternité. Rakkim les vit se presser vers la mosquée, et il leur envia leur dévotion.

Durant la demi-heure qui suivit, Rakkim prit plusieurs bus, passant et repassant à travers la Zone, pour finalement descendre en face d'un bâtiment et se glisser dans son appartement. Nul ne savait où il habitait, pas même

Mardi. Il prit une douche rapide et dormit quelques heures. À son réveil, il mangea un reste de poulet froid et avala quatre aspirines. Puis il emprunta la voiture d'un inconnu garée sur un parking et se rendit à l'université pour une petite effraction.

Redbeard avait dit qu'il avait inspecté en personne le bureau le vendredi, alors que le campus était désert, mais Rakkim devait voir par lui-même. Il voulait de plus s'entretenir avec la collègue de Sarah qui partageait le même bureau, la professeure Barrie. Elle passerait certainement par ici après son cours de 15 heures. Le bureau avait été conçu originellement pour un seul professeur, mais que ce fût pour des raisons financières, ou pour répondre à l'impératif moral de ne pas laisser élèves et professeurs seuls dans un espace privé, tous les bureaux étaient occupés par au moins deux professeurs.

Rakkim inspecta les tiroirs du bureau de Sarah, mémorisant scrupuleusement l'emplacement de chaque objet avant de le déplacer. Il y avait tout un tas de carnets jaunes recouverts des notes de Sarah en prévision de ses cours, « Les États-Unis d'Amérique après la guerre d'Irak » et « Introduction à la recherche en culture populaire ». Il y avait aussi des feuilles d'examen, ainsi qu'un épais carnet de l'administration détaillant longuement les règles à suivre quant à sa tenue vestimentaire et son comportement, avec en notes de bas de page les versets du Coran correspondants.

Punaisée à un panneau de la bibliothèque, invisible à quiconque ne serait pas passé derrière le bureau de Sarah, se trouvait une copie du *Bill of Rights*, les dix premiers amendements à la Constitution de l'ancien régime. Il connaissait leur existence, mais il était étrange de les voir ainsi placardés. Il se demanda si Sarah cherchait des ennuis, ou si elle désirait simplement se rappeler à quel point les choses avaient changé. Selon les travaux de Sarah, le premier amendement avait été vidé de tout sens, et la protection qu'assuraient les neuf autres très strictement limitée. La plupart des gens semblaient ne pas s'en soucier. Rakkim avait lu quelque part que le fait de brûler le drapeau national était jadis considéré comme un usage légitime du droit de liberté d'expression. L'élimination totale du deuxième amendement avait été plus controversée. Il existait encore quelques vieux de la vieille pour s'en plaindre, mais ils avaient rendu leurs armes à feu, comme tout le monde. Armes interdites à tout civil. Rakkim n'avait pas besoin d'arme à feu. Il était bien assez dangereux sans.

Il examina la bibliothèque : des ouvrages universitaires et des biographies en grande majorité, mais l'étagère la plus basse était entièrement dédiée à la passion de Sarah, la culture populaire américaine de la fin du XXe siècle et du début du XXIe siècle. Des bouquins sur *Star Wars*, les *X-Men*, *Le Seigneur des anneaux*, des bouquins sur des films policiers et des films d'horreur, des comédies romantiques et des thrillers politiques. Cinquante ans de programmes télés numérisés, et une encyclopédie de la BD, des catalogues de chaussures à la mode et de vêtements streetwear chics, de grosses cylindrées et de bijoux fantaisie, tout, et n'importe quoi, était digne d'intérêt à ses yeux. « Tout est évident, Rakkim, aimait-elle à dire. Tout est évident : il faut simplement s'efforcer de voir l'image que forme le puzzle. » C'est ce qu'elle faisait, et mieux que quiconque. Sarah comprenait d'instinct l'ancienne culture populaire, sans effort, guidée par une intuition et une finesse infaillibles qui lui permettaient de formuler ses conclusions avant même que la plupart des chercheurs aient fini d'analyser les données.

Aucun livre sur la Chine, en revanche. Aucun document numérique. Rakkim espérait trouver quelque chose qui eût expliqué le trou de punaise dans le planisphère, mais il ne trouva rien. Il avait consulté un site de géographes ce matin, et avait découvert que le trou correspondait plus ou moins au barrage des Trois-Gorges, sur le Yangzi Jiang, sans pour autant saisir le lien entre ce site et les recherches de Sarah. Elle était historienne, spécialiste de l'Amérique du Nord, et la Chine n'avait que peu de chose à voir avec la nouvelle Amérique. La Chine était considérée comme la première puissance mondiale, alors que les États-Islamiques faisaient figure de nation technologiquement à la traîne et politiquement fragmentée, dont l'ancienne gloire n'était plus qu'un lointain souvenir. Alors pourquoi Sarah s'intéressait-elle à la Chine ? Rakkim hocha la tête. Peut-être n'était-ce là qu'un simple trou. Une simple erreur. Concentre-toi d'abord sur ce que tu sais, puis laisse libre cours à ton imagination : c'est ce que Redbeard lui aurait conseillé.

Et ce qu'il savait, c'était que Sarah avait disparu vendredi matin. Elle s'était volatilisée après son cours intitulé « L'avant-guerre en Amérique », laissant sa voiture sur le parking de l'université. Redbeard prétendait qu'elle fuyait un mariage arrangé, mais Rakkim n'en croyait rien. Si cela avait été le cas, elle n'aurait eu qu'à rejoindre Rakkim au Super Bowl et lui dire qu'elle était prête à s'enfuir avec lui. Alors quel avait été le déclencheur ?

Un bout de papier rose glissa sous la porte.

C'était un message de M. Hobbs, professeur d'histoire, demandant à Sarah de le contacter au sujet de la prochaine réunion du conseil de l'université. Rakkim scruta la porte. Sarah n'avait donné ni son cours du vendredi après-midi, ni son séminaire de ce matin (« Méthodologie appliquée en histoire »), mais, en principe, la majorité de ses collègues devaient encore ignorer qu'elle avait disparu. Alors pourquoi était-ce là le premier message qu'elle recevait depuis vendredi ? Rakkim jeta un coup d'œil à son bureau. Aucun message. Sur celui de sa collègue, en revanche, se trouvaient un grand nombre de feuilles roses.

Quatre messages à l'attention de Mme Barrie, tous rédigés par d'autres professeurs du département d'histoire : un changement de date pour un déjeuner initialement prévu pour le lendemain, une invitation à un pot entre collègues, une relance pour ses annotations sur les flux migratoires franco-algériens, et un second rappel du professeur Bonditti pour qu'elle lui rende l'ouvrage qu'il lui avait prêté. Deux messages étaient adressés à Sarah. L'un émanait du directeur du département, qui lui demandait de le rappeler, et l'autre du département de sociologie, signé d'une certaine Miriam, et qui disait : « Est-ce que je me serais trompée de jour ? Rappelle-moi. » Il fourra le message de Miriam au fond de sa poche en entendant le cliquetis d'une clef dans la porte. Il l'avait délibérément laissée déverrouillée.

« Qu'est-ce que vous faites ici ? » Une femme d'une cinquantaine d'années se tenait dans l'encadrement de la porte, serrant des documents contre sa poitrine.

« Mme Barrie ? » Rakkim tendit sa main, qu'elle ne serra pas. « Le bureau était ouvert, aussi me suis-je permis d'entrer. J'espère que vous ne m'en voulez pas trop. J'attends Mlle Dougan pour l'interviewer.

– Vraiment ? » Mme Barrie s'avança en laissant la porte grande ouverte, et laissa tomber ses documents sur son bureau, faisant s'envoler les feuilles roses que Rakkim n'avait pas prises. « Eh bien, elle vous a posé un lapin, jeune homme. Bienvenue au club.

– J'ai peur de ne pas vous comprendre.

– Son Altesse Royale a décidé de partir en balade sous prétexte de recherches, et m'a laissée seule maîtresse à bord. Pas d'avis préalable, pas plus que d'indication d'une éventuelle date de retour. » Mme Barrie s'assit lourdement et, du bout du doigt, repoussa ses lunettes à la base de son nez. Elle avait tout d'une universitaire surchargée de travail, avec sa robe à manches longues et ses cheveux gris en bataille. « Je ne me mêle en aucun cas de sa soi-disant spécialité. Je m'intéresse à la démographie musulmane de la fin du XXe siècle, et pas de ces fadaises populaires dont elle se fait le chantre. »

Rakkim sourit. « Je ne suis pas historien.

– Grand bien vous fasse. » Mme Barrie le regarda plus attentivement. « Une interview ?

– J'écris un article sur Mlle Dougan pour l'*Islamic-Catholic Digest.*

– Jamais entendu ce nom.

– C'est un modeste journal qui s'attache à une plus grande compréhension au sein de notre communauté.

– Quelle communauté ? demanda Mme Barrie d'un ton impérieux.

– Ne me demandez pas ça à moi. Le directeur de la publication a réussi à décrocher une subvention, moi je me contente de faire des interviews.

– Peut-être que lorsque Son Altesse daignera réapparaître, je demanderai moi aussi une subvention pour un congé sabbatique dans le Sud de la France, répliqua Mme Barrie. Il y a là-bas des documents de recensement extrêmement intéressants que j'adorerais étudier pendant un mois, avant de revenir ici me faire interviewer par un charmant jeune homme. »

Rakkim désigna les photographies encadrées posées sur son bureau. « Ce sont vos enfants ?

– Mes six trésors, tous les six mis au monde dans la douleur et la souffrance. » Elle se signa en un éclair. « Les bonnes catholiques n'ont pas peur de remplir leur devoir, à l'instar des bonnes musulmanes. Avez-vous déjà rencontré Mlle Dougan ?

– Non. Mais j'ai feuilleté son livre.

– En vérité, je n'ai rien contre elle. Je crois simplement qu'elle manque de maturité. Je lui ai déjà dit que la première responsabilité d'une femme est de se marier et d'avoir des enfants. Une fois ses enfants majeurs et autonomes, elle peut tout à fait poursuivre une carrière. C'est ce que j'ai fait. » Mme Barrie emmitoufla son nez bulbeux dans un mouchoir, et souffla discrètement. « Je travaille très dur. Je vais à la messe tous les jours. Je respecte les autorités. » Elle redressa l'une des photos, et releva les yeux en direction de Rakkim. « Êtes-vous un modéré ou un moderne ?

– Très honnêtement, je ne sais pas trop. Je fais de mon mieux.

– C'est une bien étrange réponse pour quelqu'un de votre confession. » Mme Barrie sourit. Ses dents étaient grosses et inégales, mais c'était un beau sourire, un sourire franc. « Vous parlez comme un catholique. Nous autres, nous doutons de tout.

– J'ai grandi dans la foi catholique. » Le mensonge sortit instantanément.

« Vous vous êtes converti, c'est ça ? Je l'ai envisagé moi-même. » Elle regarda en direction de la porte ouverte, et attendit qu'un groupe d'étudiants en pleine conversation en ait passé le seuil. « Nous irons tous au paradis, mais certains parmi nous se trouvent tout au fond du bus, comme jadis les Noirs dans ce pays, si vous voyez ce que je veux dire ?

– Tout à fait, répondit Rakkim. Je suis très déçu de constater que Mlle Dougan ne pourra répondre à mes questions. Quelque chose de spécial lui a fait prendre cette décision ?

– Elle était encore là juste avant que je donne mon cours de 9 heures du matin, vendredi dernier, et à mon retour elle avait disparu. Elle ne m'a rien dit à propos d'un congé sabbatique. Je trouve cela particulièrement malpoli.

– A-t-elle reçu des visites ce matin-là ? »

Mme Barrie lui lança un regard suspicieux par-dessus ses lunettes.

« Je veux tout simplement la retrouver. Si je loupe cette interview, j'aurai de gros problèmes avec mon patron. » Rakkim s'assit sur la chaise de Sarah, la tirant plus près de Mme Barrie. « Vous savez très bien comment ça marche. Malgré ma conversion, je dois travailler plus dur que tous les autres. » Il se reprit, l'air penaud. « Je ne devrais pas vous embêter avec mes problèmes. »

Mme Barrie mit de l'ordre dans ses papiers. « C'est la même chose partout. Catholiques et musulmans ont beau être les enfants d'Abraham, quand il s'agit de distribuer les récompenses terrestres... » Elle posa ses lunettes sur son bureau, et se pencha pour murmurer à Rakkim. « Je l'ai toujours dit à mon mari : si j'étais musulmane, je serais directrice du département à l'heure qu'il est, et si j'avais été arabe, j'aurais été présidente de l'université.

– Amen, approuva Rakkim. Je me disais simplement... si vous vous souveniez de quelque chose susceptible de m'aider à la retrouver, je vous en serais extrêmement reconnaissant. »

Mme Barrie se frotta le front un instant, puis hocha la tête. « Je suis désolée. Mlle Dougan est une personne assez secrète. Les étudiants l'apprécient beaucoup, ça va de soi, mais ses collègues la trouvent... peu orthodoxe.

– A-t-elle des relations privilégiées avec certains de ses élèves ?

– L'administration n'encourage pas vraiment ce genre de comportement. Pas dans le cas d'un professeur célibataire.

– Je veux parler de relations totalement pures. Un thé à la cafétéria... je me suis laissé dire qu'elle côtoyait Miriam, du département de sociologie. »

Mme Barrie hocha à nouveau la tête. « Pas à ma connaissance, mais à dire vrai, si vous voulez mon avis, la sociologie n'est à mes yeux qu'une fausse science parmi tant d'autres. Je ne me suis jamais mêlée des affaires de Mlle Dougan. »

Rakkim se leva. « Je vous remercie quand même. » Il s'apprêtait à traverser le seuil lorsqu'elle l'interpella :

« Je suis à peu près certaine d'avoir vu Mlle Dougan au Mecca Café, vendredi matin. »

Rakkim ne laissa pas transparaître son enthousiasme. « Le Mecca Café ?

– Sur Brooklyn Way, à quelques pâtés de maisons du campus. Essentiellement un repaire d'étudiants, même si certains professeurs y passent acheter un sandwich. Les snacks de la cafétéria du campus sont hors de prix.

– Elle y était vendredi ?

– Oui, mais elle était seule. J'attendais au feu rouge, j'ai regardé de l'autre côté et je l'ai vue, en train de pianoter sur l'un des ordinateurs au fond de la salle. Cela ne m'a pas intriguée sur le moment, mais je me demande maintenant pourquoi elle ne s'est pas servie de son ordinateur, ici, dans ce bureau que nous partageons. Ils sont lents, d'accord, mais leur usage est gratuit. »

Rakkim se força à hausser les épaules. « Merci quand même. Je fixerai un nouveau rendez-vous avec elle dès son retour.

– Vous pourriez aussi bien envisager d'interviewer un autre professeur d'histoire, lui lança Mme Barrie alors qu'il s'engageait déjà dans le couloir. Une chercheuse sérieuse, cette fois. »

9

Avant la prière
de la mi-après-midi

Rakkim se hâta vers la sortie du magasin Four Kings pour attraper le bus de Pike Street. De sa place tout au fond, il regarda par le pare-brise arrière, et vit que personne ne le suivait. Il continua néanmoins un bon moment à épier la rue.

Il s'était habitué à ce ballet trépidant, à ces incessants retours sur ses pas, à ces crochets abrupts par des immeubles abandonnés et des marchés en plein air. Il n'avait repéré que peu de poursuivants, mais c'était bien assez comme ça. Des agents de Redbeard, sûrement, à moins qu'il ne s'agisse de flics en civil en quête de mauvais coups. À vrai dire, il préférait toujours agir de façon oblique. Sa prudence lui avait sauvé la vie plus d'une fois au cours de ses premières années chez les feddayin. Et sur le champ de bataille, elle avait souvent épargné à sa patrouille de tomber dans une embuscade. Les autres pensaient qu'il s'agissait de chance, qu'il avait les faveurs d'Allah, et faisaient tout pour rester à ses côtés. Rakkim n'avait jamais eu le courage de leur dire que la chance n'était pas un feu qui réchauffait ceux qui l'entouraient. La chance, tout comme les faveurs d'Allah, était semblable à un trou noir. Ou bien elle vous aspirait, ou bien elle vous ignorait.

Après son entretien avec Mme Barrie à l'université, Rakkim s'était rendu en voiture au Mecca Café, où il avait bu un express en conversant avec la serveuse, avant de reprendre son véhicule qu'il avait garé alors en centre-ville. Il s'était ensuite fondu dans la foule d'un marché, avant de pousser les portes du magasin Four Kings. Sa décision était déjà prise : il devait contacter Spider.

Il quitta le bus à First Hill, se mêla à un essaim de personnels hospitaliers qui faisaient grise mine en prenant leur service dans un hôpital militaire réservé aux anciens combattants. Il les accompagna pendant une petite minute, les écoutant se plaindre des administrateurs de l'hôpital, avant de se diriger tout droit vers Reservoir District en évitant les innombrables flaques qui jonchaient le trottoir.

Reservoir District était un quartier ouvrier, habité principalement par des catholiques et des musulmans non pratiquants. C'était un agglomérat de maisons miteuses et de petits commerces d'aspect plus que chiche. Des ménagères rondouillardes emmitouflées dans leurs imperméables en plastique pressaient le pas sous la pluie, tandis que des hommes, serrés autour de bidons dans lesquels on avait allumé un feu, se disputaient et se passaient des bouteilles dissimulées dans des sacs de papier marron. Sur le mur d'une ruelle, on avait écrit « Allez à la mosquée » à la bombe, et juste au-dessous, au marker, « Va te faire enculer », réplique aussi cinglante que dangereuse : tout blasphème pouvait coûter au fautif de perdre la langue. Devant une maison finissait de rouiller une vieille Lexus perchée sur des parpaings, les pneus à plat. Les trottoirs étaient lézardés de toutes parts, et les panneaux signalétiques avaient été volés, afin de dérouter policiers et étrangers.

Sous les auvents des épiceries s'étalaient des bananes molles et brunes, et des pommes rongées par les vers. D'une boutique sourdait le dernier tube atonal, et l'on devinait la disquaire derrière la vitrine sale, une femme sans poitrine recouverte de tatouages miroirs. Partout, de la merde de chien. Même les familles catholiques les plus pauvres avaient au moins un chien, un défi discret lancé à la majorité musulmane, qui considérait le chien comme un animal impur. Aucun fervent musulman n'aurait accepté d'entrer dans une maison où vivait un chien : cela revenait à embrasser un porc. Rakkim piétina une maigre pelouse afin d'éviter un monticule encore fumant, en plein milieu du trottoir, et il était bien obligé de se ranger à l'avis de ses frères musulmans.

Le col ruisselant de pluie, Rakkim entra dans le minuscule salon de coiffure pour hommes, où grésillaient des ciseaux laser sans âge. Un chien malpropre, couché à côté de la porte, releva la truffe dans sa direction, et poussa un bref glapissement avant de reposer sa mâchoire sur ses pattes. Rakkim s'ébroua, passa devant les clients qui attendaient, et alla s'asseoir sur le siège du cireur de chaussures, tout au fond de la boutique. Il prit un journal écorné et mit ses pieds en position.

« Normal ou de luxe ? » renifla Elroy. Il était enrhumé. Elroy était constamment enrhumé.

« Et pourquoi pas un traitement spécial hyperhydratant, pour une fois ? » rétorqua Rakkim en jetant un coup d'œil à une photo du président qui accueillait les troupes de retour du front du Québec. Quelqu'un lui avait dessiné des cornes. Il tourna la page. « Ce truc à l'huile de vison, tu sais. »

Elroy ouvrit lentement l'une de ses boîtes à cirage. Il avait une douzaine d'années, il était petit et maigre, un gamin renfrogné, avec des mèches noires rebelles et les paupières tombantes. Son nez était presque inexistant, évidemment. Un simple bouton. Rakkim avait entendu dire que son nez ressemblait à un véritable bec d'aigle avant que Spider le fasse arranger. Spider avait fait raboter les nez de tous ses gamins afin qu'ils ne lui ressemblent pas. Trop sémite, trop dangereux. Rakkim n'avait cependant jamais vu Spider. Personne ne savait à quoi il ressemblait, mais c'était ce que racontait la rumeur.

Rakkim avait eu recours aux services de Spider cinq ou six fois au cours des dernières années, la plupart du temps pour vérifier la réelle identité des aspirants émigrés, afin de s'assurer qu'on ne lui tendait pas un piège, ou pour trouver de nouvelles routes d'émigration. Une fois, Spider avait piraté le système informatique de la municipalité de Boise, dans l'Idaho, et avait ainsi pris connaissance des positions occupées par la police et la brigade frontalière. Il était même parvenu à savoir à l'unité près le nombre de lunettes de vision nocturne dont elles disposaient, avec en plus les numéros de série et l'état de leurs batteries. Boise avait été un excellent point de fuite hors du pays, une véritable passoire, jusqu'à ce qu'un autre « agent de voyages », un salopard trop gourmand, se fasse attraper alors qu'il tentait de faire suivre la rivière Snake à un groupe de dix-sept personnes. Dix-sept ! L'abruti avait sûrement voulu jouer au petit train. Avec pour terminus une armée de flics. Ils avaient tous été exécutés, hommes, femmes, enfants. Au Blue Moon, Rakkim avait assisté à la scène en direct, retransmise par satellite, sans la moindre réaction. Boise était de l'histoire ancienne. Il était à présent impossible d'y faire passer une épingle sans être détecté.

C'était Mardi qui l'avait mis en contact avec Spider. L'un des fils aînés de Spider faisait la plonge au Blue Moon, un gamin myope de 15 ans qui suivait un double cursus. Mardi lui permettait de dormir dans le club lorsqu'il ne rejoignait pas sa famille. Rakkim n'avait pas la moindre idée du nombre d'enfants que Spider pouvait bien avoir. Mardi disait qu'ils étaient disséminés aux quatre coins de la ville, tous travailleurs acharnés, et extrêmement malins. Lorsque Rakkim voulait faire affaire avec Spider, il préférait passer par Elroy plutôt que par celui qui faisait la plonge. Une manœuvre oblique de plus.

« Comment vont les affaires ? demanda Rakkim.

– Que des petits trucs. » Elroy passa un chiffon sur le cirage noir, et se mit à frotter dans un mouvement lent et circulaire. Ses ongles étaient rongés presque jusqu'à la lunule, et cerclés de noir. « Les ratés qui vivent ici se moquent pas mal de ce à quoi ils peuvent ressembler. Ils seraient prêts à porter des sabots de bois s'il pleuvait moins. » Il passa précautionneusement le cirage sur les bottes de Rakkim à la pointe renforcée en polymère. « Tes grolles sont vraiment cool. Tu les as volées à qui ?

– À un type qui t'aurait sûrement laissé un gros pourboire. » Rakkim continuait à feuilleter le magazine. Il tomba sur une publicité pleine page pour le parc d'attractions Palestine Adventures, non loin de San Francisco : on pouvait voir des familles heureuses souriant à l'objectif, des gamins portant de fausses ceintures d'explosifs et brandissant des répliques d'AK-47 au ciel. « Tu es déjà allé à Palestine Adventures ?

– Bien sûr, avec le grand mufti, on s'est éclatés comme des fous sur le parcours du Bus Kamikaze, répondit Elroy en s'attaquant à l'autre botte. C'était génial. J'ai mangé des côtelettes de porc et j'ai tout gerbé sur ma ceinture d'explosifs. »

Rakkim releva les yeux vers l'autre bout du salon, mais personne ne leur prêtait la moindre attention. Il s'adossa à son siège pour profiter des coups de chiffon experts d'Elroy et du bourdonnement des ciseaux laser. Sur l'écran mural, un jeu télévisé, sans convertisseur holographique. Aucun intérêt. Les questions étaient vraiment trop faciles.

« Voilà », dit enfin Elroy.

Rakkim jeta un coup d'œil à ses bottes. « Mecca Café, dit-il posément en plongeant la main dans sa poche intérieure pour en tirer de l'argent. Ils ont deux ordinateurs, mais j'ignore quel est celui qui m'intéresse, aussi demande à Spider de les pirater tous les deux. Je veux connaître toutes les données qu'ils ont échangées vendredi dernier, entre 8 et 10 heures du matin. » Il paya Elroy pour le coup de brosse, en lui laissant un gros pourboire.

Elroy renifla. « Ouah, génial, maintenant je pourrais m'inscrire à la fac de mon choix. »

Rakkim lui passa un stylo à bille. « C'est à toi ? » Il observa Elroy l'accrocher au col de son T-shirt. « Il y a deux mémoires là-dedans. » Il avait tiré la première de l'ordinateur personnel de Sarah qu'il avait trouvé chez elle, et la seconde à la vieille bécane de l'université, avant l'arrivée de Mme Barrie. « J'aimerais que Spider y jette un œil.

– Avec toute la pluie qu'on a en ce moment, il faudrait que tu reviennes te faire cirer tes bottes d'ici une semaine.

– Ça ne peut pas attendre une semaine.

– Ça pourrait s'avérer très cher. »

Rakkim se leva de son siège. « Peu importe le prix. »

« Où est Simmons ? demanda Mardi.

– M. Simmons est à l'hôpital, à cause d'une infection. Je ne connais pas les détails. » Darwin lui sourit en posant son attaché-case sur le bureau de Mardi. « J'ai bien peur que vous deviez vous contenter de moi.

– J'achète ma gnôle à Simmons depuis que j'ai ouvert ce rade. Je lui fais entièrement confiance. À mes yeux, vous n'êtes qu'un mec qui passait devant la porte et qui est entré.

– Nous travaillons pour la même entreprise. Les prix sont les mêmes. La très haute qualité des produits aussi. » Darwin tapota son attaché-case, sur lequel se trouvait une infime tache de sang. Une de ses nombreuses plaisanteries dont il était le seul à rire. « Même attaché-case pour les échantillons. Vous avez vu le monogramme ? » Il lui lança un clin d'œil. « Simmons m'a dit de me méfier de vous. Il paraît que vous êtes plus que dure en affaires. »

Mardi se pencha contre son bureau en croisant ses longues jambes. « Je n'aime pas me faire enculer.

– Je ne suis pas là pour ça. » Darwin resserra sa cravate. Un vrai geste de plouc. Le tic du courtisan nerveux. C'était vraiment une bombe. Une salope de catholique avec une nuée de taches de rousseur sur ses bras nus et un fin duvet blond au-dessus de sa lèvre supérieure. Elle devait gueuler à ne plus s'entendre, il en était sûr. Il tira une bouteille de l'attaché-case, et posa sur le bureau deux petits verres. « Nous avons un tout nouveau produit à vous proposer, d'une rare qualité. »

Mardi l'observa remplir les petits verres. Il était généreux. Pas comme Simmons, qui mouillait à peine le fond des godets. « Nos clients ne s'intéressent pas vraiment à la qualité. » Elle saisit son verre, et le souleva pour l'exposer en pleine lumière. Elle admira la robe caramel clair. « Ce qu'ils veulent, c'est s'amuser un bon coup, et avoir assez d'argent pour acheter l'alcool qui pourra les y aider. »

Darwin fit tinter son verre contre le sien. Il emplit sa bouche, savourant l'alcool avant de le laisser couler, chaud et réconfortant, le long de sa gorge. Elle en fit autant. Il lui sourit.

Mardi lui renvoya son sourire.

« Je n'ai jamais goûté un vrai bourbon du Kentucky, mais on m'a dit que c'était presque aussi bon », dit Darwin.

Mardi s'humecta les lèvres. « Pas mauvais.

– Simmons avait raison. Vous êtes vraiment dure en affaires.

– Combien coûte une caisse de ce truc ?

– Pour vous ? » Darwin releva les yeux au plafond, s'absorbant un instant dans ses calculs. « Sept cents... non, mettons six cent cinquante. »

Mardi hocha la tête. « Il faudrait que je demande 20 dollars le shot pour que ce soit rentable. »

Darwin remplit à nouveau son verre, et lut la surprise dans les yeux de Mardi. Le plaisir, également. « Considérez cela comme un produit d'appel, une spécialité qui fera venir du monde. Tous les clubs de la Zone proposent la même bière fade et la même gnôle éventée. Le Blue Moon deviendrait une destination hors du commun. » Il trinqua une seconde fois avec elle et, au lieu de la regarder dans les yeux, lorgna ses seins. « Pour reprendre votre devise au néon, *S KE VOUS KIFFEZ ?* »

Mardi vida le contenu de son verre.

Darwin l'observa en train d'avaler, excité par les mouvements de sa gorge. Tout à la fois extrêmement émoustillé et profondément concentré. S'il avait pu la tuer à l'instant, les choses auraient été parfaites. Mais il avait d'autres priorités. Le Vieux Sage avait été on ne peut plus clair. Il aurait tout le temps de la tuer plus tard. L'attente était censée redoubler le plaisir, mais rien n'était comparable à un meurtre express. Un assassinat soudain. La foudre même de Dieu.

« À quoi pensez-vous ? »

Darwin sourit. « Je me disais que j'adore mon travail. »

Mardi sortit une cigarette de son paquet.

Darwin la lui alluma. « Où est votre associé ?

– Il a pris un congé.

– Quel dommage. Simmons m'a dit que c'était un sacré personnage. » Le Vieux Sage lui avait dit que Rakkim était plein de ressources, plein de ruses. Un défi, avait dit le vieux. En sachant pertinemment que ce simple mot suffirait à lui mettre l'eau à la bouche. Les photos qu'il avait reçues sur son téléphone montraient un moderne à la musculature noueuse et au regard acéré, plus viril que sophistiqué. Un dur, un vrai. Exactement comme Darwin les aimait.

Il était allongé dans son lit lorsque le Vieux l'avait appelé, se rappelant dans une vague somnolence ses meilleurs souvenirs. Après lui avoir proposé le contrat, le vieil homme aurait aimé raccrocher aussitôt, mais Darwin l'avait tenu au bout du fil, lui demandant des nouvelles de sa santé, de ses chevaux de course primés, et de ses adorables enfants. Le vieil homme était resté poli, comme à son habitude, très délicat et posé, mais avec dans la voix une imperceptible nuance d'agacement. Nul autre que Darwin n'aurait pu la déceler.

Darwin scruta les fines volutes de fumée qui s'échappaient des narines de Mardi. « Je vais rester encore quelques jours en ville. J'aimerais vraiment faire sa connaissance. » Il fit glisser sa carte de visite sur la table. « Appelez-moi. Ce n'est pas tous les jours que j'ai l'occasion de serrer la main d'un feddayin. »

Mardi haussa les épaules.

Darwin remplit une troisième fois son verre, à ras bord. « Ne dites pas à mon patron que je jette son argent par les fenêtres.

– Est-ce que vous essayez de me saouler, Darwin ?

– Vous me donnez l'impression d'être une femme qui n'a besoin de personne pour se défendre. Dois-je réserver une caisse à votre attention ? Ou préféreriez-vous en parler d'abord à votre associé ? »

Les yeux de Mardi étincelèrent. « Je vous l'ai déjà dit, je doute que je puisse rendre ce produit rentable.

– C'est ridicule. La Saint-Patrick approche. Ce n'est peut-être pas un jour férié, mais vous savez ce qu'on dit. » Darwin fit tinter une troisième fois son verre contre le sien. « Le soir de la Saint-Patrick, tout le monde est catholique. »

10

APRÈS LA PRIÈRE DE L'AUBE

On aurait dit qu'un orage de grêle crevait à l'intérieur même du cybercafé La Pieuse Maîtresse de maison, alors que vingt femmes penchées sur leur clavier pianotaient à toute vitesse, et qu'une demi-douzaine attendaient leur tour debout. Toutes portaient un tchador, noir pour la majorité, plus clair pour les plus jeunes. Sarah avait décroché son voile pour le simple plaisir de présenter son visage en toute liberté. La plupart du temps, elle s'aventurait dehors habillée comme une moderne ou une catholique, en jean ou en pantalon de toile, les cheveux détachés, avec un rien de maquillage. Quand elle consultait Internet, elle portait la robe et le tchador. Un cybercafé fondamentaliste, où l'on contrôlait rigoureusement l'accès aux adresses Web et aux sites potentiellement dégradants, était l'endroit idéal pour échanger des messages codés.

Sa voisine, qui ne devait pas avoir plus de 17 ans, fredonnait le dernier morceau pop à la mode tout en pianotant. Une chanson qui racontait l'histoire de deux ados qui tentaient de rallier le Canada en ski et finissaient par mourir de froid, gelés dans les bras l'un de l'autre. Si le père de cette fille l'avait entendue chanter cette chanson, il l'aurait battue jusqu'à ce qu'il lui soit impossible de marcher. Il aurait fouillé sa chambre et inspecté sa radio afin de s'assurer qu'elle ne l'avait pas modifiée pour capter des stations obscènes. La jeune fille avait desserré son tchador bleu ciel, en dessous duquel apparaissaient à présent ses cheveux blonds. Comme toutes les femmes présentes dans le café, elle portait autour du cou une carte plastique, pleinement visible, signée de son père ou de

105

son époux, et qui stipulait qu'elle avait la permission de sortir de chez elle. Sarah aussi en portait une, un faux qu'elle avait acheté dans la Zone plusieurs mois auparavant. Elle pesait à son cou aussi lourdement qu'une pierre.

Sarah attendit la fin du chargement de la page d'accueil du site. Les ordinateurs du café ne permettaient pas le visionnage des photos, bien évidemment, mais tous les filtres de sécurité les rendaient incroyablement lents. Slogans et phrases saintes s'étalaient sur les murs, en lettres roses manuscrites : « Des enfants obéissants sont un cadeau de Dieu aux femmes » ; « Nombreux enfants = Cœur joyeux » ; « Honore ton époux » ; « Un frère sévère est un rempart contre le péché ».

Elle écouta les bavardages des femmes, et sentit les limites de leurs existences. Pourtant elles paraissaient heureuses, liées entre elles d'une façon qu'elle, ainsi que ses amies modernes, n'auraient pu imaginer. Sarah récitait quotidiennement ses prières, se rendait à la mosquée au moins tous les vendredis, mais la foi était pour elle secondaire, ce n'était ni la substantifique moelle de sa vie, ni la voix qui guidait son existence. Elle avait un métier, c'était une universitaire libre d'esprit, mais son travail ne lui offrait pas les réserves illimitées de sérénité dont elle surprenait le reflet sur les visages des croyantes, la certitude que toute chose reposait entre les mains d'Allah. Bien au contraire. Ces derniers jours, elle avait trouvé dans la modestie de son tchador un curieux réconfort, et dans l'anonymat de son voile, une joie authentique. C'était embarrassant, et elle ne l'aurait avoué à personne, pas même à Rakkim, mais il lui arrivait parfois de penser qu'elle payait trop cher le prix de sa rigueur intellectuelle.

« Bienvenue à La Pieuse Maîtresse de maison », s'afficha sur l'écran en lettres d'or, clignotant à son attention.

Sarah passa en revue la liste des derniers messages postés, cherchant plus particulièrement une question concernant la préparation d'un repas de fête composé de lapin, de patates douces et d'une sorte de radis, les *victory radishes.* Il y avait de nombreuses questions au sujet de plats similaires, mais aucun d'entre eux n'incluait des *victory radishes*, un terme tombé en désuétude depuis déjà vingt ans. Elle passa à nouveau les messages au peigne fin. La question, si elle avait pu la trouver, aurait contenu un code lui indiquant l'adresse d'un autre site où une conversation privée aurait été possible. Mais aucun message ne parlait de *victory radishes*.

Sarah cliqua sur « Poster une question ».

« Ma mère, Allah ait son âme, avait une recette qui nécessite, entre autres ingrédients, des *victory radishes*, mais je n'en ai pas trouvé au marché. Je serais ravie que quelqu'un puisse me dire où trouver ces légumes, si c'est bien de légumes qu'il s'agit. J'aimerais de tout cœur honorer sa mémoire en servant ce plat à mon très respecté père. »

La porte du café s'ouvrit alors qu'elle cliquait sur « poster », et une vague de murmures anxieux parcourut la salle. Sarah releva les yeux pour les baisser aussitôt, le souffle court. Elle fixa l'écran, remettant lentement son voile en place, devant sa bouche. La Robe noire se mit à parcourir la pièce. C'était un homme courtaud, avec de petites lunettes rondes perchées au bout de son nez. Il aurait pu paraître comique, sans cette longue canne flexible qu'il tenait à la main, et l'aura de puissance qui émanait de lui.

La Robe noire se mit à faire siffler sa canne dans un mouvement de pendule, tout en parcourant les rangs du cybercafé. La salle était à présent plongée dans le silence complet, à l'exception des sifflements de la canne.

Des femmes tirèrent sur les manches et le bas de leur tchador, pour s'assurer qu'on ne voie ni leurs poignets ni leurs chevilles. La jeune voisine de Sarah recouvrit rapidement sa tête, rentrant ses cheveux sous l'étoffe bleue.

« Ma sœur ? » dit la Robe noire d'un ton doux.

Une femme d'âge mûr lui jeta un bref regard, la lèvre tremblante.

La canne cingla l'air à moins de trois centimètres de son nez. « Le site que tu es en train de consulter est une insulte à ton mari ! » La voix de la Robe noire était aiguë et flûtée, comme si elle avait été filtrée par son épaisse barbe brune. « "Le Lit Nuptial"... de la fange !

– L'imam de Chicago recommande ce site, murmura la femme.

– L'imam de Chicago cautionne des abominations. »

La femme tomba à genoux et embrassa l'ourlet de la robe noire.

Alors que la Robe noire approchait, Sarah regardait droit devant elle. Cette rigidité qu'elle s'imposait finissait par lui tordre le ventre. Il s'arrêta derrière la voisine de Sarah.

La canne frappa le sol.

La jeune fille posa ses mains sur ses cuisses, tremblant si fort que son tchador semblait vibrer.

Le bout de la canne souleva une boucle de ses longs cheveux blonds, qui avait glissé hors du tchador. « Tu exhibes tes cheveux à l'attention de tous, siffla la Robe noire. Es-tu une putain catholique ou une pieuse musulmane ? »

Sanglotant, la jeune fille dissimula la boucle, une marque rouge en travers de la main.

La Robe noire dut sentir le regard furieux que Sarah posa alors sur lui. Il lui répondit par un regard plus menaçant encore. « Allah, le Tout-Puissant, a horreur des femmes insolentes. »

Sarah baissa les yeux. Heureuse que le voile cachât la majeure partie de son visage.

La Robe noire arracha la carte plastique de son cou, si violemment qu'elle faillit en bondir de son siège. « Abu Michael Derrick, lut-il de ses yeux, énormes derrière ses lunettes. Ton époux a négligé ses devoirs. Tu es vêtue modestement, voilée comme doit l'être une digne épouse musulmane, et pourtant tes yeux trahissent ta vraie nature. Manques-tu de respect envers le Prophète Lui-même, loué soit Son nom, ou uniquement envers ceux qui tâchent humblement de faire respecter Ses lois ? »

Sarah baissa la tête, furieuse de ce bref laisser-aller dans son attitude. Effrayée, également. Les pouvoirs que détenaient les Robes noires sur les modernes étaient limités, mais Sarah se faisait passer pour une fondamentaliste. Il avait entièrement le droit de la tirer hors du café, de la fouetter dans la rue et de l'amener en l'état à son époux afin qu'il puisse parfaire son châtiment.

« Quelle est ta mosquée ? demanda la Robe noire d'un ton autoritaire.

– La mosquée des Saints-Martyrs-de-Palestine, répondit Sarah, les yeux toujours baissés.

– Une mosquée respectable. L'imam Plesa est très versé dans la science du Coran. » La Robe noire fouetta de sa canne le dossier de sa chaise. « Ton époux te bat-il ?

– Lorsque je le mérite, souffla Sarah en acquiesçant docilement.

– Judicieuse réponse, ma sœur, mais c'est la sévérité de ton époux qu'il convient de saluer, pas ton esprit retors. » La Robe noire la dominait de sa petite taille. Du coin de l'œil, Sarah pouvait deviner son poing se resserrer autour de sa canne. Celle-ci surgit soudain, soulevant la main gauche de Sarah et la rapprochant de lui, afin qu'il puisse l'examiner sans avoir à toucher sa chair. Elle se félicita d'avoir enlevé toute trace du vernis à ongles qu'elle portait d'habitude. Ainsi que de s'être souvenue de passer une alliance. Elle avait pensé à Rakkim lorsqu'elle l'avait fait. « Tes mains sont douces. Ce sont là les mains d'une femme oisive, égoïste. Une femme aux nombreux serviteurs, ou une femme qui se moque de l'état de son foyer. » Il laissa sa main retomber, dégoûté. « Ton époux te gâte trop. L'as-tu manipulé grâce à tes ruses de femme ? Te crois-tu belle, ma sœur ?

– Si mon époux me considère comme telle, gloire en soit rendue à Allah, le Miséricordieux, qui nous a créés.

– Une autre bonne réponse. » La canne fouetta l'air. « Es-tu instruite, ma sœur ? »

Sarah hésita, ne sachant trop quoi répondre. Elle sentit l'attention de toute la salle rivée sur elle. Toutes les femmes remerciaient Dieu que la Robe noire en ait choisi une autre qu'elles.

« Réponds ! »

La canne s'abattit sur son épaule et elle grogna, s'obligeant à garder les lèvres closes. Le son lui rappela ses gémissements de passion avec Rakkim, leurs cris qui se confondaient comme leurs corps. À ce souvenir, ses joues s'empourprèrent.

« Es-tu allée à l'université ? As-tu bu tout ton saoul de cette eau impure ?

– Oui... un an, avant que mon époux m'interdise d'y retourner. Ce dont je lui suis infiniment reconnaissante. »

La Robe noire acquiesça. « Il lui reste peut-être un espoir. » Il s'éclaircit la voix. « Je parlerai à ton imam. Il doit instamment s'entretenir de ta conduite avec ton époux.

– Merci », dit Sarah, la tête toujours baissée. Sa blessure à l'épaule ne cessait de la lancer.

La Robe noire jeta sa carte plastique par terre.

Sarah ne fit pas le moindre mouvement pour la récupérer. Ses yeux luisaient, mais elle se refusait à pleurer. Les paupières mi-closes en meurtrières, elle observa la Robe noire parcourir la rangée avant de finalement sortir.

Les chuchotements se firent entendre dès que la porte se fut refermée. Certaines femmes gloussaient, plus par nervosité que de joie. Aucune ne regarda Sarah, pas même sa jeune voisine.

Le concert des cliquetis de claviers reprit, mais Sarah ne bougea pas. Elle connaissait tout de la brutalité des Robes noires, des bastonnades et des humiliations qu'ils faisaient subir aux femmes, mais jusqu'ici tout cela n'avait été que théorique. La douleur qui lui rongeait l'épaule, cela, c'était un véritable savoir. Toute idée qu'elle s'était faite des bons côtés du fondamentalisme s'était à présent évanouie. Le prix à payer pour un tel bonheur était bien trop cher.

Son professeur préféré lui avait dit un jour que l'histoire était une matière embrouillée et traître, mais que la vérité en valait la peine. Assise dans la classe, encore étudiante, elle avait cru en la sagesse profonde de ces mots, mais, par la suite, sa remise en question des attaques sionistes l'avait poussée à se demander si elle devait continuer sur cette voie. Récrire l'histoire, c'était inviter le chaos, et son cortège de douleurs et de souffrances. Cette Robe noire aux yeux globuleux avait mis un terme à ses doutes. Certaines choses étaient pires que le chaos. Quels que soient les risques qu'elle devrait prendre, elle allait poursuivre sa quête. La vérité, à tout prix.

11

« Rakkim Epps, répéta-t-il au garde. Mme Warriq ne m'attend pas. Dites-lui que je suis venu la voir au sujet d'une connaissance commune à l'université. » Il laissa le garde échanger quelques mots au téléphone sans le quitter des yeux. Un instant plus tard, il raccrochait, ouvrait le portail, et la voiture de Rakkim entrait.

C'était mercredi : il s'était passé cinq jours depuis la disparition de Sarah, trois jours depuis que Redbeard avait fait appel à lui. Il avait passé la veille à étudier les appels téléphoniques et les données électroniques de Sarah datant de l'année qui s'était écoulée, en quête de récurrences dont il aurait pu déduire l'endroit où elle s'était enfuie. En vain, mais cela ne le surprit pas : Sarah l'avait toujours joint grâce à des téléphones à usage unique qu'on vendait sous le manteau dans toute la Zone. Le système GPS de sa voiture lui avait révélé à la minute près les habitudes de conduite de Sarah, synthétisées dans un graphique en couleurs, mais Sarah avait toujours pris des taxis pour se rendre à leurs rendez-vous pour cette raison précise, et avait toujours payé en liquide. Il espérait qu'elle se soit montrée cette fois-ci moins prudente avec ses factures, mais toutes ses notes de restaurant correspondaient à un trajet en voiture, aucun ticket de caisse ne sortait du lot. À sa grande honte, il avait même vérifié ses factures d'hôtel, mais rien n'indiquait qu'elle était avec quelqu'un d'autre. Elle était la nièce de Redbeard : elle ne faisait pas d'erreurs aussi stupides. Il avait tout de même vérifié.

La veille, il avait appelé Redbeard pour lui demander à nouveau d'entrer les images numérisées de l'iris de Sarah dans le système de sécurité du transit national. Redbeard lui avait redit que Sarah était toujours en ville, et qu'il était de toute façon trop tard à présent pour lancer la procédure. « Entre ses données, avait insisté Rakkim, si elle prend l'avion, le train ou le bus, où que ce soit dans le pays, elle sera arrêtée. » Redbeard avait fini par avouer qu'il y avait eu un souci avec le logiciel. Un ver informatique chinois avait fait planter tout le système, et personne n'était parvenu à résoudre le problème. Ils allaient devoir reconstruire la totalité de l'architecture de sécurité. Rakkim lui avait demandé depuis combien de temps les choses en étaient là, mais Redbeard avait refusé de lui répondre. Rakkim avait alors raccroché, avec l'impression que le monde entier tournait au ralenti autour de lui. L'éclairage des autoroutes se trouvait hors d'usage parfois pendant plusieurs jours d'affilée, les nouvelles autoroutes se lézardaient dès les premières gelées, et, à présent, l'un des dispositifs de défense les plus sophistiqués du pays était tombé en panne, et aucune date de remise en état n'était envisagée. Pas étonnant que Redbeard ait fait appel à lui pour la retrouver.

Plus tôt dans la matinée, il s'était servi de la note rose qu'il avait trouvée dans le bureau de Sarah et avait appelé le département de sociologie, demandant à parler à Miriam. La secrétaire avait répondu que Mme Warriq ne donnait de cours que le vendredi. Rakkim s'était excusé, avait raccroché, et avait recherché son adresse dans les données que Redbeard avait mises à sa disposition. Il n'y avait rien de mieux à faire, et cette Miriam Warriq semblait être pour Sarah ce qui se rapprochait le plus d'une amie.

Rakkim parcourut des rues résidentielles balayées par le vent, tourna à gauche à hauteur d'une élégante mosquée recouverte de mosaïques bleues, et poursuivit sa route. Miriam Warriq vivait dans une enclave exclusivement musulmane, sur les collines qui surplombaient la ville, composée de maisons basses conçues tout spécialement pour faire profiter au maximum leurs habitants du panorama. Un quartier bien onéreux pour une professeure de sociologie. Les rues étaient quasiment vides, les pelouses denses et grasses, et les trottoirs parfaitement tenus. Aucun numéro aux maisons, aucun nom de rue. Il aurait été incapable de trouver la résidence de Miriam Warriq sans les indications de la base de données. Au moins une chose qui fonctionnait encore.

Un homme râblé vêtu d'une tunique grise ouvrit la porte avant que Rakkim ait eu le temps de frapper. Il resta planté là, bloquant le passage. Un gros bras à sale gueule, au crâne rasé, avec une barbe noire et épaisse, et la physionomie d'une enclume.

« Ayez la délicatesse de laisser entrer M. Epps, Terry », dit une femme derrière lui.

Le garde bouscula légèrement Rakkim alors que celui-ci entrait.

Rakkim enleva ses bottes et pénétra dans le salon. Miriam Warriq était assise sur un sofa à motifs floraux pourpres, les mains humblement jointes sur ses cuisses, la tête couverte. C'était une femme d'à peine 50 ans, au visage plein, avec des yeux sombres pénétrants, vêtue d'une robe et d'un tchador verts où brillaient des fils d'or. Si la visite de Rakkim était une surprise pour elle, Rakkim fut tout autant décontenancé. Miriam Warriq leur avait servi d'intermédiaire, c'était elle qui lui avait transmis la première invitation de Sarah après que Redbeard eut répudié Rakkim. Ce jour-là, Miriam portait le voile, mais il était persuadé que c'était bien elle. Ses yeux la trahissaient... et ses sourcils épais, légèrement teints au henné, à l'ancienne mode. Il inclina la tête. « Madame. C'est une joie de vous revoir. »

Elle baissa les yeux en réponse au sens implicite de sa phrase, et désigna d'un geste l'autre sofa qui lui faisait face. « Je vous en prie. »

114

Le salon était plein de statues de marbre antiques et de très anciennes tapisseries russes. Il y avait en outre une tête en pierre d'Angkor Vat, et un petit cheval recouvert de vert-de-gris, un bronze au mouvement si vivant que Rakkim s'attendait à le voir galoper au loin d'un instant à l'autre. Terry se tenait tout près, les bras croisés sur son ample poitrine.

« Je vous remercie de m'accueillir sans m'avoir invité, dit Rakkim. Vous vous demandez certainement comment j'ai fait pour vous retrouver. J'étais dans le bureau de Sarah...

– Sarah m'a dit que vous étiez plein de ressources. » Miriam le toisa. « Nous devions déjeuner ensemble vendredi, mais elle n'est pas venue, elle n'a même pas appelé pour s'excuser, ce qui n'est pas du tout dans ses habitudes, et aujourd'hui vous voilà sur le seuil de ma maison. Pour quelle autre raison pourriez-vous vous trouver ici ? » Ses mains étaient à présent fébriles, égrainant un chapelet de prière qui n'existait pas. « Quelque chose lui est arrivé, c'est ça ?

– Pas encore. »

Miriam remercia Allah dans un murmure.

« Mais il faut que je la retrouve. » Rakkim lança un coup d'œil à son garde du corps, puis reporta son regard sur elle. « Peut-être pourrions-nous poursuivre cette conversation sous la véranda ?

– Bien sûr. » Miriam se reprit et se leva. « Je vous y rejoins dans un instant. »

Rakkim l'observa quitter le salon dans un murmure de soie. Il n'avait pas bougé d'un pouce que déjà Terry s'approchait de lui, mâchoire en avant.

« Tu me dis rien qui vaille, lança Terry.

– Du calme, Terry. Je ne veux causer aucun problème à Mme Warriq. Vous avez ma parole.

– Ta parole ? » Terry passa une main sur son cuir chevelu luisant. Avec son visage plat, zébré de cicatrices, et ses yeux légèrement bridés, il avait l'air d'un boxeur, ou d'un de ces musulmans de Mongolie qui avaient immigré en Amérique après la transition, désireux de prendre part à cette fabuleuse aventure. Il plissa soudain les yeux, et désigna la main gauche de Rakkim. « Ta bague feddayin, c'est une vraie ?

– On ne peut plus vraie. »

Terry le toisa. « J'étais dans l'infanterie.

– Vous avez l'air de bien avoir connu le front.

– On peut dire ça. J'ai fait Newark. Du premier jusqu'au dernier jour. »

Rakkim le salua avec déférence en portant son poing droit à son cœur.

Terry lui renvoya son salut. « Fais attention à cette dame, feddayin, grogna-t-il. Ou je t'arracherai moi-même la tête. »

Miriam revint dans le salon en compagnie d'une femme assez ronde, vêtue d'un tchador de la même couleur que la tunique du garde du corps. Elle portait un lourd service à thé en argent aussi facilement qu'elle aurait porté une plume. Terry ouvrit grand les portes de la véranda, et se posta de côté afin de laisser la femme poser le plateau sur une petite table. Elle servit le thé et sortit à reculons, fermant les portes à son passage. Aucun geste n'avait été superflu.

Miriam attendit que Rakkim se soit assis. « J'ignore où se trouve Sarah. Si c'est pour cela que vous êtes venu, j'ai bien peur que vous ayez fait le voyage pour rien. »

Rakkim sourit. « Le carburant est bon marché. De plus, Sarah vous fait assez confiance pour vous avoir chargée de me contacter en son nom. Peut-être savez-vous plus de choses que vous ne le pensez. »

Miriam sirota son thé, l'auriculaire recroquevillé. La brise fraîche fouettait son tchador, mais elle était assise de façon à ce que son honneur reste parfaitement intact.

La matinée touchait à sa fin et les fumées qui s'échappaient des sites industriels de la vallée de Kent s'épaississaient en volutes de soufre qui flottaient jusqu'en ville. À travers la brume de pollution, Rakkim pouvait voir des dizaines de cargos pétroliers mangés de rouille sur le Puget Sound, des superpétroliers de retour de la Réserve arctique, prêts à décharger. Derrière ces navires se dressait la silhouette imposante du porte-avions *Oussama ben Laden*, l'ancien USS *Ronald Reagan*, qui patrouillait à présent sans relâche au large. Dix-sept ans auparavant, un groupe de terroristes, une secte chrétienne apocalyptique basée au Brésil, avait piraté un charter et tenté de se crasher sur le Capitole. Par la seule grâce d'Allah, et le fait que la version du simulateur de vol Microsoft sur laquelle ils s'étaient entraînés était périmée, le désastre avait été évité. La queue de l'avion dépassait encore des eaux du Puget Sound, hors des limites du trafic maritime, laissée là à seule fin d'encourager chacun à ne pas relâcher sa vigilance. Rakkim tourna sa chaise vers le mont Rainier, un volcan éteint, rocailleux, recouvert d'une glace rosée par la lueur du soleil.

« Sarah avait l'habitude de faire comme vous lorsque nous étions ici, fit remarquer Miriam. Moi, j'aime la vue sur la ville. Les gens. Les voitures et les camions qui vont et viennent. Toute cette énergie. La nature m'indiffère complètement, alors que Sarah... Sarah préfère regarder la montagne, tout comme vous. »

Rakkim imagina Sarah assise ici, un jour comme celui-ci, buvant son thé exactement à la même place. Cela faisait déjà six mois qu'il ne l'avait vue. Six mois de promesses brisées. « Sarah vous rend-elle souvent visite ?

– Quasiment toutes les semaines. Nous avons fait connaissance à l'université il y a un an et demi. Tout à fait par hasard. Elle s'était assise à ma table à la cafétéria, et c'était comme si nous nous connaissions depuis des années. » Miriam laissa courir son index sur le bord de sa tasse. « J'étais au courant, pour elle, évidemment. *Comment l'Occident fut vraiment conquis* a déchaîné les passions sur le campus. Vous n'avez pas idée du ressentiment qu'a engendré cet ouvrage chez ses collègues. » Miriam continuait à l'observer et à détourner sans cesse son regard, comme si elle se refusait à le scruter avec trop d'insistance. « Le directeur de mon département m'a suggéré de l'éviter, mais j'ai ignoré son conseil. Pour être franche, le fait d'être en compagnie d'une telle iconoclaste me plaisait énormément. Cela me donnait l'impression d'être moi-même hors la loi.

– Quand l'avez-vous vue pour la dernière fois ?

– Hum... il y a deux dimanches de cela. Une très belle journée. » Miriam croisa les doigts. Ses ongles étaient parfaitement coupés.

La première fois que Rakkim s'était infiltré dans les États de la Bible, l'une des premières choses à l'avoir frappé avait été les ongles sales et abîmés des femmes qui y vivaient. Les musulmanes veillaient à garder des ongles courts et propres, comme le requérait le Coran, alors que les femmes des États chrétiens préféraient avoir des mains qui ressemblaient à des serres, allant souvent jusqu'à peindre leurs ongles avec des couleurs criardes : leur motif préféré restait leur drapeau, la vieille bannière étoilée, avec une croix chrétienne dans le champ bleu.

« Le thé n'est pas à votre goût, monsieur Epps ? »

Rakkim leva sa tasse. Dans la lumière de cette fin de matinée, Miriam Warriq semblait calme, mais lasse, la commissure des yeux barrée de pattes-d'oie. La venue de Rakkim avait dû confirmer ses pires craintes quant à Sarah, mais elle tenait bon, refusant de céder à la panique. Rien d'étonnant à ce que Sarah et elle fussent amies. Il se pencha pour la rassurer, et surprit la réaction de Terry de l'autre côté de la vitre. « J'ai l'impression que votre garde du corps n'attend qu'un prétexte pour me briser les os.

– Terry est très protecteur. Son épouse et lui prennent soin de la maison, mais aussi de moi. Mes parents sont décédés, et une vieille fille a toujours besoin de compagnie. » Miriam lissa un pli de son tchador. « Comme il est écrit, la solitude est une porte ouverte sur le mal, monsieur Epps.

– Les portes ouvertes sur le mal sont nombreuses, madame Warriq. Trop de portes, et pas assez de verrous. La solitude est bien le moindre des maux. »

Miriam sourit et baissa les yeux. « C'est étrange d'être ici avec vous. Nous ne nous sommes vus qu'une fois, mais c'est comme si je vous connaissais. Sarah parlait de vous constamment. » Elle releva soudain les yeux. « Comme j'aimerais qu'elle soit ici.

– Moi aussi.

– Nous étions en train de travailler à un ouvrage. Elle vous l'avait dit ? »

Rakkim secoua la tête.

« C'était le cas. Nous avions commencé à comparer nos notes, nos pistes de travail... » Miriam repositionna le tchador qui recouvrait sa tête, dissimulant une mèche de cheveux aux yeux de Rakkim. « Nous voulions étudier la déliquescence intellectuelle de notre société depuis la transition. Un sujet risqué, mais Sarah avait soif d'un nouveau défi intellectuel, et j'aurais pris soin de remercier les autorités religieuses pour le salut spirituel qu'elles assurent à notre nation. » Miriam rajouta du sucre dans son thé, et fit tinter la tasse en remuant sa cuiller. « Je suis née musulmane. Vous ne pouvez pas imaginer ce que c'était que de grandir sous l'ancien régime. Les provocations, les insultes... » Sa bouche se pinça en une fine ligne. « Lorsque j'étais encore enfant, on m'arrachait mon voile plus souvent que je ne saurais me le rappeler, et, après le 11-Septembre, c'est devenu encore pire. Je ne vous dis pas cela pour susciter votre pitié. Le jour le plus heureux de ma vie fut lorsque notre nation devint une république islamique mais, en tant que sociologue, je ne peux qu'être troublée par ce que j'observe. » Elle le regarda droit dans les yeux, sans détour. « Autrefois, nous surpassions le reste du monde dans les sciences et les technologies. Difficile à croire, n'est-ce pas ? À présent, nous avons chaque année moins de diplômés en ingénierie et en mathématiques. Nos usines sont technologiquement dépassées, notre élevage est en chute constante, et les applications de nos brevets d'invention ne représentent que 40 % de celles de l'ancien régime. » Elle manipula encore un bref instant sa cuiller, puis la reposa au prix d'un effort évident, obligeant ses mains à rester immobiles. « Je parle trop, n'est-ce pas ? »

Rakkim pensait au logiciel de sécurité par reconnaissance des iris qui ne fonctionnait plus, aux prévisions météorologiques qui n'étaient plus que de simples approximations parce que les satellites avaient dévié de leur orbite. Au moins, dans la République islamique, personne ne mourait ni de faim ni de froid faute de fioul domestique. Les États de la Bible avaient beau avoir du Coca-Cola et du tabac de Caroline, ils connaissaient également des black-out faute d'approvisionnement en énergie, ainsi que de nombreux cas de rachitisme, et, contrairement à ce qui se passait dans les nations musulmanes, où l'aumône était un devoir religieux, les mendiants des États chrétiens avaient faim et froid.

« Pour un professeur, le fait de penser à voix haute est un risque du métier, soupira Miriam. Nos étudiants sont pendus à nos lèvres, mais c'est un public attentif par obligation.

– Qu'est-il arrivé à ce projet de livre auquel Sarah et vous travailliez ?

– Elle a changé d'avis. Il y a six mois de cela, du jour au lendemain.

– Au moment de ses fiançailles avec le fils de l'ambassadeur saoudien ?

– Qui vous a raconté cela ? lança Miriam en grimaçant. Son oncle a tenté de la pousser dans les bras du pétroprince, et le prince s'était bien évidemment amouraché d'elle, mais vous connaissez Sarah.

– Effectivement. » Rakkim connaissait également Redbeard : le fait qu'il lui ait menti ne l'étonnait pas. C'était la raison qui l'avait poussé à mentir qui l'intriguait. Qui plus est, c'était un mensonge particulièrement maladroit. Redbeard savait forcément que Rakkim découvrirait la vérité. Peut-être Redbeard lui avait-il dit ce mensonge gratuit pour en faire passer un autre, plus important. Cela, c'était bien dans son style. « Sarah m'a quitté à peu près au même moment où elle a mis un terme à votre collaboration. Peut-être y a-t-il un lien. Pourquoi a-t-elle abandonné ce projet ? »

Miriam hésita. « Elle a décidé d'écrire un autre livre. Mais elle a refusé de me dire sur quel sujet. Elle disait que c'était trop dangereux.

– Sarah a déjà enragé la moitié du pays. Elle a l'intention d'enrager l'autre moitié ?

– Elle était effrayée. Quand avez-vous vu Sarah terrifiée pour la dernière fois ? »

Rakkim cessa soudain de sourire.

« Elle s'inquiétait également pour moi. Elle venait me voir en taxi, et me demandait de ne pas l'appeler. Nous passions notre temps à nous laisser des mots...

– Et vous n'avez pas la moindre idée du sujet de ce nouvel ouvrage ?

– Elle a refusé de me le dire. » Miriam croisa les doigts. La face latérale de son majeur droit était légèrement ourlée, à force d'écrire avec un stylo. Une traditionaliste. « Je ne sais pas si cela peut vous aider, mais Sarah m'a rendu visite ces derniers mois principalement pour consulter ma bibliothèque. Je possède certains ouvrages très spéciaux. Ils appartenaient à mon père, en fait. Ses livres et ses carnets intimes.

– Votre père était historien ?

– Il était ingénieur et géologue. » Miriam redressa le menton. « Mon père était entêté comme une mule, mais c'était un ingénieur remarquable. Il a conçu des barrages, des ponts et des stades dans le monde entier. »

Rakkim se souvint de la carte dans la chambre de Sarah, et du trou de punaise sur le Yangzi. « Votre père a-t-il travaillé en Chine ?

– Oui, pendant un certain nombre d'années.

– Le barrage des Trois-Gorges ?

– Comment le savez-vous ? » Miriam ne s'était pas attendue à cette question. « Le barrage des Trois-Gorges est le plus grand barrage au monde. Mon père faisait partie de l'équipe d'ingénieurs, il n'était pas chef de projet, mais il était très fier du travail qu'il y a fait. Les prospections préliminaires ont commencé longtemps avant la transition, en 1992, je crois, mais même une fois le barrage achevé, son équipe retournait en Chine de temps à autre pour vérifier l'état de l'ouvrage. Le Yangzi est hautement imprévisible, et les ingénieurs devaient surveiller le débit du fleuve.

– Alors... le livre de Sarah concernait la Chine ?

– Je le lui ai demandé. Elle m'a répondu que la Chine ne représentait qu'une petite partie de son ouvrage, mais elle n'est pas entrée dans les détails. Je me suis dit qu'elle me révélerait tout le moment venu. Est-ce pour cela qu'elle a disparu ? Est-ce à cause de ce livre qu'elle préparait ? »

Rakkim passa une main sur son bouc. « Sarah et vous, parliez-vous souvent de votre père ? S'intéressait-elle à son travail... à ses opinions politiques ?

– Pas vraiment. Mon père était quelqu'un de très secret. À bien des égards, je le connaissais à peine. Je pense que Sarah s'intéressait surtout à ses livres et ses cahiers. C'est une chercheuse hors pair.

– Dans ce cas, je crois qu'il vaudrait mieux que je jette un coup d'œil à la bibliothèque de votre père. Si cela ne vous dérange pas, bien sûr.

– Pas du tout, mais j'espère que vous êtes d'un naturel patient. À la mort de mon père, je me suis plongée dans son journal intime. Il gardait ses cahiers sous clef, j'ai toujours imaginé qu'ils recélaient quelque sombre secret,

qu'ils étaient comme une fenêtre ouverte sur son âme. »
Miriam hocha la tête. « J'aimais profondément mon père,
mais j'ai eu le plus grand mal à finir le premier cahier.
Aucune révélation fracassante, rien qu'une liste sans fin
d'observations sans intérêt. » Elle lissa à nouveau un pli
de son tchador vert. « J'ignore totalement ce que Sarah
trouvait de si intéressant dans ces pages, pour y revenir
ainsi sans cesse, semaine après semaine.

– J'aimerais les consulter. »

Miriam sembla ne pas l'avoir entendu. « Vous êtes tel
que Sarah vous décrivait. Un guerrier au regard doux.
Elle était très amoureuse de vous. Je l'enviais. » Les joues
de Miriam s'empourprèrent.

« Attendez de faire plus ample connaissance avec moi...
vous ne l'envierez plus du tout. »

Miriam sourit. « Sarah disait que la maison dans laquelle
elle a grandi était silencieuse jusqu'à ce que vous arri-
viez, et que, soudain, elle s'était emplie de bruit et de
rires. Elle disait que vous étiez le seul à ne pas avoir peur
de Redbeard. À part elle.

– La seule façon de survivre à Redbeard était de ne pas
avoir peur de lui. Ou du moins de ne pas le montrer.

– Vous avez un talent inné pour la survie, je le sens. »
Miriam caressa sa tasse, l'air absent. « Moi pas. Je n'ai
jamais été confrontée à la nécessité... j'ai eu de la chance.
J'avais ma famille, puis mon emploi, et l'université. Tout a
toujours coulé comme un long fleuve tranquille. Vous, vous
étiez un orphelin qui vivait dans la rue. Je ne peux imaginer
ce que c'était.

– Disons que vous apprenez vite à finir votre assiette.

– Pourquoi vous êtes-vous enrôlé chez les feddayin ?

– Je voulais être maître de mon destin. Cela aurait été
impossible si j'étais resté dans cette maison.

– Pourquoi avez-vous quitté les feddayin ? »

Rakkim sourit. « Peut-être que le destin dont j'étais
maître ne me plaisait pas. »

Miriam ne lui renvoya pas son sourire. « J'en doute. »

Si Rakkim avait su à quel point Miriam savait lire dans les gens, il aurait gardé le silence. Mais après tout, peut-être n'avait-elle pas même besoin de converser pour savoir qui il était. « Comme si nous nous connaissions depuis des années », c'était ainsi que Miriam avait décrit ce qu'elle avait ressenti lorsqu'elle avait fait la connaissance de Sarah. Il leur faudrait certainement plus de temps, mais peut-être que, un jour, Rakkim et Miriam deviendraient également amis.

« Croyez-vous que chacun de nous ne connaît qu'un seul véritable amour, monsieur Epps ? » Miriam s'était remise à manipuler sa cuiller. « Une seule personne, avec laquelle nous sommes destinés à partager notre vie entière ?

– Je n'en sais rien.

– Eh bien, moi j'en suis absolument certaine. Sarah aussi. » Une saute de vent soudaine souffla dans le tchador de Miriam, et un bref instant, avant qu'elle ait pu rabattre le pan de tissu, on aurait dit qu'elle volait. Un bref instant, mais cela suffit pour ancrer l'impression qu'elle n'était pas complètement attachée à ce monde. « J'ai trouvé mon véritable amour lorsque j'avais 22 ans. Il était programmeur informatique, un musulman honorable, mais mon père avait d'autres prétendants en tête. Il n'a pas voulu céder, moi non plus. Nous avons vécu dans ce *statu quo* pendant plusieurs années, au cours desquelles mon amour et moi nous voyions en cachette, tout comme Sarah et vous. J'espérais avoir raison de la patience de mon père, mais soudain les sionistes ont mis un terme à tous mes espoirs. Mon amour était en vacances à Washington lorsque la bombe a explosé. J'avais prévu de l'y rejoindre, mais j'ai annulé au dernier moment. » Elle essuya rapidement la commissure de ses yeux. « Pas un jour ne passe sans que je regrette qu'il soit parti en vacances dans cette ville, ce jour précis... pas un jour ne passe sans que je regrette de ne pas y être allée avec lui. »

Rakkim posa sa main sur la sienne.

Elle la retira. « Trouvez-la, monsieur Epps.

– Je vous le promets. »

12

Le Vieux Sage était en train de se faire nettoyer le sang lorsque Ibrahim entra dans la salle de juvénilisation. Son fils était maussade, les paupières plus tombantes qu'à l'habitude. « Quelles mauvaises nouvelles apportes-tu ? »

Ibrahim hésita. « Notre frère Oxley est mort. Apparemment d'une crise cardiaque, mais...

– Il a été assassiné. Ibn Aziz a étranglé lui-même Oxley.

– Je... je viens tout juste d'apprendre sa mort », souffla Ibrahim, avec à peine une note d'agacement dans la voix. Il resta silencieux, digne silhouette mince et brune comme sa mère arabe, morte il y avait de cela des années. Il semblait toujours mal à l'aise dans la salle de juvénilisation, mais c'était tout à fait compréhensible : il n'avait que 53 ans, et se fiait encore au cours naturel des choses, et à l'avenir promis aux plus jeunes.

Le Vieux prêtait une oreille distraite aux souffles et aux grincements des machines qui l'entouraient, laissant courir son regard sur les tubes de plastique plantés dans ses veines, où ils injectaient son propre sang rafraîchi. L'assassinat d'Oxley n'aurait pas pu tomber plus mal, mais le Vieux resta silencieux. Ibrahim était prompt à voir la main d'Allah dans la chute d'une feuille d'arbre ou le roucoulement d'une colombe. La mort d'Oxley, leur homme de paille, l'énervait assez comme ça. S'il avait connu les inquiétudes du Vieux Sage, la peur se serait répandue dans toute la famille comme un virus. « Oxley nous manquera, mais il a déjà rempli sa fonction. Il n'y a nulle raison de s'alarmer.

– Je n'aurais pas dû vous déranger, père. »

Le Vieux lui imposa le silence d'un mouvement de la main. « Il n'y a rien à pardonner, mon fils. Tout est pour le mieux. »

La salle de juvénilisation était complètement blanche, le sol, les murs, le plafond, les machines elles-mêmes étaient d'un blanc d'émail. L'espace y semblait sans limites. Dans cet univers d'un blanc infini, le sang du Vieux paraissait encore plus rouge à travers le plastique translucide. Un sang d'un rouge vif, réchauffé afin de tuer toute toxine, puis refroidi à 37 °C. Un sang hyperoxygéné pour un regain d'énergie. Du sang additionnel, mélangé au sien, celui de John, le fidèle à barbe blonde et à la peau blanche crémeuse.

Le Vieux avait espéré que le mépris qu'il avait affiché au sujet du meurtre d'Oxley aurait encouragé Ibrahim à le laisser seul, mais celui-ci resta planté là, les mains jointes dans le dos, une posture qu'il tenait de ses années passées à la London School of Economics. Ibrahim était manifestement inquiet, mais le Vieux sentait qu'il y avait plus encore. Une erreur de la part du Vieux représentait une opportunité pour Ibrahim. Le fardeau d'un fils aîné. La frustration d'un conseiller en chef dont l'avis n'avait pas été suivi. « Parle, Ibrahim.

– Père... Mahdi... il nous a fallu des années pour nous assurer de la coopération d'Oxley, et plus encore à Oxley pour gagner la relative sympathie du commandant des feddayin. Comment pourrons-nous le remplacer ?

– Notre frère Oxley est à présent au paradis, c'est d'Ibn Aziz que nous devons nous soucier.

– Ne pouvez-vous pas charger Darwin de tuer Ibn Aziz ? supplia Ibrahim. Assurément, vous pourriez trouver un successeur à Oxley plus malléable que ce fougueux jeune homme.

– Darwin s'occupe en ce moment d'affaires autrement plus pressantes, répondit le Vieux, en se délectant intérieurement de la détresse d'Ibrahim. N'aie nulle crainte, tous les hommes se ressemblent, tous sont perdus dans l'écheveau de leurs besoins et de leurs désirs. Il a fallu offrir certains... petits cadeaux à Oxley pour le séduire. Pour Ibn Aziz, il faudra tout simplement changer de méthode. Le défi sera pour nous de découvrir celle qui convient, puis de l'appliquer.

– Mais, père, nous n'avons pas le temps de... »

Le Vieux leva brusquement la main à l'attention de son fils, tirant d'un coup sur les tubes. « Ne me parle pas de temps. Pas à moi. »

Ibrahim baissa les yeux, mais seulement un bref instant. Trois ans auparavant, Ibrahim s'était dressé contre le fait de promouvoir Ibn Aziz à l'échelon supérieur des Robes noires. Ibrahim était assez intelligent pour ne pas le rappeler à présent. Assez intelligent pour savoir que c'était inutile.

Les trois docteurs présents dans la salle auraient aussi bien pu être sourds. Ils étaient tout à leurs tâches, occupés à faire des ajustements minimes au moment précis où la situation le requérait.

« Reprends confiance. Oxley était docile... mais bien trop précautionneux, dit le Vieux. Ibn Aziz est d'un tempérament fougueux et plus difficile à contrôler, mais lorsque nous parviendrons à le soumettre, il sera infiniment plus utile que son prédécesseur.

– Si vous le dites, mahdi », murmura Ibrahim. Son regard sombre glissait sur les tubes plantés dans le Vieux Sage, mais son visage demeurait fermé.

« Le caractère d'ascète d'Ibn Aziz conviendra même beaucoup plus au commandant feddayin que les excès d'Oxley, ajouta le Vieux. Le général Kidd est très pieux. Malgré la bénédiction qu'Oxley avait reçue du grand ayatollah en personne, il considérait le chef des Robes noires comme tout à fait répugnant. Non, mon fils, dans les années à venir, tu verras que l'ascension d'Ibn Aziz n'est autre que la manifestation de la volonté d'Allah, Celui qui sait tout, et pour qui toute chose est possible. »

Ibrahim leva ses mains ouvertes en signe de bénédiction.

« À présent, va. Entretiens-toi avec nos frères parmi les Robes noires. Trouve la voie qui nous mènera au cœur d'Ibn Aziz, afin que nous puissions agir en conséquence. »

À reculons, Ibrahim se retira lentement de la salle de juvénilisation.

Le Vieux resta allongé sur la table d'opération. Il aurait aimé que tout soit aussi simple. Le meurtre d'Oxley était un désastre, ainsi que le pensait Ibrahim. Oxley était impie et corrompu, mais c'était un politicien hors pair, capable de s'insinuer dans les couloirs du Congrès, conférant à leurs alliés les dehors de la ferveur religieuse, et condamnant leurs ennemis dans chaque mosquée du pays. À présent, il n'était plus. Le Vieux avait sous-estimé Ibn Aziz, qu'il n'avait pris que pour un de ces nombreux bigots, jeunes et fougueux, attirés par les Robes noires. Le fait de ne pas avoir anticipé l'acte téméraire d'Ibn Aziz avait été une erreur de sa part. Il avait été distrait ces derniers mois, mais cela ne constituait en aucun cas une excuse.

Un des médecins inspecta les cuticules du Vieux, et annota quelque chose dans ses fichiers.

Le Vieux détestait voir ainsi ses pieds et ses mains sur la table d'opération. Les stéroïdes et les cocktails génétiques le maintenaient en forme, les greffes d'organes lui permettaient de tromper les années qui passaient, mais ses extrémités défiaient tout traitement. Décharnés et presque transparents, ses mains et ses pieds représentaient un aperçu de son âge véritable, donnaient de l'espoir à ceux qui guettaient la moindre infirmité chez lui. Il jeta un coup d'œil en direction de la porte. Ibrahim était redoutable. Le Vieux avait pris un risque réel en lui concédant une partie du pouvoir. Sans un certain degré d'indépendance, Ibrahim n'aurait jamais mis ses considérables talents à son service, mais trop de pouvoir risquait d'embraser l'ambition de ce jeune fils. C'était pour cette raison que le Vieux avait son propre réseau d'espions, tant à Las Vegas que dans les États-Islamiques. Le Vieux avait besoin de savoir ce qui se passait, et d'être le premier à le savoir. Ibrahim serait l'objet d'une surveillance accrue au cours des semaines à venir.

Le Vieux replia ses doigts, fermant le poing. Il pouvait à loisir minimiser les conséquences de l'assassinat d'Oxley face à Ibrahim, mais il ne pouvait se les cacher à lui-même. Le fait de perdre l'influence d'Oxley sur le Congrès était assez néfaste en soi, mais le risque de ruiner leurs relations avec les feddayin était infiniment pire. Les excès d'Oxley avaient jadis inspiré de la répulsion au général Kidd, mais l'influence secrète du Vieux Sage sur l'imam de Kidd avait finalement eu raison de son dégoût. Cela avait pris des années, mais lorsque l'instant de vérité arriverait, le général Kidd lancerait ses troupes aux côtés du mahdi, plutôt qu'aux côtés du président.

L'armée, elle, restait fidèle au président, mais ce n'était pas un obstacle insurmontable : quoique bien moins nombreux, les feddayin étaient de loin supérieurs d'un point de vue militaire. Dans le cadre d'un affrontement, l'armée capitulerait vite. Le problème était qu'Oxley était le seul lien direct entre le général Kidd et le Vieux. Sa mort faisait trembler une alliance déjà fragile. Si les feddayin ne répondaient pas à l'appel au moment choisi, si le général Kidd avait le moindre doute... alors le plan du Vieux connaîtrait un échec retentissant.

L'un des docteurs se pencha vers le Vieux Sage. « Vos nouveaux reins fonctionnent toujours à la perfection. Aucun signe de rejet, grâces en soient rendues à Allah. »

Le Vieux l'ignora. Il en était à sa quatrième paire de reins. Les docteurs soulignaient toujours l'aspect miraculeux des opérations plutôt que leur aspect purement clinique, dans l'espoir de gagner ses faveurs par la flatterie.

C'était à cause des feddayin que le Vieux n'avait pas chargé Darwin de tuer Ibn Aziz. Les Robes noires répandraient vite la rumeur de la malheureuse crise cardiaque d'Oxley, mais le général Kidd découvrirait bien assez tôt la vérité. Assassiner Ibn Aziz aurait causé beaucoup trop de troubles dans les rangs des Robes noires, et aurait diminué leur autorité, leur faisant perdre du même coup le soutien du général Kidd.

Le Vieux sentit des fourmillements parcourir ses joues et le bout de ses doigts, signe du vaste réveil physique qui signalait la fin de son traitement hebdomadaire. Sa vue semblait plus perçante, son ouïe plus acérée, et il ressentait également une nouvelle vie dans ses organes génitaux, une faim qui dépassait le simple désir charnel. Il se releva doucement, et se frotta les mains comme s'il devait en sortir des étincelles.

Il faudrait du temps pour conquérir Ibn Aziz, pour le faire plier, mais le Vieux Sage ne doutait pas que le jeune fanatique se rangerait de son côté. Le Vieux avait été choisi par Allah pour cette mission historique, la restauration du califat. Si Ibn Aziz était véritablement guidé par Dieu, il était destiné à le comprendre. Ce jeune homme avait simplement besoin d'être guidé. Mais avant tout, Darwin devait retrouver la fille. La retrouver, et la suivre. Un cancer rongeait le cœur du plan du Vieux, et seul Darwin possédait le scalpel capable de l'extraire sans causer le moindre dégât. Il retrouverait tout d'abord la fille, puis le Vieux contacterait Ibn Aziz. Et si cela ne marchait pas, si le jeune homme refusait de se soumettre à lui, le Vieux s'adresserait directement au général Kidd.

Le Vieux arracha les tubes de ses bras, les jeta de côté, laissant le sang goutter sur le sol d'un blanc immaculé, alors qu'il quittait la table d'opération.

13

Rakkim sortit discrètement par une porte de service du Blue Moon, pour se retrouver derrière un groupe de quatre ouvriers pétroliers de retour de leur plate-forme, déjà saouls, chancelant, jouant des coudes pour se frayer un chemin dans la foule. Le vent qui soufflait du Puget Sound le faisait frissonner, mais les ouvriers n'étaient vêtus que de leur jean et d'un T-shirt aux manches retroussées, exhibant leurs muscles à l'attention des modernes, qui les laissaient passer sans hésiter. Rakkim resta un instant aux côtés des ouvriers, assez près pour sentir le pétrole qui imprégnait leurs tignasses. Puis il s'enfonça dans l'une des ruelles pavées de la Zone.

Il s'était rendu au Blue Moon après avoir passé inutilement la journée dans la bibliothèque de Miriam. Il avait dîné avec Mardi, qui lui avait donné sa part des recettes de la semaine, celle qu'ils ne déclaraient pas au fisc. Elle lui avait parlé de l'incroyable bourbon que le nouveau représentant lui avait fait goûter, et lui avait redemandé s'il pouvait aider son épicier et sa famille à passer la frontière canadienne. Il lui avait répété que ce ne serait possible qu'au printemps. Peut-être qu'une fois qu'il aurait retrouvé Sarah, ils partiraient tous pour le Canada. Hiver ou pas, il trouverait bien un moyen.

Rakkim s'était alors tu, et Mardi le connaissait assez pour savoir qu'il valait mieux ne pas relancer la conversation. Il avait mangé un ragoût de bœuf, tout en se posant des tas de questions à propos de géologie, de secousses sismiques et de structures de soutènement. Richard Warriq, le père de Miriam, avait réuni dans sa bibliothèque des centaines d'ouvrages, mais Miriam avait indiqué que c'était son journal intime qui avait retenu l'attention de Sarah. Warriq n'avait cessé de voyager en Chine durant plus de quarante ans, avant et après la transition : il avait fait partie des rares Américains à avoir joui de ce privilège. Sarah recherchait quelque chose dans son journal. Elle n'avait manifestement pas encore trouvé, car, à en croire Miriam, Sarah était censée lui rendre une nouvelle visite afin de poursuivre ses recherches samedi dernier, le lendemain du jour où elle avait disparu.

Trois jeunes en sweat-shirt à l'effigie de l'équipe de leur lycée déboulèrent dans la ruelle, en direction de Rakkim, glissant sur les pavés lisses, leur mauvaise barbe pendant en mèches de leur menton, comme autant de stalactites malpropres. Le vent souleva des emballages de fast-food, Rakkim leur laissa bien assez de place pour passer, mais ils ne firent presque pas attention à lui, se tenant par les épaules, beuglant quelque chanson à boire. Rakkim pressa le pas à mesure qu'il s'enfonçait dans le labyrinthe de ruelles, passant devant les boutiques d'informatique, fermées à cette heure de la nuit.

Rakkim n'avait pas la moindre idée de ce que Sarah recherchait. Il existait tellement de sujets dangereux à traiter dans un ouvrage, même pour la nièce de Redbeard. La moindre analyse de l'autorité légale des Robes noires était problématique, et aucun éditeur n'aurait osé publier une étude sur les finances de la majorité au Congrès, ou celles du haut commandement de l'état-major. Rakkim en revenait sans cesse à l'intérêt de Sarah pour la Chine et au fait que le père de Miriam avait travaillé au barrage des Trois-Gorges : c'était le seul lien dont il disposait.

Bien que la Russie eût accordé l'asile aux sionistes, la Chine, pays le plus riche et le plus dynamique, avait suscité bien plus d'inquiétudes au sein de l'état-major de la République islamique. Le général Kidd, commandant des feddayin, était le plus belliqueux à ce sujet, surtout lorsqu'il avait une bouchée de khat frais entre la joue et les dents. La plupart des Occidentaux consommaient plus volontiers le psychotrope en infusion, mais Kidd préférait mâcher les feuilles qu'il faisait venir chaque jour du Yémen. En privé, Kidd avait déclaré que si les Chinois signaient un jour un pacte avec le bloc russe, ou attaquaient un pays musulman voisin pour faire main basse sur leur pétrole, il disposait d'ores et déjà d'une liste d'objectifs militaires qu'il convenait d'annihiler en premier lieu. Il ne les avait jamais cités nommément, mais il allait de soi que le barrage des Trois-Gorges devait figurer en début de liste. Haut de plus de cent mètres, il offrait aux navires venus de l'océan un accès direct à l'intérieur du pays. Sa destruction submergerait des millions d'hectares et paralyserait en grande partie l'économie chinoise.

Si l'ouvrage qu'écrivait Sarah concernait les feddayin, la situation était également périlleuse, étant donné que la plupart de leurs opérations secrètes entraient en violation avec le cessez-le-feu conclu avec les États de la Bible. La punaise qui avait laissé un trou dans la carte de Sarah avait peut-être été un simple repère visuel, que Sarah s'était empressée de retirer afin de s'assurer que Redbeard ne le voie pas et ne se mette à la presser de questions.

Rakkim avait espéré trouver quelque preuve dans les carnets de Warriq, quelque indication permettant d'établir qu'il fournissait aux feddayin des informations sensibles sur la Chine, en vue d'une future attaque ou d'une opération de sabotage. Malheureusement, les carnets s'étaient révélés aussi incompréhensibles que les ouvrages, recouverts de l'écriture claire mais minuscule de Warriq, aux mots serrés les uns contre les autres, avec des espaces presque inexistants. Une étagère entière de la bibliothèque était dédiée à ses carnets personnels, dont trente-huit traitaient exclusivement de son travail en Chine. Rakkim n'avait pu en consulter que deux dans la journée, avant que ses yeux ne s'avouent vaincus.

Miriam avait raison : ce journal intime n'était rien d'autre qu'une liste sans fin d'informations inutiles. Warriq mentionnait chaque repas, décrivait le moindre paysage, et détaillait chaque heure de son emploi du temps. Page après page, l'homme apparaissait comme un individu sempiternellement mécontent. La viande était de piètre qualité, les tomates insipides, la soupe froide. Son lit était trop dur. Ou trop mou. Il lui était difficile d'assurer l'hygiène imposée pour les prières. Les routes étaient mal dessinées, mal conçues. Le climat n'était pas à son goût. Les descriptions de ses subordonnés chinois étaient à l'avenant : il les présentait avec mépris comme des « ignares », des « athées », des « mangeurs de porc et de chien ». Ses supérieurs n'avaient du reste rien à leur envier, et les descriptions de ses travaux d'ingénieur n'étaient d'aucun réel intérêt. Rakkim n'avait trouvé aucun signe permettant de déduire que Warriq eût été un espion, mais il était à présent convaincu qu'il avait été un sale type, arrogant et dédaigneux. Rakkim avait demandé à Miriam s'il pouvait emporter quelques carnets, mais elle avait poliment refusé, en disant qu'elle ne s'en était jamais séparée. Elle l'invita en revanche à revenir autant de fois qu'il lui faudrait afin de les consulter.

Une cannette d'aluminium cliqueta à l'autre bout de la ruelle, dans son dos. Rakkim se retourna, mais il n'y avait personne en vue. Il tendit l'oreille, et n'entendit que la faible rumeur des voitures sur les autoroutes distantes. Il attendit une minute, immobile, puis se remit en route. Il était suivi. Par quelqu'un qui, manifestement, ne s'y connaissait pas vraiment en filature. Lorsqu'on filait quelqu'un, un incident était toujours susceptible d'arriver. On était tenté d'accélérer afin de ne pas se laisser distancer et, dans la hâte, on trébuchait ou on renversait quelque chose. Cela arrivait. L'astuce n'était pas de s'effacer, mais bien au contraire de faire tout un remue-ménage, de maudire tout autour de soi, de hurler qu'on s'était fait mal. Celui ou celle que l'on suivait se voyait rassuré par ce tintamarre, considérait le maladroit comme inoffensif, et poursuivait son chemin. Le silence, lui, engendrait systématiquement la suspicion.

Rakkim aurait pu très facilement semer celui qui le suivait. Il connaissait chaque coin et recoin de ces ruelles, chaque pavé branlant et chaque bouche d'égout, mais il attendit, son poignard à la main. Un poignard feddayin était une véritable merveille de la technologie, un alliage de polymères auquel on ajoutait l'ADN de son propriétaire. Large de moins d'un centimètre et demi, il était incassable, plus acéré qu'un scalpel, invisible aux détecteurs de métaux ainsi qu'aux détecteurs biologiques. Il faisait littéralement partie du combattant.

Deux gouapes aux longs manteaux noirs déboulèrent sur le carrefour derrière Rakkim, et s'arrêtèrent net en le voyant.

Rakkim leur fit signe d'approcher, puis il se retourna : il y avait aussi du mouvement devant lui.

Anthony Jr. et un autre gamin, également vêtus de longs manteaux, glissèrent au bas d'un escalier d'urgence qui flanquait un immeuble, de façon à ce que tous les quatre cernent Rakkim. Anthony Jr. portait une oreillette de téléphone portable. Il avait dû suivre Rakkim depuis les toits, où la lumière était meilleure, tout en coordonnant le cheminement des deux autres. Pas mal.

« T'aurais pas dû prendre mon butin au Super Bowl. » Anthony Jr. retira son oreillette. « C'était pas casher, comme mise à l'amende. »

Rakkim sourit. Le gamin était un piètre voleur, mais il avait le sens de l'humour de son père.

Tous les quatre tirèrent des battes de base-ball de sous leurs manteaux.

« Jolie chorégraphie, commenta Rakkim. L'idée des manteaux assortis me plaît aussi. Qui en a eu l'idée ?

– C'est Anthony, répondit celui qui se trouvait au côté d'Anthony Jr. Pas mal, hein ?

– Ferme-la », ordonna Anthony Jr.

Les deux premiers s'approchèrent. Ils devaient être frères, et ressemblaient à deux hyènes géantes affublées de cheveux d'un blond filasse et de fronts étroits et protubérants. Ils tapaient leurs battes contre les pavés en avançant. C'était sûrement censé effrayer Rakkim, mais on aurait plutôt dit deux aveugles tâtant le terrain du bout de leurs cannes.

À trois mètres à peine de Rakkim, Anthony Jr. se mit en position de batteur et exécuta quelques moulinets d'échauffement. Rakkim sentit l'air fouetté par la batte sur son visage.

« Tu es bien sûr que c'est ce que tu veux, Anthony ? demanda Rakkim.

– Tu l'as dit, putain ! » répondit Anthony Jr.

Totalement décontracté, Rakkim les observa approcher. S'ils n'avaient été que deux, il aurait pu garder un mur derrière lui, mais dans ce type de configuration de combat, il était préférable de miser sur la mobilité.

« Il a une lame, lança la première hyène.

– C'est vraiment terrifiant, m'sieur », ricana celui qui se trouvait près d'Anthony Jr., un voyou aux jambes arquées auquel il manquait deux incisives, et qui postillonnait à chaque mot. « On a défoncé quelques petits soldats, le mois dernier. Eux aussi avaient des couteaux. Et bien plus gros que ton petit machin-là.

– Doucement avec ce mec, avertit Anthony Jr. Il n'est pas comme les autres.

– Je me suis occupé d'un des troufions, dit la première hyène. Je lui ai détruit la rotule, il nous a quasiment suppliés de prendre ce qu'il avait sur lui. » Il brandit son poignet gauche. « Et ça, c'est sa montre. Quelle heure vous avez, vous ?

– Tu peux garder ta montre, Rakkim, dit Anthony Jr. Si mon père considère que t'es pas une merde, c'est que ça doit être vrai. Passe ton portefeuille, et on sera quitte.

– Ça fait du bien de voir un fils qui respecte son père, remarqua Rakkim.

– Alors tu nous le donnes, ce portefeuille ? » relança Anthony Jr.

Rakkim les regarda à tour de rôle, et hocha la tête. « J'ai dedans 3 000 ou 4 000 dollars. Ça m'embêterait de les perdre.

– Putain, c'est le jackpot ! » s'exclama le gamin aux côtés d'Anthony Jr. en s'avançant, à présent motivé.

« Je vous ai dit de rester prudents, lâcha Anthony Jr. C'est un feddayin.

– "C'est un feddayin", voyez-vous cela ! » répéta la première hyène d'une voix de fausset. Il passa une main dans ses boucles blondes en faisant semblant de bâiller, puis attaqua en brandissant sa batte.

Rakkim alla à sa rencontre, évita la batte, planta son poignard dans son épaule, très superficiellement, se retourna, le planta légèrement dans la poitrine de l'autre hyène, entendit la batte d'Anthony Jr. siffler devant sa tête. De son arme, Rakkim mordit le ventre de son attaquant avant de faire glisser la lame sur le menton de l'édenté qui venait de rater son propre coup de batte. Cela n'avait été qu'un seul et même mouvement fluide, un pas de danse dont Rakkim était le seul à pouvoir entendre la musique. Un entraînement ludique de feddayin, auquel ils s'amusaient quotidiennement au camp d'entraînement, parade et botte, feinte et attaque, en n'utilisant que l'extrémité de la pointe du poignard, juste assez pour faire couler le sang, mais pas assez pour causer de graves blessures. Lorsqu'ils finissaient leurs classes, la plupart des jeunes recrues avaient au moins une centaine de cicatrices. Rakkim s'en était tiré avec une douzaine, tout au plus.

Les quatre gamins l'assaillirent à nouveau, et il les blessa chacun à leur tour, esquivant et tournoyant, sans cesse là où ils ne l'attendaient pas, piquant de la pointe de son poignard leurs bras et leurs jambes, leur dos et leurs flancs, leurs mains et leur visage. Ils attaquaient encore et encore, hurlant de douleur et d'impuissance, pestant lorsqu'il leur échappait, mais repartant toujours à l'attaque dans une bruine de sang, leurs manteaux réduits en lambeaux.

Rakkim ralentit très légèrement, comme sous le coup de la fatigue, et Anthony Jr. mit toutes ses forces dans un énième coup de batte. Rakkim recula au dernier instant, et la batte s'abattit en plein dans la poitrine de la première hyène. On crut entendre craquer une branche. L'hyène poussa un faible son, plus semblable à un toussotement humide qu'à un cri, et s'effondra au milieu de la ruelle. Sa batte roula sur les pavés.

« Qu'est-ce que t'as foutu, Anthony ? » grinça l'autre hyène en se précipitant pour aider le blessé. Rakkim lui avait tranché l'oreille droite, dont le cartilage pendait à présent contre sa nuque. « Qu'est-ce que t'as foutu ?

– J'a... j'arrive plus à respirer, parvint à souffler la première hyène alors que son frère se penchait sur lui.

– Ça va aller, tu vas t'en sortir. » Anthony Jr. saignait lui aussi, mais il continuait à tourner autour de Rakkim, prêt à décocher un nouveau coup de batte.

« J'arrive plus... plus... à respirer », répétait la première hyène. Une bulle de sang sortit d'une de ses narines, pour éclater aussitôt.

« Je l'emmène à l'hosto », dit l'autre hyène. Il passa un bras autour de son frère.

La première hyène hurla alors qu'il l'aidait à se relever.

« On doit finir le boulot, lâcha Anthony Jr.

– C'est terminé pour nous », marmonna l'autre hyène avant de quitter la ruelle en soutenant son frère.

« Ça craint, Anthony », dit l'édenté. Son long manteau était maculé de sang, et son visage était strié de plaies. « Ce mec est insaisissable.

– OK, il connaît deux trois mouvements, admit Anthony Jr. Mais nous aussi. »

L'édenté hocha la tête et quitta la ruelle au trot pour rattraper les deux autres.

Anthony Jr. regarda Rakkim droit dans les yeux. « Je n'ai pas peur de toi.

– On ne donne pas de médaille pour ça. On devrait, mais ce n'est pas le cas. »

Anthony Jr. souleva sa batte, les phalanges poisseuses de sang. « On n'a toujours pas réglé nos comptes à propos de ce que tu m'as fait au Super Bowl. J'avais volé ce porte-feuille, il me revenait. »

Rakkim leva une main. « Respire un coup. »

Malgré lui, Anthony Jr. obéit.

« Dis à ton père que je vais te recommander auprès des feddayin.

– C'est ça, ouais.

– Je suis sérieux. » Le taux de mortalité des aspirants feddayin était considérable mais, vu l'existence que menait Anthony Jr., il avait plus de chances de survivre en uniforme que dans la rue.

Anthony Jr. lui jeta un coup d'œil méfiant. « Te fous pas de ma gueule. J'accepte ça de personne.

– Je ne me fous pas de ta gueule. »

Anthony Jr. acquiesça lentement. « Merci. » Il rangea la batte sous son long manteau, les mains tremblantes. « Enfin, j'veux dire... ce serait cool.

– Tu ne me remercieras pas une fois atterri dans le camp d'entraînement, mais peut-être une fois que tu en seras sorti. Si seulement tu arrives à finir tes classes.

– J'y arriverai. » Anthony Jr. jeta un rapide regard autour de lui. « Est-ce que c'est vrai, ce qu'on raconte ? Tu sais, sur les feddayin... on vous booste, non ?

– Non, ce n'est pas vrai.

– Oh, allez. Regarde ce que tu nous as fait à moi et à mes potes. Ils te font quelque chose quand tu deviens feddayin, pas vrai ? C'est exactement ce que je veux, me faire améliorer.

– Les feddayin ne sont pas des superhéros.

– T'es pas normal. Ça se voit. »

Rakkim rit. « Ça, c'est vrai. Ce qui se passe avec les feddayin, c'est que... après le premier mois de classe, les docteurs prennent tous ceux qui ont survécu, ceux qui ne sont pas morts ou qui n'ont pas abandonné, et ils leur donnent un cocktail.

– Ça veut dire quoi, ça ? Une potion magique ?

– Thérapie génique. C'est une série d'injections...

– Je le savais.

– Ça n'a rien de magique. 98 % de ce qui rend un feddayin aussi dangereux, c'est l'entraînement. L'entraînement... et l'état d'esprit. Tous les cocktails géniques au monde ne pourront jamais t'aider si tu n'as pas l'état d'esprit requis, et l'état d'esprit requis ne t'aidera en rien sans entraînement. En fait, l'état d'esprit sans entraînement te garantira de te faire tuer. Ce que fait le cocktail, c'est te permettre de t'entraîner à un niveau que personne d'autre ne pourrait physiquement et mentalement tolérer. La formation de base d'un feddayin dure une année entière, une année de quinze kilomètres de nage et de courses de quatre-vingts kilomètres, de maniement d'armes de toutes sortes et de combat rapproché dans des conditions de chaleur et de froid extrêmes. Et durant cette année, tu peux t'estimer heureux si tu parviens à dormir trois heures par nuit. Le cocktail rend cela possible. Les feddayin ont des réflexes très rapides. Leur tolérance à la douleur est considérable, ils ont un sens de l'orientation parfait, et leurs blessures guérissent plus vite, mais c'est l'entraînement qui fait le feddayin. Est-ce que tu es prêt à t'y confronter ?

– Ce cocktail... tu l'as toujours dans les veines ? »

Rakkim acquiesça. « Les changements sont permanents.

– Feddayin un jour, feddayin toujours, c'est bien ce qu'on dit ?

– C'est bien ce qu'on dit.

– C'est ça que je veux.

– Tu me diras si c'est toujours le cas quand tu auras achevé ta première année. »

Anthony Jr. afficha un large sourire. « Tu viens de dire "quand", pas "si".

– Tu ferais mieux de rentrer chez toi et de t'occuper de ces plaies. Tu veux que j'annonce la nouvelle à ton père ?

– Je m'en chargerai. » Anthony Jr. lui jeta un regard, et trouva le courage de lui demander : « Rakkim... je veux dire, monsieur, comment avez-vous pu quitter les feddayin ? Comment peut-on désirer cela ? »

Rakkim sourit. Le gamin avait une chance d'achever son année de formation.

14

Sarah s'éveilla d'un cauchemar : Rakkim était à genoux, une main plaquée sur son flanc, du sang coulait entre ses doigts. Elle s'éveilla de ce cauchemar pour se retrouver dans un autre. Celui-ci, bien réel.

Elle avait été tirée de son cauchemar par un bruit de papier à bulles piétiné. Un morceau d'emballage qui traînait dans l'ombre d'une ruelle que l'éclairage n'atteignait pas. Un morceau qu'elle avait déposé à l'endroit précis que toute personne passant par-derrière devait nécessairement traverser. Les poubelles débordaient de cartons, de polystyrène et d'autres emballages. En principe, n'importe qui aurait pensé en marchant sur les bulles en plastique qu'il ne s'agissait que de malchance, le résultat du manque de soin des riverains... mais, dehors, les pas accélérèrent. Peu importait de qui il s'agissait : la personne qui venait la débusquer ne s'était pas laissé berner.

Elle roula hors du canapé, complètement habillée, avec dans les poches de son pantalon large, à l'abri des fermetures Éclair dûment fermées, tout ce dont elle avait besoin. L'appartement se trouvait au troisième étage, et la fenêtre ouverte donnait sur la ruelle de derrière. Elle n'avait pas le temps de s'enfuir, mais elle déverrouilla en un éclair la porte qui donnait sur le couloir et la laissa entrebâillée, comme si elle était partie en coup de vent. Elle eut le temps de retirer le panneau de bois derrière le radiateur. L'immeuble était ancien, il remontait à avant la transition, et possédait des murs extérieurs épais afin de conserver la chaleur à l'intérieur. Le gaz domestique et le fioul coûtaient cher, à l'époque. Il y avait assez d'espace dans le mur pour qu'elle puisse s'y cacher, un tout petit espace qu'elle s'était aménagé dans le matériau isolant. Les pas retentirent dans l'escalier alors qu'elle se pressait dans la minuscule cachette. Elle remit le panneau à sa place et pria pour que les veines sombres du pin s'alignent avec les autres. Elle se terrait là dans le noir, derrière les sifflements du radiateur. À l'affût. Tout comme elle l'avait déjà fait tant de fois pour se préparer, à ceci près que, durant ces essais, elle n'était pas déjà recouverte de sueur en entrant dans sa cachette. Elle pensa à Rakkim et se demanda s'il lui en voulait toujours de lui avoir posé un lapin au Super Bowl. Oui, probablement. Il devait lui en garder rancune. Des pas dans le couloir. Le craquement de la porte qu'on ouvrait. Le cœur de Sarah battait si bruyamment qu'on eût dit qu'un orage tonnait.

Elle ferma les yeux, luttant contre la peur et la claustrophobie. Les yeux clos, elle pouvait s'imaginer debout dans un auditorium, rassemblant ses pensées avant de donner un cours. La pièce était à présent emplie de voix et du bruit des meubles qu'on renversait. Elle rouvrit les yeux. La chaleur du radiateur avait produit une fente dans le panneau de bois, une fente par laquelle elle put entrapercevoir les hommes qui saccageaient l'appartement. Il y en avait deux... non, trois. Ce n'était pas des hommes de Redbeard... ils étaient trop bruyants, trop maladroits. La plupart en tout cas. L'un d'eux... Sarah pressait son œil contre la fente, ses cils clignaient contre le bois brut. Alors que les autres s'affairaient aux quatre coins de l'appartement, un homme chauve vint s'asseoir sur le canapé et posa la main sur le coussin, encore chaud du corps de Sarah. Elle frémit comme s'il l'avait touchée.

« Va jeter un œil au toit », ordonna le chauve.

Sarah vit alors un homme vêtu d'un long manteau de cuir se précipiter par la porte. Elle entendit ses pas lourds et précipités résonner dans l'escalier. Il n'essayait même pas d'être discret. L'heure était plus que tardive, mais les voisins savaient pertinemment qu'il valait mieux ne pas s'inquiéter de bruits inhabituels.

« Cette salope s'est barrée », grogna un grand épouvantail au visage parsemé de taches de rousseur.

Le chauve ramassa sur la table basse une boîte de fast-food chinois à moitié vidée : les restes de son dîner, qu'il renifla. « Passe-moi ce trou pourri au détecteur thermique. C'est moi qui déciderai si elle s'est barrée ou pas. » Il posa un pied sur la table basse, et plongea les baguettes dans la boîte. Une bouchée de poulet et de pousses de soja tomba sur ses genoux avant qu'il ait pu l'avaler. Il réessaya.

L'épouvantail sillonnait le salon, cherchant Sarah à l'aide d'un scanner thermique portable qu'il tenait à la main. Il inspecta le fauteuil, le vaisselier, le plafond et le sol. Les murs également, et l'appareil sonna en passant devant le radiateur.

Sarah se mordit le doigt pour s'empêcher de claquer des dents. La sueur coulait abondamment sur son visage.

L'épouvantail ne s'arrêta pas. Lorsqu'il en eut fini, il prit la direction de la chambre.

« N'oublie pas le placard, lui lança le chauve. Et derrière les chiottes ! » Puis il s'attaqua aux restes de porc sauce aigre-douce, en mâchant la bouche ouverte.

Manteau de cuir revint. « Personne sur le toit. Ça fait un sacré saut entre cet immeuble et le plus proche, mais elle a très bien pu y arriver. » Il rit. « Ce n'est pas la motivation qui devait lui manquer. »

Le chauve lécha les baguettes et se releva. « Retournez cette piaule. Je m'occupe de la chambre et de ses affaires personnelles. »

Manteau de cuir arracha du mur une photo de la Grande Mosquée de Jérusalem, jeta un coup d'œil au verso, et la jeta par terre. Il fit place nette sur le bureau, retourna les tiroirs, plia en deux l'écran télé.

Sarah détourna les yeux de la fente du panneau, les oreilles résonnant du vacarme du saccage. Elle respirait à présent par la bouche. Elle avait la sensation de rôtir. Elle louait l'appartement depuis plusieurs mois déjà, et elle avait espéré ne jamais avoir à s'en servir, ni avoir à disparaître dans cette cachette. Elle n'arrivait pas à croire que ces hommes soient parvenus à la retrouver. Elle avait été tellement prudente. Ce n'était pas les hommes de Redbeard... c'était donc nécessairement le Vieux qui les avait envoyés. Elle plaqua à nouveau son œil à la fente.

« La petite demoiselle voyage léger, dit l'épouvantail au chauve alors que tous deux revenaient dans le salon. Rien d'autre qu'une brosse à dents dans la salle de bains, pas de sac à main, pas de carnet de notes, pas de papiers. »

Le chauve se rassit sur le canapé, une brique de lait à la main, buvant directement à l'ouverture, et la simple idée qu'il venait de faire une razzia sur son frigo fit enrager Sarah au-delà du raisonnable.

« Ça me dit rien qui vaille, le fait qu'Ibn Aziz prenne la place d'Oxley, déclara l'épouvantail. Il paraît qu'il fume pas, qu'il boit pas, et qu'il se tape pas de putes. Comment tu veux faire confiance à un mec comme ça ?

– C'est justement à ça qu'un grand mollah est censé ressembler, enculé de païen. » Le chauve hocha la tête. « Tout ce qui compte, c'est qu'il paye la prime pour la fille.

– Moi je continuerai à préférer Oxley, dit manteau de cuir. Ce mec savait organiser une fête digne de ce nom... »

Le chauve jeta par terre la brique de lait, et s'essuya les lèvres du dos de la main. « Cet Ibn Aziz, c'est un pressé. Va falloir la jouer efficace. »

Sarah changea légèrement de position, et un clou qui dépassait lui égratigna le bras. Le Vieux n'avait pas envoyé ces trois hommes : c'était des chasseurs de primes. Les Robes noires sous-traitaient une petite armée de mercenaires pour le sale boulot, d'anciens militaires, d'anciens policiers, d'anciens mafieux. Pourtant, les Robes noires n'avaient jamais osé s'attaquer directement à Redbeard. Et voici qu'à présent ils pourchassaient sa nièce.

« On se serait pointés ici cinq minutes plus tôt, on aurait attrapé cette salope, fit remarquer l'épouvantail. Avec ma part, j'aurais pu m'acheter une nouvelle bagnole. » Il donna un violent coup de pied dans une étagère en acajou, brisant les fines planches de bois. « Si ce connard s'était pas arrêté pour pisser...

– J'ai une petite vessie, se défendit manteau de cuir.

– Ouais, et si t'avais pas une petite vessie, je me serais acheté une putain de caisse pas plus tard que demain. » L'épouvantail jouait avec un couteau papillon. « Et maintenant, c'est peut-être une des autres équipes qui va récolter la récompense. »

D'autres équipes ? Sarah eut soudain la gorge sèche.

« On va la retrouver, dit le chauve. La petite chérie peut pas se cacher jusqu'à la fin de ses jours. »

L'épouvantail se mit à planter son couteau dans le canapé, faisant entrer et sortir la lame d'un air distrait. « Et puis qu'est-ce que les Robes noires lui veulent, à cette fille ? »

Le chauve se rassit sur le canapé et observa l'épouvantail s'amuser avec son arme. « J'en sais rien. Et je m'en fous. »

Sarah entendit le son d'un liquide éclaboussant le sol, et la voix de manteau de cuir : « Ahhhhhhhhh. Ça fait du bien.

– T'es dégueulasse », lui lança l'épouvantail. Le rembourrage du canapé tombait par terre.

Le chauve se releva. « On s'en tiendra à ça pour ce soir. À l'heure qu'il est, elle doit être en train de courir, terrifiée, incapable de réfléchir. On attrapera la petite demoiselle en bonne et due forme une autre fois. »

Sarah les entendit s'éloigner d'un pas lourd, claquant la porte derrière eux. Elle ne bougea pas. Elle resta où elle était, dans les ténèbres inconfortables. Elle détestait l'obscurité. Elle avait dormi pendant des années avec une veilleuse. Redbeard avait tenté de la défaire de cette habitude, mais même lui avait dû s'y résoudre. Rakkim...

Rakkim dormait par terre, contre son lit, lorsqu'elle faisait des cauchemars. Durant toute son enfance, c'était la seule chose qui l'avait aidée à surmonter ses peurs nocturnes.

Le salon était à présent plongé dans le silence complet. La chaleur la plongeait dans un état de quasi-somnolence. Comment l'avaient-ils retrouvée ? Quelle erreur avait-elle commise ? Elle changeait de tenue à chaque fois qu'elle quittait l'appartement. Parfois, elle s'habillait comme une bonne musulmane fondamentaliste. Parfois comme une moderne. Parfois comme une catholique. Elle ne revenait jamais par un chemin direct, et n'entrait jamais deux fois dans la même boutique. Et pourtant ils l'avaient retrouvée. Ses yeux brûlaient, mais elle ne disposait pas d'assez de place pour les essuyer. Elle allait devoir à nouveau changer de repaire. Le chauve avait dit qu'elle serait terrifiée et qu'elle serait incapable de réfléchir. Il était plus proche de la vérité qu'elle n'aurait voulu l'admettre.

Elle tendit le cou et cligna des yeux en consultant le cadran lumineux de sa montre. Les chasseurs de primes étaient partis depuis maintenant vingt minutes. Elle avait mal aux jambes, et la chaleur oppressait ses poumons, mais elle resta où elle était. Si tu n'es pas maligne, sois patiente, avait coutume de dire Redbeard, faisant payer sa sagesse au prix fort de l'injure.

Elle aurait aimé que Rakkim soit là. Il aurait su quoi faire. Elle avait voulu lui dire toute la vérité, elle avait avancé à plusieurs reprises qu'on pouvait lui faire confiance, mais la réponse avait toujours été la même. *Ne te fie à personne.* Sarah aurait dû tout lui dire.

Elle avait une crampe à une jambe et le nez pris de démangeaisons. Quelques nuits auparavant, elle s'était approchée à tout juste un pâté de maisons du club de Rakkim, assez près pour entendre la musique qui sourdait du Blue Moon, assez près pour s'imaginer y entrer et boire un verre avec lui, la main sur son genou, sous la table. Mais elle avait rebroussé chemin, furieuse contre elle-même de s'être autant rapprochée. Le Blue Moon était le premier lieu où on la rechercherait. Malgré tout ce qu'elle savait, elle s'était comportée ces derniers jours comme si tout n'était qu'un jeu auquel elle jouait avec Redbeard, une énième partie de cache-cache. La visite des chasseurs de primes, de même que leur aspect, avait mis un terme à cette illusion. Redbeard était bien le cadet de ses soucis.

Sarah jeta à nouveau un coup d'œil à sa montre. Plus d'une heure déjà que les hommes étaient partis. Elle regarda par la fente, et poussa le panneau de bois. Elle tressaillit quand celui-ci tomba au sol dans un bruit sec. Aucun son ne lui parvint du palier. Elle se glissa derrière le radiateur, extirpant ses membres hors de la cachette. Elle se sentait si raide qu'elle pouvait à peine se courber. Cinq minutes passèrent avant qu'elle pût respirer librement.

L'appartement était sens dessus dessous, les tiroirs renversés, le peu d'habits qu'elle avait éparpillés au sol. Aucune importance : elle n'emporterait rien. Elle alla dans la petite cuisine et se saisit d'un couteau. Il était de piètre qualité, la lame était bien trop fine, mais elle se sentit tout de suite mieux. Elle alla jeter un coup d'œil à travers les stores. La ruelle était plongée dans l'obscurité, déserte. Elle s'avança vers la porte, tourna la poignée, ouvrit...

Le chauve était adossé au mur d'en face, grand et massif, les bras croisés. « Merde, mamzelle, je me demandais si vous finiriez un jour par sortir de votre trou »

Sarah claqua la porte, mais il la rouvrit d'un violent coup de pied, et lorsqu'elle bondit sur lui avec son couteau, il envoya voler l'arme de fortune d'un simple revers de main. Puis il la gifla, manquant de l'assommer. Il était à présent dans l'appartement, et la tirait plus avant, la main sur sa gorge. Elle essaya de le mordre. Il la gifla encore.

« J'espère que ça te dérange pas trop si j'ai renvoyé les autres chez eux, lança le chauve. S'il y a bien un truc que je déteste, c'est de partager une prime... en fait, c'est de partager quoi que ce soit. » Il éclata de rire et la projeta sur le canapé.

Sarah se débattit alors qu'il s'allongeait sur elle, et elle sentit son haleine qui empestait les plats chinois et le lait... le lait de son frigo, une odeur à présent aigre, chaude et rance. Les yeux de l'homme étaient gris, d'un calme terrible, comme si le fait de s'allonger sur une femme qui se débattait faisait partie de son quotidien.

« Les Robes noires te veulent vivante et en bonne santé, dit-il en poussant son genou entre ses cuisses. Aussi, inutile de t'inquiéter : je te ferai aucun mal durable. » Il poussa plus violemment son genou, lui arrachant un cri étouffé. « Tu vois, ça ne t'a pas fait mal, pas vrai ?

– Lâche-moi ! souffla Sarah en le giflant.

– Ouais, parfait, dit le chauve en déboutonnant son pantalon d'une main. J'adore les petites bagarreuses. »

Sarah lui cracha au visage. « Mon oncle... je suis la nièce de Redbeard, putain. »

Le chauve se redressa un bref instant, puis l'attrapa par les cheveux et lui bloqua la tête. « Eh, j'ai bien failli te croire, chérie. Bien essayé. »

Sarah se débattit. « C'est vrai. »

Le chauve l'immobilisa d'un coude et fit glisser la fermeture Éclair du pantalon de Sarah. « Ravi de faire ta connaissance, nièce de Redbeard. Monsieur Dave Thompson, pour te servir. » Ses yeux semblaient emplis d'eau stagnante. « Rassurée ? »

Sarah se mit à hurler.

« Plus fort, grogna-t-il en glissant sa main dans la petite culotte de Sarah. Je t'entends pas. »

Sarah se cabra pour griffer son visage.

« Voilà ma petite spécialité, haleta-t-il. La spécialité du bon vieux Dave. Je retrouve des petites fugueuses, je les ramène chez elles, et parfois, parfois... » Il glissa un doigt en elle. « ... Parfois on me donne le feu vert pour les démolir un peu. Pour s'assurer que personne n'en voudra plus. » Il remua son doigt épais. « Excellent... susurra-t-il alors qu'elle battait violemment des jambes... Étroite comme un gant neuf. »

Sarah luttait de toutes ses forces sur le sofa alors que le doigt s'enfonçait plus profondément en elle. Elle essayait de le mordre, mais il restait hors de portée.

De sa main libre, le chauve tenta de baisser le pantalon de Sarah. « Tu sais bien que plus tu gigoteras, meilleur ce sera pour moi, hein ? J'adore enseigner aux fugueuses la dureté du vrai monde, loin de la jolie maison de leur papa. Je vais te donner la leçon de ta vie, ma petite. »

Sarah renversa la boîte vide du fast-food chinois, les baguettes cliquetèrent sur la table basse, et elle tendit une main tâtonnante.

« La plupart des fugueuses... » La voix du chauve n'était plus qu'un grondement, et son regard brûlait à présent d'une flamme répugnante. « La plupart se contentent de chialer et de réciter leurs prières du début jusqu'à la fin, mais toi... je suis sûr que tu vas pas arrêter de te bagarrer. » La sueur coulait sur ses tempes. « Vas-y, débats-toi. Débats-toi. »

La paume de Sarah glissait sur la table basse, ses ongles cliquetant sur le verre.

« Je suis pas méchant, en vérité. Tu vas voir. Le bon vieux Dave va t'offrir une bonne partie de plaisir, que tu le veuilles ou non. » Il éclata à nouveau de rire, fourra son visage entre ses seins, et l'en retira pour respirer. « Je vais te défoncer... » Il cligna une fois des yeux. Ses lèvres remuèrent, mais aucun son n'en sortit. Il resta allongé sur elle, figé, une main toujours dans sa petite culotte. Sa bouche frémit, dévoilant ses dents jaunes et irrégulières.

Sarah le dévisagea. La baguette de bois était plantée dans son œil gauche, et seule l'extrémité dépassait d'entre les paupières. Enfoncée au plus profond de son cerveau. Le bout de la baguette était recouvert d'idéogrammes chinois rouges. Chance et bonheur, sûrement, ou un truc du genre. Elle ne bougea pas, ne se précipita pas. Elle vit une minuscule tache de sang apparaître dans le blanc de son autre œil. Une toute petite rose qui fleurissait dans son œil gris. Et soudain, il ne fut plus qu'une masse inerte posée sur elle. Elle le fit rouler à terre. Sa main morte sortit mollement de sa petite culotte, sa tête heurta la table basse, et il s'effondra au sol en un tas. Elle se précipita dans la salle de bains, se lava le visage, les mains, arracha sa culotte, se lava, se lava encore. Elle le sentait encore en elle. Elle n'avait pas la nausée. Ses mains ne tremblaient pas. Et le plus surprenant était qu'elle se sentait incroyablement heureuse.

Lorsqu'elle revint dans le salon, le chauve gisait toujours, la joue barrée d'un filet de liquide visqueux. Il avait peut-être des petits enfants qui l'attendaient quelque part, des gamins gras et brusques avec qui il jouait au ballon, des petites filles à qui il offrait des bonbons et racontait des histoires avant de dormir. De toutes ses forces, elle lui décocha un coup de pied à la tête. Le bruit sourd fut le son le plus agréable qu'elle eût jamais entendu. Fini, les bonbons. Fini, les histoires.

15

Rakkim était assis à une table d'un restaurant du centre-ville, coincée contre le mur, comme l'y invitait le message qu'il avait reçu sur son portable. Les modernes imberbes qui étaient passés dîner de bonne heure avaient quitté les lieux pour reprendre leur travail dans les gratte-ciel du quartier, les conservateurs étaient partis faire leur prière de la mi-après-midi, mais le restaurant était encore plein, et les voix des clients ne cessaient de se faire écho contre les murs intérieurs de brique nue. Si Sarah et lui avaient pu se permettre d'être vus en public, ils seraient allés dans un lieu semblable à celui-ci, où l'ambiance était aussi détendue qu'agréable, avec des gens de toute sorte. Son téléphone sonna. Un autre appel de Colarusso, le troisième depuis que Rakkim était tombé sur Anthony Jr. la veille au soir. Colarusso l'appelait soit pour lui reprocher d'avoir recommandé son fils auprès des feddayin, soit pour l'inviter à dîner dimanche. Dans un cas comme dans l'autre, Rakkim considérait qu'il valait mieux ne pas répondre.

Une serveuse approcha. Sur son trente et un : une robe de velours bleu foncé qui lui tombait au-dessus du genou, des bas écossais et les cheveux coiffés en un chignon haut. Elle se pencha pour poser ses coudes sur la table. « Tu vas prendre ton menu et pointer des plats du doigt, mon mignon. » Sur son badge était écrit CARLA.

Rakkim ne l'avait jamais vue auparavant. Le seul enfant de Spider avec lequel il était jamais entré en contact était Elroy. Carla semblait avoir dans les 17, 18 ans. C'était une jeune fille assez ronde avec un visage doux, et un nez en bouton de rose qui ne lui allait pas. Elle avait les yeux de son père. Tous ses enfants avaient ce même regard. Dur, noir et vif. Elle portait un miniécran tactile afin de prendre les commandes des clients, mais ce n'était qu'un élément du déguisement. Ses lobes frontaux devaient recéler une véritable encyclopédie, dont elle pouvait consulter n'importe quelle page en un clin d'œil. Rakkim baissa les yeux.

« Il planche toujours sur les mémoires que vous lui avez passées, dit Carla en posant une main sur le dossier de sa chaise, mais il a déjà extrait l'échange de messages au Mecca Café qui vous intéressait.

– Génial. Je n'attends pas grand-chose des mémoires, de toute façon.

– Ça montre à quel point vous vous trompez. » Carla posa la main sur l'épaule de Rakkim avec un air séducteur, signe distinctif de tout établissement destiné aux modernes : cela ne manquait jamais d'attirer les pourboires, et d'éloigner les fondamentalistes. « Spider a dit que celle de l'ordi de la fac avait été complètement nettoyée, mais que celle de son ordi personnel est très intéressante. »

Rakkim pointa du doigt une ligne du menu. « C'est-à-dire, "très intéressant" ? »

Carla se dandina au rythme d'une musique qu'elle était la seule à entendre. « Aucune idée... il n'a pas fini de l'analyser. Ça faisait longtemps que je ne le voyais pas aussi enthousiaste. »

Rakkim considéra attentivement le menu. « Parlez-moi de l'échange de messages du café. »

Carla s'approcha un peu plus de lui en faisant glisser son doigt sur la carte. Elle sentait les petits oignons et la frite. « Vendredi dernier, 7 h 22 du matin. Échange bref. Sans formalités. "VA-T'EN TOUT DE SUITE" ça, c'est le premier message. Tout en capitales, tout à fait vieillot, si vous voulez mon avis. » Carla réagit comme s'il venait de faire un bon mot, et chatouilla son bouc d'un air ravi. Elle baissait la tête lorsqu'elle parlait, afin que sa bouche demeure invisible aux autres clients. « Sarah répond, "impossible". L'interlocuteur insiste, "TOUT DE SUITE. JUSTE APRÈS LE COURS. DANGER". Toujours en capitales. Alors Sarah réplique, "J'ai rendez-vous avec *lui* dimanche. Il faut que je le voie." » Carla le regarda, lui sourit, et, cette fois-ci, ce ne fut pas pour tromper un éventuel espion. « C'est vous, non ? "Lui", c'est bien vous. Cette Sarah a voulu tenir bon, elle a refusé d'annuler votre rendez-vous même après avoir été prévenue du danger qu'elle courait. Elle devait penser que vous en valiez la peine. » Elle se balança à nouveau. « Mais l'interlocuteur reprend : "PARS IMMÉDIATEMENT." S'ensuit une longue pause, peut-être vingt secondes sans rien, et Sarah répond "OK." » Carla désigna du doigt l'ardoise des spécialités pendue au mur. « Et c'est tout. Fin de l'échange.

– Est-ce que Spider a la moindre idée de l'identité de l'interlocuteur... et de l'endroit d'où ces messages ont été envoyés ? »

Carla secoua la tête. « Quelle que soit l'identité de l'expéditeur, ils sont passés par une série de serveurs non répertoriés. Ça a renvoyé Spider aux quatre coins du globe, mais il est convaincu que l'origine des messages se trouve quelque part en République islamique. » Elle pressa sa main contre son épaule. « J'aurai 18 ans dans trois mois. Mûre comme il faut, et toujours pas cueillie. » Le bout de sa langue glissa sur ses dents. « Spider est ouvert à toute proposition de mariage, mais c'est moi qui ai le dernier mot, ce qui vous place en toute première position. »

Rakkim releva les yeux pour la regarder en face. « En première position de quoi ?

– Pensez-y. Apparemment, votre petite amie a peu de chances de revenir dans vos bras. » Carla tapota sur son écran tactile et s'éloigna d'un pas nonchalant. Ses hanches attirèrent le profond intérêt de quatre hommes assis à une table toute proche.

Rakkim fit tourner les glaçons dans son verre d'eau avant d'en boire une gorgée. Carla avait peut-être raison. Peut-être Sarah ne reviendrait-elle pas. Il croqua un glaçon. Pourquoi ne demandait-elle pas l'aide de Redbeard si elle se sentait menacée ? Pourquoi ne lui demandait-elle pas son aide, à *lui* ?

Un jeune couple sortit du restaurant, des modernes en costume bleu unisexe recouvert de fermetures Éclair, les cheveux coupés à deux centimètres du crâne. À l'autre bout de la rue, une Robe noire les observa et souffla quelque chose dans son téléphone lorsqu'ils passèrent devant lui.

Quelqu'un avait éclaté de rire derrière Rakkim. Celui-ci se retourna machinalement et lorsqu'il regarda de nouveau la rue, la Robe noire avait disparu. Il tripota les couverts et repensa aux échanges de courrier électronique de Sarah. Il se demanda qui avait le pouvoir de lui ordonner de partir si soudainement. Et plus encore : qui donc au monde avait assez d'autorité pour la faire obéir ?

Carla revint avec son cheese-burger, ses frites et son Djihad Cola vanille. « Il y a eu un autre échange, deux semaines avant celui de vendredi dernier. Très bref. L'interlocuteur a écrit "SOIS PRUDENTE. TIENS-TOI PRÊTE". Sarah a demandé : "Est-ce que je peux lui dire ? – NON. – S'il te plaît", a insisté Sarah, mais la réponse a été la même.

– Sarah a dit "S'il te plaît" ? Vous en êtes sûre ?

– Je n'aime pas ce genre d'injure. » Carla posa vivement la note sur la table. « Spider vous fera signe lorsqu'il aura du nouveau. Rappelez-vous que je vous ai dit. Trois mois à compter de ce jour. J'ai une jolie dot, mais croyez-moi, après notre nuit de noces, vous vous en foutrez complètement. »

Rakkim la vit s'éloigner en trempant une frite dans une mare de ketchup. Sarah, qui avait habituellement du mal à entendre l'avis des autres, avait pourtant obéi à son interlocuteur et l'avait même supplié de lui laisser une chance de revoir Rakkim. Il n'y avait aucun moyen de savoir si la personne avec laquelle elle était en contact était un homme ou une femme, mais Rakkim se surprit à bouillonner de jalousie. Sarah qui demandait la permission de le voir... on aurait dit qu'elle parlait à un père, ou à un époux. Il entama son hamburger, sans prêter la moindre attention à son goût.

Carla se précipita à sa table où elle posa une nouvelle carafe d'eau. Elle mâchait un chewing-gum à un rythme soutenu. « Vous devez partir.

– Qu'est-ce qui ne va pas ?

– Je n'en sais rien. » Son ton n'avait plus rien d'enjôleur. « Une fois que je me serai éloignée, quittez votre table et allez aux toilettes. Elroy vous y attend. Spider doit absolument vous parler.

– Je vais faire la connaissance de Spider ? »

Elle accéléra sa mastication. « Souriez, acquiescez. »

Rakkim obéit, levant son hamburger comme pour appuyer sa réponse imaginaire. « Je pensais que Spider refusait tout contact direct avec ses clients.

– C'est une première.

– Qu'est-ce qui se passe, Carla ? »

Elle fit une grosse bulle rose qu'elle creva d'un ongle. « Spider a tiré quelque chose de cette mémoire. Ça doit être quelque chose de vraiment spécial. » Puis elle s'en alla, et se mit à badiner avec deux modernes assis à une autre table.

16

« Et toi, est-ce que tu sais ce qui se passe ? » Rakkim
suivait Elroy dans la ruelle. « J'ai entendu dire que Spider
vivait sous le Metro Bus Tunnel[1]. C'est là que nous
allons ? »

Sans jeter un regard derrière lui, Elroy tourna soudain
à droite pour passer dans le trou étroit qui transperçait
une grille.

Rakkim déchira sa veste en passant à travers la grille
et dut accélérer pour rester à la hauteur d'Elroy qui trot-
tait dans le crépuscule. Il faisait à présent sombre, et cette
partie de la ville était peu éclairée, flanquée de toutes
parts de taudis et d'immeubles abandonnés. Rakkim avait
vécu dans ce coin après la mort de son père, jusqu'à ce
que Redbeard l'accueille chez lui. Le dédale de ruelles
laissa bientôt place à des sentiers de gravier, qui les
menèrent en haut d'un escalier de pierre aux marches
usées par le temps. Ils parcoururent un moment un long
tunnel de tôle jonché d'ordures, qui résonnait du bruit de
coquilles d'œuf brisées à chaque pas, et Rakkim sut à la
puanteur croissante des légumes en décomposition qu'ils
approchaient du marché de Pike Place, non loin du front
de mer. Au dernier instant, ils s'éloignèrent du marché pour
se diriger vers Pioneer Square, la partie la plus ancienne
de la ville.

---

1. Tunnel réservé aux transports en commun de Seattle, qui s'étend
sur plus de 2 km en centre-ville. *(N.d.T.)*

Elroy passa rapidement un détecteur à micro-ondes le long du corps de Rakkim. « T'es clean », conclut-il en rangeant l'appareil dans son sweat-shirt. Il posa la main sur un mur de brique apparemment d'un seul tenant, poussa, et une partie du mur pivota. Il attendit que Rakkim passe devant lui, puis referma le pan de mur derrière eux. Le déclic d'un verrou retentit. Ils se retrouvèrent dans l'obscurité la plus totale. L'air était froid et humide.

Rakkim attendit un instant que ses yeux s'adaptent, mais les ténèbres demeuraient insondables.

« Par ici », dit Elroy.

Rakkim avança en direction de sa voix, les bras tendus devant lui.

« Avance, avance encore, indiqua Elroy qui menait la marche. Il y a un tournant, là. »

Rakkim trébucha, et entendit Elroy ricaner. « Elroy ? » Sa voix résonna. « Allume une lumière.

– Pas besoin de lumière, renifla Elroy, à présent encore plus loin devant. Je sais parfaitement où je suis. »

Rakkim pressa le pas en agitant les mains. Il attrapa un pan du sweat-shirt d'Elroy, mais le gamin lui échappa aussitôt.

« Touche-moi encore une fois et je te laisse en plan. Quelques jours passés à te cogner contre les murs, et les chats et les rats se disputeront ta carcasse.

– Amène-moi jusqu'à Spider, puisque c'est ce que tu es censé faire. »

Pas de réponse. Rakkim s'avança en direction de la voix d'Elroy, se cogna la tête contre quelque chose et jura.

« Tu n'as pas peur du noir, au moins ? » demanda Elroy.

Rakkim s'immobilisa. Il voyait très bien de nuit, mais il n'y avait ici aucune source de lumière, même infime, et il n'était plus très sûr de savoir quelle direction il avait prise dans les ténèbres. L'obscurité avait un parfum de moisissure.

Le rire d'Elroy résonna.

Rakkim resta où il était. Il entendit Elroy s'approcher, quasiment sans un bruit. Il attendit, tâchant de respirer le moins possible, et tendit soudain la main pour attraper quelque chose, en l'occurrence un bras maigrelet. Il s'y agrippa alors que le gamin tentait de se dégager à grands renforts de claques, mais Rakkim était bien décidé à ne pas le lâcher. Elroy cessa finalement de se débattre.

« OK, félicitations ! pesta Elroy. Je parie que tu es fier de toi.

– Amène-moi à Spider, dit Rakkim en s'accrochant toujours à lui.

– Si j'avais voulu te perdre, je l'aurais fait depuis long-temps. Ç'aurait pas été une première. » Elroy gigota, sans parvenir à se libérer. « Lâche-moi, d'accord ? J'aime pas qu'on me touche. S'il te plaît. »

Rakkim desserra son étreinte, s'attendant à ce qu'Elroy le laisse seul dans les ténèbres.

« Je parie que tu t'attendais à ce que je déguerpisse, dit Elroy.

– Pas du tout.

– Menteur. » Elroy renifla à nouveau. « Tends la main droite et avance jusqu'à trouver le mur. C'est fait ? Bon. Continue à suivre le mur avec ta main pendant qu'on marche. Je te dirai quand tourner. »

Ils progressèrent méthodiquement, maintenant un rythme de marche lent mais constant durant une demi-heure. Rakkim mémorisait le nombre de tournants et de pas parcourus, dressant mentalement une carte de leur trajet. Quarante-sept pas, à droite, deux cent dix-huit pas, à gauche... Ils semblaient décrire une spirale légèrement descendante, et Rakkim était convaincu qu'Elroy les faisait parfois revenir sur leurs pas afin de l'induire en erreur. De temps en temps, Rakkim entendait au loin la rumeur du métro, sentait les vibrations du train lancé à pleine vitesse parcourir le sol. À deux reprises, ils traversèrent de larges flaques d'eau froide. Rakkim se cogna la tête

159

trois ou quatre fois et ne fit qu'un faux pas. Il faillit perdre le compte de ses pas en tombant, mais il récita mentalement l'ensemble des nombres et des tournants, finissant par rétablir son itinéraire. Il entendait des choses courir au sol dans des cliquètements de griffes. Pas le moindre soupçon de lumière.

« C'est ici », dit enfin Elroy.

Une fois immobile, Rakkim se rendit compte du vacarme que provoquaient les battements de son cœur. Elroy ouvrit une porte. Rakkim, ébloui par la lumière, le suivit par-delà le seuil.

Ils se retrouvèrent dans une sorte de petite réserve, une pièce où se trouvaient un évier et une serviette. Elroy était déjà en train de se débarbouiller, se savonnant abondamment les mains et le visage, éclaboussant tout autour de lui. Il enfila rapidement un bleu de travail propre, trop grand pour lui, en jeta un autre à Rakkim, et enleva ses chaussures. L'eau du robinet était glacée, mais Rakkim était heureux de se débarrasser de toute cette crasse. Il s'essuya le visage et aperçut sur la serviette une tache de sang. Le miroir lui renvoya l'image d'une plaie au front.

« Je m'appelle Spider, dit l'homme qui les accueillit, un gnome pieds nus à la barbe sombre et épaisse, qui portait un bonnet de marin. C'est un plaisir de faire enfin votre connaissance. » Rakkim tendit la main, mais Spider lui tourna le dos et se mit à marcher. Elroy rattrapa son père, et tous deux s'entretinrent tandis que Rakkim les suivait.

Ils traversèrent une autre pièce, de la taille d'un petit entrepôt, qui baignait dans une lumière tamisée. D'épais tapis recouvraient le sol, des tapis persans dignes d'un musée, tout de rouges et de bleus, rehaussés de soie aux subtiles nuances de rose et de jaune, si délicates que Rakkim évita de marcher dessus. La pièce était propre et chaleureuse, l'air frais, avec un très léger parfum d'ail et de poulet rôti. L'humidité extrême du labyrinthe de pierre qui les avait menés jusqu'ici n'était plus qu'un souvenir. Les murs étaient tendus de dizaines de tapisseries. Aux côtés de Redbeard, il avait pénétré dans de luxueuses demeures, celles de sénateurs et de décideurs économiques, dans lesquelles une seule de ces tapisseries aurait remporté d'office la place d'honneur. Rakkim était si obnubilé par tout ce qu'il voyait qu'il se laissa distancer et dut presser le pas pour rattraper ses hôtes. Spider écarta les pans d'un rideau tout en broderie et entra dans un petit bureau. Il attendit que Rakkim se fût assis sur un tas de coussins grenat avant de prendre place face à lui. Elroy resta de l'autre côté du rideau.

Spider était comme possédé par ses tics. Sa peau avait la pâleur d'une perle. Il portait un pyjama de soie noire d'où dépassaient des mains et des pieds noueux. Sa barbe était longue, ses cheveux grisonnants étaient coiffés en une natte qui s'enroulait autour de ses épaules et, conformément à la légende, son nez était un majestueux bec d'aigle. Il était difficile d'estimer son âge, sa peau ayant été longtemps épargnée par le soleil, mais il ne devait pas dépasser la quarantaine. « Mon fils me dit que vous vous êtes bien dépêtré du parcours dans les tunnels. »

Rakkim regarda autour de lui. Le bureau était vide, à l'exception des étagères qui recouvraient le mur du fond, sur lesquelles étaient alignées une multitude de boules à neige. Des articles pour touristes qui remontaient à avant la transition. Il aperçut le Golden Gate de San Francisco, le panneau Hollywood, le Space Needle, le Père Noël et son traîneau... et même les Twin Towers. Quelque part au loin, il entendit des voix de femmes, et les cris d'un bébé. « À quelle profondeur sommes-nous sous terre ? »

Spider ne répondit pas. Un autre bébé criait à l'unisson du premier, mais Spider sembla ne pas le remarquer, concentré uniquement sur Rakkim. Ses pupilles étaient extrêmement dilatées. Perçant la blancheur de sa peau, les seuls points de couleur de son visage étaient ses deux yeux noirs qui sondaient Rakkim. « Cela faisait longtemps que j'avais envie de vous rencontrer. Saviez-vous que le Blue Moon est le seul club de l'ensemble de la Zone à ne pas reverser son écot à la pègre ?

– C'est tout à fait passionnant, mais qu'est-ce que je fais ici ? Qu'avez-vous trouvé dans les...

– Vous ne soudoyez même pas la police. Vous *offrez des cadeaux* aux policiers. Des cadeaux d'anniversaire pour leurs épouses et leurs petites amies, des cadeaux pour leurs enfants quand ils réussissent un examen. Des cadeaux généreux, pas des pots-de-vin. » Spider cligna des yeux. « Ils apprécient sûrement de ne pas se faire traiter comme des voyous en uniforme.

– Qu'avez-vous trouvé dans les mémoires des ordinateurs ?

– Lorsque vous avez ouvert ce club, j'étais curieux de voir ce qui arriverait lorsque la pègre locale pointerait le bout de son nez. » Spider bascula la tête d'un côté et de l'autre, en un mouvement compulsif. « Le Gang des marteaux a été le premier à s'y risquer... et le dernier. Des salopards particulièrement vicieux, ces trois-là. Ils ont laissé sur leur passage dans la Zone tout un tas d'estropiés. Mais c'est de l'histoire ancienne, n'est-ce pas ? » Son sourire tressauta. « Deux anciens des forces spéciales et un feddayin à la retraite...

– Ce n'était pas un feddayin. Il a abandonné au bout du premier mois de classe.

– C'est vrai ? Pourtant on racontait que... » Spider fit une moue fugace. « Peu importe. Le fait est que ces trois-là se sont pointés... et ne sont plus jamais apparus. » Un autre clin d'œil nerveux. « Est-il vrai que vous avez laissé leurs marteaux sur le bar durant une semaine, à la suite de leur disparition ? Trois marteaux de chantier ? » Rakkim répondit d'un simple haussement d'épaules. « Je suis contre le recours à la violence, mais personne ne vous a plus importuné par la suite, n'est-ce pas ? »

Deux enfants de Spider, des sœurs jumelles d'à peu près 8 ans, passèrent à travers le rideau en gloussant.

Elles pointèrent Rakkim du doigt, échangèrent quelques chuchotements et éclatèrent de rire.

Rakkim attendit qu'elles aient déguerpi. « Combien d'enfants avez-vous ?

– Pas assez, répondit Spider, tout à fait sérieux.

– Qu'est-ce que je fais ici, Spider ?

– Ah oui. C'est vrai. » Un clin d'œil incontrôlé. « La mémoire de l'ordinateur de l'université ne contenait rien d'intéressant, mais celle de l'ordinateur personnel de Sarah était dotée d'un système de sécurité très ingénieux. » Il s'enlaça dans ses propres bras. « Je donnerais cher pour savoir où elle se l'est procuré.

– Je le lui demanderai dès que je l'aurais retrouvée. »

Les doigts de Spider se raidirent soudain, puis se détendirent. « C'était une mémoire double, en vérité. Une partie était consultable si l'on arrivait à trouver le code d'accès de Sarah, ce qui n'a pas demandé de gros efforts. Mais derrière cette première partie, il s'en trouvait une seconde, une mémoire fantôme bien plus compliquée à percer. Plus intéressant encore, cette mémoire fantôme comportait un logiciel d'autodestruction minutée. Si l'on ne saisissait pas un mot de passe toutes les soixante-douze heures, un virus se chargeait de détruire l'ensemble des fichiers, en laissant cependant la première mémoire intacte. Ainsi, quiconque aurait examiné la mémoire n'aurait trouvé rien d'autre que le foutoir classique d'une universitaire. Il aurait même été impossible de savoir si des données avaient été effacées. Très impressionnant. J'ignore complètement qui a créé ce petit bijou, mais ce n'est ni russe, ni chinois, ni suisse. Aucun des suspects habituels lorsqu'il s'agit de haute voltige en matière de codage. C'est forcément une personne seule, pas une entreprise. Quelqu'un qui a utilisé un code source minable, mais quelqu'un doté d'une intelligence véritablement hors du commun. Exactement comme moi. » Ses doigts remuèrent brièvement. « C'est peut-être pour cette raison que j'ai réussi à le déchiffrer.

– Vous avez déchiffré le code ? »

Spider lui adressa à nouveau un sourire.

« Savez-vous si quelqu'un d'autre a lu ces fichiers ?

– Quelqu'un comme Redbeard ? » Spider ricana. « Non, j'ai été le premier à les choper. » Il se mordit la lèvre, dévoilant fugacement ses dents blanches. « Si vous aviez été en mesure de me transmettre la mémoire plus tôt, j'aurais eu encore plus de choses à vous raconter. Le virus a anéanti la majeure partie des fichiers, mais il restait assez d'informations pour que je puisse en reconstruire certains bouts. J'ai sauvé le prologue d'un livre auquel elle travaillait. Cela a dû être une des dernières choses qu'elle a saisies sur son ordinateur personnel. Élimination du plus ancien au plus récent. C'est ainsi que le virus fonctionnait. » Le bas de sa paupière droite fut saisi d'un spasme qui souleva plusieurs fois sa joue avant de cesser complètement. Il se pencha en avant, fixant Rakkim droit dans les yeux alors qu'il récitait :

« La Trahison sioniste est considérée comme le pivot de l'histoire contemporaine, l'axe autour duquel notre monde tourne. L'histoire en est enseignée à tout écolier, et son souvenir marqué par une minute de silence à midi, le jour du terrible anniversaire des attentats. Nous savons tous que, en ce jour atroce, des membres renégats du gouvernement israélien ont frappé plusieurs cibles aux États-Unis, ainsi que la ville sainte de La Mecque, afin d'en accuser les djihadistes et de nuire à l'islam tout entier. Nous savons tous que leur complot fut découvert, qu'Israël fut définitivement terrassé, tandis que les forces islamiques répandaient leurs bienfaits sur l'ensemble du globe. Pourtant... si tout ce que nous savons de ces attentats était faux ? Et si les sionistes n'étaient pas les véritables responsables de la Trahison sioniste ? »

Rakkim haussa les épaules. « J'ai entendu des dizaines de théories du complot au sujet de la Trahison sioniste. Possédait-elle des preuves ?

« – Son ouvrage est encore inachevé, je n'ai pu en retrouver que des bouts, mais sa thèse est très claire. La Trahison sioniste ne fut qu'un acte de diffamation de plus à l'encontre des juifs, le énième prétexte du énième pogrom. Le pire de tous.

– Très claire pour vous. Aucune preuve, mais les juifs sont innocents. Comme c'est pratique. » Rakkim s'aperçut qu'il venait de blesser son hôte. « Selon Sarah, qui se trouve derrière ces attentats ?

– Son a-a-avis, bégaya Spider, son avis sur la question n'est pas encore arrêté. Elle fait mention d'un Saoudien, ou d'un Yéménite... peut-être un Pakistanais, dont elle ignore le nom. Ce personnage se ferait appeler le Vieux, en référence au Vieux de la Montagne. Elle ne sait même pas s'il est encore en vie. Il avait apparemment une soixantaine d'années à l'époque des attentats, et serait donc âgé à l'heure qu'il est de plus de 90 ans, mais...

– Les terroristes ont avoué. Ils sont nés en Israël. C'est là qu'ils ont grandi, c'est là qu'ils ont été entraînés. Ils ont tout avoué en direct à la télévision. Vous l'avez vu, le monde entier l'a vu.

– L'homme dont nous parlons opère sur une échelle de temps extrêmement longue. Il a probablement passé vingt ou trente ans à mettre sur pied cette conspiration. » À nouveau, ses doigts remuèrent aussi fébrilement que brièvement. « Selon Sarah, il a infiltré ses agents en Israël en les faisant passer pour des immigrés juifs. Ce furent les enfants de ces agents doubles qui, nés et éduqués en Israël, accédèrent à de hauts postes politiques et militaires...

– Les terroristes ont été exécutés. Vous croyez vraiment que leurs parents les ont élevés, les ont aimés, tout en sachant dès le début qu'ils seraient un jour sacrifiés ? Et vous pensez que les enfants auraient accepté ?

– Je sais, c'est dur à croire, mais le Vieux occupait une place de premier ordre tant du point de vue culturel que religieux. La dévotion qu'il inspirait... » Ses doigts se tordirent. « Il a repris à son compte une figure de l'histoire musulmane, celle du Vieux de la Montagne, un mystique du Moyen Âge qui...

– Hassan ibn al-Sabbah. Je connais l'histoire. Il paraît qu'il suscitait une telle loyauté chez ses adeptes qu'il lui suffisait d'un simple mouvement de la tête pour que ceux-ci se jettent de leur plein gré du haut d'une falaise.

– Toutes ces histoires sont vraies. Hassan ibn al-Sabbah croyait que Dieu l'avait désigné pour unifier l'ensemble des musulmans, et tous ses actes étaient guidés par cette croyance. Ses acolytes ont assassiné des dizaines de dirigeants musulmans, y compris le calife de Bagdad. »

Rakkim demeurait sceptique. « Alors on accuse à tort les juifs des attentats, et Damon Kingsley est nommé président à vie des États-Islamiques d'Amérique. Vous croyez que lui aussi fait partie de la conspiration ? Désolé, mais Kingsley est tout sauf un extrémiste.

– Soit, Kingsley est un modéré, ce qui constitue un grave péché aux yeux d'un fou de Dieu. En fait, si le Vieux ressemble vraiment un tant soit peu au Vieux de la Montagne, il voue autant de haine aux autres musulmans qu'aux juifs. L'élection de Kingsley signifie que le Vieux n'est pas tout à fait parvenu à ses fins. » La joue de Spider fut à nouveau secouée d'un tic. « Mais cela ne signifie pas pour autant que ses plans soient arrivés à leur terme, que le Vieux soit encore en vie ou non.

– Pourquoi Sarah n'a-t-elle rien dit de tout ça à Redbeard ?

– Peut-être ne lui fait-elle pas assez confiance pour lui demander son aide... à moins qu'elle ne sache pertinemment qu'il n'a pas le pouvoir de l'aider. » Spider cligna des yeux. « J'ai déchiffré le code du budget du Congrès, il y a huit ans. Suivez l'argent, et vous découvrirez la vérité. » Il cligna plus rapidement encore des yeux. « Au cours de ces trois dernières années, le budget de Redbeard a été amputé de 40 %. Recrutement et entraînement ont été réduits comme peau de chagrin. Tout l'argent est versé à l'armée et aux autorités religieuses... avec les feddayin en première place, naturellement. Personne n'est au courant, à l'exception du groupe de sénateurs et de représentants chargés du budget. Je croyais que c'était là l'œuvre des Robes noires qui se servaient du Congrès pour réduire l'autorité de Redbeard. À présent, j'ai de sérieux doutes.

– Vous extrapolez beaucoup à partir de presque rien.

– C'est ma spécialité. C'est aussi la vôtre, feddayin. » Spider observa Rakkim qui analysait toutes ces nouvelles informations. « Difficile de repenser le monde, n'est-ce pas ? Ça m'a pris un certain temps, à moi aussi. » Il tendit à Rakkim un petit disque semi-conducteur. « Voici tout ce que j'ai retiré de la mémoire jusqu'à présent. »

Rakkim glissa le disque dans la fente latérale de sa montre. « Qui a contacté Sarah au Mecca Café ? Avez-vous découvert avec qui elle travaille ? »

Spider hocha la tête. « Les messages ont été envoyés par le biais d'un flux de données issu de Las Vegas, mais cela ne nous avance guère. Vegas est un gigantesque nœud d'échanges de données. Les liaisons satellites sont si nombreuses dans cette ville que celui ou celle qui a envoyé ces messages peut se trouver n'importe où sur cette planète. » Un des bébés s'était remis à pleurer. « Tant de gens assassinés. Des maisons brûlées. Des boutiques saccagées. Une guerre civile... et tout cela n'était qu'un mensonge. » Il était parcouru de tics, comme autant de légers chocs électriques. « Vous avez eu de la chance, Rakkim. Le fait d'être orphelin ouvre certaines... opportunités.

– C'est censé signifier quoi ?

– Toutes ces archives perdues durant la transition. Ces bases de données infectées... je ne vous ai retrouvé nulle part. Une personne sans passé, comme tant d'autres. Qui pourrait vous reprocher d'avoir récrit l'histoire de votre vie ?

– Je suis musulman.

– Un musulman qui risque sa vie pour sauver des juifs ? Je n'ai encore jamais rencontré pareille créature.

– Des juifs et des homosexuels, d'anciens fondamentalistes et des sorcières. J'ai guidé tout ce petit monde jusqu'à la Terre promise. Est-ce que ça fait forcément de moi un deuxième Moïse ?

– Ça fait de vous une personne trop bonne pour être vraie. »

Rakkim ignora ces remarques. « Aucune mention de la Chine, dans cette mémoire ? Aucune mention du barrage des Trois-Gorges ?

– Non, pourquoi ?

– Combien je vous dois ?

– Nous conviendrons du prix quand j'en aurai fini. » L'expression de Spider s'apaisa, pour devenir presque sereine. « Qu'avez-vous pensé de ma fille ?

– Carla ? Elle semblait... » Rakkim éclata de rire. « Et moi qui me demandais pourquoi vous ne vous étiez pas contenté d'envoyer Elroy pour m'amener jusqu'à vous. Il était inutile que je passe par le restaurant. Tout ce qu'elle m'a dit, vous auriez pu me le dire vous-même. Je suis flatté, Spider, mais vous n'aviez pas besoin de me jeter dans les bras de votre fille pour que je vous fasse connaître mon opinion...

– Votre opinion ? » Spider contint un éclat de rire. « Je vous ai envoyé au restaurant afin qu'elle se fasse sa propre opinion.

– Je lui souhaite un meilleur parti. » Rakkim se leva. « Demandez à Elroy de me raccompagner. » Il n'avait pas besoin de l'aide du gamin, mais il était inutile de le faire savoir. « Continuez à sonder cette mémoire.

– *Shalom alekhem*, Rakkim.

– *Aleïkoum as-salam.* »

17

Rakkim profita de l'appel à la prière pour dépasser rapidement le panneau ACCÈS INTERDIT à l'étage du musée de la Guerre de la maison des Martyrs. Le sergent en uniforme qui montait la garde était tout à son tapis de prière. Rakkim restait à la limite de son champ visuel, bougeant en silence en fonction des mouvements du militaire, pour finalement le dépasser lui aussi. Entraînement feddayin, technique dite du « guerrier de l'ombre », la chose qui se rapprochait le plus au monde de l'invisibilité. Rakkim était capable de traverser une foule de ferventes musulmanes en effleurant tout juste leurs tchadors, et si l'on questionnait par la suite ces femmes pieuses, aucune ne se serait souvenue de lui : au mieux, elles pourraient avouer avoir éprouvé la vague sensation que quelqu'un les poussait à presser le pas, la vague impression d'être en retard pour la prière à la mosquée. Il était capable de se mêler à une équipe de mineurs de charbon d'un État chrétien et se fondre dans la conversation et la lassitude générale, jusqu'à ce qu'un sudiste recouvert de suie regarde autour de lui, stupéfait par la disparition soudaine de l'homme avec qui il discutait du prix du porc. C'était cela, la technique du guerrier de l'ombre.

« Au nom d'Allah... » Le murmure collectif... « Au nom d'Allah... » De l'étage où il était, Rakkim pouvait voir en contrebas les tout premiers visiteurs, en rangs sur leurs tapis, commencer leurs ablutions. L'air du musée était purifié : selon le grand mufti, les croyants n'étaient pas obligés de pratiquer leur purification rituelle avec de l'eau. La plupart faisaient cependant les mêmes gestes, se frottant les mains, puis la bouche, le nez, le visage, les oreilles, le front, la tête et enfin les pieds dans l'air sanctifié. Lorsqu'ils eurent terminé, ils se tinrent debout, en rangs impeccables, les mains levées à hauteur du visage. Les hommes devant. Les femmes derrière. Humilité et soumission, modernes, modérés et fondamentalistes, tous unis face à Allah. Rakkim les observa, détendu par le rythme de leurs gestes pieux. Courber le haut de son corps, les mains posées sur les genoux. Se prosterner, mains à plat sur le sol, le front contre le tapis de prière. Se redresser, recommencer, et recommencer encore jusqu'à finir assis sur ses talons.

Contrairement à la prière mécanique du Super Bowl, les mouvements des croyants, dont la position des mains et des pieds était parfaite, dégageaient beaucoup de grâce. La majesté du musée de la Guerre, son austérité glaciale, la ruine du Space Needle abattu qu'on pouvait apercevoir par les baies vitrées, tout cela contribuait à aviver la foi de chacun, même celle des modernes. Il entendit les fidèles réaffirmer la puissance et la miséricorde d'Allah, l'écho de leurs voix résonnant dans le grand hall, « Gloire à Allah, le Très-Haut... »

Rakkim reprit son chemin. Redbeard était déjà là. Rakkim avait noté la présence de son équipe de repérage vingt minutes auparavant, quatre hommes déguisés en touristes, de grandes bringues affublées de badges portant de faux noms. Il les avait vus se disperser, avancer en direction des goulets d'étranglement, les zones les plus étroites du musée, endroits les plus sensibles en cas d'embuscade.

Rakkim avait à peine dormi à la suite de son entrevue avec Spider, la nuit précédente, mais Redbeard avait insisté pour le voir ce matin afin de parler des avancées de son enquête. « Tu as du nouveau, n'est-ce pas, Rakkim ?

– Bien sûr que oui, mon oncle. Tout dépend simplement de ce que tu appelles "du nouveau". » Rakkim arriva à hauteur de la Salle du diable, et s'écarta soudain pour laisser passer une mère qui s'empressait d'en faire sortir son enfant. Le petit garçon sanglotait. Il semblait faire dans la pièce cinq degrés de moins que dans le reste du musée. Dans les ténèbres, les aveux de Richard Aaron Goldberg étaient projetés en boucle sur un mur. Cette année verrait le vingt-septième anniversaire de ses aveux publics sur son implication dans les attentats sionistes. Journaux et chaînes de télé ne parleraient plus que de ça durant vingt-quatre heures. Comme chaque année à la même date, panneaux publicitaires et écrans de portable scanderaient la formule consacrée : 19 MAI 2015 N'OUBLIONS JAMAIS.

Rakkim observa l'image de Goldberg, mince et effrayé, assis face aux caméras. Sa voix était presque inaudible, mais cela importait peu. Tout le monde dans le pays aurait pu réciter ses aveux mot pour mot.

Je m'appelle Richard Aaron Goldberg. Il y a onze jours, mon équipe a simultanément fait exploser trois charges nucléaires. L'une a détruit New York. Une autre a détruit Washington, et la troisième a fait de La Mecque un piège à radiations. Notre intention était... Goldberg posa une main sur son genou tremblant. *Notre plan était d'accuser les islamistes de ces attentats. De semer la zizanie entre l'Occident et l'ensemble des musulmans, et de faire régner le chaos dans tout le monde musulman. Je crois... je pense que nous aurions réussi avec un peu plus de chance.* Il releva le menton. *Je m'appelle Richard Aaron Goldberg. Mes hommes et moi-même faisons partie d'une unité secrète du Mossad.*

Rakkim regarda une seconde fois les aveux, puis retourna dans le hall principal. Libre à Spider de croire les bouts d'information qu'il avait soutirés à la mémoire de l'ordinateur de Sarah. Libre même à Sarah de croire ce qu'elle avait écrit. Rakkim, lui, n'y croyait pas. Du point de vue de Sarah, Richard Aaron Goldberg et les autres agents du Mossad qui avaient avoué avaient menti, gagnant du coup un tête-à-tête avec le bourreau. Cela impliquait que Richard Aaron Goldberg et les autres, nés et éduqués en Israël, s'étaient retournés contre leur propre pays et leur propre religion. Rien n'était impossible mais, lors de son second visionnage, Rakkim s'était efforcé d'ignorer les mots prononcés. Il s'était concentré sur la position de Goldberg, sur ses infimes mouvements involontaires, sur l'expression de son regard... ce salaud disait la vérité. Sarah avait tort.

Cela ne signifiait pas pour autant qu'il n'existait pas un Vieux, quelque Arabe désireux de se faire passer pour le mahdi, quelque ennemi juré de Redbeard. Un de plus au bas d'une longue liste : Redbeard avait un nombre incalculable d'ennemis. Il n'empêchait que les Israéliens étaient seuls responsables des attentats nucléaires qui avaient frappé New York, Washington et La Mecque. La thèse de Sarah était fausse, mais cela n'avait aucune importance. Elle était toujours en danger. Si, comme le prétendait Spider, l'influence de Redbeard était bel et bien en berne, alors il lui était sans doute impossible d'assurer la protection de Sarah, et le Vieux, ou quelque autre ennemi, était en train de prendre l'avantage. Ce revirement du rapport de force augurait le pire. Peut-être était-ce pour cette raison que Redbeard lui avait demandé de l'aide.

Rakkim continua à déambuler.

Le musée de la Guerre était un dôme d'apparence modeste, bâti aux côtés du Space Needle effondré, laissé en l'état, rongé de rouille par les intempéries. La surface extérieure de l'édifice était recouverte de petits carreaux décorés par des écoliers, et sur chacun d'eux figurait le nom d'un soldat martyr. L'intérieur était à peine décoré et faiblement éclairé : les murs étaient couverts de lapis-lazulis aux veines bleues. Les visiteurs, même les plus jeunes, se surprenaient à ralentir leurs pas, et leur recueillement rehaussait encore la sombre majesté des lieux. Au centre du musée se trouvait une édition arabe commune du Coran. Aucune paroi à l'épreuve des balles, aucun compartiment enrichi en azote ne la protégeait. Le livre provenait des décombres de Washington, où on l'avait retrouvé entouré de bris de verre et de poutres d'acier tordues. Le Coran avait été épargné par l'explosion atomique, sa couverture était intacte, et ses pages d'un blanc brillant.

Toute photographie était interdite dans l'enceinte du musée, et aucune image n'était disponible. C'était un lieu saint. Ouvert à tous, quelle que soit la religion des visiteurs. Les Robes noires avaient longtemps tenté de restreindre l'accès du site aux seuls musulmans pieux mais, par décret présidentiel, le gouvernement fédéral était seul responsable du musée, la protection étant assurée par des militaires, et la conduite des prières par des imams de l'armée.

À la suite de la guerre civile, chaque camp avait réclamé la jouissance exclusive de Washington, luttant pour chaque carrefour désert, dans l'espoir de s'approprier la gloire qui restait attachée à l'ancienne capitale. Le Coran de Washington avait été le plus grand trésor de guerre de la République islamique, et les États de la Bible avaient acheminé la statue de Thomas Jefferson pour l'installer dans leur nouvelle capitale, Atlanta. Rakkim avait vu cette masse de marbre écorchée, après avoir attendu son tour pendant des heures, dans une file interminable, pour enfin considérer dans un silence recueilli le visage solennel du président à travers la paroi de verre au plomb. New York, quant à elle, était en apparence peu endommagée : ses gratte-ciel froissés restaient muets, les flots sales de l'Hudson clapotaient à travers tout Manhattan, et les eaux continuaient à monter à mesure que les calottes glaciaires fondaient.

Rakkim ne s'était rendu qu'une fois à New York, au sein d'une patrouille de reconnaissance feddayin, parachutée sur place pour rechercher des archives financières qui, à en croire la rumeur, se trouvaient sous Wall Street. Trois jours passés en combinaison antiradiations, et il n'avait pas vu un seul oiseau. Pas un seul rat. Pas un seul être vivant. À l'exception des blattes. Les blattes tapissaient les souterrains, luisantes dans le faisceau des torches, agitant spasmodiquement leurs ailes, et il n'avait pas osé s'imaginer de quoi elles pouvaient bien se nourrir. Trois jours... si ce qu'ils recherchaient sous Wall Street existait toujours, il était parfaitement à l'abri des vivants. Jamais il n'avait été aussi heureux de quitter une ville.

Rakkim porta ses pas jusqu'aux cartes qui, placardées aux murs, montraient les grandes batailles de la guerre. Chicago, réduite en cendres. Les usines automobiles de Detroit, éventrées par les bombes des terroristes. Santa Fe. Denver. L'arche de Saint Louis, effondrée. Newark, la plus grosse avancée des armées chrétiennes sur les terres des États islamiques. Newark, disputée pâté de maisons après pâté de maisons, une ville livrée aux flammes et à la destruction. Newark, où les renforts islamiques, composés en grande partie de lycéens, étaient finalement parvenus à stopper les forces chrétiennes. Newark, cette boucherie innommable. Les photos des morts recouvraient le mur sur près de quarante-cinq mètres. Rakkim avait visité le musée des centaines de fois, et les photographies de ce que la guerre avait laissé derrière elle étaient celles qui le touchaient le plus. Une chaussure de ville noire, au lacet noué, si brillante qu'on surprenait le reflet du photographe sur le cuir. Un vélo écrasé. Une boîte aux lettres renversée, vomissant son contenu dans la boue : des factures téléphoniques, des lettres d'amour, des cartes de vœux.

Les chiffres officiels des morts de la seconde guerre civile s'élevaient à 9 millions, mais Redbeard disait qu'ils étaient en vérité trois à quatre fois supérieurs, principalement à cause des épidémies de peste, de typhus et d'autres terribles maladies qui avaient immédiatement suivi la fin des combats. Les pires fléaux étaient les toxines créées par l'homme, des bouillons de culture concoctés en laboratoire qui transformaient leurs victimes en masses hurlantes et noduleuses, ou leur faisaient vomir leur propre sang. Encore à présent, des villes entières se trouvaient en quarantaine, Phoenix, Dallas, Pittsburgh, autant de cités dans lesquelles nul n'osait pénétrer.

Rakkim surprit un pèlerin vêtu d'une large robe qui se dirigeait vers le mur du fond, priant tête penchée. Son visage était dissimulé par un pan de sa capuche, mais quelque chose dans sa démarche lui parut familier. On pouvait modifier les visages, la taille ou le poids, mais quelque chose d'aussi essentiel que la façon de marcher était presque impossible à travestir. Ce pèlerin n'était autre que Stevens, le dandy au visage grêlé que Redbeard avait envoyé au Blue Moon pour l'arrêter. Rakkim se dirigea vers la cage d'escalier. Il se demanda si le visage de l'agent était encore tuméfié, si la vue de son nez cassé dans la glace lui plaisait, s'il s'en vantait comme d'une blessure gagnée dans l'exercice de ses fonctions.

Redbeard dirigea son fauteuil roulant électrique dans la foule d'écoliers qui visitaient le musée de la Guerre dans de discrets chuchotements, comme s'ils se trouvaient dans une mosquée qu'ils ne connaissaient pas. Redbeard portait des lunettes opaques, sa barbe avait été blanchie et artificiellement allongée afin qu'elle tombât sur son ventre. Il roulait silencieusement sur le sol de granit, le bras gauche contracté, apparemment estropié. Une seule médaille était accrochée à sa volumineuse djellaba, celle qui récompensait tout membre de l'armée de terre ayant connu le feu du combat. Une médaille honnête, sans renommée ni faveur, qui le distinguait simplement comme un vétéran blessé au cours de la guerre d'indépendance. Un homme d'affaires s'approcha, s'inclina, et déposa sur les genoux de Redbeard un billet de 20 dollars qui alla rejoindre les autres qu'on lui avait donnés. Redbeard le bénit dans un murmure en dodelinant de la tête, et l'homme d'affaires s'éloigna à reculons en le remerciant de ce qu'il avait fait pour le pays.

Toujours pas de signe de Rakkim.

Redbeard aimait ce musée, plus encore à l'aube. La maison des Martyrs n'était jamais fermée, jamais vide. Le peuple y honorait ses morts, ceux qui avaient défendu leur foi au prix de ce qu'ils avaient de plus précieux. Il se rappelait les jours anciens, avant la transition. Les cimetières où reposaient ceux qui étaient morts pour la patrie étaient envahis par les herbes folles, les tombes laissées à l'abandon. Il n'y avait pas assez de joueurs de clairon pour rendre un dernier hommage à ceux qui étaient tombés au champ d'honneur : l'armée avait dû se résoudre à avoir recours à de la musique enregistrée pour saluer ses martyrs. Les parades militaires passaient devant des trottoirs désertés, ou, pire encore, le porte-étendard se faisait traiter de tous les noms par ceux qui devaient leur liberté de huer au sang d'autres qu'eux. Une sombre époque pour les héros. Un monde sans gloire, un peuple qui fixait son regard sur la boue plutôt que de le diriger vers les cieux. Rien d'étonnant à ce que la sagesse du Prophète, loué soit son nom, se fût répandue à travers le pays comme un feu de forêt que rien ni personne n'avait pu arrêter, nettoyant tout sur son passage. Après tout ce qui s'était passé depuis la transition, malgré tout ce qu'il savait au sujet du Vieux, Redbeard ne regrettait pas la chute de l'ancien régime.

Un autre homme en fauteuil roulant glissa devant lui, lui adressant un salut de la tête. Un jeune homme portant un uniforme militaire, amputé des deux jambes au-dessus du genou.

Le long du mur du fond, une femme portant un tchador bleu clair tenait la main d'une petite fille, comme si elles se baladaient en forêt à la recherche de fleurs sauvages. La petite fille devait avoir 5 ou 6 ans, mais c'était la femme qui avait attiré l'attention de Redbeard. Elle ressemblait à Katherine. La mère de Sarah. L'épouse de son frère.

Redbeard se dirigea vers elles sans se soucier de ceux et celles qui lui barraient le chemin. Les visiteurs s'empressaient de s'écarter en se confondant en excuses, comme s'ils étaient dans leur tort, mais Redbeard ne lâchait pas la femme des yeux. Katherine n'aurait pas osé entrer en ces lieux. Il n'était pas même certain qu'elle fût encore en vie. Elle s'était enfuie à la suite de l'assassinat du frère de Redbeard, elle avait fui en laissant Sarah à l'hôpital, fui pour sauver sa peau. À l'époque, il avait pensé que c'était du Vieux qu'elle avait eu peur. Les premiers comptes rendus de l'attentat avaient affirmé que son frère et lui avaient été assassinés, rapports que Redbeard avait lui-même ordonné de communiquer aux médias, dans l'espoir de pousser les responsables à révéler leur identité. La ruse avait été couronnée de succès. Bien que blessé, Redbeard avait travaillé sans relâche durant des semaines, interrogeant les personnes qu'il avait fait arrêter. Il avait mis au jour le réseau du Vieux, en grande partie du moins, mais la nation avait payé un prix terrible. James était un personnage charismatique, aimé et admiré tant par ses concitoyens que par les politiciens. Redbeard, lui, était craint. Quelques semaines après la fuite de Katherine, il avait compris que c'était de lui qu'elle avait eu peur. Elle avait cru qu'il avait tué son propre frère. Pour le pouvoir... et peut-être pour elle. Il l'avait recherchée durant deux ans, il avait investi dans cette mission tous les hommes et toutes les ressources dont il avait pu disposer. Et il avait échoué.

La femme au tchador bleu et l'enfant balançaient légèrement leurs bras tout en marchant. Redbeard n'avait pas vu Sarah sourire ainsi avant qu'il accueille Rakkim chez lui. Ce petit voleur qui avait subtilisé le cœur de sa nièce. Celui d'Angelina aussi. Redbeard avait mieux contrôlé ses émotions, mais le petit brigand avait aussi eu raison de lui. Cela avait pris des années, mais il avait fini par aimer cet enfant. Un garnement aux yeux de loup. Son unique consolation était de n'avoir jamais révélé ses sentiments. Redbeard excellait dans ce genre de dissimulation. Jamais il n'avait révélé non plus les sentiments qu'il éprouvait pour Katherine.

Redbeard traversa le grand hall dans son fauteuil roulant, en direction de la femme et de la petite fille. Ce ne pouvait pas être Katherine. Cela faisait maintenant plus de vingt ans... elle avait sûrement beaucoup changé. Ce ne pouvait pas être elle, et pourtant il ne pouvait s'empêcher de vouloir s'en assurer.

À son approche, la femme se retourna. Les roues étaient silencieuses, mais elle s'était pourtant retournée, sentant sa présence, et à la simple idée de ce lien invisible entre eux deux, Redbeard sentit son cœur bondir... pour se fendre aussitôt. La femme était très belle, sa bouche délicate, mais ce n'était pas Katherine. Elle s'inclina. Sa petite fille se précipita pour embrasser la main de Redbeard, puis elle recula. Il les bénit toutes les deux, et passa son chemin. La tête haute, les mâchoires serrées.

Rakkim s'approcha de Stevens, calquant ses pas sur ceux du dandy. Alors que Stevens dissimulait son apparence et ses traits sous les plis de sa djellaba, Rakkim portait quant à lui un costume gris et simple, et une calotte en tricot, à l'instar d'un moderne élégant. Son bouc était plus fin, et sa barbe n'était plus qu'un mince trait qui descendait de ses pattes pour longer la ligne de sa mâchoire. Il marchait d'un pas assuré, les épaules en arrière, parcourant les lieux du regard. Le meilleur des camouflages était de se comporter comme si on ne craignait pas d'être observé ni d'attirer l'attention.

Un homme avec une poussette lui barra la route, et le premier réflexe de Stevens fut de vouloir le pousser, mais il se retint finalement pour le laisser passer.

Rakkim se mut en même temps que Stevens, tout en s'approchant de lui. Le tirer par le lobe de l'oreille... oui, c'était la meilleure façon de le saluer. L'obliger à se retourner par ce petit bout de cartilage. Le mener par le bout du nez, ou plutôt de l'oreille. Œil pour œil. Pas de lésion permanente. Rien qu'une blessure d'ego. Histoire d'alimenter le feu de sa haine.

Rakkim ne s'expliquait pas pourquoi il avait éprouvé une aversion aussi instantanée pour cet homme. Les circonstances de leur première rencontre au Blue Moon l'expliquaient en grande partie, mais il n'y avait pas que cela. L'hostilité qu'ils éprouvaient l'un pour l'autre était d'ordre instinctif, presque biologique, c'était une reconnaissance mutuelle. Rakkim avait partagé sa dernière gorgée d'eau avec des mourants qui avaient tenté de le tuer un instant auparavant, il avait serré leur main dans la sienne en leur disant qu'ils allaient s'en sortir. Le cas de Stevens était tout à fait différent.

Rakkim était à présent à deux pas de Stevens, assez près pour sentir le parfum de son après-rasage. Stevens avait tiré du plaisir à faire usage de son pistolet étourdissant sur Rakkim. Si l'occasion se présentait, Stevens serait capable de traverser trois voies d'autoroute rien que pour l'écraser, et Rakkim accueillerait cette initiative avec plaisir. Raison pour laquelle Redbeard avait décidé de se faire accompagner par Stevens aujourd'hui. Raison pour laquelle Redbeard avait envoyé Stevens mettre la main sur Rakkim au Blue Moon. Rakkim avait pensé cette nuit-là qu'il ne s'agissait que d'une simple coïncidence, mais il aurait dû se rendre plus tôt à l'évidence : Redbeard ne laissait jamais place aux coïncidences. Il avait voulu provoquer Rakkim. Afin de gagner un léger avantage, que ce fût ce soir au club... ou à présent. Rakkim marqua le pas, laissant Stevens poursuivre seul son chemin. Mais il était déjà trop tard.

« Devrais-je plutôt te trancher l'artère fémorale, ou t'émasculer, mon garçon ? »

Rakkim ne se retourna pas. Il sentait la pointe du couteau pressée contre sa cuisse, transperçant presque imperceptiblement le tissu de son pantalon. « Bonjour, mon oncle. »

Redbeard rangea le couteau dans sa poche, et s'adossa à son fauteuil roulant.

Rakkim se retourna doucement. Un fauteuil roulant. Aucun moyen de le démasquer par sa façon de marcher. Il s'inclina.

« Ne reste pas planté là, pousse-moi. » Redbeard ordonna à Stevens de rester à l'écart d'un simple mouvement de la main, puis fit de même pour le garde qui recula, la mine renfrognée. « Tu l'as encore fâché, dit-il tandis que Rakkim posait les mains sur les poignées du fauteuil. Moi qui pensais que tu avais assez d'ennemis comme ça.

– Tu es bien placé pour parler.

– Qu'as-tu trouvé au sujet de Sarah ?

– Tu veux vraiment qu'on en parle ici ? » Rakkim se mit à pousser doucement le fauteuil roulant. « Cet homme, là-bas, avec son attaché-case, qui regarde les photos aériennes d'Indianapolis. C'est censé être un homme d'affaires, mais il a de toutes petites taches à la commissure des lèvres. Du jus de noix d'arec. C'est une Robe noire chargée de...

– J'ai activé un dispositif de blocage. Tu es libre de dire ce que tu veux.

– Tu en es sûr ?

– C'est du matériel russe. Sonique, supersonique, micro-ondes et hyperfréquences. » Redbeard secoua la tête. « Je me souviens d'un temps où le matériel de pointe était fabriqué dans notre pays.

– Pas moi.

– C'est bien là qu'est le problème. » Redbeard indiqua l'entrée d'un bâtiment annexe. « Qu'as-tu appris ?

– J'ai parlé à l'une de ses collègues. Une professeure en sociologie du nom de Miriam Warriq. Elles avaient l'habitude de prendre le thé ensemble. Cela fait des semaines qu'elle ne s'est pas entretenue avec Sarah. »

Rakkim ralentit alors qu'ils passaient devant le Coran de Washington. Le cliquetis des perles des chapelets manipulés par une centaine de mains résonnait sous la douce voûte du dôme.

« Est-ce là tout ce que tu as trouvé ? demanda Redbeard. J'aurais cru que tu avais un moyen spécial de contacter Sarah. » Il quitta son fauteuil roulant une fois qu'ils furent entrés dans le bâtiment annexe.

« Nous avions un moyen spécial. J'ai tenté de la contacter par ce biais. Pas de réponse.

– Voilà bien le pouvoir de l'amour. » Redbeard s'étira, et sembla doubler de taille. « Tu dois être déçu.

– Je la retrouverai.

– Nous n'avons pas beaucoup de temps devant nous. » Redbeard prit Rakkim par la main, et tous deux se remirent à marcher. « Sais-tu qui est Ibn Aziz ? C'est le nouveau grand mollah des Robes noires.

– Et alors ? Il ne peut pas être pire qu'Oxley.

– Ne sois pas idiot. Oxley était prévisible, il attendait patiemment son heure, en faisant croître doucement son pouvoir. Jamais il n'aurait fait rechercher Sarah. Ibn Aziz est un fanatique, bouillonnant de colère et d'impatience. C'est lui qui a lancé des chasseurs de primes aux trousses de Sarah. Il avait agi secrètement, afin de ne pas mécontenter Oxley. À présent... personne ne peut plus l'arrêter.

– Je l'arrêterai.

– Proposition alléchante, mais tu dois retrouver Sarah. Je m'occupe d'Ibn Aziz.

– J'ai découvert que Sarah n'a pas fui un mariage arrangé. C'est une information assez importante, n'est-ce pas ? » Rakkim se pencha vers Redbeard. « Pardon ? Tu as dit quelque chose ? Ou c'était juste le bruit de ton mensonge qui s'écroulait ? » Il fixa Redbeard dans les yeux. « Elle travaillait à un nouvel ouvrage. Un projet qui apparemment lui paraissait dangereux.

– Si le projet était dangereux, elle aurait mieux fait de rester là où j'aurais pu assurer sa protection.

– Peut-être pense-t-elle que tu n'étais pas en mesure de la protéger. » Rakkim tapota l'omoplate de Redbeard, et celui-ci se raidit. « Tu aurais dû me dire la vérité, mon oncle. Tu nous as fait perdre un temps précieux et, comme tu l'as dit toi-même, nous n'en avons guère devant nous. » Rakkim lui adressa une révérence parfaite. « Que Dieu soit avec toi. »

18

Rakkim sentit que quelque chose n'allait pas dès qu'il arrêta sa voiture face à la barrière du quartier résidentiel de Miriam, et qu'il aperçut la cabane du garde, vide. Il attendit au volant, laissant tourner le moteur, et regarda tout autour de lui. Il n'avait pas appelé Miriam avant de passer, certain que Redbeard l'avait d'ores et déjà mise sur écoute. Il était inutile de lui faire savoir que Miriam était plus qu'une simple collègue de Sarah, plus qu'une intellectuelle et fervente musulmane avec laquelle elle buvait le thé. Un appel de Rakkim aurait indiqué à Redbeard que Miriam méritait qu'il s'intéressât plus à son cas. Il était préférable de passer sans prévenir. Miriam lui avait dit de venir la voir quand il lui plairait.

Il ne savait pas bien la place qu'occupaient la Chine et le barrage des Trois-Gorges dans les recherches de Sarah, mais celle-ci avait bel et bien recherché quelque chose dans les carnets intimes de Warriq. Qui plus est, Rakkim désirait parler un peu plus longuement avec Miriam. Elle s'était peut-être souvenue de quelque chose. Quelque chose que Sarah avait dit. Quelque chose qu'elle avait tu. Le premier contact était toujours délicat. Il fallait du temps pour que la confiance s'installe : la défiance, elle, s'imposait en un instant. Ce matin au musée de la Guerre, Rakkim avait envisagé un instant de parler à Redbeard des carnets intimes. Mais l'envie lui était vite passée. Il tambourina de ses doigts sur le volant, vit une autre voiture s'engager sur la file des résidents pour transmettre le code d'entrée. La barrière se releva, puis s'abaissa aussitôt après le passage du véhicule.

Rakkim fit marche arrière et se gara sur le parking réservé aux visiteurs, puis il s'introduisit dans la cabane du garde d'où il appela l'appartement de Miriam. Aucune réponse. Miriam et son personnel de maison étaient peut-être allés en ville, ou faisaient du shopping, à moins qu'ils ne se soient rendus à la mosquée pour la prière de la mi-après-midi. Pourtant Rakkim se dirigea vers sa maison, d'abord en marchant, puis en pressant le pas, pour finale-ment courir de toutes ses forces le long de la rue abrupte, balayée par le vent.

Il arriva à bout de souffle sur le pas de la porte de Miriam, la poitrine douloureuse. Il sonna, puis frappa à la porte. Personne ne vint ouvrir. La porte était verrouillée. Sacrément verrouillée, même. Il n'avait aucun outil sur lui. Il passa par-derrière, jeta un coup d'œil par une fenêtre mais ne parvint pas à voir à l'intérieur. La porte de derrière était entrouverte, comme pour l'inviter à entrer. Son poignard était déjà dans sa main.

Il ouvrit lentement la porte, entra sur la pointe des pieds, fit quelques pas, s'arrêta pour écouter, puis fit encore quelques pas. Une mouche bourdonna à son oreille. Il la chassa d'un revers de main, mais elle revint à la charge. Une grosse mouche verte et apathique qui fredonnait un air immonde, tandis que Rakkim traversait la cuisine en silence. Il n'y avait pas d'autre bruit que celui du mécanisme d'une vieille pendule dans le vestibule. Et le bourdonnement des mouches.

Rakkim rangea son poignard. Avant même que l'odeur atteigne ses narines, il savait que celui qui était déjà passé par là était parti depuis des heures. Il inspira profondé-ment, et pénétra dans le salon. Quelques instants plus tard, il était de retour dans la cuisine, courbé en deux, mains sur les genoux, et heureux de ne pas avoir pris de petit déjeuner. Il avait vu des hommes réduits en pièces par des mines et des balles, éventrés aux quatre vents, certains mourant avec une expression incrédule où l'on pouvait lire la question implicite : « Putain, comment est-ce que ça a pu arriver ? », d'autres s'éteignant sereinement, morts avant même de s'en rendre compte. Il avait vu tout cela, et bien plus encore, mais un seul coup d'œil au salon avait suffi pour qu'il ait le plus grand mal à contrôler sa colère et son dégoût. Tous les autres morts avaient été en quelque sorte étrangers à lui, ils avaient été tués dans le feu de l'action, dans le cadre d'un processus bien plus vaste qui étouffait tout sentiment de culpabilité, et faisait de Rakkim un simple spectateur, quand bien même ce n'était pas un spectateur innocent. Ici tout était différent. Le salon avait été transformé en cabinet des horreurs, à son attention exclusive. Penché au-dessus de l'évier de la cuisine, il se passa de l'eau sur le visage, mais le liquide froid ne calma en rien sa rage. Il retourna dans le salon. Il ne prit pas même la peine de retenir sa respiration. Ce n'était pas l'odeur qui le déchirait.

Les mouches réagirent à son entrée, s'élevant en une nuée sombre et bourdonnante, pour se reposer sur les têtes du garde personnel et de son épouse. Terry et sa femme étaient assis l'un à côté de l'autre sur le sofa à motifs floraux pourpres, comme s'ils posaient pour leur photo de mariage. Terry tenait sur ses genoux la tête tranchée de son épouse. Elle faisait de même avec celle de son mari. Ses cheveux étaient souillés de sang, leurs regards figés droit devant eux. Le sang noirci avait rigidifié leurs vêtements gris, qui semblaient recouverts de plaques d'armure rouillées. Des mouches survolaient le sofa souillé, le tapis étincelait de leur éclat vert métallique. Vert. La couleur de l'islam, la couleur de la bannière du Prophète, la couleur de la robe d'Ali, le quatrième calife. Rakkim se souvenait parfaitement de ses cours d'histoire. Les mouches grouillaient, vertes. Vert, couleur de l'obscénité.

Rakkim s'approcha. Il voulait voir, il devait voir. Ce tableau était un défi qu'on lui lançait, un bouleversement moral autant que visuel. Il s'approcha plus encore. Le garde personnel de Miriam était un guerrier chevronné, pourtant quelqu'un l'avait tué avec la plus grande facilité, lui ainsi que son épouse alors que tous deux étaient sagement assis, attendant leur mort. Puis ce quelqu'un les avait laissés ainsi, avec la tête de l'autre, en un salut spécialement adressé à Rakkim. Sur le mur qui se trouvait derrière eux avait été écrit avec leur sang « S KE TU KIFFES ? », citation quasi fidèle de la phrase au néon que Mardi avait fait installer au-dessus du bar du Blue Moon. Malgré tous les efforts qu'il avait déployés pour effacer chacune de ses traces, Rakkim avait dû amener le meurtrier jusqu'ici... et le meurtrier avait laissé une carte de visite qu'il lui était impossible d'ignorer.

Rakkim ne parvenait pas à s'expliquer pourquoi il était convaincu que c'était là l'œuvre d'une seule personne... peut-être était-ce à cause de la singularité esthétique de la mise en scène, d'une horreur grotesque : la citation moqueuse du slogan du club, l'échange des têtes, tout cela semblait illustrer un point de vue unique, individuel. Celui d'un sinistre plaisantin qui ne souhaitait aucune assistance, et n'en avait pas le moindre besoin.

Rakkim chassa les mouches d'un revers de la main, se pencha, et examina les yeux morts du garde du corps. Il n'avait pas prié depuis longtemps, mais le moment était venu. Il pria Terry de lui pardonner d'avoir amené la mort dans cette demeure, et il pria pour que Terry soit accueilli au paradis et passe le reste de l'éternité en compagnie des croyants. *« Ceux qui craignent leur Seigneur trouveront toujours auprès de lui des jardins où coulent les ruisseaux, des épouses pures et la satisfaction de Dieu. »* Puis il ferma les paupières de Terry, et fit de même pour son épouse. Rakkim ne connaissait même pas son nom.

Miriam ne se trouvait pas dans le salon, mais Rakkim n'eut qu'à suivre les empreintes de pas sanglantes pour la retrouver. On aurait dit les schémas de pas de danse qu'il avait vus dans de vieux livres, fox-trot, valse, tango, rumba, danses de salon pour des occasions qui ne se représenteraient jamais plus. Il suivit les empreintes à l'étage, les pas sombres disparaissant peu à peu. Il n'y avait aucune nuée de mouches dans cette partie de la maison. Pas une seule mouche, en vérité. Il trouva Miriam dans la baignoire de la salle de bains de sa chambre, pieds et poings liés par des câbles électriques, sa chevelure noire flottant vaguement comme un bouquet d'algues. Elle était nue. Forcément.

Le tchador et la robe de Miriam avaient été jetés dans un coin de la salle de bains, réduits en lambeaux, bien que son corps ne présentât aucune plaie. Une autre preuve de l'habileté du meurtrier dans le maniement du couteau. Rakkim s'assit sur le rebord de la baignoire et considéra Miriam. La baignoire était remplie presque à ras bord, et il y avait des flaques d'eau un peu partout par terre, signes de ses efforts pour tenter de se libérer. Son visage était immergé, timidement tourné du côté opposé à Rakkim. Ses seins et son mont de Vénus, archipel de chair triste, dépassaient à la surface.

Il observa son visage, et aperçut les ecchymoses sur son cou, qui indiquaient l'endroit précis où on l'avait saisie pour la maintenir sous l'eau, deux petites contusions de part et d'autre de sa trachée... l'assassin avait été particulièrement délicat, il avait utilisé juste assez de force pour la pousser sous la surface, sans l'étrangler. Miriam n'avait pas été découpée comme Terry et son épouse, elle n'avait pas été disposée en un diorama d'horreur, mais sa mort n'en avait été que plus cruelle encore. Miriam, qui n'avait aimé qu'un homme de toute sa vie, qui ne s'était montrée nue qu'à un seul homme, avait été noyée lentement, elle s'était débattue, elle avait hurlé, avalé et craché de l'eau, pleinement consciente que, à la fin, elle serait laissée là, exposée dans sa nudité aux yeux du monde. Rien d'étonnant à ce qu'elle se soit battue si farouchement, même pieds et poings liés.

Rakkim aurait dû lui dire la vérité sous la véranda. Elle lui avait demandé s'il croyait qu'il n'existait qu'un seul amour pour chacun de nous, rien qu'un seul, et il lui avait répondu qu'il n'en savait rien. Elle avait compris qu'il mentait, mais il s'était enferré dans ce mensonge. Peut-être n'était-il pas après tout adressé à Miriam, peut-être Rakkim essayait-il de s'en convaincre lui-même. Mais ni elle ni lui n'avaient été dupes.

Il allait devoir contacter Colarusso. Cette partie de Seattle se trouvait hors de la juridiction de l'inspecteur, mais Redbeard pouvait effacer cet obstacle d'un simple coup de téléphone au chef de la police. Redbeard aurait tout un tas de questions à lui poser, mais c'était le prix à payer pour cet appel téléphonique. Autrement, il ne se passerait pas longtemps avant que les voisins se demandent où était bien passé le garde de l'entrée, ou avant qu'un autre garde prenne la relève, et alors les flics du coin arriveraient sans délai pour passer les lieux au peigne fin. Il valait mieux mêler Colarusso à la danse : il écouterait Rakkim et ferait ce qu'on lui demanderait de faire. Une véritable enquête était hors de question. Les experts scientifiques lui donneraient la taille et le poids approximatifs de l'assassin en se basant sur les empreintes de pas, et ils trouveraient peut-être même des empreintes digitales, et des résidus de peau sous les ongles de Miriam, du matériau génétique potentiellement intéressant, mais tout cela n'avait pas la moindre importance. L'homme qui avait fait cela était hors de la juridiction de la police. Il était au-delà de la loi. C'était là que Rakkim le retrouverait. C'était aussi là que Rakkim vivait.

Colarusso aurait bien entendu des questions, mais il accepterait les réponses que lui donnerait Rakkim. L'inspecteur pourrait peut-être même l'aider. Mais pour l'heure, Rakkim avait bien plus important à faire. Il sortit de la salle de bains et se dirigea vers la penderie. Il allait trouver un tchador et une robe propres pour Miriam. Il la retirerait de la baignoire, la déposerait sur son lit, et l'habillerait. Puis il prierait pour elle aussi.

19

Sarah ressentit une vive douleur à l'estomac. « Continuez à rouler. »

Le chauffeur de taxi haussa les épaules et s'exécuta.

Sarah réprima un gémissement alors qu'ils approchaient de la maison de Miriam, et du périmètre délimité par une bande jaune. Une décoration bien trop festive pour une journée aussi grise et lugubre. Elle était trop loin pour lire les mots bousculés par le vent, mais elle savait parfaitement ce qui était écrit sur la bande : « Périmètre d'enquête interdit au public ». Deux voitures de police étaient garées en face, aux côtés d'une camionnette d'experts scientifiques. Les policiers étaient appuyés contre leurs véhicules et discutaient. Des voisins s'étaient réunis sur le trottoir en une masse compacte, pour se protéger du froid. « Vous pouvez vous arrêter là », dit-elle au chauffeur. Sa propre voix lui parut désincarnée, vidée de toute émotion. Même Rakkim ne l'aurait pas reconnue.

Le chauffeur de taxi se gara à l'angle de la rue. Il se retourna et la regarda à travers la paroi de plexiglas qui les séparait. « Vous voulez descendre ici, ma sœur ?

– Non. » Bien que les vitres du taxi fussent fumées afin de préserver l'intimité des passagers, Sarah ajusta tout de même son voile lorsque le regard des voisins se tourna vers le taxi. Ils reportèrent vite leur attention sur la maison. Le silence régnait dans le véhicule, à l'exception du bruit du moteur. Quelque chose de terrible était arrivé à Miriam. Sarah en avait la certitude. Elle n'avait pas appelé avant de prendre ce taxi. Elle n'avait décidé de passer qu'au dernier instant, espérant faire une surprise à Miriam, et la convaincre de la laisser emprunter les carnets de son père. À présent, elle ne savait plus quoi faire.

Le chauffeur baissa sa vitre. « Qu'est-ce qui se passe ? beugla-t-il à un couple d'un certain âge debout sur le trottoir.

– Une femme a été assassinée », répondit le vieil homme élégant vêtu d'un costume bleu avec un mouchoir assorti à sa cravate jaune. Il pointa la maison du doigt. « Mme Warriq. Professeure à l'université. Une femme pieuse, qu'Allah le Miséricordieux la bénisse.

– Tu ne sais même pas si elle est vraiment morte, lança la vieille dame, une dame mince, guindée, et vêtue d'un manteau en cachemire. Tu fais ton intéressant, voilà tout.

– Tu vois bien qu'il n'y a pas d'ambulance, non ? dit le vieil homme. Elle a été assassinée. Elle et son personnel de maison. Une boucherie, à l'intérieur, ce sont les mots mêmes du policier. Si c'est pas malheureux. Sûrement un gang de catholiques défoncés à je-ne-sais-quoi.

– Toi et tes catholiques, siffla la dame d'un ton sarcastique.

– Ils l'ont noyée dans sa propre baignoire, insista le vieil homme. Ils ont dû lui dire qu'ils voulaient la baptiser, en rigolant pendant qu'elle les suppliait d'arrêter. »

Le couple s'éloigna sans cesser de se chamailler.

Sarah avait de la peine à respirer, les yeux rivés sur la maison. Miriam avait été assassinée, mais elle doutait que ce fût l'œuvre de catholiques. Redbeard disait toujours qu'il n'y avait rien de mal à croire aux coïncidences, mais qu'il fallait toujours agir comme si de telles choses n'existaient pas. Non, quelqu'un avait pris Miriam pour cible parce qu'elle était liée à Sarah. Elle aurait dû être terrifiée, elle aurait dû demander au chauffeur de l'emmener loin d'ici, mais elle ne voulait pas partir. Pas encore. Elle continuait d'observer la maison. Très bizarrement, elle pensa aux mains de Miriam. Elle avait de très belles mains, fortes et habiles, mais Miriam les trouvait trop grosses. Pas féminines pour un sou. Ses ongles étaient toujours courts, et, en société, elle gardait toujours les mains jointes afin de ne pas attirer l'attention sur elles. À présent, elle était morte, et lorsque Sarah pensait à elle... elle se souvenait de ses adorables mains, et regrettait que personne n'ait réussi à la convaincre qu'elle était une très belle femme.

Les sanglots doux et sourds devaient sans doute venir d'elle, car le chauffeur se retourna à moitié dans sa direction. « Ça vous dérange si j'allume l'autoradio, ma sœur ? » Comme Sarah ne répondait pas, il l'alluma. Par respect pour ce qu'il pensait être ses goûts, il choisit une émission de libre antenne qui s'adressait aux musulmans très pieux, « Que dois-je faire, imam ? »

« Bonjour, imam. Je sais qu'en tant que bonne musulmane je suis censée ne pas écouter de musique, mais je me demandais si certains styles de musique étaient autorisés, et s'il était préférable d'écouter de la musique toute seule ? »

– Très bonne question, ma sœur. Les hadiths précisent clairement que la musique est interdite. L'un des messagers d'Allah a dit : "Viendra une nation qui se vouera à la musique, et un jour, après avoir joui de musique et d'alcool, son peuple s'éveillera le visage transformé en gueule de porc." En fait, ce messager prétendait avoir été envoyé pour détruire tout instrument de musique. Qui plus est, ma sœur, le péché est aussi grand, que vous écoutiez de la musique seule ou avec quelqu'un d'autre. Plutôt que d'écouter de la musique, écoutez le saint Coran. »

Sarah observa le chauffeur de taxi se gratter nonchalamment la tête. Elle aurait dû déjeuner avec Miriam vendredi dernier, mais elle avait reçu ce message juste avant. Même ainsi, elle avait envisagé d'appeler Miriam pour la prévenir qu'elle serait absente un certain temps. Et puis les chasseurs de primes étaient arrivés... Sarah tressaillit en se souvenant de l'haleine du chauve... de ce qu'il lui avait fait. Elle aurait dû appeler Miriam après cela, pour la mettre en garde... Sarah coupa court à ces pensées. Elle refusait de s'abandonner au désespoir. Il était trop tard pour regretter. Miriam était morte, Terry et son épouse aussi, à en croire les voisins, et tous les regrets du monde ne les feraient pas revenir parmi les vivants.

Elle inspecta du regard les trottoirs, à la recherche de quelqu'un qui ne cadrerait pas avec la scène. Les badauds étaient en grande partie des couples, entre la quarantaine et la cinquantaine, voire plus âgés, avec en outre quelques mères accompagnées de leurs enfants. Pas un célibataire, excepté deux hommes d'affaires qui passaient lentement devant la maison sur le trottoir d'en face. Sarah aurait été incapable de dire s'ils se trouvaient déjà sur place à son arrivée. Incapable de dire qui dans la foule venait tout juste d'arriver. Toutes ces années passées à bénéficier des enseignements de Redbeard, et elle avait oublié sa toute première leçon. « L'observation est la clef de la survie, Sarah. Prends une vue d'ensemble d'abord, grave-la dans ton cerveau, puis concentre-toi sur les individus. Laisse passer une poignée de minutes, reprends une vue d'ensemble, et repère ce qui n'est pas à sa place : ce qui a été ajouté, ce qui a été enlevé. » Elle avait laissé le chagrin la distraire. Règle numéro deux : « Les émotions sont les fossoyeuses de la survie. » Une erreur de plus de sa part.

Redbeard lui avait donné la même éducation qu'à Rakkim, ne lui excusant ni ne lui pardonnant rien sous prétexte qu'elle était une fille. « La vie est pleine de dangers, Sarah. La complaisance est bonne pour les innocents, les sots ou les morts, et nous ne sommes rien de tout cela. Réfléchis, Sarah. » Elle avait permis à son attention de se relâcher. Rakkim n'aurait jamais fait cette erreur. Elle se ressaisit, et observa scrupuleusement toute la zone, se servant du rétroviseur du chauffeur pour inspecter ce qui se trouvait derrière elle.

Deux policiers riaient à une plaisanterie en fumant une cigarette, deux beaux abrutis, mains dans les poches, casquette repoussée sur le haut du crâne. Sarah aurait voulu surgir du taxi, leur arracher leur cigarette des lèvres, leur ordonner de faire preuve d'un peu plus de respect.

Ou tout du moins de se comporter comme si ce qui était arrivé dans cette maison avait quelque importance à leurs yeux, plutôt que de considérer tout cela comme la simple routine quotidienne. Mais elle resta où elle était. Elle avait fait assez d'erreurs pour la journée.

« Que Dieu vous bénisse, imam. J'aimerais beaucoup que vous apportiez une conclusion à un débat que j'ai en ce moment même avec ma fiancée. Que dit l'islam ? Les femmes sont-elles moins intelligentes que les hommes ?

– Qu'Allah vous bénisse, mon frère. Les Écritures nous enseignent que les femmes sont moins intelligentes que les hommes, et c'est la raison pour laquelle c'est l'homme, et non la femme, qui est maître du foyer. On peut consulter son épouse, mais c'est à l'époux que revient l'autorité suprême. »

Sarah frémit derrière son voile, exaspérée par la suffisance et les certitudes de l'imam. La radio constituait une autre diversion dont il fallait faire abstraction. Il valait mieux observer la maison. La pelouse de devant était pleine de massifs de rosiers primés. Ils étaient en plein stade dormant, tout d'épines, mais au retour du printemps ils éclateraient de fleurs. Miriam ne serait pas là pour sentir leur parfum, pour les tailler, pour les protéger de la rouille, des cochenilles et de la galle. Ceux qui avaient tué Miriam avaient également tué tout ce qui lui tenait à cœur, et ceux qui l'avaient tuée n'avaient pas agi seuls : Sarah les avait aidés.

Miriam était morte parce qu'elle était liée à Sarah, il n'y avait pas d'autre explication. Sarah avait tâché de dissimuler leur amitié, surtout lorsqu'elle avait commencé à écrire son nouveau livre, mais trop de personnes les avaient vues ensemble à l'université. Il suffisait qu'une seule personne ait parlé, qu'elle ait mentionné le simple fait qu'elle les avait vues prendre le thé ensemble. Une seule personne, c'est tout ce dont le Vieux avait besoin.

C'était forcément le Vieux qui avait envoyé l'équipe chargée de la tuer. Le gouvernement et les Robes noires n'hésiteraient pas à avoir recours au meurtre pour l'empêcher d'écrire ce nouvel ouvrage, mais elle doutait qu'ils aient la moindre idée de ce sur quoi elle travaillait. Si cela avait été le cas, Redbeard aussi l'aurait su (il avait des espions partout), et Redbeard ne semblait pas au courant de la nature de ses recherches. C'était nécessairement l'œuvre du Vieux, mais pourquoi tuer Miriam ? Pourquoi ne pas simplement la placer sous surveillance et attendre que Sarah apparaisse ? Pourquoi ne pas l'avoir interrogée ? Miriam ne valait rien aux yeux du Vieux. À moins qu'elle n'ait parlé.

Sarah réprima une soudaine bouffée de panique, se força à analyser la situation d'un point de vue objectif, détaché. Non, Miriam avait été tuée parce que les assassins avaient considéré à tort qu'elle n'avait rien à leur apprendre. Sarah connaissait bien Miriam. C'était une femme courageuse et loyale. Même si elle avait été en mesure de garder la vie sauve en échange de Sarah, en échange des informations dont elle disposait, elle aurait préféré mourir, et aurait fait ce choix avec joie. Miriam avait la foi, et sa foi lui conférait une force inimaginable. Sarah ne nourrissait pas de telles illusions. Elle rajusta une énième fois son voile, contrariée : jamais elle ne s'habituerait à ce bout de tissu.

Il n'y avait rien à gagner à rester ici, mais elle ne pouvait détacher son regard de la maison, espérant en secret que Miriam finirait par en sortir, espérant que tout cela n'était qu'un simple quiproquo. Un malentendu. Mais cela n'arriverait pas. Sarah l'avait su dès lors que la camionnette des experts scientifiques de la police avait dépassé à toute vitesse le taxi où elle se trouvait, sur la route qui menait au quartier protégé. Une prémonition, peut-être. Ou le poids de la culpabilité. Elle serra la mâchoire.

Elle aurait tout le temps de se sentir coupable plus tard : pour lors, il fallait absolument qu'elle sache si l'équipe d'assassins avait mis la main sur les carnets. Le Vieux connaissait-il la raison des visites régulières de Sarah ? C'était impossible à dire, mais elle devait faire la lumière sur ce point, et savoir si les carnets se trouvaient toujours dans la maison, elle devrait revenir en ces lieux et les prendre. Elle sentit à nouveau la même douleur à l'estomac, et fut prise d'un curieux vertige, comme si elle tombait. C'était la peur. Cela n'avait aucune importance : peur ou pas, il lui faudrait revenir et s'emparer des carnets. Ils étaient la clef... l'une des clefs. La seule dont on lui avait parlé.

Une brusque rafale de vent fit plier les conifères du quartier, et Sarah frissonna malgré la chaleur qui régnait dans le taxi. Elle devait absolument se reposer. Une semaine dans un lit qui n'était pas le sien, à se tourner et se retourner sans cesse... tout l'empêchait de dormir : le vent, le bruissement des branches contre la fenêtre, et, plus que tout, ses propres pensées. Elle avait de l'argent. Elle avait acheté des vêtements et une brosse à dents, et dans deux jours elle se connecterait pour savoir ce qu'elle devait faire. Elle n'avait qu'à garder son calme en attendant. Rester calme, et en sécurité.

« Bonjour, imam, j'ai 14 ans et... je sais bien que le Coran interdit qu'on s'épile les poils du visage, mais ma sœur aînée a des sourcils vraiment très, très épais et... et je voulais savoir si elle pouvait quand même se les épiler pour qu'elle soit plus jolie. Merci beaucoup.

– Merci à vous, ma sœur. Votre sœur est-elle mariée ?

– Oui, imam.

– Alors vous pouvez lui dire que bien que le saint Coran interdise de telles pratiques, si ses sourcils sont si denses que son époux en conçoit de l'aversion, elle peut quand même les tailler très légèrement afin qu'ils regagnent un aspect normal et convenable. »

Sarah regarda à travers la vitre. La veille au soir, elle avait été à deux doigts d'appeler Rakkim. Somnolente, elle avait cru entendre des pas qui couraient, et s'était éveillée en pleurs. Une fausse alerte. Elle s'était saisie de son téléphone, souhaitant de toute son âme entendre sa voix... et l'avait finalement mis de côté. Il était trop tard pour se montrer aussi faible. Trop de vies dépendaient de ce qui lui restait à faire. Elle était à deux doigts de demander au chauffeur de démarrer lorsque la porte de la maison de Miriam s'ouvrit. Un bref instant, elle crut que Miriam allait sortir, et elle aperçut Rakkim descendre les marches du perron en compagnie de son ami inspecteur de police... Anthony Colarusso.

« Quelque chose qui ne va pas, ma sœur ? »

Sarah secoua la tête, interdite, incapable de parler. C'était Redbeard, sans aucun doute. Il avait certainement demandé à Rakkim de l'aider à la retrouver. Ce n'était pas ce qui la surprenait : ce qui la stupéfiait, c'était le peu de temps que Rakkim avait mis pour trouver Miriam.

Rakkim était en train de parler aux policiers. Apparemment, les hommes en uniforme ne savaient pas qui il était, car ils avaient les yeux rivés sur Colarusso, qui se grattait l'oreille d'un air absent.

Cela faisait six mois qu'elle n'avait pas vu Rakkim. Il était toujours aussi beau, mais semblait exténué et inquiet. Sa chemise était mouillée par endroits, et Sarah se demanda ce qu'il avait bien pu voir dans la maison de Miriam. « Une boucherie », avait dit le voisin aux cheveux blancs. Sur sa joue coula une larme, vite absorbée par le voile. Elle continua à fixer Rakkim, incapable de se rassasier de son image.

Elle ne cessait de se demander s'il eût été préférable de lui révéler ce sur quoi elle travaillait, voire de lui demander de l'aide. Elle lui aurait confié sa vie sans hésiter, pourquoi ne pouvait-elle pas lui confier la vérité ? Il parlait à présent avec l'équipe scientifique, et Sarah remarqua ses nombreux acquiescements, les tapes amicales qu'il leur prodiguait. Il s'immisçait sur leur territoire, et il savait qu'il obtiendrait plus facilement ce qu'il désirait s'il arrivait à s'attirer leur sympathie. Dans la même situation, Redbeard aurait été plus exigeant, plus pressant, mais il n'aurait pas tiré plus d'informations de ces gens que Rakkim. Il en aurait même tiré moins.

Il fallait qu'elle parte. L'endroit était dangereux. Le taxi allait bien finir par attirer l'attention : il suffisait d'un policier un peu curieux, ou qui s'ennuyait un peu trop, et tout s'enchaînerait très vite. Redbeard disait toujours que c'était les petits détails qui nous perdaient, pour la simple raison qu'on avait toujours tendance à ne se préparer qu'aux pires extrémités. Mieux valait partir tout de suite. Elle pourrait toujours revenir chercher les carnets plus tard, lorsque les lieux seraient plus sûrs. Et quand bien même la police resterait plusieurs jours sur place, elle devrait venir les prendre : elle était à présent plus convaincue que jamais que, quelque part dans ces pages, se trouvait ce qu'elle cherchait.

Elle observa encore le vent souffler dans les cheveux courts de Rakkim, ses cheveux noirs... ses cheveux si doux, tout comme son bouc, et elle rougit en se souvenant de la caresse de sa barbe sur les parties les plus intimes de son corps. Rakkim passa une main sur ses cheveux, comme s'il avait senti son regard. Sarah tapa contre la paroi de plexiglas, plus fort qu'elle n'aurait voulu. « On peut y aller, maintenant. » Elle ne lâcha pas Rakkim des yeux tandis que le taxi prenait le premier tournant. Si elle était restée plus longtemps, elle n'aurait pas pu s'empêcher de se précipiter dans ses bras.

20

PRIÈRE DE LA MI-APRÈS-MIDI

« Vous ne devez pas m'appeler, dit le Vieux. C'est moi qui vous contacte.

– Dois-je raccrocher ? demanda Darwin d'un ton joyeux. Comme ça vous me rappellerez, et je ferai semblant d'être touché par cette gentille attention. » Il patienta un instant. « Allô ?

– Dites ce que vous avez à dire.

– Vous êtes sûr ? insista Darwin. Je serais ravi de raccrocher. »

Le Vieux resta silencieux, refusant d'entrer dans son jeu.

Darwin se tenait debout, mains dans les poches, son téléphone miniaturisé collé sur la paroi de son conduit auditif, le haut-parleur aussi grand qu'une tique gonflée de sang. Le micro était encore plus petit : il passait aux yeux de tous pour un simple grain de beauté juste au-dessus de ses lèvres. On aurait pu se tenir au côté de Darwin sans savoir qu'il était en pleine conversation. C'était le tout dernier modèle de téléphone conçu au Japon, une véritable révolution technologique à lui tout seul. « Je voulais simplement vous tenir au courant des dernières nouvelles. J'ai passé mon temps à jouer au chat et à la souris avec Rakkim mais, en passant, j'ai rendu une petite visite de courtoisie à la copine universitaire de Sarah. Rakkim avait fait pareil, avant-hier. Les grands esprits, etc. »

La veille, Darwin avait frappé à la porte de Miriam, se faisant passer pour un agent du recensement religieux, l'attaché-case débordant de formulaires, un véritable gratte-papier, nerveux au possible, avec une barbiche en désordre et un costume trop grand pour lui. Le garde du corps de

Miriam, un gros plein de soupe basané, lui avait ordonné de déguerpir en lui barrant le passage, mais Miriam avait invité Darwin à entrer. Il s'était excusé de la déranger ainsi, puis avait pénétré dans le salon où il avait senti l'odeur de Rakkim, le faible soupçon de son odeur corporelle : il avait aussitôt su qu'il ne s'était pas trompé d'adresse.

« Dites-moi tout, lâcha le Vieux.

– La copine en question s'appelle Miriam Warriq, répondit Darwin, rasé de près et portant un costume à 3 000 dollars. La cinquantaine. Professeure de sociologie à l'université. Pieuse, mais pas fondamentaliste. Ça vous dit quelque chose ?

– Non.

– Ça ne fait rien. De toute façon, cette chère Miriam nous a malheureusement quittés.

– Vous l'avez tuée ? »

Darwin regardait la bande jaune de la police remuer au gré du vent tout autour de la demeure de Miriam Warriq, il regardait les gens massés sur le trottoir qui observaient la maison et les policiers. Il avait l'impression d'être dans la peau d'un imprésario qui avait mis sur pied une production spectaculaire à l'attention d'un public qui ne comprenait pas bien quelle chance il avait.

« Pourquoi avoir fait cela ? Rakkim va deviner qu'il est suivi, à présent.

– Vous savez quoi, vous ne me dites pas comment mener mes affaires, et je me garderai de vous expliquer comment devenir maître du monde. D'accord ? » Darwin entendit le rire sec du Vieux, semblable à un froissement de vieux journaux. Il adorait ce rire. « Le fait que Rakkim soit au courant ne change rien. Rakkim détecte le plus infime danger. Je n'ai pas fini d'étudier ses réactions et, jusque-là, j'ai eu le plus grand mal à ne pas me laisser distancer. Je me suis dit que le fait de trouver Miriam dans le joli paquet-cadeau que je lui ai fait le provoquerait un peu, le pousserait à commettre une erreur.

– Comment savez-vous qu'il va la retrouver ?

– Oh, je peux le voir, au moment même où je vous parle, répondit Darwin alors que Rakkim sortait sur le perron en compagnie d'un gros flic en civil. Et vu son expression, j'ai toute raison de penser qu'il vient d'ouvrir le paquet.

– Il est à votre portée, en ce moment même ?

– Tout à fait. » Dans le vent glacé, Darwin rayonnait littéralement. Il avait parfaitement réussi à provoquer Rakkim. Plus que cela, même. Il était parvenu à lui faire baisser sa garde.

« Est-ce que lui vous voit ?

– Peu importe s'il me voit. Je ne suis personne. » Un vieux couple passa devant Darwin en se disputant. Darwin leur adressa un salut de la tête, leur souhaita un bon après-midi, et l'homme lui rendit son salut. Darwin avait appris la découverte des corps en se branchant sur les fréquences codées de la police : il ne s'était pas attendu à trouver Rakkim déjà sur place. La possibilité que Rakkim eût été le premier à découvrir les cadavres était trop belle pour être vraie, mais au moins il était là, en chair et en os, avec la même mine que si son déjeuner lui était resté sur l'estomac. Cette simple vision rendait Darwin tout chose.

Rakkim parlait au gros flic dont le visage s'empourprait de plus en plus. N'importe quel homme capable d'emmerder un flic à ce point gagnait d'emblée le respect de Darwin. Il avait hâte de retrouver cette Sarah et d'en finir avec cette affaire. Il aurait alors tout le loisir de tuer Rakkim, l'esprit tranquille. Et à son rythme à lui.

« Est-ce que cette Miriam Warriq vous a révélé quelque chose à propos de Sarah avant que vous... la mettiez dans le paquet-cadeau ?

– Pas grand-chose.

– C'était une raison de plus pour la laisser en vie, en attendant qu'elle parle.

– Cela n'aurait rien changé. Sa foi était très forte, vous savez ce que c'est », dit Darwin en se souvenant des calmes protestations de la femme, vite suivies d'une succession hystérique de citations du Coran. Les trucs que les gens pouvaient sortir lorsqu'ils se savaient sur le point de mourir... cela ne cessait de l'étonner.

« La foi peut être brisée. Voilà ce que je sais.

– Elle n'aurait pas parlé, elle m'aurait simplement fait perdre mon temps. » Darwin secoua la main à l'attention d'une jeune mère qui poussait un landau sur le trottoir. *Coucou.* La mère l'ignora, mais le bébé lui répondit d'un mouvement de la main. Sale mioche. Une traînée de lait séché lui maculait la joue.

« Vous avez agi dans la précipitation, insista le Vieux. Vous vous êtes laissé aller à une pulsion de mort et vous avez perdu tout sens des priorités.

– Des priorités ? » Darwin gloussa. « Vous n'avez pas idée de ce que sont mes priorités.

– Je mènerai une enquête sur cette professeure de sociologie. Peut-être en tirera-t-on quelque chose. Contentez-vous de brider vos instincts. J'ai besoin de Rakkim vivant. »

Darwin observa le taxi garé plus loin. Un taxi Saladin à motif d'échiquier, dont le pot d'échappement crachait des volutes de gaz. La buée recouvrait le pare-brise.

« Darwin ?

– Je suis toujours là. » Cela faisait bien cinq minutes que le taxi était planté là, si ce n'est plus. Largement assez de temps pour que le voyageur descende. « Je vous rappellerai. » Darwin mit fin à la communication et se dirigea vers le taxi, d'un pas vif, mais sans se précipiter.

« Monsieur ? » Le jeune policier levait la main comme s'il était chargé de la circulation. L'autre main reposait sur la crosse de son pistolet.

Darwin sourit, sans quitter le taxi des yeux. « Je suis en retard, monsieur l'officier.

– Puis-je vous demander une pièce d'identité, monsieur ? »

Darwin tira son portefeuille de la poche intérieure de sa veste et l'ouvrit. « Darwin Conklin, à votre service. » Il montra sa carte d'identité, puis tendit au policier une carte de visite. « Je suis agent immobilier. Je viens de recevoir un coup de fil du bureau. Je dois vraiment y aller. »

Le policier considérait la carte de visite comme si elle avait été écrite en hiéroglyphes mayas. Son badge portait le nom de Hanson. « C'est vous ?

– Tout à fait. Monsieur l'officier, je vous en prie... »

Le policier retourna la carte et la lui rendit. « Nous devons vérifier l'identité de chaque personne présente sur les lieux, M. Conklin. Simple formalité. Mon chef est très à cheval sur les procédures, même si moi aussi je considère ça comme une perte de temps. » Grand, le teint rose, il avait un long visage osseux flanqué de touffes de barbe blonde. Sa main reposait toujours sur son pistolet. Le bleu de base. La nouvelle Constitution interdisait formellement les armes de poing : toute personne en possédant une était passible de la peine capitale, à l'exception des policiers. Les bébés flics tiraient toujours beaucoup de plaisir et d'assurance de leur puissance de feu, à l'instar des pèlerins qui serraient dans leur paume des bouts de fémur d'un saint quelconque, en s'imaginant qu'ils les protégeaient du mal.

Darwin sourit.

« Alors vous êtes dans le coin parce que vous avez une maison à vendre ?

– Je fais souvent un détour par ce type de quartier pour mes clients les plus fortunés.

– Ce qui s'est passé dans cette maison, c'est vraiment horrible. La maison d'une certaine Warriq. Je parie que vous aurez du mal à la vendre, celle-là. En tout cas, si ce que mon supérieur m'a dit est vrai.

– Hum... vous savez, l'immobilier, c'est un métier de défis.

– Mon chef en a gerbé sur ses chaussures. Je crois que c'est un peu plus fort qu'un simple défi. »

Darwin vit le taxi prendre un tournant, puis faire marche arrière jusqu'à la route principale. « Est-ce que ça ira, monsieur l'officier ? Je suis vraiment très pressé.

– Est-ce que vous avez des appartements en copropriété ? demanda le policier. Je vis encore chez mes
parents et ça me rend fou. Ma mère est une supercuisi-
nière et tout, mais même comme ça... »

Darwin lui tendit à nouveau sa carte de visite. « Appelez-
moi demain et nous en reparlerons. »

Le policier ignora la carte tendue. « Je cherche juste un
studio. Même dans un quartier catholique, ça m'irait. J'ai
aucun problème avec les mangeurs de porc. » Il sourit de
ses grandes dents blanches. « Leurs femmes peuvent même
être supermarrantes, si vous voyez ce que je veux dire.

– Je vois parfaitement ce que vous voulez dire », répondit Darwin en apercevant le taxi disparaître au bout de la
route. Il cacha son exaspération et tapota amicalement
l'épaule du policier. Un gaillard musclé. Il avait dû suivre
tout un tas de cours de self-defense et devait fréquenter les
salles de sport avec une régularité de métronome, afin de
gérer tout le stress qui allait de pair avec sa profession.
« Officier Hanson, c'est ça ? Nous devrions vraiment
prendre rendez-vous et voir ce que j'ai à vous proposer.
Donnez-moi votre adresse. Je suis certain d'avoir quelque
chose qui correspondrait à votre fourchette de prix.

– Hé, ce serait vraiment sympa. » Le policier sourit
à nouveau. « Un jeune flic comme moi n'a plus rien à faire
chez ses vieux. Et si on se disait ce soir ? Je finis le service
à 4 heures. »

Darwin observa Rakkim et le gros flic faire le tour de la
maison, Rakkim en tête. Monsieur Je-Prends-l'Affaire-
En-Main.

« Demain conviendrait mieux. J'ai déjà quelque chose
de prévu pour ce soir. »

21

« Merci infiniment de m'avoir traîné jusqu'aux lieux du crime, mon pote. » Colarusso posa vivement son verre sur le comptoir. « Quand un mec me tire d'une petite enquête sympa sur un vol pour que je me penche sur deux pauvres bougres avec des têtes dépareillées, je peux pas m'empêcher d'éprouver une gratitude infinie. Je ne savais même pas que tu causais encore à Redbeard. C'est le grand chef de la police qui m'a fait passer le mot. Je crois que c'est la première fois que je l'impressionne à ce point. » Il tapota son verre contre le bar. « Un autre, *padre*. »

Le curé se faufila de l'autre bout du comptoir, remplit le verre de Colarusso de vin de messe. Il bénit le liquide de son index et son majeur joints, et releva les yeux sur Rakkim.

Rakkim hocha la tête. Le curé rejoignit l'autre bout du bar et reprit la grande discussion qu'il avait au sujet de la plus grande équipe de base-ball de tous les temps avec trois flics à la retraite, qui passaient leur temps à s'entremenacer de diverses violences physiques. « J'ai une grosse dette envers toi, Anthony.

– Ouais, mais apparemment pas assez grosse pour que tu daignes me dire à quoi ça rime vraiment, tout ça.

– Je t'en ai dit autant que je pouvais.

– Autant que tu voulais. » Colarusso hocha la tête. « Laisse tomber. Je n'ai croisé Sarah que deux fois, à tout casser, mais je l'aime bien. Si tu me dis qu'elle a de gros problèmes, ça me suffit. » Il frotta son nez en forme de bulbe. « Pourtant, quand je vois écrit en lettres de sang "*S KE TU KIFFES ?*" sur les lieux d'un crime, je me sens obligé de me dire que les meurtres sont une sorte d'avertissement qui t'est envoyé. Je me trompe ?

– Non, tu ne te trompes pas.

– Eh ben en voilà, une bonne nouvelle ! J'étais à deux doigts de penser que j'avais perdu mon légendaire flair de flic, et sans flair, que ferait la police ? » Colarusso rota et plongea sa grosse main dans un bol de cacahuètes, molles d'être restées si longtemps sur le comptoir.

« Je croyais que c'était des hosties que tu étais censé manger avec du vin de messe, dit Rakkim.

– Te fous pas de ma religion, d'accord ? » Colarusso envoyait les cacahuètes une à une dans sa bouche, à une cadence de mitrailleuse. « Pas de côtelettes de porc, pas de whisky écossais, pas de chiens, pas de rock'n'roll, pas de bars topless, maugréa-t-il en mâchant bruyamment. Est-ce qu'il y a un truc au monde que vous n'interdisez pas, vous autres ?

– T'en prends pas à moi. Tout ce que tu viens de citer me convient parfaitement.

– Tu es un mauvais musulman.

– Tu as bien raison. »

Colarusso acquiesça. « Ça me va. Je suis un mauvais catholique. »

Rakkim avala une gorgée de vin. Répugnant. Colarusso l'avait emmené dans une église catholique de Seattle dont le sous-sol servait de bar à flics après les heures d'office. Après inspection des lieux du crime, Colarusso avait dit qu'il avait besoin d'un remontant, et qu'il ne voulait pas aller boire un coup dans la Zone, mais parmi les siens. Rakkim aussi avait bien besoin d'un verre, et bien que la vinasse fût mauvaise, il appréciait le calme qui régnait et la clientèle. Rakkim n'était peut-être pas le premier musulman accepté dans ces lieux mais, à en juger par les regards qui se posaient sur lui, il aurait très bien pu l'être. Colarusso l'avait présenté à la petite douzaine de flics réunis autour du comptoir, avait dit qu'il se portait garant de lui, et que si cela posait problème à quelqu'un, il était prêt à régler ça sur-le-champ. Les flics étaient retournés à leurs verres, et le curé leur avait servi une tournée.

« Tu es sûr que l'équipe a inspecté toute la maison ? demanda Rakkim.

– Deux fois de suite. Comme je te l'ai déjà dit, s'il y avait un mouchard là-dedans, ils l'auraient trouvé. J'ai aussi fait venir des gars pour éliminer les mouches, comme tu me l'avais dit, histoire que l'affaire ne fasse pas la une des journaux.

– Bien. Fais-les revenir demain. »

Colarusso avait vu d'un mauvais œil que Rakkim perturbe les lieux du crime, mais il savait que Rakkim avait ses raisons. En voyant Miriam allongée sur le lit, sobrement vêtue, un exemplaire du Coran dans les mains... Colarusso avait compris.

« C'est une affaire de fou. » Colarusso faisait de grands gestes, son verre à la main. « Enfin quoi, je veux dire, si tu as envie de tuer quelqu'un, vas-y, tue. T'es là pour ça, et moi je suis là pour mettre le grappin sur ton cul. Mais disposer les gens comme ça sur un canapé avec la tête de l'un sur les genoux de l'autre ? Qui est-ce qui peut faire une chose pareille ? » Il changea lourdement de position, à l'étroit dans son costume taché par une bonne semaine de déjeuners pris sur le pouce. « Je suis pas facilement impressionnable, tu sais. J'ai vu des trucs qui te feraient sortir les yeux de leurs orbites, comme le célèbre Vile Coyote.

– Quel coyote ? »

Colarusso hocha la tête. « Merde, j'ai pris un coup de vieux. » Il attrapa quelques cacahuètes tombées sur le comptoir. « J'ai passé un coup de fil à la brigade criminelle pour leur demander s'il y avait une nouvelle bande en activité, spécialisée dans l'assassinat gratuit. Tu te rappelles ces camés qu'on avait eus l'année dernière ?

– Ceux qui sniffaient de la colle industrielle, c'est ça ?

– De la colle, du gasoil, de l'essence de térébenthine, tout ce qui passait. Ils avaient atterri dans un joli petit quartier cossu, avaient défoncé la porte de derrière, et massacré tous ceux qui se trouvaient à l'intérieur. Vite fait, vicieusement fait. On avait retrouvé des oreilles dans le frigidaire, des cadavres coincés dans le conduit de la cheminée... mais ce qu'on a vu aujourd'hui, je crois que c'est bien pire que ça.

– Il y avait de l'intelligence derrière ce que nous avons vu.

– En tout cas, il y avait quelque chose derrière ce qu'on a vu. » Colarusso vida la moitié de son verre de vin. Ses traits semblaient plus tirés. « Je veux juste mettre la main sur la bande qui a fait ça.

– Ça n'est pas forcément une bande. C'est peut-être un homme seul. »

Colarusso ricana. « Le garde du corps était un vétéran, un vrai dur avec des rubans et des médailles plein le poitrail. Il a fallu plus d'un homme pour en venir à bout. »

Rakkim ne discuta pas cet argument, épuisé, tant par ces crimes que par le manque de sommeil. Il souleva son verre. Après le deuxième, le vin avait meilleur goût. L'image de Miriam dans la baignoire lui revint en mémoire, l'image de ses cheveux flottant autour d'elle. Il se souvint de la rigidité de sa chair, des efforts qu'il avait dû déployer pour l'habiller, et de la caresse de ses cheveux mouillés lorsqu'il l'avait transportée. Il avait eu la sensation de lutter contre un mort. « Je l'ai tuée, Anthony. Je les ai tués tous les trois.

– Génial, affaire résolue.

– Je croyais avoir effacé toutes mes traces, mais quelqu'un a dû me suivre jusque chez Miriam. J'aurais pu aussi bien la tuer de mes propres mains.

– Arrête de chialer. Tu veux que je t'absolve ? Je peux le faire. J'étais prêtre, dans le temps. »

Rakkim le regarda dans les yeux.

« C'est vrai. J'avais 21 ans quand j'ai été ordonné à Woodinville. J'ai renoncé à mes vœux après la transition. J'ai bien vu le vent tourner... et puis le vœu de célibat commençait à me bouffer le cerveau. Tu penses que tu peux gérer la chose quand tu entres au séminaire, mais en un rien de temps te voilà jeté dans le monde, et ton petit oiseau a son mot à dire, indépendamment de ce que tu peux penser. Enfin bon, je ne suis peut-être plus prêtre, mais j'ai encore les bons réflexes. Je vais à la messe tous les dimanches. Le père Joe, là, au bout du bar, c'est lui qui reçoit ma confession, et après ça on se retire ici, et il nous sert ce qu'il a. Que demander de plus à un homme de Dieu ? » Colarusso se pencha vers Rakkim. « Tu veux que je reçoive ta confession ?

– Nous, les musulmans, n'ouvrons notre âme qu'à Dieu.

– C'est vrai ?

– Disons que, la plupart du temps, je garde mes péchés pour moi-même. Allah a assez à faire comme ça. » Rakkim riait... on aurait dit qu'il riait, mais des larmes roulaient sur ses joues. « Je dois être saoul. Je tiens pas la route, comparé à vous autres catholiques.

– Tu t'en sors très bien. »

Rakkim vida son verre, et le tapa contre le comptoir pour le faire remplir à nouveau. Il désigna d'un mouvement de la tête la table de billard à l'autre bout de la salle. Le tapis vert brillait presque. Il était déchiré par endroits, mais restait extrêmement tentant. « Je suis étonné que personne ne joue.

– Interdit de jouer sur cette table, expliqua Colarusso. L'année dernière, deux gros cons se sont mis dessus en pleine partie de billard, les coups de poing ont volé, ils ont failli tout saccager. Le père Joe a même dû briser une queue sur la tête d'un des deux rigolos.

– Avec une belle cicatrice en prime ? »

Colarusso arbora un large sourire en se frottant la base du crâne. « Non, mais j'en ai encore des migraines. »

Rakkim regarda le reflet dans la grande glace, observa les flics alignés au comptoir, et se félicita d'avoir accepté la proposition de Colarusso. C'était une salle toute sobre, sombre et basse de plafond, remplie de cas désespérés, des hommes âpres et amers qui n'avaient que faire du bruit et de la fureur de la Zone. Les enfants de chœur, c'était le nom que Colarusso donnait aux habitués, même si la majorité d'entre eux n'étaient pas catholiques pratiquants. Protestants, catholiques, agnostiques, athées, cela importait peu : de simples flics, des inspecteurs, même, mais pas de gros pontes. Les enfants de chœur avaient beau se moquer de la religion, ils étaient trop fiers pour se convertir à seule fin d'avoir de l'avancement. Le sol était recouvert de poussière, les murs décorés de photos de boxeurs et d'une peinture de Jésus, le cœur percé d'épines. Le bar était un endroit où l'on se saoulait tranquillement, avec du vin presque légal, l'endroit idéal pour arrondir un peu les angles trop aigus d'une sale journée, verre après verre.

« Tu veux pas me parler un peu des carnets que tu as pris ? demanda Colarusso.

– Ils appartenaient au père de Miriam Warriq. C'est son journal intime. Ils recèlent quelque chose de spécial. Une information que je dois trouver. Mais je n'ai aucune idée de ce que ça peut être. »

Un gigantesque inspecteur se dirigea vers eux en titubant. Il passa un bras autour des épaules de Colarusso. L'élégant colosse avait la peau d'un noir satiné, son crâne était rasé, et il portait à la narine un piercing en or. Il jeta un regard à Rakkim. « T'as oublié les règles vestimentaires du bar, Anthony ? Pas de tête-à-serviette ici. » Son haleine puait la vigne fermentée.

« Rakkim, ce pauvre abruti qui officie malheureusement comme gardien de la paix s'appelle Derrick Brummel, dit Colarusso. Derrick, je te présente Rakkim Epps. »

Ils se serrèrent la main, et Rakkim vit la sienne disparaître dans celle du géant.

« C'était juste pour dire bonjour », dit Brummel à Colarusso. Il détourna les yeux.

« Tu peux parler librement en présence de Rakkim », indiqua Colarusso.

Brummel jeta un regard à Rakkim. « C'est vrai ?

– Essaye, tu verras bien », répondit Rakkim.

Brummel se retourna vers Colarusso. « On t'a raconté mon affaire de vol à l'arraché ? Un petit con a soulagé un homme d'affaires d'une bague de rubis, il la lui a fauchée comme ça, au beau milieu de la rue, et a disparu dans la foule, en pleine heure de pointe. On me met sur le coup, je fais ma petite enquête. La description correspond en tout point à un gamin que j'avais déjà attrapé un certain nombre de fois. Je le chope dès le lendemain. » Brummel s'approcha, et la température sembla augmenter de quelques degrés. « Et cet après-midi, je découvre que l'imam de l'homme d'affaires va traîner le gamin devant une cour religieuse qui suit la charia. » Brummel jeta un regard à Rakkim. « Le gamin est catholique, Anthony.

– C'est impossible, dit Colarusso.

– C'est la vérité ! » tonna Brummel. Quelques têtes se retournèrent. « Tu crois que je connais pas ma propre affaire ?

– Fais gaffe à ta pression artérielle, Derrick, répondit calmement Colarusso. Pose tes fesses et prends un autre verre.

– Est-ce que je suis pas un flic dévoué à la loi et à l'ordre ? demanda Brummel d'un ton impérieux.

– Tu es un flic dévoué à la loi et à l'ordre.

– Est-ce que je suis pas un fervent baptiste ?

– On trouve pas plus fervent.

– Alors tu sais que je n'essaye en aucun cas d'excuser ce gamin. C'est un voleur et un raté, mais en aucun cas il mérite qu'on lui coupe la main.

– Les Robes noires ne peuvent pas faire ça à un catholique, insista Colarusso. Même pas en rêve.

– Si l'homme d'affaires déclare avoir eu l'intention d'offrir cette bague à sa mosquée, le gamin peut se retrouver devant une cour religieuse, dit posément Rakkim. C'est un peu tiré par les cheveux, mais c'est une interprétation possible de la loi.

– Si les Robes noires peuvent traîner un catholique devant une cour religieuse, ils peuvent en faire de même avec n'importe qui. » Brummel posa un regard dur sur Rakkim. Les lumières du plafond se reflétaient sur son crâne lisse. « Des boulots de merde, des maisons de merde, des insultes de merde à chaque coin de rue, et maintenant une loi de merde ? Les chrétiens sont capables de supporter pas mal d'injustices, mais arrivera le moment où on en aura marre, et alors vous êtes pas au bout de vos surprises.

– La situation ne me plaît pas plus qu'à vous, dit Rakkim.

– Il le pense vraiment, commenta Colarusso à l'attention de Brummel.

– Si tu le dis, Anthony.

– Pas besoin qu'il le dise, lança Rakkim. C'est moi qui le dis. »

Brummel appliqua une violente claque dans le dos de Rakkim. « C'est bon, gros dur, on en rediscutera un autre jour. » Un regard à Colarusso. « Je suis pas bourré, mais je m'en approche. Il est temps de rentrer à la maison et d'oublier mes emmerdes avec ma petite femme. »

Colarusso et Rakkim regardèrent Brummel se retirer dans le silence complet. Une fois la porte fermée, les conversations reprirent.

« C'est un bon flic, mais il a une sainte horreur des musulmans. Il doit sûrement regretter de ne pas s'être installé dans un État chrétien lorsqu'il en avait l'occasion. C'est ce qu'ont fait la plupart des Noirs, mais lui est resté ici, en se disant qu'il allait laisser sa chance au nouveau gouvernement. Je me suis dit la même chose. » Colarusso soupira dans des effluves de vin. « Tu es trop jeune pour te rappeler à quoi ce pays ressemblait avant, mais laisse-moi te dire une bonne chose, c'était sinistre. De la drogue, des malheureux qui s'entretuaient pour des raisons qu'ils n'arrivaient même pas à expliquer. Hommes contre hommes, Noirs contre Blancs, et Dieu contre tous, c'était la blague qui circulait à l'époque, mais tu peux être sûr qu'elle ne m'a jamais fait rigoler. » Colarusso haussa les épaules. « Et puis les juifs ont détruit New York et Washington, et les problèmes qu'on avait avant nous ont donné l'impression d'un thé dansant où les gâteaux auraient été un poil trop secs. Ça nous a appris ce que c'était vraiment que d'avoir des problèmes. Les musulmans étaient les seuls à avoir un projet clair et à nous tendre la main, et puis tout le monde est égal aux yeux d'Allah. C'est ce qu'ils racontaient, en tout cas. » Ses yeux étaient troubles. « En plus de ça, vous autres, au chapitre "crime et châtiment", vous êtes connus pour pas y aller de main morte côté "châtiment", et puis vous êtes aussi assez sévères, question blasphème. Et ça, ça me plaît. Tu sais, un gouvernement de l'ancien régime a un jour payé quelqu'un pour jeter un crucifix dans un verre de pisse et prendre ça en photo. Me regarde pas avec ces yeux, je suis sérieux. Il a reçu de l'argent pour photographier ça, et les gens faisaient la queue pendant plusieurs heures pour regarder la photo. Alors franchement, je suis pas vraiment du genre à regretter le bon vieux temps. Seulement maintenant, on a des Robes noires qui se promènent dans nos commissariats comme si les lieux leur appartenaient. Et ça, c'est pas bon.

– Non, ça n'a rien de bon.

– J'ai vu Anthony Jr. hier, juste au moment où il sortait de son lit. Il devait bien avoir vingt ou trente estafilades sur tout le corps. Aucune profonde. Parfaitement cicatrisées. Il s'est vaporisé du Fissa-Spray. Superefficace, ce machin. Il a refusé de me dire qui l'avait tailladé. Il m'a dit que c'était sa vie privée. » Colarusso fourra un index au fond de sa bouche et délogea un bout de cacahuète coincé entre deux molaires qu'il envoya par terre d'une pichenette. « Tu es sûr que tu ne veux pas te confesser ?

– Aide-moi simplement à retrouver Sarah.

– Tout ce que tu veux. Tu sais... » Colarusso plongea la main dans sa veste pour en tirer son portable. Il écouta en acquiesçant. « Vous en êtes certain ? » Il raccrocha, les sourcils froncés, ennuyé par quelque chose.

« Qu'est-ce qu'il y a ?

– C'était le légiste. » Colarusso se mordilla la lèvre inférieure. « Il y avait si peu de sang dans le salon, tout juste celui qui souillait le canapé, que j'étais convaincu que ces deux malheureux avaient été tués autre part, puis installés dans le salon, mais le légiste vient de me dire qu'ils avaient été assassinés à l'endroit précis où on les a trouvés. Le sang retrouvé a giclé des artères... je sais plus lesquelles.

– Les artères carotides.

– Tu connais ces trucs-là, toi ? » Colarusso attendit une réponse qui n'arriva jamais avant de reprendre. « La cause du décès est un coup de couteau porté à la base de la gorge, mais, selon le légiste, s'il y avait si peu de sang sur les lieux du crime, c'est que les deux victimes n'étaient pas excitées quand elles sont mortes. Peu de sang a giclé des artères parce que leur rythme cardiaque n'était pas du tout élevé. C'est comme s'ils étaient restés sagement assis, comme ça, à attendre de crever. » Il secoua la tête. « Ça ne tient pas debout. Des intrus étaient entrés dans la maison... des inconnus, entrés par effraction : ces gens devaient forcément être effrayés. Ils auraient dû recouvrir les murs de leur sang en se faisant charcuter.

– Il n'y avait qu'un seul homme, et ils n'ont rien vu venir.

– Je te l'ai déjà dit, le majordome était un vrai dur à cuire, répéta Colarusso, exaspéré. J'ai vérifié ses états de services... ce mec était plus que compétent. Un peu difficile de l'imaginer se faire surprendre par une attaque au point de ne même pas bouger. Et même s'il s'est fait tuer en premier, tu ne crois pas que sa femme aurait eu le temps de réagir ? Et pourtant elle est restée assise là. Enfin quoi, je veux dire... qui peut tuer aussi vite que ça ?

– Un feddayin, répondit Rakkim. Un assassin feddayin pourrait te tuer tellement vite que tu serais mort avant d'avoir senti le goût de ton propre sang.

– Un feddayin ? Comme toi ?

– Non, pas comme moi. »

Colarusso le regarda dans les yeux, soudain dégrisé. « Tu es en train de me faire peur, soldat. »

Rakkim n'arrivait pas à arracher de sa mémoire l'image de Terry et de son épouse disposés sur le canapé, drapés de sang, la tête sur les genoux. « Les assassins sont une petite unité de combat au sein des feddayin. Un millier de recrues, gros maximum... et une majorité des sélectionnés sont finalement recalés. J'avais la rapidité adéquate, mais mon profil psychologique ne cadrait pas. Il faut un certain... détachement.

– Tu avais un cœur, quoi.

– Ne t'embête pas à relever les empreintes, ce type ne figure dans aucune banque de données. En revanche, quand tes hommes auront fini leur boulot, j'aimerais jeter un coup d'œil au rapport d'enquête. Si par miracle un voisin avait remarqué quelqu'un de suspect, ce serait merveilleux d'avoir une description.

– Cet assassin... tu crois que tu peux en venir à bout ?

– Non.

– Tu viens de dire que tu avais la rapidité nécessaire. » Rakkim ne répondit pas.

« OK, je laisse tomber. » Colarusso plongea à nouveau sa main dans le bol de cacahuètes, et secoua celles qu'il avait attrapées dans son poing. « Revenons un peu à Anthony Jr. Au Super Bowl, tu m'avais dit que tu ne le recommanderais pas auprès des feddayin, et maintenant tu t'arranges pour qu'il se fasse engager. Qu'est-ce qui t'a fait changer d'avis ?

– Il a des dispositions... et ses occupations actuelles sont plus susceptibles de le faire tuer que le fait de devenir feddayin. Même s'il finit par raccrocher, il en tirera quelque chose...

– Je sais qu'il traîne avec des voyous...

– Il est le chef. C'est lui qui leur donne des ordres. »

Colarusso continuait à secouer les cacahuètes dans son poing.

« J'ai fait ce que je pensais être le mieux pour lui. Tu le sais parfaitement. »

Colarusso évitait soigneusement de croiser son regard. « Tu aurais dû voir sa tête quand il m'a dit que tu allais le recommander. Ça faisait des années que je ne l'avais pas vu aussi heureux.

– Il est un peu incontrôlable, mais c'est un chouette gamin.

– Toi aussi tu as été un chouette gamin. » Colarusso jeta les cacahuètes sur le comptoir. « Regarde un peu ce que tu es devenu. »

22

« Mince alors, vous devez sûrement être en train de battre un record, monsieur. » L'ado catholique derrière la caisse avait le visage recouvert de boutons blancs cernés de rouge. « Vous devez vraiment adorer les milk-shakes fraise/malt ! »

Darwin planta une paille dans le milk-shake. « L'ambroisie des dieux.

– La quoi ? » Le visage de l'ado était brillant de graisse, et le reflet du néon rendait sa confusion incandescente. Il posa les coudes sur le comptoir. Un gros tas aux yeux bleus minuscules et à la curiosité de pourceau. « Votre femme attend un bébé, c'est ça ? Ça nous arrive des fois, madame en cloque a une envie terrible de milk-shake, et monsieur se précipite chez nous. »

Darwin saisit le verre en carton. « Non, pas de madame en cloque à la maison, rien que moi et mon appétit, mais c'est gentil de vous en inquiéter. » Il glissa un billet de 5 dollars sur le comptoir en disant au gamin de garder la monnaie. Darwin donnait toujours de généreux pourboires, se montrait toujours d'une politesse absolue, et ne jetait jamais ses ordures sur la voie publique. Un parfait citoyen. Il s'éloigna du comptoir du drive-in Dick's en sifflotant un air joyeux.

Il était presque minuit, pas une étoile au ciel. Il descendit la rue jusqu'à l'endroit où était garée sa voiture. Cela faisait maintenant trois heures qu'il attendait de l'autre côté du parking de l'église, avec pour seule distraction ses allers et retours chez Dick's. Trois heures, et quatre milk-shakes fraise/malt, taille maxi. Il aspira le liquide sucré par la paille. Dick's faisait des milk-shakes succulents, avec de la vraie glace et des fruits frais. Leurs hamburgers et leurs frites étaient, paraît-il, excellents, mais Darwin évitait de manger de la viande et des aliments frits. Il aspira encore par la paille, s'imaginant être une guêpe géante, aux ailes finement nervurées et aux yeux lisses, une guêpe géante au dard noir et recourbé, qui ne vivait que de nectar sucré.

À un pâté de maisons de là, Aurora Boulevard était toujours en pleine effervescence, mais la rue résidentielle dans laquelle il se trouvait était bien plus calme, avec ses maisons sombres et muettes. Un vieux quartier ouvrier catholique, avec de petites pelouses défraîchies et des quasi-épaves garées devant. Darwin se glissa au volant de sa berline bleu foncé sans cesser d'aspirer son milk-shake, le palais délicieusement engourdi par sa froideur.

Dissimulé dans l'ombre d'un robuste magnolia, il avait une vue parfaite sur le parking de l'église, où se trouvait la voiture de Rakkim, parmi une douzaine d'autres véhicules, voitures banalisées ou de patrouille. Un bar à flics avec des vitres opaques : chacun se rassurait comme il pouvait. Darwin claqua la langue. Amen. Le parking était entouré par un grillage haut de trois mètres coiffé de barbelés coupants, et surveillé par une caméra. Darwin s'en moquait. Rakkim finirait bien par sortir, et Dick's était ouvert vingt-quatre heures sur vingt-quatre. Le blondinet n'avait pas idée de ce que pouvait être un vrai record. Il délogea un grain de fraise coincé entre ses dents du bout de l'ongle de son auriculaire.

Il avait été très facile de suivre Rakkim et le gros flic à partir des lieux du crime. Le gros flic conduisait devant, dans sa caisse payée par le gouvernement, et Rakkim suivait juste derrière lui. Darwin était resté à bonne distance, se servant d'un semi-remorque pour dissimuler sa berline anonyme. Il avait surpris deux ou trois fois Rakkim en train de surveiller son rétro, mais il était sûr de ne pas s'être fait repérer. Comme il l'avait dit au Vieux,

Rakkim avait été fortement remué par la joyeuse petite mise en scène chez Warriq. Le vieux croulant ferait d'ailleurs mieux de se mêler de ses affaires. Darwin avait quitté les feddayin quinze ans auparavant, et, quasiment depuis cette date, n'avait cessé d'honorer des contrats pour lui. On aurait pu s'attendre à ce qu'il finisse par se fier à ses choix. Une chance pour lui que Darwin ne prenait pas ce genre d'offense trop à cœur. Une autre gorgée de milk-shake. Darwin n'avait pas été au côté de Rakkim lorsqu'il était entré dans la salle de bains, mais c'était tout comme : il avait vu son visage après coup. Les mecs tels que Rakkim ne se formalisaient pas trop pour des trucs tels que celui que Darwin avait laissé sur le canapé du salon. C'était les touches subtiles, les petites attentions, comme Miriam dans sa baignoire, les yeux sortant légèrement de leurs orbites... c'était cela qui faisait craquer les durs à chaque fois.

Et Rakkim était un dur. Une heure auparavant, Darwin avait reçu un appel de l'un de ses contacts aux archives gouvernementales, un technicien très haut placé qui avait accès à un certain nombre de données sécurisées. Rakkim Epps avait été une recrue feddayin de premier choix, major de sa promotion, à qui on avait vite confié le commandement d'unités spéciales dans le cadre d'opérations dans les territoires mormons. Des missions très dangereuses, consistant essentiellement en raids éclairs un peu partout. Cela faisait partie de l'entraînement classique, destiné à donner le goût du sang aux unités d'élite. Deux ans plus tard, il avait été classé excellent dans tous les domaines d'action. Il aurait pu entrer sans effort dans le haut commandement feddayin, mais il avait alors préféré se porter volontaire pour des missions de reconnaissance longue durée, et était devenu un guerrier de l'ombre. En apprenant cela, Darwin avait haussé un sourcil, et avait demandé à son contact s'il était sûr de cette information.

Les guerriers de l'ombre infiltraient le territoire ennemi pendant plusieurs mois consécutifs, devenaient partie intégrante de la population. C'était des agents doubles et solitaires qui évitaient autant que possible toute effusion de sang. C'était aussi la fonction la plus dangereuse pour un feddayin, plus dangereuse encore que celle d'assassin. Les guerriers de l'ombre étaient confrontés non seulement au risque d'être démasqués derrière les lignes ennemies, mais également au danger bien plus insidieux de devenir l'ennemi, de s'approprier ses habitudes et ses goûts, appropriation qui était de mise durant leur mission, mais qui les rendait à terme incapables de se réadapter aux habitudes des feddayin. Trop dangereux pour être simplement démis, mais trop dangereux également pour être gardés au sein de l'organisation, ils se voyaient confier mission sur mission jusqu'à ce qu'ils trouvent la mort dans l'exercice de leur fonction. Entre leur première opération et leur mort, il se passait en moyenne deux ans et demi. Rakkim, lui, avait survécu durant près de six ans, remplissant l'ensemble de ses missions, avant de se retirer de son plein gré. Incroyable. Darwin se réjouit de ne pas avoir à le tuer, pas tout de suite en tout cas, heureux d'avoir la possibilité de le connaître un peu mieux avant de passer aux choses sérieuses.

Darwin remua le milk-shake fraise/malt, aspira une grosse gorgée de plus, les yeux mi-clos. Un délice. Les guerriers de l'ombre et les assassins étaient les spécialisations feddayin les plus extrêmes : les uns et les autres étaient des loups solitaires auxquels on donnait carte blanche dans le cadre de leurs missions. Les guerriers de l'ombre étaient envoyés dans les États de la Bible ou les territoires mormons afin d'estimer précisément les forces ennemies, et de pouvoir préparer au mieux les futures offensives. Les assassins n'officiaient qu'à l'étranger, éliminant hommes d'affaires influents ou dirigeants politiques, suscitant le trouble tout en gardant une parfaite paix de l'esprit. Les assassins étaient strictement cantonnés par la loi à des missions à l'étranger : les directives fédérales insistaient lourdement sur ce point. Darwin sourit. L'essentiel était que cela semble vrai sur le papier.

Il sortit de la poche intérieure de sa veste son Cyclop. C'était un minirécepteur/moniteur qui ressemblait à s'y méprendre à un étui à cigarettes, avec son couvercle d'argent ciselé. Du matériel russe, bien évidemment. L'écran était aussi épais qu'un cheveu, et les caméras livrées avec le dispositif étaient aussi grosses qu'une tête d'épingle. Il ouvrit son Cyclop, et enclencha l'avance rapide. Il avait marqué ses passages préférés. Rakkim pénétrant dans le salon de Warriq, en sortant, puis y retournant, comme un brave petit soldat. Il activa le ralenti, zooma sur le visage de Rakkim, impressionné par la vitesse à laquelle il avait mis de côté son profond dégoût pour se pencher au-dessus des chairs mutilées, allant droit au fait. Feddayin un jour, feddayin toujours.

Darwin avait installé quatre caméras dans la maison : une devant la porte principale, à l'intérieur, une devant la porte de derrière, toujours à l'intérieur, une dans le salon, et une dernière dans la salle de bains. Les caméras filmaient et enregistraient en continu, et transmettaient tout en un flux unique lorsqu'on le requérait. Quasiment indétectables. C'était un excellent dispositif, mais qui comportait cependant ses limites. Il observa Rakkim et le gros flic sortir de la maison, tous deux les bras chargés d'un gros carton. La caméra de l'entrée les avait surpris en train de quitter les lieux, mais il n'avait pas la moindre idée de ce qui pouvait se trouver dans ces deux cartons. D'autres dispositifs étaient capables de voir à travers le tissu et le carton, pouvaient déterminer si une femme était enceinte, mais ils étaient autrement plus encombrants, et leur signal électronique était bien moins discret. Darwin préférait une approche tout en subtilité. Il revit une nouvelle fois l'enregistrement. À en croire les grognements du gros flic, ce qui se trouvait dans les cartons était assez lourd. Quoi que ce fût, c'était forcément quelque chose que Miriam Warriq connaissait, quelque chose dont elle ne lui avait pas parlé. Bien joué. Darwin lui tirait son chapeau en toute franchise, à titre posthume.

Le vieux croulant semblait vraiment flipper. Depuis leur toute première collaboration, c'était bien la première fois que Darwin ressentait chez son client une telle inquiétude. Quatre ans auparavant, le Vieux avait chargé Darwin d'assassiner un officier des services de renseignements, un général trois étoiles en pleine ascension à la suite d'une réorganisation des archives d'État. Cela avait été une mission délicate. Le général était intraitable sur la discipline, il ne quittait jamais sa base militaire et s'entourait constamment de sa garde rapprochée. Le Vieux avait eu quelques doutes quant à l'issue de la mission, mais ceci était tout à fait différent. Darwin n'avait jamais su pour quelles raisons il avait dû tuer le général, pas plus qu'il ne connaissait celles qui poussaient le Vieux à vouloir Sarah vivante. Il devait simplement la retrouver, et la suivre. Le Vieux s'attendait certainement à ce qu'elle le mène jusqu'à quelque chose, quelque trésor... le vieux croulant étant déjà plus riche qu'on n'aurait pu espérer l'être, ce ne devait pas être un trésor au pied de la lettre. Peut-être la jeune femme n'était-elle pas censée le mener jusqu'à quelque chose, mais jusqu'à quelqu'un. Darwin s'en fichait : seul comptait le boulot qu'il avait à faire, le défi qu'il devait relever. Pourtant, rien d'étonnant à ce qu'il s'intéresse un peu à cette fille qui avait réussi le tour de force de pousser le Vieux à se répéter : « Aucun mal ne doit être fait à cette jeune femme, Darwin. Ni à elle ni à Rakkim. Pas pour le moment. »

Darwin avait glissé au bas de son siège avant même d'être pleinement conscient des bruits de pas qui approchaient. Dans le rétroviseur latéral, il aperçut un jeune couple qui se promenait, main dans la main. Les deux jeunes gens passèrent sous l'éclairage d'un garage, et Darwin vit la femme, une grosse rousse au teint pâle, les lèvres peintes d'un méchant rouge, avec son petit copain aux épaules affaissées. Ils s'arrêtèrent, s'embrassèrent, leurs corps collés l'un à l'autre. Ils finirent par dénouer leur étreinte, la fille se hissant lourdement jusqu'en haut des marches de son perron, le garçon repartant par où il était venu. Elle lui adressa un salut de la main sur le pas de la porte, mais il ne la vit pas, filant à toute vitesse en tâchant de dissimuler son érection. Darwin se remit à siroter son milk-shake presque fini, aspirant autant d'air que de sucre, et il repensa aux derniers instants de Miriam, lorsque l'eau avait commencé à remplir ses poumons, et que des bulles s'étaient échappées de ses narines.

Dans un quartier fondamentaliste, les jeunes tourtereaux auraient été lapidés à mort pour leur concupiscence, lapidés par leurs pères et leurs oncles pour avoir jeté l'opprobre sur leurs familles. Les modernes eux-mêmes évitaient tout contact physique en public. Mais les catholiques semblaient se délecter de telles provocations. Se prendre par la main, s'embrasser, montrer leur peau au reste du monde. De tels comportements constituaient un acte de rébellion, une sédition de la chair, comme l'avait dit un ayatollah dans un célèbre sermon. Darwin finit son milk-shake, et jeta le verre en carton dans le sac-poubelle qu'il gardait à l'intérieur de sa voiture. Peu lui importait si les catholiques baisaient au beau milieu de la Grande Mosquée en plein ramadan, ou si les fondamentalistes brûlaient vifs des homosexuels et grillaient de la guimauve au-dessus des braises. Il s'en moquait éperdument, et il était sûr et certain que si Dieu existait, Il s'en foutait tout autant.

Les fondamentalistes semblaient croire qu'il suffisait d'un rien pour offenser Dieu. Cela faisait doucement sourire Darwin. N'importe quel dieu capable de créer ce trou puant qu'on appelait la Terre était nécessairement peu sensible. Rien au monde ne pouvait offenser Dieu. À condition de garder les yeux bien ouverts, force était de conclure que la seule certitude qu'on pouvait avoir à propos de Dieu était le fait que, à Ses oreilles, les hurlements des hommes étaient une musique infiniment plus douce que le chant des rossignols. Darwin sourit. Dieu devait aussi avoir un faible pour les milk-shakes fraise/malt.

Les recrues feddayin étaient toutes musulmanes, du moins en apparence, que ce fût par conversion ou de naissance, et Darwin ne dérogeait pas à la règle. Les cours de religion faisaient partie de l'entraînement, avec récitation des cinq prières quotidiennes, et respect strict des règles alimentaires. Ça ne servait à rien. La dévotion aidait peut-être ceux qui, faute de courage, devaient le puiser ailleurs, mais pour un homme tel que Darwin, la foi était une diversion, voire un obstacle. Une fois dans les rangs des assassins, il n'eut plus à faire semblant. Plus de lois, plus de restrictions, plus de prières pour les assassins. Ils étaient libres.

Darwin manipula le Cyclop pour revoir une énième fois Rakkim dans la salle de bains. Il aimait beaucoup le moment où il tirait Miriam de la baignoire en la serrant contre lui. Ses vêtements étaient trempés, les cheveux de la morte éclaboussaient ses chaussures, mais il la portait avec un étrange respect, empreint de tendresse, en s'efforçant de ne pas la regarder. C'était précisément cette tendresse que Darwin allait utiliser contre lui. C'était cette tendresse qui lui coûterait la vie.

Une simple caresse et le Cyclop téléchargea la dernière heure d'enregistrement. Darwin consulta rapidement les images en divisant l'écran en quatre parties, une pour chaque caméra. La maison était plongée dans le silence et l'obscurité, les corps avaient été enlevés. Quel dommage. Il avait espéré que la personne qui se trouvait dans le taxi, cet après-midi, aurait fait un saut pour jeter un petit coup d'œil sur les lieux, après le départ de la police. Il ne s'agissait pas forcément de Sarah, mais il y avait sans aucun doute un lien entre cette dernière et elle. Darwin avait un instinct très sûr pour ce genre de chose. Il rangea le Cyclop dans la poche intérieure de sa veste, et sourit. Peut-être Sarah observerait-elle une période de deuil digne de ce nom avant de retourner dans cette maison.

La porte du sous-sol de l'église s'ouvrit sur Rakkim et le gros flic, qui sortirent d'un pas mal assuré.

Darwin était fin prêt. Il suivrait Rakkim et découvrirait où il avait dormi ces derniers jours. Les hommes du Vieux avaient surveillé de près le Blue Moon, mais Rakkim s'était bien gardé d'y aller. Les abrutis. Darwin avait réussi à trouver l'appartement de Rakkim, mais il était inoccupé depuis déjà plusieurs jours. Rakkim avait vidé les lieux de tout ce qui aurait pu se révéler intéressant. Pourtant Darwin avait beaucoup apprécié cette petite visite. Il avait essayé les vêtements qui se trouvaient dans la penderie, s'était assis sur le lit, sautant un petit peu pour tester le sommier. Rakkim devait avoir des planques disséminées aux quatre coins de la ville, des chambres, des studios et des box, loués sous de faux noms. Rakkim était plein d'astuce, mais, ce soir, toutes ses ruses ne lui seraient d'aucun secours. Darwin avait simplement besoin de savoir où se trouvait sa base, le havre de paix où Rakkim s'allongeait et rêvait. Une fois qu'il saurait cela, le reste ne serait que pure formalité.

Darwin vit Rakkim ouvrir la portière de sa voiture, en sortir un des cartons, pour le mettre dans le véhicule du gros flic. Il fit de même avec le second, sans l'aide du gros flic. Est-ce que ces cartons contenaient des preuves ? C'était peu probable. S'il y avait eu des preuves, elles auraient directement atterri dans la bagnole du gros flic. Intéressant. Le véhicule de Rakkim était une voiture volée, bien évidemment. Darwin avait vérifié la plaque. Alors pourquoi le gros flic et Rakkim restaient-ils plantés là, sans rien faire ? Qu'attendaient-ils ?

La porte du bar clandestin s'ouvrit à nouveau, et trois flics sortirent en titubant, dans des beuglements joyeux, en faisant semblant de s'envoyer des coups de poing. Rakkim les appela. Le gros flic aussi, mais si fort que Darwin entendit presque les mots qu'il prononça. Les trois flics se séparèrent et se dirigèrent vers leurs voitures de patrouille respectives, tandis que le gros flic allait ouvrir la barrière du parking. Les trois flics sortirent, roulant au pas, et attendirent en laissant tourner leur moteur, balayant la rue de leurs projecteurs.

Oh, très astucieux. Darwin disparut derrière le tableau de bord, juste avant qu'un faisceau de lumière ne glisse sur le pare-brise. Il entendit une voiture passer lentement devant lui, puis une autre, mais il resta caché. Le faisceau éclairait sa voiture à intervalles réguliers. Il entendit des voitures accélérer, et aperçut au loin la lueur rouge de phares arrière. Les voitures de patrouille suivaient celle du gros flic, en file indienne, et se détachaient une à une du cortège à chaque carrefour, guettant tout éventuel poursuivant, s'assurant que la voiture de tête rejoigne la route principale sans être prise en filature.

Darwin mit le contact, mais il ne se donna même pas la peine de le prendre en chasse. Il fallait bien lui reconnaître cette qualité : Rakkim agissait toujours comme s'il était suivi. Un vrai dur qui savait avec quelle facilité les plus durs pouvaient se faire avoir. La puissance de l'humilité, un vrai truc de guerrier de l'ombre. Darwin n'avait connu que deux ou trois spécimens de l'espèce : ils se montraient toujours très détendus jusqu'à ce que la situation bascule, et alors là, attention. À l'instar des assassins. Qu'on les jette n'importe où sur cette planète et, en dix minutes à peine, ils étaient pleinement à leur place, ils faisaient partie intégrante du paysage humain. Le fait d'être invisible requérait cependant un effort certain, et le moindre faux pas pouvait être fatal. Même les meilleurs guerriers de l'ombre finissaient par être découverts, et assassinés. À l'exception de Rakkim. Le seul et unique survivant.

Sans trop savoir pourquoi, Darwin se souvint du jeune flic présent sur les lieux du crime, cet après-midi même. Propre et brillant comme un sou neuf, souhaitant de tout son cœur trouver un appartement où il emménagerait seul. Ah, redevenir jeune. Darwin démarra. Il avait bien envie d'un autre milk-shake.

23

Vêtu d'un jean et d'un épais sweat-shirt bleu foncé, capuche rabattue sur le front, Rakkim passa la porte de service de la tour de bureaux à moitié vide, et inspira l'air froid de la nuit. *« S KE TU KIFFES ? »* C'était ce que l'assassin lui avait demandé. Un message écrit avec du sang sur le mur du salon de Miriam. *Laisse-moi te retrouver, fils de pute, et on verra qui kiffera.* Rakkim avait dit à Colarusso qu'il n'avait aucune chance contre l'assassin, mais rien n'était impossible. Il lui faudrait simplement avoir de la chance. Plus de chance que quiconque au monde.

Les pas de Rakkim firent craquer le verre brisé qui jonchait le trottoir fissuré, à l'abandon. Quatre heures du matin, personne dans Bellytown, le nom que les gens du coin donnaient au quartier délabré entourant le grand marché de plein air qui nourrissait la ville entière. Quatre heures du matin, et une gueule de bois au vin de messe, l'estomac noué par la colère et la fatigue. Mais il n'avait pas envie de dormir : chaque fois qu'il fermait les yeux, il revoyait le visage de Miriam noyée dans la baignoire, ses cheveux flottant tout autour d'elle. Une sirène morte, loin de l'océan. Il se demanda où Sarah pouvait bien être, et si elle était en sécurité. Et plus que tout, il se demandait si elle avait conscience de ce qu'elle avait provoqué.

Une double page de journal jauni traversait la rue, balayée par le vent. Bellytown n'était que faiblement éclairée, ses immeubles désaffectés, leurs fenêtres condamnées par des planches de bois, derrière lesquelles vivaient squatters, retraités sans ressources et migrants venus faire fortune dans la capitale. Le gouvernement parlait de tout détruire depuis des années, tout détruire pour tout reconstruire, mais tout cela n'était que belles paroles.

Colarusso avait déposé Rakkim une heure auparavant dans la ruelle qui se trouvait derrière l'immeuble de bureaux, l'avait aidé à déposer les cartons dans un ascenseur de service avant de rentrer chez lui en voiture. Depuis que Redbeard avait fait appel à lui, Rakkim dormait dans une suite jouxtant un bureau. Il n'y resterait pas plus de deux jours, juste le temps de finir de lire les carnets. Il les transporterait ensuite dans sa prochaine cachette. Mais avant cela, il allait parler à Harriet.

L'assassin était quelque part dans les parages, et il voulait que Rakkim le sache. Soit il espérait que Rakkim panique, soit il était trop arrogant pour se contenir. L'arrogance et la complaisance envers soi-même étaient les deux principaux défauts des assassins. C'était ce qui arrivait à quiconque volait des vies avec tant de facilité. Ce pouvoir de vie et de mort, quasi divin, finissait toujours par vider de son âme même le plus fort des hommes, et les assassins étaient des hommes faibles par nature, des hommes faibles avec un don unique. En s'annonçant de la sorte, l'assassin s'attendait à ce que Rakkim soit déstabilisé et commette une erreur. Mais c'était l'assassin qui avait commis une erreur, et s'il ne s'en était pas rendu compte, alors son erreur était double.

De la musique lui parvenait de l'immeuble qui se trouvait de l'autre côté de la chaussée... un vieux morceau qui datait de la guerre qui avait précédé la dernière guerre, à l'époque où les gens se touchaient et s'embrassaient en public. Quelque vieux locataire incapable de trouver le sommeil, ou s'étant levé pour aller pisser, avait dû se souvenir du bon vieux temps. Le morceau s'acheva, puis recommença, et Rakkim imagina le vieil homme ou la vieille femme en train de le passer en boucle, réveillant des souvenirs inconnus de tous. Il poursuivit son chemin.

Les trottoirs s'emplissaient peu à peu de travailleurs se dirigeant vers le marché, des hommes vêtus comme lui, mains dans les poches, cigarette aux lèvres. Des camions pleins de marchandises cahotaient dans les rues, dans un concert de klaxons, et l'air s'épaississait du parfum des fruits et légumes mûrs. Rakkim entra dans un café à la vitrine malpropre. La salle était bondée, bruyante. Il demanda un double express et un pain aux raisins. Un instant plus tard, la serveuse déposait sa commande devant lui, et il lui donna 6 dollars en lui disant de garder la monnaie.

La nouvelle monnaie était jolie, il fallait bien le reconnaître. Il se souvenait vaguement de l'ancienne : elle était verte, et présentait les visages d'hommes morts. Les nouveaux billets avaient des couleurs vives, des entrelacs de bleus, de roses et de jaunes, et étaient plus grands que les anciens. Pas de présidents morts. Sur le billet de 5 dollars figurait la mosaïque de l'arsenal naval de Detroit, sur celui de 10 dollars le Space Needle effondré, sur celui de 20 le croissant de lune au-dessus des ruines de New York, sur celui de 50 la Grande Mosquée de la capitale, et sur celui de 100 la sainte Ka'ba, le grand cube noir de La Mecque, radioactif pour les dix mille ans à venir.

Il reposa sa tasse à café et se mit à manger son pain aux raisins en sortant du café. Il ne s'était pas rendu compte à quel point il avait faim. Il finit en un clin d'œil sa pâtisserie et se lécha méticuleusement les doigts. Malgré tout, il lui restait au moins les habitudes d'un bon musulman. Les chrétiens voyaient d'un très mauvais œil les musulmans qui se léchaient les doigts après avoir mangé. Ils considéraient cette pratique comme peu hygiénique et comme un signe de mauvaise éducation. Mais les musulmans ne s'offusquaient pas de leur flagrante ignorance. La nourriture était un don de Dieu, et qui pouvait savoir quel morceau recélait la bénédiction d'Allah ?

Rakkim aperçut Harriet au loin, se frayant un chemin dans la foule, forçant les badauds à faire place à son imposante corpulence. C'était une brute en manteau de fourrure, une matrone obèse d'une soixantaine d'années, avec des cheveux orange vif et une volée de doubles mentons qui tremblotaient à chaque pas. Elle se pencha au-dessus d'un étal de fruits, saisit une pêche, la porta à son nez pour la reposer presque aussitôt et continuer lourdement son chemin. Le vendeur de fruits lui jeta un regard sinistre, mais ne lui adressa pas la moindre remarque.

Rakkim la suivit. Harriet avait ses habitudes : elle faisait fréquemment le tour du marché, toujours aux premières heures d'ouverture, afin de pouvoir sélectionner les meilleurs produits, seuls dignes de son palais difficile. Le fait d'être prévisible ne constituait pas un danger pour elle. Elle devait être constamment disponible pour d'éventuels clients et, de plus, elle ne sortait jamais sans escorte. Tout en continuant à la suivre, Rakkim surprit l'homme qui à l'autre bout de la rue mangeait des châtaignes grillées qu'il piochait dans un sac en papier, une brute épaisse engoncée dans un caban au col relevé, un bonnet de marin vissé sur le crâne. De retour au port... à ceci près qu'il n'était pas matelot. Il n'avait pas les lèvres brûlées par le sel du large. Un autre garde du corps se trouvait derrière Harriet, à quelques pas seulement, un grand type qui marchait canne à la main, mais n'était pas véritablement infirme : la forme de la semelle de sa chaussure droite ne correspondait pas à la claudication qu'il affectait, et il ne roulait pas assez des hanches. Les gens croyaient qu'il suffisait d'une grosse canne pour se faire passer pour un infirme, mais il fallait apprendre en vérité tout un ensemble de gestes subtils, et ce garde du corps ne s'en était manifestement pas donné le temps.

Harriet inspecta un autre étal de pêches. Elle en prit une, passa un pouce sur sa peau, la renifla. Elle opina du chef, et se mit à tendre plusieurs fruits au vendeur. Elle paya, rangea le sac en papier au fond de son cabas, et traversa la route en direction des boucheries hallal. Rakkim la suivit d'un pas nonchalant. Il aperçut l'un des gardes du corps, celui qui portait le caban, changer de position, sentant l'attention que Rakkim portait à Harriet. Bien vu.

Les bouchers s'affairaient au-dessus de leurs tables, aiguisaient leurs couteaux dans des cliquetis évoquant les claquements de mandibules d'insectes géants. Le tablier maculé de sang, ils murmuraient sans cesse le nom de Dieu tout en travaillant. Un tel zèle n'était pas nécessaire : la loi coranique requérait qu'on prononçât le nom de Dieu uniquement lorsque l'on tuait la bête, mais les Robes noires avaient estimé qu'on n'invoquait jamais assez le nom de Dieu, et les bouchers musulmans s'étaient fait un plaisir de suivre leur jugement éclairé. Les bouchers chrétiens se trouvaient quant à eux à l'autre bout du marché, près de la zone réservée aux ordures. Ils vendaient de la viande qui n'avait pas bénéficié des rites adéquats, leurs animaux étaient assommés avant la mise à mort, et leurs étals se trouvaient à côté des poissonniers qui vendaient quant à eux des produits qu'aucun bon musulman n'aurait voulu toucher, crabes, homards, huîtres, moules et pieuvres.

« Bonjour, Rakkim. » Harriet avait les yeux rivés sur les côtes de bœuf découpées à la perfection, tandis que le boucher attendait derrière son comptoir qu'elle eût arrêté son choix. Harriet était une fervente athée, ennemie de tous les croyants, mais elle savait que les meilleurs produits leur étaient toujours réservés. Elle désigna un gros morceau appétissant, puis se retourna, embrassa maladroitement Rakkim, embarrassée par son manteau de fourrure. Elle sentait le parfum français à 1 000 dollars le centilitre. « Tu as vraiment une sale gueule », dit-elle.

Rakkim passa une main sur la fourrure brune et épaisse. « Rat musqué ?

– Zibeline de Russie. » Harriet écarta la main de Rakkim, et s'assura que son collier de perles noires était toujours autour de son cou. Elle paya le boucher. Rakkim et elle firent alors chemin ensemble, suivis des deux gardes du corps qui se tenaient à distance. « Alors, tu t'es enfin décidé à accepter ma proposition ?

– Ce n'est pas pour ça que je suis ici.

– Ne joue pas les difficiles. » Les boucles orange de Harriet étaient grises à la base, ses lèvres peinturlurées de vermillon, mais son regard gris était d'une intensité peu commune. «J'ai un client, un directeur de compagnie pétrolière impliqué dans une querelle assez moche avec un de ses concurrents, au sujet d'un brevet. Très moche, en vérité. Il roule en limousine blindée, il est entouré de gardes du corps vingt-quatre heures sur vingt-quatre, mais il continue à se pisser dessus à chaque fois qu'il va à la mosquée. Un contrat de deux ans de protection rapprochée, et tu pourrais t'offrir une villa à Hawaï, et la remplir de nanas en bikini. Du moment que tu ne te fais pas tuer. Tu n'as qu'à donner ton prix.

– Je n'ai pas de prix. » Rakkim plongea sa main dans son cabas, et, négligeant les pêches, prit un abricot, dans lequel il mordit. Il était incroyablement sucré, mûr à point. Les gardes du corps s'étaient rapprochés, celui au caban faisant semblant de regarder des pièces d'agneau.

Harriet leur fit un signe de la main, et les gardes reculèrent. « Alors pourquoi es-tu ici ? »

Rakkim mordit à nouveau dans le fruit. «J'ai un petit problème.

– Tu veux un petit flingue pour régler ton petit problème ? » demanda Harriet. Ses doubles mentons se mirent à gigoter. «Je n'en possède pas, bien sûr, mais je connais certaines personnes qui pourraient t'en procurer.

– C'est très surfait, les flingues. » Rakkim finit son abricot, et jeta le noyau dans le caniveau, dispersant les mouettes qui se repaissaient d'ordures. «Je recherche un assassin.

– Ça ne devrait pas être difficile. Je bosse aussi bien dans la protection que dans l'élimination, tu le sais parfaitement. »

Rakkim s'approcha un peu plus. « Un assassin feddayin. »

Harriet éclata de rire. On aurait dit qu'on taillait un corbeau en pièces. Des clients se retournèrent pour jeter un coup d'œil, avant de revenir aux étals. Elle se remit à marcher, les pans de sa fourrure se plissant à ses genoux.

« Je conçois que ce doit être assez rare sur le marché, dit Rakkim.

– Ça n'existe pas sur le marché. Vingt ans que je suis dans le métier, et je n'en ai jamais rencontré un vrai. Oh, j'en ai vu beaucoup qui essayaient de se faire passer pour ce type de came, mais tous se sont révélés être des faux. » Elle tapota le bras de Rakkim et, soudain, le pressa avec insistance entre ses gros doigts. « Les vrais n'attirent pas l'attention, n'est-ce pas ? »

Rakkim ne répondit pas.

« J'ai tout plein d'anciens militaires dans mon carnet d'adresses, tout plein d'anciens policiers et même deux ou trois anciens gardes du corps présidentiels, mais des feddayin... vous êtes plutôt durs à trouver. Je te l'ai déjà dit, tu pourrais imposer tes tarifs simplement en mettant cela en avant. » Harriet plissa les yeux. « Mais tu es bien plus qu'un simple feddayin. Je le sais parfaitement.

– Je n'étais pas un assassin.

– Quelle qu'ait été ta spécialité, tu es un produit de qualité supérieure, je l'ai compris dès notre première rencontre. Malin, calme et silencieux, et puis tu as cette vision à 360° que tu sais dissimuler à merveille. Ainsi que bien d'autres qualités qui font de toi un produit de choix. » Elle humecta ses lèvres vermillon et crevassées. « Je t'ai jeté un seul coup d'œil, et je me suis dit, celui-là, il serait capable de traverser une tempête tropicale sans recevoir une goutte.

– L'assassin que je recherche n'a peut-être pas offert ses services immédiatement après avoir quitté les feddayin. Même si tu n'as jamais été en contact direct avec lui, tu as peut-être un jour croisé son chemin. Tu as peut-être eu un client très important, très bien protégé, qu'on a un jour retrouvé mort, sans que tes hommes aient rien vu venir. Ça te rappelle quelque chose ? »

232

Harriet s'arrêta devant l'étal d'un poissonnier. Elle scruta les rangées de saumons argentés et de truites arc-en-ciel.

« Harriet ? Est-ce que ce scénario est déjà arrivé par le passé ?

– Les manquements de la sécurité font partie intégrante du business. Quand cela arrive, je verse les dédommagements convenus aux familles, ou autres, et je passe au contrat suivant.

– Dans ce cas précis, il n'y aurait eu aucun manquement. Personne n'aurait commis la moindre erreur. L'homme que je recherche est hors du commun. Tout aurait été normal, tes hommes auraient même pu être en contact radio avec les gardes du corps de ton client et, soudain, plus rien. Les renforts dépêchés n'auraient retrouvé que des cadavres. Les gardes, le client, tout le monde. Ils seraient peut-être même morts d'une façon *intéressante*, ou alors d'une façon qui, encore aujourd'hui, resterait un mystère. Est-ce que tu te souviens de quelque chose de ce genre ? Est-ce que quelque chose de semblable est arrivé un jour à tes concurrents ? »

Harriet lui jeta un regard curieux. « Si tu n'étais pas assassin, quelle était ta spécialité ? Je sais que tu ne faisais pas partie du commun des feddayin.

– La blanchisserie. Aucune tache ne me résistait. »

Harriet sourit et se dirigea vers un étal recouvert de viande, des morceaux luisants de bœuf, de mouton et de chèvre. « Soit, c'est une façon de voir les choses. » Elle s'intéressa à un assortiment de têtes de chèvres, et leur chatouilla le menton du bout de l'index. « Mignonnes, hein ? »

Rakkim jeta un coup d'œil aux têtes, dont on ne voyait que les yeux et les museaux. De petits ruisseaux roses coulaient sur le lit de glace où elles étaient posées. « Je n'aime pas avoir dans mon assiette quelque chose qui me regarde.

– Qu'est-ce que tu peux être délicat ! »

Rakkim vit le reflet de la brute au caban sur l'acier inoxydable de la balance du boucher. L'image se déformait alors que l'homme avançait. À l'autre bout de la rue, celui qui portait la canne se dirigeait également vers eux en boitant. « J'ai l'impression que tes hommes sont en train de perdre patience.

– Ah, tu les as repérés. » Harriet hocha la tête. « Ces deux-là sont encore en période d'évaluation. Ils ne sont peut-être pas très bons pour ce qui est de la surveillance, mais ils ont tous deux un excellent profil de combattant. Tipps, le grand avec la canne, était instructeur en self-defense pour le compte de la garde du Congrès. Grozzet, avec le caban, est un ancien des Forces spéciales. Il a commandé une unité d'assassins à la solde des Robes noires durant cinq ou six ans. Un redoutable chasseur de juifs, à ce que je me suis laissé dire, aussi zélé qu'un porc en quête de truffes. Il me propose ses services. Je paye peut-être mieux que les Robes noires, à moins qu'il ne se refuse à travailler pour le nouveau mollah, Ibn Aziz.

– Ou alors c'est qu'il est à court de juifs.

– Il paraît qu'Oxley a succombé à une crise cardiaque. En tout cas, c'est la version officielle. » Harriet fit un autre mouvement de la main. « Qu'est-ce que tu sais à ce propos ? Est-ce que Redbeard a quelque chose à voir là-dedans ? »

Rakkim ne quittait pas la balance des yeux. « Dis à ton chien-chien de rester sage. »

Elle se retourna et vit Grozzet qui approchait. « Je doute qu'il le puisse. Il a l'air un peu trop nerveux.

– Je suis de très mauvaise humeur, Harriet. »

Harriet s'écarta et, à distance, se recroquevilla dans la chaleur de sa zibeline. « Que les jeux commencent. » Sa voix était d'une espièglerie enfantine.

Tipps, à l'autre bout de la rue, sortit une rapière de sa canne, et continua à s'approcher avec circonspection. Grozzet, lui, était bien plus proche : son poing scintilla soudain d'un éclair acéré, et il ne fit plus le moindre effort pour dissimuler ses intentions. Il était vraiment très nerveux. Sûrement sous l'emprise d'un dérivé d'amphétamine extrêmement puissant. Les unités d'assassins travaillaient toujours mieux lorsqu'un labo leur fournissait le courage qui leur manquait. Ils étaient friands de tout ce qui pouvait les ragaillardir artificiellement et étouffer toute crise de conscience susceptible de les empêcher d'accomplir leur sale boulot.

« Tu es bien sûre de vouloir en arriver là, Harriet ? Ils ne te seront d'aucune utilité une fois morts.

– Pour l'instant, ils ne me sont d'aucune utilité. Pas encore. »

Les clients les plus matinaux du marché s'enfuirent, mais pas trop loin, se mettant à couvert derrière des étals relativement proches. Ils voulaient assister au spectacle, à l'instar des préposés à la sécurité du marché, à l'instar des bouchers et des poissonniers. Tous tendaient le cou en s'échangeant des murmures. Deux Robes noires se tenaient au coin de la rue, manipulant leur chapelet, le visage impassible, récitant mentalement les quatre-vingt-dix-neuf noms de Dieu.

Rakkim salua Grozzet. « Bonjour. »

Grozzet ralentit. C'était un homme imposant, au cou de taureau et à la barbe noire désordonnée. Ses yeux ne tenaient pas en place. « Ce youpin vous emmerde ? demanda-t-il à Harriet.

– Est-ce que vous avez absolument besoin que je vous confirme oralement que j'ai besoin de votre aide ? lança sèchement Harriet. Si c'est le cas, il faudra que j'en informe tout client potentiel.

– J'allais partir, dit Rakkim.

– Non, tu allais mourir. » Grozzet plia les jambes, tenant fermement dans son poing un couteau des Forces spéciales.

« Je n'ai jamais aimé cette position de combat, commenta Rakkim. C'est parfait pour les petites opérations des

Robes noires, mais elle limite considérablement la mobilité. » Il bâilla, repérant Tipps à la limite de son champ visuel. « Et puis tu tiens trop fort ton couteau, mais peut-être cela n'a-t-il aucune importance à tes yeux. »

Grozzet sourit. Il avait des dents superbes, blanches et régulières. Tout le reste du personnage était âpre et usé, mais ses dents semblaient flambant neuves. Fixant Rakkim des yeux, il repositionna sa main sur le manche du couteau. « Regardez bien, Harriet. Quand vous verrez ce que j'aurai fait à ce macaque, vous doublerez mon tarif minimum.

– Ce que tu dis là est très blessant. » Rakkim observait Grozzet, en fixant son attention non pas sur ses yeux, mais sur les coins de ses yeux. C'était de là que partirait son attaque. « J'ai bien envie de m'asseoir sur le trottoir pour pleurer un coup... »

Grozzet bondit en enchaînant un rapide changement d'appui. Une très belle attaque, en vérité. Un changement d'appui suffisait très souvent à prendre l'adversaire de court. Une belle botte, même si Rakkim était assez rapide pour ne pas même avoir à regarder la main de Grozzet... seuls ses yeux comptaient.

Voyant que le changement d'appui n'avait pas déstabilisé Rakkim, Grozzet se lança brutalement à l'attaque. Rakkim estima parfaitement les temps de réaction, attrapa une tête de chèvre et l'abattit sur le visage de l'assaillant. La tête de chèvre, tout en os et en corne, cassa le nez de Grozzet, brisa ses dents de devant. Grozzet tituba, lâcha son couteau, et s'écroula par terre.

Rakkim faisait décrire des cercles à la tête de chèvre qu'il tenait par une corne, tandis que Tipps s'approchait lentement. Il avait dénudé sa lame, mais Rakkim continuait à manipuler la tête de l'animal, comme si de rien n'était. Le sang dégoulinait le long de ses doigts.

Grozzet gisait au sol. Le sang coulait à gros bouillons de ses gencives béantes et imbibait sa barbe.

« Tu ne sais pas quoi faire, hein ? dit Rakkim à Tipps. Peut-être que j'ai eu de la chance... ou peut-être que Grozzet n'était pas aussi bon qu'on le croyait. Je parie que tu es bien meilleur que lui. »

Tipps hésita, puis porta la rapière à son front en un salut courtois, et recula doucement. Parvenu sur le trottoir d'en face, il prit carrément ses jambes à son cou.

Rakkim cala la tête de chèvre à sa place sur le lit de glace.

Harriet observait Tipps se frayer un chemin entre les étals, bousculant les passants dans sa hâte. « Au moins, celui-là était malin, à défaut d'être meilleur combattant que toi. » Elle passa une main fugace dans ses cheveux. « Enfin. Regarde un peu autour de toi, Rakkim. Il y a bien là trente ou quarante personnes qui ont assisté à ta démonstration. D'ici midi, dix fois plus de personnes en auront entendu parler. À ton avis, combien parmi elles se diront qu'il leur faut absolument un garde du corps ? Cette ville est pleine de dangers, tu viens de le leur prouver. » Elle vit Grozzet qui rampait, et effleura son collier de perles noires. « J'aurais pensé qu'il te donnerait plus de mal. Il m'avait été très chaudement recommandé. »

La foule se dispersa, les clients reprirent leur chemin, impatients de finir leurs courses. Et de tout raconter à leurs amis. Tout comme venait de le dire Harriet. Un boucher vanta la promotion du jour, des escalopes de poulet, 7,99 dollars le kilo, et un énorme livreur traîna les pieds devant eux, l'épaule chargée d'une carcasse de bœuf. Un camion klaxonna à l'autre bout de la rue et les badauds firent place nette. Les deux Robes noires ne bougèrent pas.

Rakkim se lava les mains à l'aide d'un tuyau d'arrosage qu'utilisaient les poissonniers, frottant aussi fort qu'il put. L'eau était si froide que ses mains en furent tout engourdies. « L'homme que je recherche, cet assassin... ceux qui ont croisé sa route ne le connaissent sûrement pas, mais ils n'ont pas pu oublier ce qu'il a fait. J'aimerais que tu demandes un peu autour de toi.

– On dirait un ordre.

– Considère ça comme le prix à payer pour ma contribution. » Rakkim essuya ses mains sur son jean.

Harriet porta une main sur sa gorge. « Tu sais bien que c'est toujours un plaisir pour moi de t'aider. » Grozzet avait réussi à atteindre le caniveau, où il s'était tout à fait écroulé. Elle observa le sang couler sur les pavés, tourbillonner autour d'une feuille de salade racornie. « Je ne sais pas si ça correspond à ta définition d'une "mort intéressante" mais, jeudi dernier, on a retrouvé un chasseur de primes dans un appartement du quartier de Ballard, une baguette chinoise plantée dans l'œil. Ça t'évoque le style de ton assassin feddayin ?

– Non... » Rakkim pencha la tête. « Il travaillait pour toi ?

– Bien sûr que non. Tu sais très bien que je ne me mouille jamais dans ce genre d'affaires.

– Qui recherchait-il ?

– Une future épouse en fuite. » Harriet sortit une pêche mûre de son cabas. « Classé ultrasecret, comme toujours, mais j'ai entendu dire que le mystérieux client offrait une très jolie somme en échange, et qu'il se moquait que la marchandise soit un peu amochée à la livraison.

– Il y a eu livraison ?

– Non. » Harriet croqua une grosse bouchée. Le jus dégoulina de la commissure de ses lèvres, et elle le rattrapa d'un doigt. « Mais comme on dit, demain est un nouveau jour. »

Il y avait du sang sur les bottes de Rakkim. Il finirait bien par en partir. Rakkim regarda Harriet droit dans les yeux. « Où précisément dans Ballard a-t-on retrouvé le corps ? »

24

APRÈS LA PRIÈRE
DE LA MI-APRÈS-MIDI

Rakkim fit le tour de l'immeuble d'habitation où, selon Harriet, le cadavre du chasseur de primes avait été retrouvé. Il recherchait des véhicules qui n'auraient pas semblé à leur place dans le quartier. Les informations de Harriet étaient généralement fiables, mais cela ne signifiait pas pour autant qu'elle l'était. Rakkim ignorait totalement si on avait mis un contrat sur sa tête, mais Harriet le savait forcément, et quand bien même elle achèterait une couronne mortuaire pour ses funérailles et verserait de vraies larmes, les affaires étaient les affaires. Rakkim se gara derrière l'immeuble. Les poubelles débordaient, les mouches bourdonnaient au-dessus de la nourriture en décomposition et des boîtes de pizza. Une rafale de vent froid chassa les mouches, mais elles revinrent aussitôt la bourrasque passée. Il n'allait pas tarder à pleuvoir.

Ballard était un vieux quartier délabré de la ville, où habitaient des ouvriers, tant catholiques que musulmans non pratiquants. Les mosquées elles-mêmes semblaient tristes et négligées, leurs murs craquelés et sales. L'appel à la prière qui venait de résonner était un simple enregistrement, et qui plus est un mauvais : la voix du muezzin était faible et déformée par les haut-parleurs. Les passants étaient pour la plupart des modernes au bout du rouleau et des paumés, le col rabattu contre les assauts du vent humide.

Le monorail fila sur le pont qui passait au-dessus de la rue principale, ses wagons brillants glissant en direction du centre-ville. Le réseau de monorail était la fierté de la capitale : cela avait été un chantier de plusieurs milliards de dollars, lancé par le président Kingsley dès les premières années de son mandat, et destiné à montrer au monde entier qu'un État islamique était capable de prouesses technologiques. Vingt ans plus tard, bien que souvent bondé, le réseau était toujours propre, calme, sûr, peu cher et fiable. Pas de graffitis. Du moins depuis l'exécution de quelques taggers, la première année de mise en service du monorail. Le réseau était entretenu à pure perte, mais le prix exact qu'il coûtait à la ville était un secret d'État. Les bus étaient sales et lents, les autoroutes en piètre état, mais le réseau du monorail restait fidèle à la volonté visionnaire du président. Cela n'impressionnait pas Rakkim. Il s'était rendu dans des dictatures sud-américaines où les rues débordaient d'eaux usées, mais où les cinémas étaient de vrais palais, gratuits pour tous, équipés d'épais fauteuils de cuir et des dernières techniques numériques.

On avait retrouvé le corps du chasseur de primes dans l'appartement 302. Rakkim grimpa les marches quatre à quatre, plaqué au mur pour faire le moins de bruit possible. Il monta jusqu'au quatrième étage, parcourut le couloir jusqu'à la deuxième cage d'escalier, et tendit l'oreille. Les bruits de la télévision sourdaient des portes closes : des pubs, des rires enregistrés et des flash-infos. Il y avait constamment des flash-infos.

Des odeurs de cuisine dans le couloir, un mélange capiteux d'oignons et de thé à la menthe. Quelqu'un faisait rôtir un poulet dans l'appartement 409, et un enfant chantait faux. Rakkim s'imagina un homme rentrant de bonne heure chez lui, gravissant l'escalier, les vêtements collés au corps, se demandant s'ils pourraient un jour s'offrir une maison rien qu'à eux. Il imaginait l'homme traverser ce couloir, l'odeur du dîner s'imposant un peu plus à chaque pas, et s'arrêter sur le seuil pour entendre chanter l'enfant. L'homme se serait alors redressé, aurait remis de l'ordre dans ses vêtements avant d'ouvrir la porte, et l'enfant se serait jeté dans ses bras. Sa femme lui aurait demandé comment s'était passée sa journée, et l'homme aurait menti, très bien, aurait-il dit, très bien. Il l'aurait embrassée, aurait senti sa sueur et une touche de parfum derrière son oreille, le petit flacon qu'il lui avait offert à son anniversaire. Et le parfum de la nuit passée encore perceptible. Rakkim se tenait sur le pas de la porte, écoutant l'enfant chanter un autre air, incapable de dire depuis combien de temps il se tenait planté là. Il descendit au troisième étage, guettant en haut et en bas de la cage d'escalier, déstabilisé par sa défaillance, son inattention passagère.

Des odeurs différentes régnaient au troisième étage. Quelqu'un cuisinait du chou, et ce parfum recouvrait toute autre odeur plus agréable. L'appartement 302 se trouvait quasiment à l'autre bout du couloir, juste après un local d'entretien condamné par des planches en bois. En passant devant l'appartement 300, il entendit un grincement derrière la porte. Rakkim marqua le pas. Il resta immobile, fixant le judas, et surprit sous la porte une ombre qui s'éloigna. Rakkim reprit son chemin et s'arrêta devant l'appartement 302. Il régnait à présent une odeur différente, bien pire que celle du chou. La porte était fermée à clef, mais la gâche avait été démise, et Rakkim imita le précédent visiteur. Il poussa, et le pêne céda. Il entra dans l'appartement. Les fenêtres étaient grandes ouvertes. Cela rendait l'atmosphère plus supportable, mais elle restait néanmoins désagréable.

Sarah avait bel et bien été ici. Ses vêtements jonchaient le sol, une robe jaune recouverte de tournesols qu'elle avait mise lors de l'une de leurs rencontres secrètes. Une robe de printemps, alors que le printemps n'arriverait pas avant un bon mois. C'était l'indice de la confiance qu'elle avait en son plan. Il éprouva un certain plaisir à contempler l'état de délabrement de l'appartement : les meubles renversés, les placards enfoncés, le réfrigérateur déplacé. C'était bon de voir tout ce saccage, cette rage dans la fouille : cela signifiait qu'ils ne l'avaient pas trouvée. Une deuxième fouille était inutile, mais il se mit tout de même à chercher.

Elle n'avait rien laissé d'intéressant, rien qui aurait pu indiquer sa prochaine étape. Encore et toujours, les leçons de Redbeard.

Il sortit dans le couloir, referma la porte et se dirigea vers l'escalier. Un autre grincement dans l'appartement 300. Il tapa à la porte. Pas de réponse. Tapa à nouveau. « Ouvrez ou je défonce cette porte. »

Une voix étouffée. « Qui êtes-vous, le grand méchant loup ? »

Rakkim éclata de rire. « Ouvrez la porte, s'il vous plaît. »

La porte s'entrouvrit. Un vieil homme dans une robe de chambre rayée jeta un coup d'œil par l'entrebâillement en travers duquel scintillait la chaînette de sécurité. Ses joues étaient recouvertes d'une barbe grise de plusieurs jours.

« La femme qui habitait juste à côté est une amie.

– Vous avez bien de la chance.

– Elle devait passer devant votre porte pour rejoindre l'escalier. Je crois que vous la voyiez à chaque fois qu'elle sortait. Chaque fois qu'elle rentrait également. Quelque chose me dit que rien ne doit vous échapper.

– Je ne veux pas d'ennuis, monsieur.

– Je m'appelle Rakkim.

– Hennesy.

– Puis-je entrer, monsieur Hennesy ? Je n'ai aucune intention de vous faire du mal.

– J'ai déjà entendu ça. » Hennesy s'essuya le nez d'un revers de manche. « Autant vous laisser entrer, de toute façon vous ferez ce que vous avez envie de faire. » Il ouvrit la porte, laissant tomber par terre la chaînette de sécurité. « Les autres salauds n'ont même pas eu la correction de se présenter. Vous au moins, vous êtes poli. »

Rakkim referma la porte derrière lui. Le tapis qui se trouvait au pied de la porte était usé par les allées et venues du vieil homme au judas, une habitude qui semblait dater de plusieurs centaines d'années. L'écran mural face au sofa avait été déchiré, et le projecteur brisé.

Hennesy alla s'asseoir à une table qui jouxtait la fenêtre. Il croisa les mains, et attendit que Rakkim se fût assis en face de lui. Sur la table, une tasse de café froid, avec un nuage de crème figé. Une assiette remplie de miettes de biscottes à côté d'un pot de confiture de mûres. « Je vous ai déjà dit que je ne savais rien. »

Rakkim s'aperçut que l'oreille droite de Hennesy était régulièrement dentelée sur tout son pourtour. La chair était à vif. Les plaies mal cicatrisées. Celui qui lui avait fait cela s'était arrêté à la moitié de l'oreille gauche. Par lassitude, probablement. « Vous devriez mettre une crème antibiotique sur ça. »

Hennesy porta une main maladroite à son oreille. « C'est ma faute, je devrais pas laisser traîner cette paire de ciseaux dentelés. Ils appartenaient à ma femme...

– Ils auraient trouvé autre chose. Quelque chose de pire. Les gens de leur espèce... ils se contentent toujours du premier truc qui leur tombe sous la main. »

Hennesy vissa le couvercle sur le pot de confiture, et balaya les miettes de la table. « Ils disaient que c'était une criminelle recherchée par les autorités. Une fugitive qui avait tué un homme alors qu'il essayait de la ramener chez elle. J'avais rien à leur dire. Pas plus qu'à vous.

– Je ne vous crois pas, monsieur Hennesy. »

Hennesy trempa ses lèvres dans le café froid. « Quand je plisse les yeux... quand je plisse les yeux je vois la mort qui vous entoure comme un halo, monsieur. Vous êtes ici pour me tuer ? J'aimerais juste savoir ça.

– J'aime cette femme, monsieur Hennesy. Ces hommes qui se sont servis de vos ciseaux sur vous, à votre avis, que lui feront-ils quand ils la retrouveront ?

– C'est pas mes oignons. »

Rakkim hocha la tête. « Ce ne sont peut-être pas vos oignons, mais vous avez quand même pris sur vous. Je le sais. Vous n'êtes pas le seul à savoir intuitivement à qui vous avez affaire. »

Hennesy tripotait un sac de pistaches qu'il n'avait pas ouvert. « Elle m'a offert ça. Elle m'a dit qu'elle s'appelait Rachel, mais je ne suis pas tombé dans le panneau. C'était une fugueuse. Elle en avait tout l'air. Cet air féroce. Ma petite-fille a quitté son mari il y a quelques années. Elle a pris les deux gamins, et elle a fui. » Il sirota une gorgée de café. « Je peux pas manger de pistaches... ça joue de drôles de tours à mes boyaux, mais j'ai apprécié la petite attention. »

Rakkim le laissa parler.

« J'ai joué à l'imbécile avec les autres. Je leur ai dit que j'étais dur d'oreille, alors que j'entends très bien. » Hennesy effleura à nouveau son cartilage meurtri. « Je connais le bruit des pas de tous ceux qui habitent cet immeuble. Je ferme les yeux, et je peux dire s'ils vivent ici. Des fois, j'aimerais entendre moins bien. » Sa voix se brisa. « Je les ai entendus grimper les marches il y a quelques jours... ils étaient trois. Deux d'entre eux sont partis peu après, mais le troisième est resté dans le couloir. Après ça... » Il secoua la tête. « Après ça, j'ai entendu des trucs que j'aimerais oublier. » Il lança un regard sombre à Rakkim. « Elle a tué cet homme, ce chasseur de primes, mais il l'avait bien mérité. J'avais l'oreille collée au mur, et j'ai entendu chaque mot. » Ses yeux brillèrent. « Ç'aurait pu être ma petite-fille, et je suis resté là, à écouter.

– Est-ce qu'elle a été blessée ?

– Je l'ai entendue se défendre. Je l'ai entendue, et je n'ai rien fait du tout.

– Est-ce qu'elle était blessée, monsieur Hennesy ?

– Je n'ai pas vu de sang sur elle. » Hennesy baissa les yeux sur ses mains. « Je n'étais pas aussi lâche, dans le temps. J'ai été blessé à la bataille de Chicago. On raconte que ça a été le tournant de la guerre, mais comptez pas sur moi pour vous le confirmer. J'ai fait le mort deux jours durant dans Illinois Avenue avec une balle dans le bide.

Les sudistes arpentaient l'avenue pour achever les blessés. J'étais jeune, à l'époque, c'était facile d'être courageux. Maintenant, je suis plus qu'un vieux lâche. »

Rakkim posa sa main sur la sienne. La peau de Hennesy était aussi douce que du papier ciré. « Comment savez-vous qu'elle n'était pas blessée ?

– Je l'ai vue passer devant ma porte, en courant. Elle était très pressée. Pas étonnant, remarquez.

– D'accord, mais comment avez-vous pu voir qu'il n'y avait pas de sang sur elle ? Alors qu'elle est passée devant votre judas... en courant ? »

Hennesy se tut.

« Peut-être l'heure est-elle venue d'être à nouveau courageux. Peut-être avez-vous une seconde chance de l'être.

– Je l'ai suivie, finit par répondre Hennesy. Je l'ai suivie quand elle est partie. Je peux être très discret, quand je veux. Et puis, de toute façon, quand vous êtes vieux, personne ne fait plus attention à vous.

– Où est-elle allée ?

– Elle a pris le monorail », s'empressa-t-il de révéler, voulant à tout prix se libérer de ce poids avant de s'en repentir. Redbeard avait coutume de dire que l'information la plus difficile à soutirer était toujours la première. « Elle n'avait aucun bagage. Et elle avait l'air de savoir précisément où elle allait. Elle n'a pas regardé une seule fois derrière elle. Comme si elle n'en avait plus rien à faire, à moins qu'elle n'ait eu trop peur de se retourner. J'ai failli la perdre dans la foule de la station. J'ai sauté dans le wagon juste à côté du sien au moment même où les portières se sont refermées. J'ai toujours été chanceux pour ce genre de petits trucs. Je sais que ça paraît stupide, mais c'est la vérité. Une fois, il y avait eu...

– À quelle station est-elle descendue ?

– D'accord, rien que les faits, c'est ça ? »

Rakkim croisa son regard. « C'est ça.

– Ça me va. J'aime autant que vous essayiez pas de me faire croire que mes conneries vous intéressent. »

Hennesy se gratta le nez. « Elle est descendue à Orion Street, et j'ai continué à la suivre. Les abords de la Zone. Curieux endroit pour se réfugier.

– Où est-elle allée dans la Zone ? » Rakkim connaissait déjà la réponse, mais il se devait de poser cette question.

« Une sorte de night-club. Des lumières partout et de la musique à fond... J'étais pas mauvais danseur quand j'étais jeune. Que j'essaye de me souvenir du nom... le Blue Moon, c'est ça. Il y avait une chanson qui s'appelait comme ça. Mon père la chantait à ma mère quand j'étais petit. Un sacré bail... Qu'est-ce qui ne va pas ?

– L'avez-vous suivie à l'intérieur ?

– Elle n'est pas restée longtemps. Je l'ai vue prendre un taxi, et c'est tout.

– Où a-t-elle pris son taxi ? Devant le club ?

– Un peu plus loin. Juste en face de cette salle où ils projettent tous ces vieux films. Ce soir-là, c'était *Star Wars*. J'adore ce film. Vous l'avez vu ?

– Quelle heure était-il ?

– Environ onze heures moins le quart. Vous vous arrêtez jamais de poser des questions, vous, hein ? Une vraie mitraillette.

– Vous êtes sûr de l'heure qu'il était ?

– La séance suivante de *Star Wars* était à 11 heures, j'ai eu le temps d'acheter un hot-dog. Comme je vous l'ai dit, j'ai toujours été chanceux pour ce genre de petites choses. » Hennesy se pencha au-dessus de la table. « Elle était différente quand elle est sortie de ce club. Avant ça, et malgré tout ce qui était arrivé cette nuit, elle avait encore bien la tête sur les épaules. Je le sais bien, je l'ai suivie. On aurait dit une moderne de plus en goguette... mais quand elle est sortie de ce club, on aurait dit qu'elle allait pleurer. Comme si toute cette affreuse nuit avait fini par la rattraper. » Il jeta un coup d'œil à Rakkim. « Ça va ?

– Dans quel genre de taxi est-elle entrée ? Un taxi jaune ? Un Saladin ?

– Non, un de ces taxis illégaux... C'était une Ford marron, mais j'ai pas relevé le numéro de plaque minéralogique, alors pas la peine de me le demander. »

Rakkim se leva de table. « Merci.

– Ceux qui sont venus taper à ma porte après avoir trouvé le cadavre de leur pote... » Hennesy avait le regard perdu au loin. « Ces deux chasseurs de primes, ils m'ont fait m'asseoir, et celui qui avait une sale gueule et un manteau en cuir a ramassé les ciseaux dentelés, et je me suis mis à claquer des dents avant même qu'ils m'aient touché. Ils se marraient. Vous entendez ce genre de rire, et vous vous dites que rien ne vous semblera plus jamais drôle. C'est à ce moment que je me suis dit, que je me suis promis de rien leur dire du tout.

– Vous ne l'avez pas balancée, monsieur Hennesy. Vous n'avez aucune honte à avoir.

– J'ai entendu les cris de cette fille qui se faisait brutaliser et je n'ai rien fait du tout. » Le regard de Hennesy était parfaitement fixe. « Je n'ai pas cogné contre le mur, ni déclenché l'alerte incendie. J'ai juste écouté, c'est tout.

– Vous ne l'avez pas trahie. Vous les avez laissés vous torturer, mais vous ne l'avez pas trahie. »

Hennesy manipula le sac de pistaches. « Quand vous l'aurez retrouvée... dites-lui que je suis désolé. »

25

AVANT LA PRIÈRE
DU COUCHER DU SOLEIL

« Ça me semble un peu trop cher pour moi, monsieur Conklin, dit le jeune policier en observant le salon de l'appartement. Je suis sûr que vous êtes un excellent agent immobilier et tout, mais je pense que vous ignorez combien gagne un simple flic.

– Allons, monsieur Hanson, répliqua Darwin. Quand on veut...

– Quoi, quand on veut ?

– On peut. Quand on veut, on peut. »

Hanson gratta sa maigre barbe blonde. « Ah, celle-là, je la connaissais pas. On en apprend tous les jours, hein. »

Darwin acquiesça. « Je n'aurais pas dit mieux. »

Hanson traversa le salon vide. Ses grandes chaussures noires étincelaient. Il remonta sa ceinture, rajustant la position de l'arme qu'il portait. Il venait de finir son service, la fatigue se lisait sur son long visage, mais il semblait également excité par la perspective de déménager de chez ses parents. Il fit glisser un doigt sur la cheminée au gaz, et remarqua la petite plaque d'argent fixée au mur qui indiquait la direction de La Mecque.

« Il y a une mosquée tout près, on peut y aller à pied, et une épicerie à deux pâtés de maisons à peine, dit Darwin. Un quartier tranquille, la cuisine a été récemment refaite. Quatre-vingt-trois mètres carrés. Ce n'est pas un hôtel particulier, mais je suis certain que cela vous suffira amplement... à vous, et à toutes ces jeunes catholiques que vous prisez fort, comme vous me l'avez fait comprendre. »

Hanson gonfla la poitrine. Ses yeux étaient aussi brillants que ceux d'un chiot. Sales bêtes.

« Comme je vous l'ai dit, vous avez une mosquée quasiment à portée de main, et vous n'êtes qu'à un quart d'heure en voiture de la Zone. Je suis certain que les tentations du quartier chrétien vous sont familières.

– Ouais... enfin, pas en uniforme. » Hanson afficha un large sourire, s'accroupit et passa la main sur l'épais tapis bleu. Il tourna son long visage vers Darwin. « C'est vraiment très sympa, ici. Le tapis dans ma chambre est bourré de miettes de biscuits qui sont encore plus vieilles que moi. » Il se releva, essuyant ses mains sur son pantalon. « Le prix me paraît complètement hallucinant.

– Un vendeur très pressé. Il a envie de s'en débarrasser pour prendre sa retraite à Palm Springs. Il dit en avoir assez de la pluie.

– Moi j'aime bien la pluie.

– Moi aussi. Ça nettoie, pas vrai ?

– Ça, vous l'avez dit. Et après hier... après ce que j'ai vu dans la maison, je peux vous assurer qu'on aurait besoin de toute l'aide d'Allah pour un grand nettoyage. » Hanson semblait au bord de la nausée. « La salle de bains... baignoire ou douche ?

– Les deux. »

Hanson secoua la tête. « C'est le paradis.

– À vous cependant de le remplir de vierges, mais je doute que cela soit un problème pour un beau jeune homme tel que vous. »

Hanson lui jeta un regard inexpressif. « Ça va, je me débrouille.

– Sans parler de l'uniforme... il ne faut jamais sous-estimer l'attirance qu'éprouvent les femelles de notre espèce pour l'uniforme. » Darwin sourit. « Quand pensez-vous emménager ?

– Aussi vite que possible. » Hanson remit à nouveau son arme à la bonne hauteur et s'approcha de la fenêtre pour vérifier la vue. On pouvait apercevoir le sommet de la Grande Mosquée entre deux immeubles du quartier, et le halo de lumière qui émanait de ses flancs azurés. « Mon père pourra sûrement m'aider pour l'acompte. Et je peux toujours demander un prêt à la coopérative de crédit de la police.

– Eh bien voilà, c'est réglé !

– Quand on veut, on peut, hein ? »

Darwin lui décocha un clin d'œil. « Vous apprenez vite. »

Hanson regarda sa montre. « La prière du coucher de soleil commence dans dix-huit minutes. » Il désigna la petite plaque d'argent d'un mouvement de la tête. « Vous voulez prier avec moi, monsieur Conklin ?

– Ce serait un honneur. Nous pouvons faire nos ablutions dans la salle de bains. »

Hanson s'assit sur le tapis. Il défit ses lacets et enleva ses chaussures. Retira ses chaussettes, et les rangea précautionneusement dans ses chaussures, qu'il déposa contre un mur. Il enleva son manteau de policier, et l'accrocha à une poignée de porte. Sa chemise bleue était auréolée de sueur. Hanson sembla ne pas se soucier du fait que Darwin avait toujours sa veste et ses chaussures et qu'il restait planté là, mains dans les poches.

« La salle de bains est par ici. » Darwin s'engagea dans le couloir, suivi des pas lourds de Hanson. Il s'arrêta sur le pas de la salle de bains, qu'il désigna d'un geste de la main. « Je vous en prie. Après vous. »

Hanson se lava précautionneusement les pieds dans la baignoire avec le bout de savonnette laissé par le précédent locataire. Il les lava une deuxième fois, rinça abondamment, et regarda autour de lui, en quête d'une serviette. Il n'y en avait plus.

Darwin tira son mouchoir de la poche de son costume, et le déplia.

« J'oserais pas faire ça à votre joli mouchoir, monsieur Conklin.

– Mais si. » Darwin le lui tendit. « Je vous en prie. Nous ne pouvons quand même pas offrir nos prières à Dieu en état d'impureté, n'est-ce pas ? »

Hanson essuya ses pieds avec le mouchoir, et le déposa sur le porte-serviettes. La salle de bains n'était pas très grande, le mur du coin douche était recouvert de carrelage rose, et le sol était un échiquier noir et blanc. Il retroussa les manches de sa chemise bleue au-dessus du coude, et se mit à se savonner les mains et les avant-bras dans le lavabo démesuré. Il aurait été plus pratique d'enlever sa chemise, mais il était chaste... ou plutôt gêné par Darwin, qui, debout dans l'encadrement de la porte, l'observait.

« Qu'avez-vous vu précisément dans la maison de cette pauvre femme, hier ? »

Hanson rinça ses épais avant-bras, l'eau dégoulinant jusqu'à ses poignets. « Croyez-moi, monsieur, vaut mieux pas que vous le sachiez.

– Permettez-moi d'insister. »

Hanson lui jeta un regard par-dessus son épaule. « Je n'ai pas envie d'en parler. » Il attrapa le mouchoir, s'essuya comme il put, le plia et le tendit.

« Non merci.

– Vous ne faites pas vos ablutions ?

– Je puis vous assurer, mon jeune et beau policier, que cela ne changerait pas grand-chose. »

Hanson se redressa de toute sa taille, mâchoire en avant, sur ses gardes. « Ça veut dire quoi, tout ça ? »

Darwin l'applaudit. « Vous venez de poser la question philosophique la plus pertinente qui soit. Malheureusement, et comme toujours, cette question est posée au moment où, précisément, la réponse n'est plus d'aucune utilité. »

Hanson toisa Darwin, et ne vit devant lui qu'un agent immobilier au regard de hibou, assez peu musclé, dans un costume gris sur mesure. Il eut toutefois la décence de ne pas sourire. Pas tout à fait. Sa main droite était posée sur la crosse de son pistolet, mais c'était plus par réflexe que par réelle peur. « Sortez de là, monsieur Conklin. »

Darwin ne bougea pas. « Vous pouvez m'appeler par mon prénom, vous savez. »

Hanson fit un pas vers lui. « Je t'ai demandé de dégager, mon vieux.

– Je m'appelle Darwin. C'est moi qui vais vous tuer ce soir. »

Hanson avait à peine commencé à serrer la crosse dans sa main que déjà le coup de Darwin le heurtait de plein fouet. Hanson représentait quatre-vingt-dix kilos de muscle en pleine santé, mais le coup de poing vida ses poumons et le projeta en arrière. Hanson tenta de s'accrocher à la tringle du rideau de douche du bout des doigts, découvrant tous ses points vitaux. Darwin avança d'un pas et le frappa de toutes ses forces, juste au-dessus du plexus solaire, l'envoyant dans la baignoire. Sa tête en heurta le rebord.

Darwin s'assit à un bout de la baignoire. Les jambes de Hanson dépassaient, se balançant au-dessus de l'échiquier noir et blanc. Darwin saisit le petit orteil du policier. « Ce petit cochon est allé au marché... » Il n'y eut en réponse qu'un faible réflexe. Il releva les yeux vers le visage de Hanson. « Du calme. De courtes inspirations, de courtes expirations. Imaginez que vous respirez par une paille. Le second coup de poing vous a brisé deux côtes, du côté gauche, et les a fragmentées en petits morceaux, pour être plus précis. Vos entrailles sont pleines d'éclats d'os. De véritables bouts de shrapnel pour vos organes vitaux. Vous êtes en train de vous remplir de sang. Alors, comme je vous l'ai dit... de courtes inspirations, de courtes expirations. Regardez-moi. Restez avec moi. Est-ce que vous avez un sale goût dans la bouche ? Comme un goût de chair en décomposition ? C'est ça ? »

Hanson gargouilla quelque chose.

« Vous savez ce que c'est ? Votre foie a été gravement touché. Incroyable, la vitesse à laquelle la bile se répand, une fois la tuyauterie détruite. Le corps humain... une vraie cour de récré.

– P-p-pourquoi ? murmura Hanson.

– Toujours ce "pourquoi", hein ? Nous voulons toujours savoir pourquoi. Un bœuf attend son tour à l'abattoir en observant le bœuf placé devant lui se faire égorger... Pensez-vous que l'une de ces bêtes brutes se demande "pourquoi" ? » Darwin sourit au jeune policier. « La condition humaine est un bien lourd fardeau, n'est-ce pas ? »

Hanson voulut parler, mais se contenta de grogner, le visage glissant au fond de la baignoire.

« Je connais 87 façons de tuer un homme d'un seul coup de poing. 87 points vitaux du corps humain qui, s'ils sont frappés très précisément et avec suffisamment de force, s'avèrent fatals. Loin de moi l'envie de m'en vanter : je me disais simplement que ça pouvait vous intéresser. Vous serez mort dans deux heures tout au plus, mais j'aimerais passer un petit peu de temps avec vous avant cela. J'ai tellement peu d'occasions de parler de mon boulot. C'est pour cette raison que je vous ai questionné au sujet du triple crime, chez Mme Warriq. » Darwin joua à nouveau avec les orteils de Hanson. Le policier aurait eu grand besoin de se couper les ongles. « J'essayais simplement d'avoir vos impressions. »

Les yeux de Hanson s'écarquillèrent.

« Je ne veux pas passer pour un mauvais joueur, mais il n'y a pas eu un seul mot à propos des meurtres dans les journaux, pas un sujet à la télévision. C'est comme si rien ne s'était passé. » Darwin plongea son index dans la bouche béante du jeune policier, le posa comme un hameçon contre son palais, et repositionna sa tête afin qu'il puisse respirer plus facilement. Il s'essuya le doigt sur la chemise de Hanson. « La vanité est une faiblesse, mais tout homme a le droit de tirer quelque fierté de son travail. Après une journée de labeur, famille et amis ne sont rien : tout ce qui nous reste, c'est notre travail. Tous les meurtres que j'ai commis sont gravés dans ma mémoire. Tous, sans exception. Je pourrais vous décrire en détail comment je les ai tués, et leur expression au moment de leur mort. Je pourrais

vous raconter la façon dont ils se sont défendus, la façon
dont ils étaient habillés, les bruits qu'ils ont faits et ceux
qu'ils n'ont pas faits. Je pourrais vous prouver ce que
j'avance. Je pourrais vous soumettre la liste entière... »
Darwin sourit, lissant du pouce le sourcil du jeune policier. « Mais vous n'auriez pas le temps de tout entendre. »

26

Jill Stanton fit ouvrir le portail de son ranch et Rakkim s'engagea sur le chemin de terre qui chahuta aussitôt les amortisseurs de sa voiture. Un crachin commença à tomber, et il enclencha les essuie-glaces. Le caoutchouc sec macula le pare-brise de traînées de poussière mouillée. Celui à qui il avait volé cette voiture devrait faire un peu plus attention à l'entretien de son véhicule. Il était fort probable qu'il n'ait pas non plus fait de vidange depuis longtemps. Un éclair au loin. Un début de soirée nuageux, sans étoiles, plus sombre encore que d'habitude. Rakkim maintenait son pied au plancher.

Il lui avait fallu une journée pour retrouver le taxi illégal qu'avait pris Sarah dans la Zone dans la nuit du mercredi. Il s'agissait bien d'une Ford, comme l'avait dit Hennesy, le voisin de Sarah, mais elle était vert foncé, et pas marron.

Le chauffeur avait reconnu Sarah lorsqu'il lui avait montré sa photo (ses yeux l'avaient trahi), mais il s'était contenté de demander à Rakkim : « Quelle valeur elle a à tes yeux, mon frère ? » Des médailles à l'effigie d'Oussama ben Laden et d'Abou Moussab al-Zarqaoui pendaient à son rétroviseur. « Combien, mon frère ? »

Rakkim finit par apercevoir les lumières de la maison. Il n'était venu ici qu'une seule fois, cinq ans auparavant, alors qu'il était en permission, un soir où il ne trouvait pas le sommeil. Rien ne lui avait semblé familier. Rien, à l'exception de Sarah. Elle l'avait emmené jusqu'à ce ranch sans même lui dire où elle le conduisait, afin de lui faire la surprise. Ça avait parfaitement réussi. Jill Stanton était d'un abord très facile, sans façon, prompte à rire. Elle avait laissé de son plein gré tout le strass de Hollywood derrière elle, quinze ans auparavant, et elle ne l'avait jamais regretté depuis. Le lendemain matin, tous trois avaient fait du cheval, puis pique-niqué au bord d'une rivière, paressant, se délectant de fromage, de pêches et de cidre frais.

Sarah avait interviewé Jill pour son livre *Comment l'Occident fut vraiment conquis : La création des États-Islamiques d'Amérique à travers la conquête de la culture populaire.* Un très mauvais titre, pensait Rakkim, mais il ne s'en était guère plaint : après tout, cet ouvrage lui avait permis de faire la connaissance de Jill Stanton. « *The Face*[1] » en personne, l'actrice considérée comme la plus belle et la plus talentueuse de sa génération.

La profession de foi qu'elle avait prononcée lorsqu'elle avait reçu son deuxième oscar avait poussé des dizaines de millions d'Américains à s'intéresser de plus près à l'islam. Elle avait du reste profité de la cérémonie pour annoncer également son futur mariage avec Assan Rachman, célèbre ailier fort des Los Angeles Lakers, alors champions du monde de basket-ball, et couronné du titre de meilleur joueur. Les conversions de personnes célèbres s'étaient alors succédé à un rythme effréné à la suite de cette cérémonie des oscars et, selon les travaux de Sarah, les deux jeunes mariés avaient fait la une de cinquante-sept magazines au cours des deux ans qui suivirent. Cela faisait à présent dix-huit ans que Jill et Rachman avaient divorcé, et cela faisait encore plus longtemps que Jill n'était apparue dans un film. Elle restait une célébrité révérée, bien que recluse. L'interview qu'elle avait accepté de donner à Sarah était l'une des rares auxquelles elle avait consenti depuis sa retraite anticipée, et Sarah

---

1. « Le Visage ». Synecdoque typiquement hollywoodienne : Frank Sinatra était surnommé « *The Voice* », « La Voix ». *(N.d.T.)*

avait eu toutes les difficultés du monde à garder son lieu de résidence secret.

Jill sortit sur le perron de sa maison à l'approche de la voiture de Rakkim. Elle le salua de la main alors qu'il se garait et descendit les marches pour aller à sa rencontre.

« Où est-elle ? » demanda Rakkim.

Jill posa ses mains sur ses hanches. Elle allait sur ses 60 ans, toujours aussi mince et belle, d'une santé époustouflante, ses longs cheveux coiffés en une natte à présent grisonnante. Elle portait des bottes, un jean et une chemise crème. « Vous avez oublié les bonnes manières, Rakkim. C'est bien dommage. »

Rakkim se précipita sur le perron et ouvrit la porte. « Sarah ! »

Jill se trouvait juste derrière lui. Elle sentait l'écurie. « Elle n'est pas là. »

Sans trop savoir si c'était à sa voix ou à son expression, Rakkim sut qu'elle disait la vérité. Il se demanda si, une fois dans sa vie, elle avait été obligée de mentir. Jill avait refusé un contrat de plusieurs millions de dollars pour révéler dans un livre tous les secrets inavouables de son mariage avec Rachman. Elle n'avait jamais fait de publicité pour un produit quelconque, et n'avait jamais soutenu le moindre candidat politique. Il ne l'avait vue qu'une seule fois de toute sa vie, mais si Jill Stanton lui avait dit qu'une baleine blanche était en train de remonter à la nage le sentier poussiéreux qu'il venait d'emprunter, Rakkim se serait empressé d'aller chercher une caméra pour la filmer. « Où est-elle ?

– Je n'en sais rien. Rentrons. » Jill le saisit fermement par la main et le conduisit jusqu'au salon. Intérieur en pin massif, tapis anciens, épais, sofas somptueux et fauteuils confortables. Sobre et cossu. « Elle est partie il y a une demi-heure. Je me fais du souci pour elle, moi aussi.

– Appelez-la.

– Son téléphone est constamment éteint. Elle m'a dit qu'on pouvait la repérer si elle l'allumait. C'est vrai ? »

Rakkim acquiesça. « Appelez-la quand même. »

Jill avait horreur qu'on lui dise ce qu'elle devait faire, mais elle s'exécuta. Un hôte, même grossier, avait certains droits. Mais elle avait raison. Le téléphone de Sarah était éteint.

« Que vous a-t-elle dit ? demanda Rakkim.

– Elle m'a révélé qu'elle travaillait sur quelque chose de très dangereux. Elle tenait absolument à ce que je comprenne que je prenais un gros risque en l'accueillant ici. » Le regard de Jill était calme et clair. « Je lui ai répondu que je n'avais plus jamais eu peur depuis que j'avais trouvé la foi. Et vous, Rakkim ? Avez-vous peur ?

– Seulement quand je respire.

– Et pourtant, vous êtes ici. » Jill sourit. « Vous pouvez toujours l'attendre, si vous le voulez. »

Rakkim voulut s'éloigner d'elle. Il était difficile de se concentrer aussi près d'elle. Tout comme Redbeard utilisait sa forte présence physique pour intimider ses interlocuteurs, Jill se servait de sa féminité afin de garder l'avantage. Rakkim se dirigea vers le point qui indiquait la direction de La Mecque. Il s'agissait en fait d'une imposante photographie encadrée de la Grande Mosquée, accrochée au mur. Ce cliché avait été pris au lever du soleil, durant le *hadj* : un océan de croyants s'étendait autour du cube noir de la Ka'ba, la multitude se prosternait sous la caresse des rayons d'or.

« J'ai fait le pèlerinage il y a trois ans, dit Jill en le rejoignant. Il régnait une paix que je ne saurais décrire, Rakkim. Dans un sens, la radioactivité ajoute encore plus de valeur à ce voyage. Il y a quelques mois, mon docteur a trouvé un nodule dans mon sein droit... tout petit, pas plus gros qu'une graine de pavot. Je me le suis fait retirer. Certains pèlerins, les plus âgés principalement, décident de ne rien faire. Ils considèrent que c'est une preuve de leur dévotion, mais je crois que...

– Quelqu'un vit ici avec vous ? »

Les yeux de Jill lancèrent des éclairs. La diva conservait encore tout son pouvoir. Rakkim eut la sensation de recevoir une gifle. « Quelques employés du ranch et leurs familles vivent dans les bâtiments attenants, mais je les connais depuis des années. Ils n'ont pas la moindre idée de qui est Sarah et ça ne les intéresse pas plus que cela. Ce sont de bons musulmans. Vous pouvez vous joindre à eux pour la prière de la nuit, si vous le souhaitez.

– Je ne pense pas, non.

– Je vois. » Jill baissa les yeux. Il lui était difficile de voir une femme superbe avoir de la peine à cause de lui. Elle tapota son bras et il en eut la chair de poule. « Peut-être Sarah sera-t-elle de retour avant. »

Rakkim jeta un coup d'œil au sentier. « Avez-vous la moindre idée de l'endroit où elle a pu aller ? Elle vous a forcément dit quelque chose juste avant de partir.

– Elle m'a dit qu'elle serait de retour dans quelques heures, c'est tout. Je vais faire un peu de thé. »

Rakkim la suivit dans la cuisine. « A-t-elle pris un taxi ?

– Sarah a emprunté la voiture d'un de mes employés. » Jill remplit d'eau une théière de cuivre qu'elle posa sur le poêle. « Carl est mécanicien. Il fabrique des véhicules dignes du docteur Frankenstein à partir d'épaves qu'il récupère. La plupart du temps, il se contente de faire le tour de la propriété avec ses créations : elles ne sont pas homologuées. Sarah a insisté pour lui emprunter un de ses joujoux.

– Elle ne voulait pas vous causer de problème... au cas où quelque chose arriverait.

– C'est mon amie. Ses problèmes sont les miens. »

C'était facile à dire : les conséquences, elles, seraient plus difficiles à supporter. Rakkim resta silencieux. Il était inutile d'exposer à Jill ce qui pourrait arriver. Une petite photo encadrée se trouvait au-dessus de l'évier : deux adolescents se tenaient l'un à côté de l'autre, un oscar en équilibre sur la tête. Ils avaient le sourire de Jill.

« Mes deux garçons, dit Jill. Ahmed et Nick. Ahmed est cadre chez Puget Shipping, Nick est feddayin. » Elle regarda Rakkim dans les yeux. « Sarah prétend que vous n'êtes plus feddayin.

– J'ai pris ma retraite. Feddayin un jour, feddayin toujours. » Rakkim la vit remplir deux tasses de céramique d'eau bouillante, avant d'y plonger un sachet de thé noir.

« Du sucre ? »

Rakkim hocha la tête en saisissant sa tasse. La cuisine était aussi agréable et discrète que le salon, spacieuse, propre et pratique, avec des casseroles et des poêles pendues à des crochets, et un vaste plan de travail. Dans un recoin se trouvait une petite table de pin clair, toute simple. Il imagina Jill et Sarah en train de petit-déjeuner d'œufs brouillés au fromage, ce matin même, en admirant le soleil se lever au-dessus des montagnes. Puis en train de laver leurs assiettes, avant d'aller s'occuper des bêtes, nettoyer la ferme, sans oublier la petite mare. « Est-ce que ça vous manque ?

– Hollywood ? » Jill avait immédiatement compris ce dont il voulait parler. Elle devait être lasse d'avoir à répondre sans cesse à la même question. Une raison de plus pour rester dans son ranch, élever des chevaux, aller à la petite mosquée du village, et laisser le reste du monde suivre son cours. « Parfois. » Elle avala une petite gorgée de thé. « Et vous ? Regrettez-vous parfois d'être à la retraite ? »

Rakkim sourit. « Parfois.

– Je vais devoir participer à une ultime représentation, même si, je dois l'avouer, le rôle est loin de me plaire. » Jill l'observait à travers les volutes de son thé fumant. « Dans une poignée de semaines, je me verrai remettre un oscar qui récompensera l'ensemble de ma carrière. Je crois qu'on peut logiquement en conclure que je viens d'entrer dans la catégorie des fossiles vivants.

– Madame, vous n'avez aucunement besoin de mendier des compliments. »

Jill éclata de rire. « Je comprends mieux pourquoi Sarah est folle de vous. Vous êtes aussi surprenant qu'un baiser un peu rude. » Elle passa sa main sur sa natte. « Sarah m'a tellement parlé de vous que j'ai l'impression de vous connaître.

– Ce serait une erreur que de le croire.

– Elle se sent en sécurité à vos côtés. C'est aussi le cas avec Redbeard, mais elle sait que Redbeard a toujours une idée derrière la tête. Peut-être est-ce pour cette raison que Sarah et moi sommes devenues amies. Nous savons toutes les deux ce que ça signifie que de vivre sous l'œil inquisiteur des caméras. D'être jugées. D'être utilisées. Je me souviens encore de toutes ces photos d'elle en visite dans des lieux saints, de ces sujets au journal télévisé, la rencontre avec le président. Sarah Dougan, fille du premier grand martyr de notre nation...

– Redbeard a mis un terme à tout cela lorsqu'elle a fêté ses 6 ans. Plus une seule photo. Plus un seul flash-info. Il craignait pour sa sécurité... »

Jill ricana. « Redbeard a tout arrêté parce qu'il n'avait plus besoin d'elle sous les feux de la rampe. Elle avait rempli sa tâche. » Jill se rapprocha de la photo de ses fils. « Nick est mon cadet. Son père était tellement fier lorsqu'il est entré chez les feddayin. Moi qui suis sa mère, j'étais très préoccupée.

– Il va bien ? »

Jill acquiesça sans détacher ses yeux de la photo, de ses deux garçons, si jeunes, si idiots avec leur oscar sur la tête, louchant vers l'objectif. « Cela fait seize ans que Nick s'est engagé. Quelques cicatrices, quelques égratignures, rien de plus. Il est en poste à Chicago. Trois épouses. Dix enfants. Colonel feddayin... » Elle modifia légèrement la position de la photo sur l'étagère, et ses doigts s'attardèrent quelque peu sur le cadre. « Je suis fière de mon fils. Il sert Allah et son pays... mais lorsqu'il vient me rendre visite, je ne le reconnais pas. » Elle regarda Rakkim dans les yeux. « Est-ce un péché, pour une mère, que de ne pas reconnaître le fruit de ses entrailles ? »

Les lèvres du vigile remuèrent alors qu'il lisait la carte de Sarah. « Vous faites la quête ?

– Au profit de l'Association des bénévoles des États-Islamiques, comme c'est écrit. »

Le vigile était debout devant la vitre ouverte de Sarah, fouetté par le vent et la pluie. Son uniforme vert semblait flambant neuf, et son col était déjà complètement trempé. Il jeta un coup d'œil à l'épave qu'elle conduisait. « Vous avez le droit de faire du porte-à-porte, ma sœur ?

– Pour tout bon musulman, demander l'aumône est un devoir aussi important que de faire l'aumône », répondit pieusement Sarah. Le tchador qu'elle avait emprunté à Jill était d'un prune foncé qui mettait ses yeux en valeur. « Vous ne l'ignorez pas, j'en suis convaincue. »

Le vigile gratta sa joue bouffie avec la carte. On aurait cru qu'on frottait du papier de verre. C'était un grand bonhomme solidement charpenté au regard bovin. Une moitié de sandwich l'attendait dans sa cabane. « On a eu un problème il y a quelques jours. Un... crime. Une femme, assassinée. Deux de ses domestiques ont été massacrés aussi.

– Je suis certaine que le quartier est sûr, à présent, monsieur. Après tout... vous êtes là pour veiller à sa sécurité. »

Le vigile se mordilla la lèvre. « C'est que je dois bien faire attention à qui je laisse entrer. Je pourrais m'attirer pas mal d'ennuis.

– Est-ce que j'ai l'air dangereuse, monsieur ? »

Le vigile l'examina avec attention, prenant la question très au sérieux.

« Écoutez, reprit-elle. C'est un quartier de musulmans dévoués, l'heure du dîner est passée. Nos frères et nos sœurs seront heureux de remplir leur obligation religieuse sans avoir à quitter le confort de leur maison. Qu'est-ce qu'il peut bien y avoir de mal à cela ?

– Je... rien, ma sœur. »

Sarah inclina la tête et lui adressa une courte bénédiction. « Alors laissez-moi entrer, mon frère. »

Le vigile tourna les talons en marmonnant une bénédiction.

Sarah passa la barrière.

« Lorsque Sarah est arrivée ici... elle avait l'air dans son assiette ?

– Elle m'a appelée à 3 heures du matin. Cela faisait plus d'un an que nous ne nous étions pas parlé, mais j'ai immédiatement reconnu sa voix. J'ai le sommeil léger... elle avait l'air très en colère. Elle m'a dit qu'elle se trouvait dans une station-service, à quelques kilomètres d'ici. Encore une autre façon de me protéger. Elle avait voulu s'assurer que l'homme qui l'avait conduite soit incapable de savoir où elle allait. » Jill écouta la rumeur de la pluie tombant sur le toit. « Nous avons passé le reste de la nuit à discuter. Elle était vraiment bouleversée.

– Était-elle blessée ?

– Elle m'a dit qu'elle avait tué un homme quelques heures auparavant. Est-ce que ça compte ?

– Non. »

Jill secoua la tête. Feddayin un jour, feddayin toujours. Elle n'eut même pas à le dire. « Sarah est allée se coucher après la prière de l'aube, et elle ne s'est levée que très tard. Le lendemain matin, nous avons fait du cheval, sans parler, profitant simplement de la balade. Elle semblait mieux. Puis elle s'est absentée pendant quelques heures, et à son retour... elle était dans un état pire encore que celui dans lequel elle se trouvait la nuit de son arrivée ici. Sarah est quelqu'un de fort, mais lorsqu'elle est revenue, elle pleurait sans pouvoir se contrôler. Elle avait envie de partir. Elle disait que tous ses proches étaient en danger...

– Où est-elle allée, ce vendredi ? » La voix de Rakkim était si basse qu'elle ne l'aurait pas entendue s'il ne s'était pas rapproché, si près qu'il put de nouveau sentir le parfum d'écurie qui émanait d'elle.

«Je n'en sais rien. Elle a dit qu'une vieille amie... qu'une bonne amie avait été assassinée, et qu'elle était responsable de sa mort... » Jill recula soudain : Rakkim venait de renverser sa chaise en se relevant dans un bond. « Rakkim ! Où allez-vous ? »

27

« Veuillez m'excuser... » Darwin plongea la main dans la poche de Hanson, en tira son portefeuille, où se trouvait son insigne de policier, et l'ouvrit. « William Hanson. Ça me plaît. William. Un beau nom bien américain, bien de chez nous. Enchanté. Je parie qu'on vous appelle Bill, pas vrai ? Ou Willy. Je préfère Willy. Willy... C'est amical. Innocent. Vous considérez-vous innocent, Willy ? La plupart des gens se considèrent innocents. » Darwin rit, et son rire résonna dans la petite salle de bains tandis qu'il faisait disparaître l'insigne et la carte d'identité dans la poche de sa propre veste. « En ce qui me concerne... je ne me fais pas d'illusion. »

La main droite de Hanson se tendit presque imperceptiblement en direction de son pistolet, qui sortait à moitié de son étui.

« Eh bien, voyez-vous cela. Quel courageux policier vous êtes, en vérité ! » Darwin se pencha, attrapa le pistolet, et se mit à l'examiner. Un modèle standard de la police, 9 mm, semi-automatique, avec une crosse personnalisée. On ne pouvait se servir de cette arme à moins que l'empreinte digitale du pouce de son possesseur ne soit pressée à l'emplacement indiqué. Le 9 mm ne pouvait être utilisé par personne d'autre que Hanson. Darwin expulsa une cartouche, regarda dans le canon, puis en mit une nouvelle dans la chambre. « Vous entretenez parfaitement votre arme, à ce que je vois. Vous devez apprécier ce genre d'accessoires. Ça vous donne un sentiment de sécurité, non ? Mais je parie que vous ne vous en êtes jamais servi dans l'exercice de vos fonctions, ai-je tort ? Ça change pas mal de choses, croyez-moi. »

Hanson grogna.

« Laissez-moi vous aider. » Darwin se pencha à nouveau, plaça le pistolet dans la main du jeune policier. « Voilà. »

Hanson pressa ses doigts, et le pouce entra en contact avec la cellule d'identification. Il tenta de soulever le 9 mm, mais il était trop lourd pour lui.

« Prenez votre temps. Reprenez des forces. Continuez à respirer. L'effroyable dilemme : chaque inspiration vous déchire un peu plus à l'intérieur, tranche un peu plus dans vos délicats viscères, mais il faut bien respirer. »

Des gouttes de sueur perlaient sur le front de Hanson. L'une d'elles roula sur sa paupière, le faisant cligner des yeux.

Darwin épongea son visage à l'aide de son mouchoir, avec des gestes curieusement tendres, sous le regard terrifié de Hanson. « Rassurez-vous, je n'ai rien prévu d'embarrassant pour vous. Homosexuels, hétérosexuels... vous faites tous vos choix, et faites tourner la grande roue de l'amour et du désir. » Il caressa la joue de Hanson. « Moi... eh bien, pour vous dire la vérité, hommes et femmes sont identiques à mes yeux. Rien de plus que des récipients de chair. Je vous les laisse. » Il éclata de rire. « Prenez note, Willy. Je vous donne ma part. »

Hanson changea légèrement de position, et hurla. Du sang coula de sa bouche.

« Ne bougez plus. Du calme, mon garçon. Vous mourrez bien assez tôt : inutile de vous presser. Papotons un peu. Il m'arrive si rarement de pouvoir parler à quelqu'un qui me connaît... quelqu'un qui sait qui je suis vraiment. Le mensonge dévore l'âme, Willy, mais puis-je faire autrement ? »

Hanson se mordit la lèvre, s'efforçant de rester conscient.

« Voilà, c'est cet état d'esprit qui doit vous guider. » Darwin observa le sang du policier couler en un filet au fond de la baignoire. « Je n'ai pas fait cela pour avoir votre insigne, si c'est ce que vous croyez. C'est juste que, dans ce travail qui est le mien... on est confronté à un très haut niveau de frustration. Je dois me contenir, me surveiller constamment... ça me donne des migraines. Je suis un homme d'appétits, Willy. D'énormes appétits. De terribles appétits. Et je ne puis les satisfaire. » Darwin sourit. « Vous allez devoir vous y coller. Ça ne vous embête pas, j'espère ? »

Hanson serra le 9 mm dans sa main. Ses yeux bleus semblaient plus vitreux à chaque seconde qui passait, mais il continuait à tenir le pistolet.

« Je suis un assassin feddayin. Vous devriez vous sentir honoré de mourir par mes mains. Vous auriez pu vous faire renverser par un bus ou avoir une attaque cérébrale. Vous auriez pu vous étouffer avec un morceau de steak ou avoir un choc anaphylactique en mangeant du beurre de cacahuète. Mais non, vous avez eu cette chance incroyable de tomber sur moi. » Darwin tapota les incisives du jeune policier comme s'il jouait du xylophone. « Si vous arrivez à considérer votre situation d'un point de vue extérieur, si vous arrivez à dépasser la douleur, je suis sûr que vous comprendrez qu'une certaine gratitude s'impose. »

Hanson essaya de se concentrer.

« Peut-être est-ce trop vous demander. » Darwin considérait le jeune policier qui s'efforçait de relever son arme. Le sang coulait à présent abondamment, en un large ruisseau. « C'est cela... allez. Juste un tout petit peu plus haut. Allez, vous pouvez y arriver. Appuyez sur la détente, Willy. Appuyez. »

Le pistolet trembla. Tomba au fond de la baignoire. Hanson respirait par à-coups.

« Décevant, n'est-ce pas ? gloussa Darwin. Bienvenue dans mon monde. » Son Cyclop vibra dans la poche de sa veste. Sans se lever du bord de la baignoire, Darwin saisit l'appareil et l'ouvrit. « Eh bien, regardez-moi un peu ça. » Il afficha un large sourire, et tourna le miniécran en direction de Hanson. « C'est l'intérieur de la maison de Mme Warriq. En direct. La lumière est amplifiée, ce qui explique que tout paraît verdâtre, mais on peut tout de même la voir clairement. Sarah Dougan en personne, sur le pas de la porte. Portant un très élégant tchador, je me dois de le remarquer. Ce vêtement met vraiment en valeur ses traits, non ? Bonjour, Sarah ! Dites bonjour à Sarah, Willy. Non ? »

Les yeux de Hanson semblaient presque opaques.

« Pourquoi es-tu revenue, Sarah ? Sûrement quelque chose de très important. » Darwin pointa l'écran du doigt. « Regardez. Elle cache son nez dans sa main à cause de l'odeur. Ils ont peut-être enlevé les corps, mais le parfum est encore là. » Il vit Sarah se diriger vers l'escalier, sortant du champ de la caméra placée dans l'entrée. Il passa à celle du salon. Le sofa recouvert de taches de sang coagulé, vide à présent, triste dans un sens, semblable à des bougies d'anniversaire éteintes, réduites à un tas informe de cire durcie. Il jeta un regard au jeune policier.

Hanson était en train de perdre connaissance.

« Rien à la télé, rien dans les journaux. Comment aurais-je pris ça si je tenais le journal de mes missions ? se plaignit Darwin. Le fait de collectionner les coupures de presse est bien évidemment tout à fait maladroit mais, même ainsi, vous ne trouvez pas que c'est un peu mesquin de passer toute cette affaire sous silence médiatique ? Je suis sûr que c'est le fait de ce gros inspecteur qui accompagnait Rakkim. Quelqu'un devrait apprendre à l'inspecteur Colarusso qu'il convient toujours de rendre à César ce qui appartient à César. Mais je dois vous l'avouer, Willy, à cet instant précis, je suis un homme heureux. Je me disais qu'elle reviendrait dans cette maison, et la voici. Il n'y a rien de tel que d'avoir raison. C'est la meilleure sensation qui soit au monde. Willy ? Vous n'êtes vraiment pas marrant. Regardez, il y a quelque chose dans cette maison qu'elle veut absolument. Concentrez-vous, Willy. Trouver l'objet du désir, là est tout le secret. Souvenez-vous bien de ça. Je viens juste de vous faire don d'un peu de sagesse. »

Les doigts de Hanson se crispèrent, mais le 9 mm était à trois centimètres. Il se serait trouvé à des kilomètres que cela aurait été pareil.

Darwin referma le Cyclop. « C'est l'heure de nous quitter. Je dois découvrir ce qui intéresse tellement la douce Sarah. » Il se releva et baissa les yeux sur Hanson. La main du jeune policier continuait à se tendre, même si c'était de façon imperceptible, en direction du pistolet. Impressionnant. Darwin regretta de ne pouvoir passer plus de temps en compagnie du jeune homme, mais il était déjà en retard. Il plaça précautionneusement son pied sur l'abdomen du policier, précisément sur le troisième bouton de sa chemise bleue. « Puis-je avoir votre bénédiction ? Oui ? Non ? » Darwin appuya. Juste assez fort, en dosant très soigneusement la pression. Le hurlement de Hanson résonnait encore lorsque Darwin passa le seuil de la porte.

28

Sarah s'effondra sur le fauteuil en cuir usé de la bibliothèque de Miriam, la tête plongée dans ses mains. Trop fatiguée pour pleurer, mais assez furieuse pour avoir envie de jeter tous les livres de cette bibliothèque aux quatre coins de la pièce. Elle n'en fit rien. Elle aimait trop les livres... et elle aimait trop Miriam. Elle l'avait aimée. Elle avait aimé sa clarté, son intelligence, son rire timide. Aimé la façon dont elle riait en servant le thé, comme si elles étaient toutes deux des enfants qui jouaient à être adultes. Miriam n'était à présent plus là, et les carnets de son père avaient disparu. Sarah restait assise dans l'obscurité, dans cette pièce que seuls de faibles rayons de lune éclairaient. La perte de Miriam lui pesait énormément... mais le vol des carnets était encore plus tragique.

Il lui avait fallu un an pour décider d'axer ses recherches sur Richard Warriq, un an de contacts stériles avec des experts de la Chine, des ingénieurs, des sismologues, des architectes, des hommes qui avaient participé de près ou de loin à la conception du barrage des Trois-Gorges, dont la plupart étaient à présent à la retraite ou, à l'instar de Warriq, morts depuis longtemps. Elle avait scrupuleusement étudié ces sources, avait interrogé chaque survivant, vérifiant et croisant les informations avant de les rejeter à cause de leur manque de pertinence. Et puis, elle passait au nom suivant sur sa liste.

Un hibou hulula, tout proche. Sarah alla à la fenêtre de la bibliothèque pour regarder dehors. Les hiboux étaient de mauvais augure, pourtant l'éclairage de sécurité de la maison des voisins ne révéla rien. Elle traversa la pièce, ne sachant que faire, passant devant l'étagère vide qui semblait la narguer.

Dresser une liste de noms avait été relativement aisé. Sous prétexte d'un article destiné à glorifier les connaissances et le talent scientifique des croyants, elle avait eu accès à des bases de données qui lui avaient permis de trouver tous les musulmans américains qui avaient travaillé sur ce barrage. Les Chinois avaient confié la majeure partie de l'ouvrage à des concitoyens, mais la conception du barrage nécessitait des connaissances en ingénierie extrêmement spécialisées, et les Chinois s'étaient résolus à avoir recours aux services de plusieurs entreprises américaines. Le père de Miriam jouissait d'un certain renom dans le milieu des ingénieurs. C'était un musulman très pieux qui était revenu à de nombreuses reprises sur ce projet au cours de sa vie, et qui apparemment voyageait énormément. Sarah avait failli passer au nom qui suivait celui de Richard Warriq sur sa liste lorsque Miriam lui avait révélé que son père avait fait son pèlerinage à La Mecque juste après un voyage professionnel en Asie, quelques jours avant que la ville sainte soit ravagée par une bombe sale. Miriam considérait cet enchaînement des faits comme la preuve de la miséricorde de Dieu, mais Sarah y avait vu une sinistre coïncidence, et s'était vite convaincue que les détails méticuleux du journal intime de Warriq étaient la clef qui lui permettrait de découvrir la vérité au sujet des attentats sionistes.

Impuissante, Sarah fixait l'étagère vide. Les assassins du Vieux avaient dû s'en emparer après avoir tué Miriam, Terry et son épouse. Rien d'autre n'avait été pris, rien que les carnets. Ainsi, le Vieux savait. Ce qui signifiait que la théorie de Sarah était juste... en principe. Et c'était déjà ça. Sarah ne tira aucune joie d'avoir raison. Elle aurait aimé que Rakkim se trouve au Blue Moon mercredi soir. Elle avait juré de garder le secret, mais Rakkim... leurs cœurs étaient liés. Elle était à présent décidée à tout lui révéler.

L'horloge égrainait les secondes dans un coin de la pièce. Encore un peu moins de deux heures avant la prière de la nuit. Elle serait déjà loin alors. Il était inutile d'éveiller la suspicion du vigile. Mais avant tout... elle se dirigea vers la chambre de Miriam. Le vieux voisin avait dit au chauffeur de taxi qu'elle avait été retrouvée morte dans sa baignoire. Sarah voulait voir l'endroit précis où Miriam avait perdu la vie, et là, prier pour elle. Elle lui devait bien ça.

L'escalier était plongé dans les ténèbres, la pluie fouettait les fenêtres, si fort qu'on aurait cru que quelqu'un tentait d'entrer. Elle avait les jambes cotonneuses, et malgré toutes ses bonnes intentions, ses courageuses intentions, Sarah ralentit alors qu'elle approchait de la chambre de Miriam. Une boule aussi grosse qu'un poing dans la gorge, elle était soudain paralysée par la peur que le corps de Miriam n'ait pas été enlevé. Que, contrairement à ce qui était arrivé aux cadavres mutilés des domestiques, la police ait décidé de laisser Miriam là où ils l'avaient trouvée, pour quelque obscure raison liée à l'enquête scientifique. Cette pensée était tout à fait ridicule, mais, sur le pas de la porte close de la chambre de Miriam, Sarah parvenait à peine à respirer.

Sa main trembla sur la poignée. Elle ouvrit et s'empressa d'entrer, laissant la porte entrebâillée. Redbeard disait toujours que lorsque la peur nous glaçait littéralement le sang, la meilleure solution était encore de se lancer dans l'action, sans hésitation. Sarah se tenait au milieu de la chambre, le cœur battant à tout rompre, et elle sut que ce conseil était d'or. Si elle avait attendu une seconde de plus, la main posée sur la poignée, elle aurait tourné les talons et dévalé les marches, son tchador flottant derrière elle.

Elle tira les rideaux. Le vent précipita une rafale de feuilles contre la fenêtre. Elle recula, effrayée. Puis elle sourit. Dieu déteste les froussards, c'est ce que Rakkim et elle ne cessaient de se dire lorsqu'ils étaient enfants, pour se pousser l'un l'autre à faire quelque bêtise ou à désobéir. Il avait quatre ans de plus qu'elle, une éternité à cet âge, mais elle n'avait jamais ressenti le fossé des années qui les séparaient. Elle avait toujours su qu'il serait un jour comblé.

Par l'entrebâillement de la porte de la salle de bains, elle distinguait le rebord de la baignoire. Trop sombre. Elle entra et jeta un coup d'œil à la baignoire. Rien. Rien qu'un peu d'eau dans le fond, une eau qui semblait noire dans l'obscurité. Les serviettes étaient disposées légèrement de guingois. Un petit détail qui aurait fâché Miriam. Sarah avança et les redressa. Elle n'avait pas le courage d'allumer la lumière. De retour dans la chambre, elle avait l'estomac serré en un nœud douloureux. Les tiroirs de la commode étaient à moitié ouverts, les petites figurines chinoises avaient été renversées. La police s'était précipitée... à moins que ce ne fût quelqu'un d'autre. Elle frissonna. Oui, cela avait été une mauvaise idée de venir ici.

Elle entendit le léger cliquètement de la porte de devant qu'on refermait. Elle sursauta comme si cela avait été une déflagration. Elle resta immobile, par peur que le moindre pas ne la trahisse. Elle tendit l'oreille. La pluie parut cesser un instant, et elle entendit alors des pas sur le plancher de l'entrée, tout juste un murmure. Elle s'était garée dans la rue, face à la maison, mais ça ne pouvait être le vigile venu voir ce qu'elle pouvait bien fabriquer. Jamais il n'aurait pu se déplacer aussi silencieusement.

La pluie fit son retour, portée par de violentes bourrasques. Elle enleva son tchador. Elle portait en dessous un pantalon large et un sweat-shirt peu épais de moderne. Au cas où. Une autre leçon de Redbeard. La description qu'on avait de vous ne devait jamais être la même trop longtemps. Des vestes réversibles. Parfois avec un chapeau, parfois sans. Avec lunettes ou sans lunettes. Un parapluie quand il le fallait, pour dissimuler son visage. Elle était toujours sortie de son petit appartement de Ballard habillée en moderne, pour enfiler son tchador dès la première occasion. Pour se changer à nouveau au retour.

Cela avait fonctionné. Jusqu'au soir où les chasseurs de primes l'avaient retrouvée.

Elle marchait de concert avec les pas qui résonnaient en bas, le cœur battant à nouveau la chamade. Elle passa dans un rayon de lune qui l'éblouit légèrement, et s'immobilisa à côté de la porte.

Quelqu'un gravissait les marches de l'escalier.

Sarah regarda autour d'elle, en quête d'un objet qui aurait pu faire office d'arme. Là. Un réveil en granit posé sur la table de chevet. Elle le souleva. Assez lourd pour assommer quelqu'un. Elle respirait à peine, toute son attention était focalisée sur son ouïe, filtrant les bruits de l'extérieur, le vent et la pluie, pour se concentrer exclusivement sur celui des pas qui approchaient. Sarah était capable d'isoler le son d'une flûte durant un concert philharmonique, elle pouvait distinguer chaque violon les yeux fermés. Ça revenait au même ici. Du moins c'était ce qu'elle se disait.

Quelqu'un se trouvait à présent sur le seuil de la chambre.

Elle se colla au mur, serrant le réveil de toutes ses forces. Valait-il mieux l'attaquer dès qu'il passerait la porte, ou attendre qu'il entre, et l'attaquer par-derrière ?

La porte s'ouvrit dans un grincement. « Sarah, c'est moi. »

Rakkim ! Elle se jeta dans ses bras, l'embrassant, sanglotant, se perdant dans sa douceur, sa force, l'odeur de sa peau. Elle se serrait contre lui comme pour s'ensevelir, comme pour s'assurer qu'il était bien là, que ce n'était pas un rêve, ni quelque tour cruel que son esprit lui aurait joué. Elle se sentit serrée à son tour, soulevée en l'air, son visage recouvert de baisers, et elle sut que c'était bien Rikki. Elle s'abandonna au plaisir, les yeux fermés, tandis qu'ils s'enlaçaient. Elle aurait été incapable de déterminer combien de temps ils restèrent ainsi, seuls dans cette grande maison plongée dans les ténèbres. Quelques secondes, quelques minutes, peut-être des heures... elle l'ignorait. Elle le mordilla au cou. « Tu m'as fait peur. »

Rakkim éclata de rire. « Comme si ça pouvait t'arrêter. »

Sarah, elle, ne riait pas. « Est-ce que... est-ce que tu sais, pour le chasseur de primes ? »

Rakkim dut surprendre son expression malgré l'obscurité, car il l'enlaça à nouveau. « Tuer un homme pareil, c'est une bonne action de mon point de vue. » Il la serra plus fort contre lui. « Ne regrette pas ta décision. Surtout pas. Ça ne ferait que te ralentir la prochaine fois.

– Je ne veux pas qu'il y ait de prochaine fois. » Rakkim caressa ses cheveux et elle aurait voulu qu'ils soient autre part, un endroit calme et sûr, avec une cheminée. La pluie s'abattait plus bruyamment sur le toit.

« Nous devons partir.

– Comment m'as-tu retrouvée ?

– Je suis passé par le ranch de Jill. Elle m'a dit que tu savais que Miriam avait été assassinée. Je me suis dit que tu avais dû revenir ici pour prendre les carnets. »

Sarah le regarda, prise de vertiges. « Tu sais, pour les carnets ?

– C'est moi qui les ai. Ils sont bien rangés, dans deux cartons, au pied de mon lit... »

Sarah l'embrassa fougueusement. « Partons. »

Rakkim sourit. « Impérieuse, comme toujours.

– Tu t'attendais à ce que je devienne tout empotée une fois loin de Redbeard ? »

Ils descendirent ensemble les marches, Rakkim légèrement en avant, la tête penchée. Il s'arrêta devant la porte, jeta un coup d'œil par les fenêtres latérales. Sarah attendit. Il savait ce qu'il faisait, cela, elle en était sûre. Il posa une main légère sur la nuque de Sarah tout en épiant la rue. Cette caresse familière, cette intimité... dénuée de toute possessivité. C'était le signe du lien qui les unissait tous les deux, aussi fort d'un côté que de l'autre.

« Ta voiture roule bien ? demanda Rakkim.

– Elle est un peu amochée, mais elle est très agréable à conduire.

– Amochée, c'est parfait : elle passera inaperçue au milieu de la moitié des véhicules que nous croiserons sur la route. Je préfère qu'on prenne la tienne plutôt que la mienne. Si nous laissions ici ta voiture, on finirait par remonter jusqu'à Jill. »

Sarah ouvrit la porte, ils sortirent, et elle la referma derrière lui. À clef. Elle regarda le trousseau que lui avait donné Miriam, la dernière fois qu'elle lui avait rendu visite. Une saute de vent souleva ses cheveux, l'air froid et nocturne caressant son cuir chevelu, un véritable soulagement après la torture du foulard. Elle rangea les clefs dans sa poche, et s'arrêta. C'était Rakkim qui avait pris les carnets, pas les assassins du Vieux. Le Vieux ne connaissait donc pas leur valeur... s'ils en avaient réellement. Son interprétation de la Trahison sioniste n'était encore qu'une simple théorie.

« Il y a un problème ? demanda Rakkim.

– Non... aucun. »

Ils marchèrent sous la pluie jusqu'à la voiture, chacun refusant de courir, attendant que l'autre se précipite en premier. Ni l'un ni l'autre ne cédèrent. Sarah lui tendit la clef du véhicule puis entra tandis que Rakkim jetait un dernier regard alentour. « C'est bizarre, dit-elle alors que Rakkim passait derrière le volant.

– Quoi ? »

Sarah manipula la montre qu'elle portait au poignet. Encore le même résultat.

« Qu'est-ce qui ne va pas ? insista Rakkim.

– Je ne sais pas trop. » Elle consulta à nouveau le cadran. Même chose. « Redbeard m'a offert cette montre après la publication de mon livre. Elle peut détecter un très grand nombre de types de mouchards. À micro-ondes, hypersoniques... virtuellement tous. Il craignait qu'on me file...

– La voiture a un mouchard ?

– Je ne vois pas comment c'est possible. Elle n'en avait pas quand je l'ai garée ici. Si quelqu'un voulait me faire du mal, il s'en serait pris à moi dans la maison de Miriam.

– Peut-être que ce quelqu'un ne veut pas te faire de mal. Peut-être qu'il veut simplement savoir où tu es. »

Sarah rouvrit la portière. « On ferait mieux de prendre ta voiture. »

Rakkim éteignit l'éclairage intérieur. « Ferme cette portière.

– Il faut que nous... »

Rakkim mit le contact.

Sarah referma la portière. « Il faut que nous trouvions le mouchard, non ?

– Non. » Rakkim enclencha les essuie-glaces, et les observa un instant glisser de gauche à droite et de droite à gauche sur le pare-brise fissuré. « C'est parfait comme ça. »

Darwin posa sa joue sur sa paume alors que les phares approchaient de la cabane du vigile. Le petit récepteur se mit à bipper sur le comptoir. La pluie frappait le toit peu épais, et des torrents verticaux coulaient sur les larges fenêtres latérales de la cabane, déformant la vue. Une ombre imprécise regardant dehors. Une ombre imprécise regardant à l'intérieur de la cabane.

Environ quinze minutes auparavant, Darwin avait fait signe à Rakkim de passer en baissant la tête, faisant semblant de lire un journal. La voiture de Sarah passa la barrière. Darwin n'aperçut que l'éclat écarlate des feux arrière à travers la pluie. Ils se trouvaient tous deux à bord du véhicule. Darwin l'avait vu. Il les avait observés sur l'écran du Cyclop. En train de se faire des mamours dans l'entrée. Les deux tourtereaux enfin réunis. Darwin avait applaudi ce moment de tendresse, et ses applaudissements avaient résonné dans la petite cabane du vigile. Sarah avait quitté son tchador, elle était déguisée en moderne, une femme moderne avec des désirs modernes. Ils seraient à présent inséparables. Jusqu'à ce que Darwin décide de les séparer.

Darwin ne savait toujours pas ce qu'elle était venue chercher, et c'était assez embêtant. Très embêtant. Sarah était restée hors-champ durant dix ou quinze minutes dans la chambre de Miriam, et elle était ressortie sans rien dans les mains. Rakkim également.

Il y avait bien ces deux cartons avec lesquels Rakkim et le gros inspecteur étaient sortis de cette maison, quelques jours auparavant. Ils devaient recéler ce que Sarah était venue chercher. Difficile à dire. Darwin pouvait toujours poser la question au Vieux Sage, mais le vieillard gardait jalousement ses secrets. Ah, que de mystères... Darwin avait hâte de découvrir ce que tramait le vieux croulant. C'était sûrement passionnant. Cela, il en était convaincu. Jadis, il avait fait quelques petits boulots pour les Robes noires, mais il s'était vite lassé de l'étroitesse de leurs projets, et de leurs ennuyeuses chamailleries théologiques. Le problème avec les fondamentalistes, c'était qu'ils n'avaient pas la moindre curiosité. Tout ce qui les intéressait, c'était de décider de l'endroit où ils traceraient une ligne, déterminer quel côté serait noir, et quel côté serait blanc. Vrai et faux, bon et mauvais... Darwin transcendait ce genre de catégorie. En dépit de toutes les bondieuseries du Vieux, ils étaient pareils. Ils étaient tous les deux uniques.

Darwin sifflota un air joyeux en se débarrassant de la veste vert bouteille du vigile. Une couleur très laide pour un homme très laid. Il jeta la veste par terre, non loin du vigile qui gisait à côté de la corbeille, la nuque brisée. Deux vigiles tués dans la même cabane en l'espace d'une semaine. La copropriété allait devoir voter une augmentation des charges destinées à la protection du quartier. Idée amusante. La mort amenait toujours tellement de surprises. Tant de conséquences imprévisibles. Un papillon s'écrasait contre le pare-brise d'une voiture, et avec un peu de chance le Japon se trouvait ravagé par ce typhon dont les philosophes ne cessaient de parler.

D'aucuns pourraient considérer le meurtre de ce soir inutile. Darwin avait eu l'intention de passer la barrière en discutant avec le vigile, en lui montrant sa carte d'agent d'assurances, mais... son instinct avait pris le dessus. Un prédateur qui ne tue plus de proies n'est plus un prédateur. Dieu avait créé Darwin pour qu'il prenne plaisir à tuer, et Darwin n'avait aucune envie de remettre en question la sagesse de Dieu. Il sourit à son propre blasphème.

Il glissa le récepteur dans sa poche, et dit au revoir au mort. Sa voiture était à deux pas. Le transmetteur continuait à bipper. L'émetteur fixé à la voiture de Sarah fonctionnait parfaitement. Un très bon timing. Darwin avait installé le dispositif, et était rentré dans la cabane juste avant que Rakkim apparaisse au volant de son véhicule. Darwin passa derrière son volant, et démarra. Tout compte fait, tout se passait à merveille.

29

APRÈS LA PRIÈRE DE LA NUIT

Sarah se retourna, scrutant les ténèbres.

« Il est dans le coin. Le mouchard doit se trouver à moins de huit kilomètres du récepteur, grand maximum, pour que le dispositif puisse fonctionner. » Rakkim gardait les yeux fixés sur la route, sur la colonne de lumière que les phares découpaient dans la nuit. Il sentait que Sarah était inquiète. « Le mouchard nous donne un avantage. Nous savons qu'il est là. Il nous suivra n'importe où... à nous de décider où nous l'emmènerons.

– L'homme qui a tué Miriam... tu es sûr que c'est lui qui nous suit ? »

Rakkim haussa les épaules. « Les Robes noires n'ont pas recours à ce genre de technologie de pointe, et des chasseurs de primes ne s'embêteraient pas à installer un mouchard : ils te seraient tombés dessus dans la maison de Miriam. Non... ce type est bien plus intéressé par ce que tu mijotes que par la possibilité de te tuer. Pour l'instant, en tout cas. Il n'a pas envie de te livrer. Il veut savoir où tu vas, qui tu croises. C'est pour cela qu'il a tué Miriam et les autres de la façon dont il les a tués. Il voulait que tu saches. Il voulait t'effrayer. Te pousser à faire quelque chose de stupide.

– Et ça a marché, pas vrai ? C'était idiot de ma part de retourner chez Miriam. »

Ils roulaient sous le déluge en direction de la Chaîne des Cascades, au pied de laquelle de nombreuses routes étroites sillonnaient la forêt. Un nid de contrebandiers et de bûcherons illégaux, un dangereux cul-de-sac pour les exilés qui se trompaient de chemin. Il avait pris la même route le soir où Redbeard lui avait demandé son aide, la semaine précédente, mais il avait à présent l'intention de s'enfoncer plus loin. En pleine zone de non-droit. Le dernier refuge des fous, des ratés, des renégats, et de leurs rancunes sans nombre. Les exclus. Situées à tout juste soixante-cinq kilomètres du centre-ville de Seattle et du siège du gouvernement, ces terres ne figuraient pas sur les cartes. Elles étaient hors de portée de Dieu et des hommes.

« Un seul homme est à nos trousses ? Il a fait tout ça tout seul ?

– C'est un assassin feddayin. Ils opèrent toujours seuls.

– Comme toi. »

Rakkim lui jeta un bref regard, pour revenir presque aussitôt à la route.

« Je voulais dire qu'il n'y en a qu'un comme lui dans cette affaire, et un comme toi. Pourquoi fuir, dans ce cas ?

– Il est hors de question que je m'attaque à lui de front, si c'est ce à quoi tu penses.

– D'accord.

– Je vais l'avoir par la ruse.

– J'ai dit "d'accord".

– Tu es déçue ? Le glaive de l'islam fuyant la confrontation ? J'imagine que ça doit bousculer un peu ta foi. Je peux appeler Redbeard, si tu veux. Lui demander des renforts. »

Sarah s'approcha de lui. Son visage était si proche du sien qu'il sentit la chaleur de son haleine. « Tue-le, c'est tout.

– Assassiner l'assassin ? » Rakkim sourit. « Et que deviendrai-je en agissant ainsi ? » Il se rendait compte qu'il n'était pas fait pour vivre seul. « Tu aurais dû me contacter. Tu aurais dû me dire qu'il fallait que tu disparaisses un temps.

– J'ai fait une promesse. » Les seuls bruits audibles dans la voiture étaient la pluie qui tambourinait et le frottement des essuie-glaces. « Est-ce que Redbeard t'a parlé du Vieux ? Est-ce ainsi que tu as su ce sur quoi je travaille ?

– Redbeard préférerait se faire trancher le ventricule gauche plutôt que partager ses informations. Je n'ai pas eu besoin de lui. » Rakkim serra ses mains sur le volant. Pins et cèdres se dressaient de chaque côté, et leurs racines crevaient la route par endroits. « Dès qu'un secret est révélé, il se met à se répandre dans tous les sens. Impossible de le juguler... à moins de tuer toute personne liée à ce secret, même indirectement.

– Tu es en train de dire que je suis responsable de la mort de Miriam ? Pas la peine, je me le suis déjà dit.

– La culpabilité ne nous servira à rien. »

Ils abordèrent un virage en épingle à cheveux, et les phares illuminèrent une carcasse squelettique de camion au fond du ravin. Rakkim relâcha la pression de ses mains, pour ne plus conduire que du bout des doigts. Les à-coups de la route n'étaient que vaguement affaiblis par les amortisseurs usagés. Il ne pouvait rien faire de mieux pour les maintenir sur la route.

Sarah alluma le chauffage. Il ne fonctionnait toujours pas. Tout comme le dégivreur.

D'un revers de main, Rakkim essuya la buée qui recouvrait le pare-brise. Puis il jeta un coup d'œil au rétroviseur. « C'est bizarre que Redbeard n'ait pas mis de mouchard dans la montre qu'il t'a donnée.

– Il en avait placé un. Un électronicien de la Zone l'a retiré. Il m'a dit que c'était russe. Il m'en a donné 1 000 dollars. Redbeard a forcément su ce que j'avais fait, mais il n'y a jamais fait allusion.

– J'ai passé la mémoire de ton ordinateur à un de mes contacts. Il a réussi à en tirer quelques bouts de ton livre avant que le virus d'autodestruction ait fini d'accomplir sa tâche. »

Sarah regarda à travers la vitre.

« Je sais que tu veux croire à tout prix que la Trahison sioniste n'est qu'une monstrueuse supercherie, mais je pense que tu as tort.

– Alors pourquoi sommes-nous suivis par un assassin ?

– Pour les mêmes raisons qui ont poussé les Robes noires à envoyer des chasseurs de primes sur tes traces. Redbeard a des ennemis, et tu représentes un moyen de pression considérable. Le Vieux n'est qu'un joueur parmi d'autres.

– Tu as peut-être raison. » Sarah regarda droit devant elle. « Je veux simplement lire ces carnets. Il me reste encore à étudier la moitié de ceux qui m'intéressent vraiment. Avec ton aide...

– Je peux nous faire passer au Canada. » Rakkim observait la route. « On peut changer de voiture et semer l'assassin. Quatre ou cinq jours, selon le temps et le nombre de patrouilles...

– Ne sois pas ridicule. »

Rakkim lui jeta un bref regard. « Depuis la première fois que je t'ai vue, tu n'as pas changé. Tu cherchais déjà les problèmes alors que tu n'avais que 5 ans. »

Sarah posa une main sur la cuisse de Rakkim. « Occupons-nous des carnets. Tu sais que j'adore lire au lit. »

La franchise de son geste surprit Rakkim. Il regarda le rétroviseur pour tenter de dissimuler son excitation. « Mais chaque chose en son temps. » Des paroles bien courageuses de la part de Sarah. Il surprit cependant son expression à la lueur du tableau de bord. Elle regardait dehors, et son inquiétude ne faisait aucun doute. Elle n'était jamais venue jusqu'ici. C'était le cas de l'écrasante majorité des citadins. Même la police évitait de s'aventurer dans cette région.

Cela ne faisait que six mois que Rakkim ne l'avait pas vue, et pourtant Sarah semblait avoir vieilli. Ses cernes n'y étaient pour rien. Elle venait simplement de comprendre quels monstres se terraient dans l'ombre, loin de la maison où elle avait grandi en sécurité. Pour quelqu'un comme Sarah, qui s'enorgueillissait de son esprit logique et de sa force de caractère, cela devait être un choc de constater à quel point elle avait été jusque-là protégée et privilégiée.

C'était ce qui arrivait quand on retrouvait un ami assassiné. Tuer un homme, et savoir qu'on n'hésiterait pas à recommencer, et que la chose serait alors plus facile... c'était ce qui finissait de dessiller les yeux. Sarah était en train d'apprendre. S'ils survivaient, elle ne s'en porterait que mieux.

« Pourquoi ralentis-tu ? » demanda Sarah.

Rakkim éteignit les phares et s'arrêta au beau milieu de la route en laissant tourner le moteur. « Si nous n'allons pas au Canada, nous allons devoir tuer l'assassin. »

Un petit remblai de béton : c'était tout ce qui restait de la pancarte qui jadis annonçait les résidences *Green Briar*, l'un des nombreux quartiers excentrés construits pour accueillir des personnes travaillant sur Seattle. « Une maison à portée de bourse pour tous les musulmans, dans une région musulmane protégée. » Cela n'avait pas marché à *Green Briar*, pas plus que pour le reste des projets immobiliers de la région. Le très long trajet quotidien avait fait fuir les modernes, effrayés qui plus est par les forêts avoisinantes et l'insécurité croissante. Les maisons avaient été abandonnées à la pourriture et la ruine, les larges portes-fenêtres brisées, les cheminées s'étaient écroulées, et les murs s'étaient recouverts d'une mousse si épaisse qu'on aurait pu s'en servir pour rembourrer des oreillers. Les squatteurs s'étaient installés, négligeant le fait que l'électricité avait été coupée. En fait, ils auraient eux-mêmes détruit les lignes à haute tension et dynamité les canalisations d'eau si elles avaient été encore en usage. La route d'accès au quartier de *Green Briar* était bloquée par des dizaines d'arbres déracinés. *Green Briar* n'existait plus, sauf sur les plans de ses architectes.

« Je n'aime pas cet endroit », dit Sarah.

Rakkim alluma et éteignit à deux reprises ses phares. Attendit un peu. Puis réitéra, une seule fois.

« On ferait mieux de partir. » Sarah regarda autour d'elle. « L'assassin... il va nous rattraper.

– Non, il s'est arrêté en même temps que nous. Il n'a pas envie de nous rattraper. Il ne veut pas qu'on sache qu'il se trouve dans le coin. Il n'a qu'une seule envie, c'est de rester où il est, tapi derrière nous. Il aime se forcer à ne pas intervenir alors qu'il est tout près, il aime tenir ainsi nos vies dans le creux de sa main. Ça le grise. C'est encore meilleur que le sexe, pour lui. Le fait que nous nous soyons arrêtés ne signifie pas à ses yeux que nous l'avons démasqué : il croit que nous nous montrons tout simplement prudents. Et c'est quelque chose qu'il respecte. Il se poserait des questions si nous nous montrions trop confiants. Tout cela ne lui rendra notre meurtre que plus doux encore, lorsque l'heure sera venue.

– Tu parles comme si tu étais dans sa tête. »

Rakkim caressa son épaule, sentant la peur sous son sweat-shirt peu épais. Il ne lui en voulait pas. La tête de l'assassin était pleine de verre brisé et d'animaux torturés. Rakkim scruta les bois, de part et d'autre de la route. « C'était lui, dans la cabane du vigile, lorsque nous avons quitté le quartier de Miriam. J'aurais aimé voir son visage, mais il...

– J'ai parlé au vigile. Il n'avait pas l'air de...

– Le vigile à qui tu as parlé est mort. L'assassin m'a fait signe de passer quand je suis arrivé, il baissait la tête en faisant semblant de lire un journal. J'étais pressé... ça ne m'a pas frappé sur le moment, mais lorsque tu m'as dit que ta voiture n'avait pas de mouchard à ton arrivée, j'ai su que c'était forcément lui qui se trouvait dans la cabane. J'aurais foncé dans cette foutue cabane si elle n'avait pas été protégée par une rambarde en béton.

– Pourquoi l'assassin aurait-il tué le vigile ? À quoi bon ? »

Rakkim sourit. Après tout ce qui lui était arrivé durant ces derniers jours, elle n'avait toujours pas compris ce contre quoi ils devaient lutter. « Je reviens tout de suite. » Il ouvrit la portière, mais l'intérieur de la voiture demeura dans l'obscurité. Il avait dévissé l'ampoule de l'éclairage intérieur de la voiture. « Ils sont ici.

– Qui ? » Sarah vit alors. Trois hommes venaient d'apparaître sous la pluie, ils s'étaient extraits des ténèbres tels des fantômes. Des spectres vêtus de longs pulls en laine détrempés, aux cheveux et à la barbe longs et emmêlés. Des spectres armés de haches et de machettes.

Rakkim leva ses mains au-dessus de sa tête et sortit de la voiture.

30

« Il vaut mieux que je t'accompagne, dit Redbeard.

– J'ai besoin de toi ici, Thomas », répondit son frère. James rangea dans son sac de sport le dernier dossier de rapports, tâchant de ne pas se presser. « Il faut que tu protèges Katherine et Sarah.

– La meilleure façon de les protéger est de te protéger, protesta Redbeard, voulant à tout prix le secouer, lui faire comprendre la situation. Chicago est une ville dangereuse...

– N'importe quel lieu est dangereux. » James mit également dans son sac un ordinateur de poche, des pilules antihistaminiques et son exemplaire du Coran, vieux et usé. Le soleil brillait à travers les fenêtres pare-balles du bureau de Redbeard, au premier étage de la villa autour de laquelle resplendissait une pelouse incroyablement verte. James ferma son sac de sport.

Dans son jogging bleu en nylon, James avait exactement le même air qu'aux Jeux olympiques de Pékin, lorsque, sa médaille d'or autour du cou, il avait révélé sa conversion à l'islam face aux caméras. Il avait été l'un des premiers convertis célèbres. Ses cheveux étaient une véritable crinière blond-roux, et son bouc tenait plus du duvet de l'adolescent que de la barbe de l'homme mûr. Il était si beau que Redbeard avait parfois du mal à croire qu'ils étaient frères. Redbeard était plus imposant, avec une musculature plus lourde, il avait été lutteur dans l'équipe de son université, et sa barbe était rude et foisonnante. Un vilain petit canard, même si James ne l'avait jamais traité en tant que tel : Redbeard ne l'en aimait que plus encore.

Redbeard se tenait une main dans la poche, l'autre tripotant son chapelet de prière dans les cliquetis sourds des perles d'ambre. Il essayait de se souvenir de quelque chose d'important, mais cette chose lui échappait. Il manipula plus vite les perles, s'efforçant de se rappeler.

« Ne fais pas cette tête, petit frère, dit James. Tu ressembles à un de ces bigots des États de la Bible. » James sourit. « Tu n'es pas en train de nous faire une rechute chrétienne, quand même, Thomas ? »

Redbeard grimaça. Il n'avait pas le sens de l'humour de son frère. Ni son charme, d'ailleurs. C'était le cas de peu de personnes au monde. James Dougan était directeur de la Sécurité nationale, mais il était autant politicien que chef des renseignements, un musulman modéré, pieux mais pragmatique. Dans le chaos qui avait suivi les attentats sionistes, James avait été choisi par le nouveau président de la nouvelle République islamique pour diriger cette agence. Les fondamentalistes s'y étaient opposés, mais James avait eu raison de leur opposition par son intelligence, sa popularité et sa grande habileté à se servir des médias. Lorsque tous ses talents s'avéraient inefficaces, Redbeard, son second, prenait le relais, toujours avec joie. Redbeard avait l'œil pour le moindre détail, la férocité d'un ours brun d'Alaska. Et il était prêt à mentir à Dieu Lui-même si nécessaire.

À présent, deux ans après le cessez-le-feu qui avait mis un terme à la guerre civile, l'heure aurait dû être aux réjouissances. La Sécurité nationale avait mis fin aux attentats terroristes, et poussé les derniers résistants chrétiens à se réfugier dans les États de la Bible. Les libertés civiques avaient été réduites, mais après le chaos de la transition de l'ancien régime à la nouvelle République, nul ne se plaignait. À l'exception des fondamentalistes. Les religieux profondément ancrés à droite avaient appelé à l'éviction de James à la suite de son opposition aux lapidations d'infidèles, et avaient accusé les deux frères de n'être des convertis qu'en apparence, peu à cheval sur la doctrine, et permissifs.

Redbeard avait voulu répondre à ses attaques, mais James avait avancé que le gouvernement n'aurait pas survécu à de telles dissensions internes. De plus, il était préférable d'économiser leurs cartouches, en prévision d'un réel danger. « Tout est une question de timing, Thomas, c'est cette leçon que tu dois apprendre », avait-il conclu avant de tuer dans l'œuf tout ressentiment qu'aurait pu concevoir Redbeard en se faisant ainsi sermonner. Puis, James avait retiré de son poignet la montre qu'il portait, celle de leur père, pour la lui offrir. Redbeard avait protesté, mais James l'avait embrassé sur les deux joues, et avait dit qu'aucun homme ne pouvait se vanter d'être aussi béni que lui, à qui Dieu avait donné un frère si loyal.

« Cesse de regarder ta montre, Thomas. Nous avons encore bien cinq minutes, non ? »

Redbeard acquiesça, incapable de parler. Les chiffres sur le cadran étaient familiers... les aiguilles en position, mais, en dépit de ses efforts, il n'arrivait pas à lire l'heure.

« Le sénateur Simpson m'a assuré qu'il réunirait assez de votes pour casser le dernier amendement des partisans de la ligne dure, dit James. Du joli travail. Grâce à toi, les Robes noires sont si occupées à lutter les unes contre les autres qu'elles n'ont pas su réunir une majorité pour soutenir leurs propositions.

– Nous avons d'autres problèmes. L'un de mes agents à San Francisco ne donne plus signe de vie. C'est l'un de mes meilleurs hommes. » Redbeard hésita. « Il a remarqué des activités... inquiétantes dans son secteur. Le ramadan approchant, ça n'est pas très rassurant. »

James s'approcha, si vite qu'il sembla se téléporter d'un bout à l'autre du bureau. Un vieux tour soufi que Redbeard n'avait jamais réussi à maîtriser. « Des mormons ? Ou des extrémistes ? »

Redbeard hocha la tête. « C'est ça qui m'inquiète. Ces activités ne semblent liées à aucun des groupes auxquels nous avons eu affaire jusqu'à présent. Le style est tout à fait différent. Mon agent m'a simplement dit qu'il allait fouiller un peu plus le dossier et, depuis, je n'ai plus eu de nouvelles. Cela fait maintenant trois jours. La dernière fois que nous nous sommes parlé, il était très préoccupé. Il avait peur, et ce n'est vraiment pas son genre.

– Les agents qui travaillent sur le terrain sont toujours préoccupés, et les bons ont toujours peur. » James souriait à nouveau, mais Redbeard le connaissait trop bien pour tomber dans le panneau. James lissa sa moustache, à présent sérieux. « Tu as un nom ? Une cible ? »

Redbeard hocha à nouveau la tête. « Mon agent n'était même pas sûr qu'il y ait une réelle menace. Il avait simplement l'impression qu'il y avait trop de coïncidences. Des morts accidentelles, des disparitions, des personnes décidant soudainement de prendre leur retraite ou de s'installer ailleurs, sans que ces événements semblent profiter à aucun de nos clients habituels. C'est aussi déstabilisant qu'une chaise vide à un dîner. Ce n'est pas ce qu'on voit, mais ce qu'on ne voit pas qui interpelle. J'aimerais avoir plus de choses à te dire à ce sujet. »

James acquiesça, l'esprit ailleurs.

Redbeard regarda son frère. « Qu'est-ce qui se passe ? »

L'interphone posé sur le bureau crépita. « Monsieur le directeur ? Nous avons presque fini d'inspecter votre voiture. »

James alla à la fenêtre. À travers le verre semi-réfléchissant, il aperçut la limousine blindée, garée devant la villa. L'un de ses hommes sortit de sous le véhicule, son uniforme maculé, et un autre faisait faire le tour de la voiture à un berger allemand.

Redbeard rejoignit son frère à la fenêtre. « Tu savais qu'un nouveau joueur s'était invité dans la partie. »

James s'appuya au rebord de la fenêtre. « Ça fait longtemps qu'il est de la partie. Très longtemps.

– Pourquoi ne m'as-tu rien dit ? James, regarde-moi. »
James se retourna dans sa direction. « Je n'avais que
des soupçons, mais à présent j'ai des preuves, Thomas,
suffisamment de preuves, seulement je ne peux pas agir.
Pas encore. Le temps est à la prudence. Lorsque je reviendrai de Chicago, nous pourrons nous occuper de lui.

– Monsieur le directeur, grinça l'interphone, l'inspection
de votre voiture est terminée.

– Inspectez-la à nouveau », aboya Redbeard à l'interphone, sans quitter son frère du regard. Ils se tenaient côte
à côte face à la fenêtre, alors que le deuxième homme
guidait à nouveau son chien.

Redbeard avait la tête qui bourdonnait, comme si un
nid de guêpes s'était éveillé dans son crâne. Si seulement
il arrivait à se souvenir... « Qui est notre ennemi, James ?

– Nous en discuterons à mon retour. Crois-moi, je te
dirai tout ce que je sais. »

Redbeard se força à ne pas insister. « Comme vous le
souhaitez, monsieur le directeur.

– J'étais censé ne rien révéler à personne, pas même
à toi. Je pensais simplement que... je croyais que nous
avions plus de temps devant nous. » James serra l'épaule
massive de Redbeard. « Tu comprendras mes réticences
lorsque je te soumettrai les éléments que j'ai réunis. Il nous
faudra agir avec la plus grande circonspection.

– Reste ici, dans ce cas. Nous pouvons nous y mettre
dès maintenant... »

James hocha la tête. « Le président m'attend à Chicago.
Je dois lui parler en personne. » Il semblait déchiré. « Je
suis désolé, Thomas.

– Je t'accompagne jusqu'à l'aéroport. »

James saisit son sac de sport. « Il faut que tu ailles
à l'hôpital, tenir un peu compagnie à Katherine.

– Je croyais que Sarah sortait aujourd'hui.

– Cette fichue pneumonie a résisté aux antibiotiques...
elle a fait une rechute. Les médecins veulent la garder
encore quelques jours. L'hôpital est sûr, mais ça fera

certainement plaisir à Katherine de voir quelqu'un qu'elle aime bien. »

Redbeard sourit maladroitement. « Depuis quand Katherine apprécie-t-elle ma compagnie ?

– Prends soin d'elles pour moi, Thomas. » James effleura l'interphone. « Je vais partir. » Il composa un numéro sur son téléphone portable. « Allez-y. » Par la fenêtre, il vit sa doublure sortir de la villa et entrer dans la limousine, le visage à moitié dissimulé par son burnous.

Les deux frères regardèrent la voiture prendre de la vitesse et le portail de sécurité s'ouvrir à son approche. La limousine se perdit au loin, et les deux frères restèrent encore un instant immobiles face à la fenêtre, s'attendant presque à voir une explosion orangée et à entendre le fracas d'une détonation.

« Le camion de livraison attend dans la zone de chargement, finit par dire Redbeard. Mon garde du corps, Miller, te conduira à l'aéroport. »

James, sac à l'épaule, semblait à présent pressé de partir.

On tapa un coup à la porte, puis deux autres.

Redbeard regarda par le judas avant de déverrouiller la porte.

Miller entra plutôt que d'attendre sur le seuil, et Redbeard sut. Miller le frôla en passant devant lui. « Laissez-moi vous aider, monsieur le directeur », dit-il en plongeant sa main droite dans sa veste de livreur d'un blanc immaculé.

James fouillait autour du canapé. « J'ai laissé mes lunettes quelque part. »

Redbeard voulut bouger, mais son corps était comme coulé dans du béton.

Les coups de feu résonnèrent dans la pièce, et le vacarme libéra Redbeard de son immobilité. Il empoigna le garde du corps. De nouveaux coups de feu, cette fois-ci étouffés, le canon pressé contre Redbeard. Miller, qui avait été à leur côté depuis le début, posa un regard sardonique sur lui. Redbeard constata que ses yeux avaient été découpés et remplacés par des images de la dépouille de James gisant dans sa bière sous le dôme du Capitole. Sarah tenait une poignée du cercueil, mais où pouvait bien être Katherine ?

« Mon maître vous salue tous deux », dit Miller. Un autre coup de feu, mais Redbeard avait réussi à saisir son poignet. Il dévia le tir et la balle s'enfonça dans un mur. Miller tenta de se dégager, tira encore, Redbeard ressentit une brûlure, et de ses habits s'échappa un peu de fumée. Redbeard brisa le poignet de l'homme. Le pistolet tomba sur le tapis dans un bruit sourd.

Redbeard avait à présent les mains sur la gorge de Miller. Redbeard avait des genoux fragiles, cela lui avait coûté le titre de champion national de lutte, mais il avait des mains extrêmement puissantes. Miller se débattait de toutes ses forces, mais Redbeard, ignorant la douleur, ignorant le sang qui coulait de ses blessures, continua à écraser lentement sa trachée.

« Thomas, cria faiblement James. Ne le tue pas. Tu auras besoin des informations qu'il possède. »

Redbeard vit les images disparaître des yeux du garde du corps. Ses bras étaient retombés le long de son corps, remués de faibles spasmes, mais Redbeard continuait à serrer de toutes ses forces.

« Thomas », souffla James.

Redbeard jeta Miller à terre.

Quelqu'un frappa à la porte du bureau.

Redbeard prit délicatement James entre ses bras. Le jogging de son frère sentait la fumée, et le nylon bleu était troué d'orifices légèrement brûlés, par lesquels étaient rentrées les balles. Pas de sang, pourtant. Pas une goutte. « Ne bouge pas, dit Redbeard. Tu vas t'en sortir. »

James tapota la joue de Redbeard. « Ah, Thomas... qui aurait cru que tu étais en réalité un optimiste ? »

Redbeard sanglotait, effondré sur son bureau, lorsque Angelina le tira de son sommeil en le secouant. Il s'accrocha à elle, pressant son visage contre sa chair, alors qu'elle caressait ses cheveux. « Je n'ai pas pu le sauver. Je n'ai pu sauver mon propre frère.

– Je vais t'aider à te coucher dans ton lit, dit simplement Angelina. Tu es brûlant.

– J'ai peur de dormir.

– Chhuut. » Angelina l'aida à se relever.

Elle le serra contre elle alors qu'ils se dirigeaient vers sa chambre. Ces derniers temps, cela lui arrivait de plus en plus souvent : il avait des bouffées délirantes à la suite de cauchemars qui ne le laissaient pas en paix, et le doute le rongeait.

« Si James était là, lui aurait su quoi faire. James avait des alliés... James avait des amis. Toi... tu es la seule en qui je peux avoir confiance. » Il tituba, se rattrapant à elle, et Angelina faillit tomber. « Rakkim... je comptais sur lui, et il a rejoint les feddayin.

– C'est toi qui l'as chassé, précisa Angelina.

– C'est moi qui aurais dû mourir ce jour-là, pas James.

– Te prends-tu pour Dieu ? Alors ne questionne pas ce qu'Il a décrété. »

Redbeard s'arracha des bras d'Angelina. Se prenait-elle pour son épouse pour lui parler ainsi ? Il continua à avancer d'un pas peu assuré, tête baissée, si las que même ses os étaient douloureux. Il avait à peine dormi ces dernières semaines, et le peu de fois où il avait trouvé le sommeil, il n'y avait trouvé aucune paix. C'était trop lourd à porter pour un seul homme. Angelina avait raison, c'était lui qui avait chassé Rakkim. Lui qui avait chassé Sarah aussi. La seule enfant de son frère, et le fils qu'il n'avait jamais eu. Tous deux partis. Angelina avait raison. Elle avait toujours raison.

Il tituba dans le couloir jusqu'à sa chambre. Il n'alluma pas. La fraîcheur de l'obscurité était comme une caresse sur sa peau brûlante. Il se débarrassa de sa robe de chambre d'un simple coup d'épaule, et la laissa par terre, en un tas informe. Le matelas gémit sous lui comme le pont d'un navire. Rien qu'une chance de pouvoir fermer ses yeux, c'était tout ce qu'il souhaitait. Sans sommeil. Sans rêve. Simplement fermer les yeux un instant.

Il était si difficile de donner cette impression de force. De paraître déterminé et confiant en toutes circonstances. Redbeard rabattit ses draps à grands coups de pied, suant abondamment. Le moindre signe de faiblesse suffirait. Ses soi-disant alliés se retourneraient aussitôt contre lui. Le Vieux attendait patiemment. Il attendait toujours. D'où lui venait cette patience ? Ce n'était pas la foi qui lui donnait cette force, c'était le mal. Et pourtant... le mal portait ses fruits. Le président était malade. Redbeard avait consulté les rapports médicaux classés secret défense. Lorsque le président mourrait...

La porte de la chambre s'ouvrit. Angelina vint s'asseoir sur le lit, et déposa un linge frais sur le front de Redbeard.

Redbeard tira les draps sur son corps nu. « Je n'ai pas besoin de me faire dorloter... »

Angelina appliqua une forte tape sur sa main alors qu'il tentait de retirer le linge. « Si la fièvre n'est pas tombée à la prière de l'aube, j'appelle un docteur. »

Redbeard la congédia d'un geste de la main. Il attendit que la porte se referme sur elle, porta la main au front pour se débarrasser du linge, mais changea d'avis au dernier moment. Sa fraîcheur était très agréable. Il allait pouvoir reposer ses yeux. Il allait prendre le temps de recouvrer ses forces. Le sommeil, c'était la solution à ses problèmes. Le sommeil serait le baume qui apaiserait les pensées qui bouillonnaient dans son cerveau. Si seulement James était là. Vingt-cinq ans qu'il était mort. La tête de Redbeard roula sur l'oreiller, et il s'enfonça un peu plus dans les ténèbres. Le Vieux ne cessait de le harceler lorsqu'il était éveillé, mais lorsqu'il s'endormait ainsi, à mi-chemin entre la veille et le sommeil, il ne pensait qu'à James... et à Katherine. Tous deux disparus.

Katherine... le prénom qu'il ne prononçait jamais à voix haute. Le visage qu'il voyait lorsqu'il fermait les yeux. *Pardonne-moi, mon frère, pardonne ces pensées que je nourris. Ces désirs que j'abrite.* Il avait caché ces pensées à son frère, mais Katherine les avait senties. Elle devait les avoir senties. Elle était allée jusqu'à abandonner sa fille... jusqu'à fuir sans un mot en apprenant la mort de James. Rares étaient les femmes qui chérissaient à ce point l'honneur de leur époux. *Pardonne-moi, James.*

31

Rakkim repassa derrière le volant, trempé, le bouc dégoulinant de gouttes de pluie. « Tu as le choix », dit-il à Sarah. Celle-ci regarda par la fenêtre. Les hommes encerclaient la voiture, haches et gourdins reposant sur leurs épaules. « Tu peux soit rester ici avec les squatteurs...
– Non. »
Rakkim leva la main. « Ils ont une dette envers moi. Tu seras en sécurité. Si mon plan réussit, je reviendrai te chercher. Si ce n'est pas le cas... ils te ramèneront en ville.
– Pourquoi ne pas leur demander de t'aider à le tuer ?
– Cette affaire ne regarde que moi. »
Les yeux de Sarah étincelèrent dans la lueur rouge des cadrans de la voiture. « Elle me concerne aussi. »
Rakkim démarra. Alluma les phares. Les hommes s'étaient déjà réfugiés dans les ténèbres.
« Quel est ton plan ? »
Rakkim gardait les yeux sur la route. Il pleuvait à présent plus fort, et il devait maintenir une vitesse de cinquante-cinq kilomètres/heure. Il opéra un virage abrupt sur sa droite pour s'engager sur un chemin à une seule voie, l'un des nombreux à ne figurer sur aucune carte. Un éclair s'abattit au pied de la chaîne montagneuse toute proche, dévoilant l'espace d'une fraction de seconde l'état déplorable de la route. « Tu as déjà entendu le terme "loup-garou" ?
– Ça remonte aux films d'horreur d'avant la transition. Pleine lune, poils qui poussent, crocs protubérants...
– Pas ceux-là. Ceux-là sont faux. Ceux dont je te parle existent vraiment. » Les phares éclairaient à peine les

297

ténèbres, et les essuie-glaces ne servaient quasiment à rien. « Les loups-garous... c'est le nom que les squatteurs donnent aux rôdeurs ultraviolents qui vivent par ici. Des meutes de criminels, toxicomanes, violeurs, qui tuent par plaisir...

– Pourquoi n'ai-je jamais entendu parler d'eux ?

– Il y a beaucoup de choses que tu ne soupçonnes même pas. Regarde, moi, il y a une semaine, je pensais que la Trahison sioniste était un fait historique.

– Pourquoi est-ce que le gouvernement n'envoie pas l'armée pour les éliminer ? Les squatteurs ne sont pas dangereux, mais ces loups-garous m'ont l'air de...

– Le gouvernement se sert des loups-garous. Regarde autour de toi. Tu crois qu'un seul bon musulman se trouve dans les parages ? Un seul bon catholique ? C'est une zone de non-droit. Les seules personnes à passer par ici sont des contrebandiers en route pour la capitale, ainsi que des juifs et des apostats qui quittent le pays. Les loups-garous les interceptent et volent leurs véhicules. Ils rançonnent les survivants ou les livrent aux Robes noires. » Ses doigts se serrèrent autour du volant. « Parfois, ils ne s'en donnent même pas la peine.

– Alors que faisons-nous ici ?

– Les loups-garous sont sans cesse en mouvement, ils veillent à ce que personne ne puisse repérer leur position. Les squatteurs m'ont dit qu'il y en avait un nid à une quinzaine de kilomètres dans la direction que nous sommes en train de suivre. »

Le vent abattit des branches qui grincèrent contre le toit et les ailes de la voiture. « Tu veux faire en sorte que les loups-garous tuent l'assassin ?

– Un truc comme ça.

– Et ils ne nous tueront pas ? Tu peux leur parler ? »

Rakkim rit. « Non, c'est impossible. Mais je sais comment me servir d'eux. » Ses cheveux étaient encore trempés. Il s'essuya le visage d'un revers du bras droit. « L'année dernière, j'ai organisé une fuite. Une famille qui devait fuir au Canada. Famille musulmane, deux gamins, une fille de 8 ans et un garçon de 15. Le fils était homo. Ça ne regardait que lui, mais ils avaient un voisin... Peut-être qu'ils n'avaient pas tondu leur pelouse assez court, ou peut-être que la gamine a un jour écouté de la musique. Quelle que soit la raison, le voisin est allé parler à l'imam du coin. La famille n'a même pas attendu que sa décision soit rendue publique. » Rakkim tourna à gauche, un pneu rebondit au creux d'un nid-de-poule, lui faisant grincer des dents. Il ralentit. Un pneu à plat, à présent... Il sentit le regard de Sarah. « C'est moi qui conduisais leur voiture. C'était l'automne, les routes n'étaient pas enneigées. Trois nuits auraient suffi. Trois nuits pour traverser l'État de Washington et passer au Canada. Il y a un poste frontière où les douaniers rentrent chez eux pour dîner, tous les soirs. Les conditions météo étaient idéales quand nous sommes partis. Nuit claire, avec un quartier de lune. Je n'ai quasiment pas eu à me servir des phares. Il y avait eu un accident sur une route réservée à l'exploitation forestière que j'ai l'habitude d'emprunter, des voitures de police et des ambulances, tous gyrophares dehors, et ça m'a désta-bilisé. La police monte parfois de faux accidents pour attraper des contrebandiers... alors j'ai pris une autre route. » Il s'essuya à nouveau le visage. « Nous sommes tombés en plein dans un piège de loups-garous.

– Tu ne m'en avais jamais parlé.

– Les loups-garous avaient creusé un fossé en plein milieu de la route. Ils l'avaient recouvert d'une très fine bâche en plastique sur laquelle ils avaient jeté du gravier. Je conduisais trop vite... la lumière de la lune me rendait trop confiant, et je voulais rattraper le temps qu'on venait de perdre. » Rakkim vérifia l'odomètre. Les squatteurs lui avaient indiqué où se trouvait le campement des loups-garous, mais il ignorait à quel point ces indications étaient précises. « La voiture a heurté le fossé à soixante-dix kilomètres/heure, l'essieu avant s'est brisé, et on a fait plusieurs tonneaux. La voiture s'est immobilisée sur le toit dans un fossé. Tout le monde criait. Nous étions tous blessés... la petite avait perdu connaissance. Le temps que j'arrive à sortir tout le monde, les loups-garous étaient déjà sur nous. »

Sarah caressa sa nuque. « Que s'est-il passé ? »

D'un revers de main, Rakkim essuya la buée sur le pare-brise. « C'est difficile de parler de ça.

– Essaye.

– Je m'étais cogné assez sérieusement la tête pendant les tonneaux, et j'avais un genou en sale état, mais j'avais mon poignard. » Rakkim avait lui-même du mal à entendre sa propre voix. « Ils avaient des torches, des battes avec du barbelé accroché autour, des pieds-de-biche, et il y avait ce mec, ce gros porc, énorme, recouvert de poils, qui avait un club de golf. Comment on appelle ce type de club, déjà... Ah oui, un driver. Il avait un driver en titane. Un club extrêmement cher. Il avait dû le prendre à un riche touriste qui s'était perdu, il avait dû le lui prendre et sans doute s'en servir pour le battre à mort. Il a essayé de me toucher la tête en souriant de toutes ses dents, et m'a manqué de peu. Il devait bien y en avoir vingt, qui criaient et qui chantaient, ils étaient tellement heureux, comme s'ils nous avaient attendus et qu'à présent la petite fête pouvait commencer. » Il essuya à nouveau le pare-brise. C'était inutile, mais il le fit quand même. « J'en ai tué deux très vite, je leur ai tranché la gorge pour que ça pisse le sang, en espérant que ça refroidirait les autres. » Il secoua la tête. « Ça n'a fait que les exciter encore plus. Je continuais à pousser la famille en direction des bois, en tâchant de protéger les flancs de notre groupe, mais le père portait la petite, et il n'arrêtait pas de trébucher dans les ronces. Il faisait sombre dans les bois, et il était trop habitué à la ville pour y voir quelque chose. À chaque assaut des loups-garous, j'en tuais quelques autres, mais il y en avait tellement. Ils n'étaient pas entraînés, mais ils connaissaient le terrain, et c'étaient de vrais fous furieux, peinturlurés, hurlant à la lune. Ça ne m'aurait pas étonné de les voir tomber à quatre pattes pour nous donner la chasse. J'étais terrifié. Je contrôlais ma peur, mais je la sentais, là, bien présente. »

Sarah massa la nuque de Rakkim.

Rakkim sourit, mais sans la moindre joie. « Tu aurais dû voir la mère, une bonne musulmane, une femme respectable qui récitait chaque jour ses cinq prières, et qui depuis ses 5 ans mettait de côté la moindre petite pièce pour son pèlerinage. Cette mère et épouse exemplaire a tué un des loups-garous, un petit dérangé maigrelet avec des tresses plein la tête, elle lui a ouvert le crâne avec une grosse pierre, sans sourciller une seule seconde. Gloire à Allah, hein ?

– Sans l'aide d'Allah, nous ne pouvons nous protéger du mal », récita Sarah.

Rakkim secoua la tête. « J'ai trouvé la piste d'un animal, une piste si discrète que même moi j'avais du mal à la distinguer, mais c'était le seul espoir qui nous restait. J'ai dit au père de partir avec sa petite famille sans se retourner. Je lui ai dit que je resterais derrière pour intercepter les poursuivants. Je lui ai dit de courir, mais il était à bout de souffle, il avait le nez qui saignait, et le sang coulait sur les cheveux de la petite. Le sang était aussi noir que du pétrole à la lueur de la lune. » Il sentait la caresse de Sarah. Il avait l'impression qu'elle le réconfortait de l'intérieur. « Je lui répétais de foutre le camp, mais, au lieu de ça, il m'a tendu sa fille et s'est précipité dans les buissons. En faisant délibérément un bruit pas possible, et les loups-garous... les loups-garous l'ont poursuivi. Il nous a sauvés. Un type nerveux, avec une petite brioche et des lunettes. Il a réussi à les éloigner. J'ai porté la petite en la serrant contre moi, j'ai conduit la mère et le fils jusqu'au bout de la piste. On courait tous, et lorsque nous avons entendu le père hurler au loin... on a continué à courir. » Il regarda Sarah. « Voilà ce qui s'est passé. »

Sarah l'embrassa sur la joue. « Je t'aime.

– Je leur avais dit que je les emmènerais au Canada. Je leur avais dit que je les protégerais.

– Que sont-ils devenus ?

– La petite... elle est morte dans mes bras. J'ai emmené la mère et le fils à *Green Briar* et je les ai laissés en compagnie des squatteurs. Je suis revenu une semaine plus tard, mais ils ne voulaient plus partir. Les squatteurs les avaient acceptés. Tous les deux. La petite est enterrée là-bas. »

Ils parcoururent au moins deux kilomètres avant que Sarah parle. « Tu vas précipiter l'assassin dans l'un des pièges des loups-garous. Tu as eu cette idée quand nous sommes sortis de la maison de Miriam. C'est pour ça que tu ne voulais pas qu'on se débarrasse du mouchard. »

Rakkim acquiesça. S'il était bien une qualité qu'il aimait chez une femme, c'était l'intelligence.

« Comment vas-tu t'y prendre pour qu'il tombe dans le piège et pas nous ? »

Rakkim ralentit, jusqu'à ce que la voiture s'immobilise totalement. Il éteignit les phares. Le vent fouettait les arbres, soulevant des nuées de feuilles mortes. La route suivait à cet endroit une légère pente descendante qui tranchait dans la forêt. L'endroit idéal pour un piège : le voyageur apeuré n'hésitait pas à accélérer en profitant de la pente pour sortir des sinistres profondeurs des bois.

« Oh. » Sarah avait compris, à son grand déplaisir. « Je vois. »

Rakkim sortit. « Prends le volant. S'il arrive quoi que ce soit... si ça ne marche pas...

– Ça va marcher. »

La pluie coulait abondamment sur le visage de Rakkim. « Si je suis pris dans une embuscade, roule sur le bas-côté et ne t'arrête pas. Ne t'arrête pas pour me prendre, ne t'arrête sous aucun prétexte. Rentre chez Jill. Je te retrouverai.

– Je n'ai pas peur. » C'était un mensonge, mais un mensonge courageux, qui fit plaisir à Rakkim. Elle passa derrière le volant. « Prendre la ville sainte comme cible, faire accuser les juifs... le Vieux est l'instrument du diable. C'est pour cela que son plan n'a pas pleinement réussi.

Nous sommes les instruments de Dieu, Rakkim. Allah est tout-puissant. Il ne permettra pas que nous échouions. »

Rakkim embrassa ses lèvres, savourant sa chaleur. « Si tu le dis. »

Sarah tendit la main dans sa direction, mais il était déjà parti au pas de course. Le vent rugissait par bourrasques, claquant ses habits contre lui, mais il était heureux d'être dehors, d'avoir froid, d'être battu ainsi par la tempête. Quelques minutes plus tard, il entendit un crissement de gravier loin derrière lui. Sarah le suivait lentement, moteur coupé, roulant au gré de la pente, phares éteints. Il aurait préféré qu'elle reste à l'arrêt, mais il ne pensait pas que les loups-garous patrouillent sans interruption à toute heure de la nuit. Les squatteurs se devaient de rester à l'affût, mais personne ne s'en prenait jamais aux loups-garous. Il garda néanmoins les yeux bien ouverts, sur le bord de la route, et lorsqu'une branche craqua dans les ténèbres, il se mit aussitôt en position de défense.

Au bout d'un peu plus d'un kilomètre, il aperçut une herse en travers de la route. Peinte en noir mat, presque invisible, si bien dissimulée qu'il faillit trébucher dessus. Il la tira jusqu'au sous-bois du bord de route, l'oreille aux aguets. Personne. Il ferma les yeux, attendit, et les rouvrit soudain. Nul autre qu'un feddayin n'aurait pu s'en apercevoir, mais au loin, à travers les arbres, une lumière avait étincelé. Sans doute une lanterne à bougie. Rakkim courut une centaine de mètres plus avant. Il n'y avait pas d'autres pièges. Les loups-garous avaient dû se dire, à juste titre, que la herse suffirait à crever les pneus des véhicules qui passeraient dans un sens comme dans l'autre, et à précipiter ceux-ci dans le ravin ou contre un arbre.

Il courut rejoindre Sarah, la fit avancer, puis remit la herse en place derrière la voiture. Il voulut reprendre le volant, mais elle lui fit signe de prendre la place du passager avant, et mit le contact. Il s'attendait toujours à ce que les loups-garous surgissent des sous-bois dans des mugissements, le visage ruisselant de peinture et de pluie.

«Je veux que tu t'éloignes très doucement... »

Sarah mit le pied au plancher. Les pneus crissèrent sur les gravillons et, dans un rugissement de moteur, ils foncèrent dans la ligne droite. Elle alluma pleins phares.

« Mais qu'est-ce que tu fais ?

– Tu as dit que l'assassin s'arrêterait quand nous nous arrêterions et roulerait quand nous roulerions, répondit Sarah sans cesser d'accélérer. J'aime autant qu'il soit lancé à pleine vitesse lorsqu'il passera sur cette herse. »

Rakkim regarda derrière lui. C'était un très bon plan. « Alors continue à suivre la route. » Loin derrière eux, au tournant qui donnait sur ce raccourci, Rakkim crut voir le faible scintillement de phares avant à travers la pluie, mais ce n'était qu'un éclair. Il continua néanmoins à guetter dans l'obscurité.

32

Darwin était assis au volant, phares éteints, et il écoutait le crépitement de la pluie sur le toit, en repensant au jeune policier. Il se souvenait de la façon dont le jeune homme s'était lavé les pieds dans la baignoire avant ses prières, ses longs orteils, et le soin avec lequel il s'était préparé à remplir son devoir de musulman. On disait qu'un bon musulman devait toujours être en état de pureté, comme s'il allait mourir dans l'instant. De ce point de vue, Darwin n'avait été que l'instrument de l'injonction divine, le vecteur de la nécessité de...

Le récepteur se mit soudain à bipper, tirant Darwin de ses considérations métaphysiques. À travers ses lunettes de vision nocturne, les diodes clignotantes du récepteur étaient aussi brillantes que des étoiles filantes. Les bips se firent plus aigus et plus rapides. *Vous êtes pressés, les tourtereaux ?* Darwin accéléra pied au plancher, les roues dérapèrent un court instant sur la route détrempée, laissant derrière elles de profondes traces.

Excellente tactique de Rakkim, le fait d'accélérer après un nouveau quart d'heure d'arrêt. Encore une méthode idéale pour semer tout poursuivant potentiel. Tout poursuivant ne disposant pas d'un récepteur. Darwin ne pensait pas qu'ils se savaient pris en filature, mais c'était tout de même un joli coup. Le genre auquel il s'attendait de la part de Rakkim. C'était ce genre de petit détail qui rendait sa mission unique... cette notion de défi.

Non pas que les précédentes missions n'eussent comporté ni risque ni difficulté. Cela faisait partie du contrat. C'était pour cela même que le Vieux avait recours à ses services. Darwin avait un jour assassiné un puissant ayatollah, assez large d'esprit, dans sa propre mosquée. Il l'avait tué au moment où il s'apprêtait à faire sa prière de l'aube. Ses gardes du corps et ses acolytes se trouvaient sur le pas de la porte de son bureau lorsque Darwin l'avait exécuté, avec un timing parfait, l'appel à la prière du muezzin recouvrant totalement les ultimes grognements de l'ayatollah. Darwin sourit en se rappelant l'étoile de David dont il avait lacéré la poitrine de l'homme de Dieu qui, toujours en vie, s'était débattu en silence, ses hurlements stoppés par la tête du fœtus de porc que Darwin lui avait enfoncée dans la gorge. C'était de ces petites touches créatives que Darwin tirait le plus de fierté. Oh, la planification des opérations était certes intéressante, et les assassinats eux-mêmes étaient souvent menés dans des circonstances particulièrement périlleuses... mais c'était bien ces fantaisies d'artiste qui devenaient par la suite ses meilleurs souvenirs.

Lorsque l'heure viendrait de tuer Rakkim, Darwin s'assurerait que les circonstances de sa mort soient dignes de l'homme qu'il était. La fille... Sarah, il faudrait trouver une façon de l'inclure dans le tableau final. N'étaient-ce pas les tourterelles qui passaient toute leur vie avec le même partenaire ? Et qui mouraient lorsque l'autre disparaissait ? Ou tout cela n'était-il qu'une légende ? Darwin accéléra encore, faisant grincer les pneus dans les courbes, les mains tenant faiblement le volant, conduisant du bout des doigts. La plupart des gens pensaient que l'amour était ce qui se rapprochait le plus de l'immortalité dans ce monde matériel et corrompu par essence, mais Darwin n'était pas assez idiot pour croire en ces fadaises. L'amour était le premier pas vers la mort, c'était comme de tremper un orteil dans une nuit froide et infinie. Darwin dévidait les courbes en repensant à la façon dont Rakkim et Sarah s'étaient enlacés dans l'entrée de la maison de Miriam Warriq, un dernier contact physique avant d'affronter les

ténèbres. Rakkim et Sarah, roucoulant sur une branche...
Ils pouvaient se le garder, leur « amour ». Darwin, lui,
comptait bien vivre éternellement.

Il ne cessait d'accélérer dans la tempête, au mépris du
mauvais état de la route, ses lunettes transformant la nuit
en un paysage d'or fluorescent. Une succession de zigzags
le poussa à ralentir, alors que le récepteur stridulait
de plus en plus vite : Rakkim s'était manifestement
engagé sur une ligne droite. Il avait certainement choisi
cette portion de la route pour accélérer, en connaissance
de cause. La route devait lui être familière. La pluie et
les feuilles ne cessaient d'assaillir le pare-brise, mais
les essuie-glaces les repoussaient efficacement. Darwin
fut tenté de retirer ses lunettes de vision nocturne et
d'allumer ses phares, mais Rakkim et Sarah surveillaient
sûrement leurs arrières, à l'affût de la moindre lumière qui
les suivait. Non, mieux valait les laisser dans l'expecta-
tive. Le mouchard avait une portée de quinze kilomètres.
Ils ne pouvaient pas lui échapper.

Darwin conduisait une Cadillac noire modifiée, une
berline aussi spacieuse que luxueuse qui correspondait à
son personnage d'agent immobilier, mais avec transmission
intégrale, suspension et direction assistées. Elle se conduisait comme une voiture de course. Darwin s'en donnait
à cœur joie sur la route glissante, et d'infimes gouttes de
sueur perlaient derrière ses oreilles. Les roues heurtèrent
un nid-de-poule, mais les puissants amortisseurs absor-
bèrent le choc dans un léger soubresaut. Les zigzags
laissèrent place à une ligne droite, et Darwin accéléra. Le
signal sonore du récepteur ralentit légèrement. Il était en
train de les rattraper. Aucun risque qu'ils dépassent la
portée requise. Il avait l'intention de s'approcher assez
pour voir leurs feux arrière, avant de les laisser prendre
à nouveau de la distance.

Darwin filait à toute allure dans la nuit, phares éteints,
pensant encore et toujours au jeune policier, qui s'était

entêté à essayer de soulever son pistolet, jusqu'à la fin. La persévérance de l'homme du commun, qui continuait à se battre alors même qu'il se savait battu à plates coutures... c'était là une source de joie et d'émerveillement, à l'instar d'une aurore boréale ou d'une vieille chanson de gospel d'Al Green. Quand tout cela serait fini, lorsque les morts seraient enterrés et le Vieux satisfait, Darwin se rendrait sur la tombe du jeune policier. Il lui rendrait son insigne. Il le déposerait sur sa pierre tombale, au pied de laquelle il laisserait un bouquet de roses rouges. Il lui devait bien ça.

La voiture était lancée à plus de cent kilomètres/heure dans la ligne droite lorsque Darwin aperçut un faible scintillement en travers de la route. Une lueur fugace, mais il sut aussitôt ce dont il s'agissait. Trop tard, mais il sut ce qu'avait fait Rakkim. Il n'essaya même pas de freiner. Pas à cette vitesse. Pas sur une route détrempée.

La herse creva les quatre pneus, dans un bruit qui, à travers l'isolation sonore de la Cadillac, évoqua les détonations d'un feu d'artifice lointain. Un feu d'artifice en son honneur. Darwin s'agrippa au volant, tentant de maintenir sa trajectoire alors que le véhicule partait en tête-à-queue. Les pneus possédaient en leur cœur une structure solide qui pouvait servir de pneu de substitution... mais pas dans ces conditions. Pas à cette vitesse. La Cadillac dérapa sur la droite, heurta le bas-côté, mou et gorgé d'eau de pluie, et se retourna. Darwin se détendit, s'adossant au siège alors que la voiture atterrissait sur le toit, et qu'une douleur vive irradiait sa nuque.

Les airbags se déclenchèrent durant les tonneaux, Darwin était bousculé de toute part, encore et toujours, tandis que la voiture s'enfonçait dans les sous-bois, dévalant le ravin. Les branches heurtèrent violemment la carrosserie, le verre vola en éclats, et à chaque bruit sinistre Darwin perdait un peu plus connaissance. Avant que la voiture s'immobilise, il eut le temps de se demander si le réservoir serait endommagé. Il avait été conçu selon un modèle de réservoir aéronautique ultrarésistant. Enveloppé d'un alliage à base de titane qui rendait impossible la moindre étincelle... cependant, sa question était justifiée. La technologie était toujours sujette à l'erreur humaine et au trop grand optimisme des ingénieurs. C'était pour cette raison que, aux yeux des feddayin, la forme de technologie la plus aboutie, l'arme ultime, était un guerrier entraîné, nu dans la neige.

Darwin reprit connaissance à cause des cris. Des hommes avec des lampes et des torches encerclaient la voiture. Une foule d'hommes. Cognant contre les ailes du véhicule. Martelant le métal bosselé. Des hommes au visage peint, aux dents taillées en pointe luisant à la lumière des flambeaux. Du moins c'est ce qu'il crut voir. Il retira les lunettes à vision nocturne. La voiture reposait sur un de ses flancs. Les airbags s'étaient dégonflés, et se répandaient sur le tableau de bord, telles des méduses. Son œil droit était tuméfié. Il avait mal à la nuque. Au genou également. Le signal sonore du récepteur était à présent plus lent. Rakkim et Sarah s'étaient de nouveau arrêtés. Ils étaient sûrement en train de l'observer à partir d'une position surélevée. Un pique-nique sous la pluie. *Profite du spectacle, feddayin.* Dans le rétroviseur, il aperçut des hommes ouvrir le coffre avec des pieds-de-biche, hululant et gueulant, hurlant. Darwin sentit le goût de son propre sang dans sa bouche. Quel plaisir d'être le centre d'intérêt de la petite fête.

Un gros homme, torse nu, brandit un club de golf face à sa vitre. Des tétons velus comme ceux d'une truie. Un superbe swing.

Darwin couvrit ses yeux de son bras, et le club de golf anéantit la vitre. Il dissimula son poignard dans le creux de sa main alors qu'ils le tiraient à l'extérieur, un éclat de verre tranchant en travers de son torse. Un ruban de chair. Darwin fit doucement pénétrer le poignard dans le gros homme armé du club de golf, fit glisser la lame jusqu'à son nombril, l'enfonça puis la retira, dans un geste parfait, le plus profondément qu'il était possible.

Les hommes qui l'entouraient n'entendirent même pas le son que fit le gros homme. Ils étaient trop occupés à rouer Darwin de coups de pied, à lui hurler dessus, à déchirer son costume et à lui faire les poches. Un jeune homme abattit sa lampe électrique sur l'oreille de Darwin, et la main de Darwin surgit pour lui répondre. Un personnage au visage grotesque, vêtu d'une veste militaire trempée par la pluie, donna un coup de genou à Darwin, et Darwin le remercia de la pointe de sa lame. D'autres hommes arrivèrent en brandissant leurs torches, glissant sur la pente raide du ravin. Ils ne remarquaient même pas ceux qui, l'un après l'autre, s'effondraient dans des flots de sang, laissant tomber leurs torches qui crépitaient sur le sol humide. Ils pensaient simplement que ceux qui les précédaient avaient perdu pied, et avaient hâte que leur tour arrive, s'imaginant déjà ce que Darwin leur rapporterait.

Certains croyaient que les assassins feddayin se mouvaient hors du temps, ou bien trop vite, ou bien trop lentement pour que les lois de la physique puissent s'appliquer à eux. C'était bien évidemment faux. Les assassins savaient à quel instant précis frapper, cet infime instant de vulnérabilité, l'infime intervalle qui séparait l'attention de l'inattention.

Les hommes défilaient devant lui, Darwin avait la tête qui résonnait de leurs coups, et sa lame dansait parmi eux en quête du partenaire idéal. Lorsqu'ils comprirent enfin ce qui se passait, lorsque le sol boueux fut jonché de cadavres, Darwin tourna son visage vers les cieux, laissant la pluie ruisseler sur sa face, et il éclata de rire en pensant au petit tour que Rakkim venait de lui jouer. Cela faisait longtemps qu'il ne s'était pas fait avoir de la sorte.

Les hommes s'arrêtèrent un instant pour se regarder entre eux. Des hommes immondes. Saignant. Échevelés. La barbe pleine de terre et de feuilles. Des hommes morts.

Ils brandirent leurs armes, soulevèrent leurs battes, leurs chaînes, leurs massues, leurs couteaux. Ils hurlèrent, crachèrent des obscénités, et attaquèrent.

« C'est bien lui, non ? » Sarah se servait de sa main comme d'une visière pour protéger ses yeux de la pluie. Elle pointait du doigt les lumières qui dansaient au loin. « Les loups-garous lui sont tombés dessus. » Elle semblait prise de vertiges.

Rakkim soupesa le mouchard qu'il venait de décrocher du châssis, et l'envoya dans les ténèbres. « Peut-être. »

Sarah le regarda. « Tu as dit que l'accident en soi suffirait sûrement à le tuer.

– La voiture n'a pas explosé. Le réservoir aurait dû prendre feu. Même sous cette pluie, on aurait vu une grosse boule de feu... assez grosse pour enflammer les arbres. » Rakkim observait les torches bouger dans la nuit. Des torches en haut et en bas du ravin. Si Rakkim avait été seul, il aurait rebroussé chemin en voiture pour voir par lui-même si l'assassin avait survécu à l'accident. Et s'il y avait survécu, voir s'il avait aussi survécu aux loups-garous. Mais Rakkim n'était pas seul.

« Allons vérifier par nous-mêmes, dit Sarah. Qu'est-ce qu'il y a de si drôle ? ajouta-t-elle devant la mine réjouie de Rakkim.

– Je t'aime. C'était justement ce que j'étais... »

Il y eut un éclat de lumière plus gros et plus puissant que toutes les torches réunies. Le réservoir venait d'exploser.

Rakkim compta les secondes qui séparèrent l'image et le bruit. Ils se trouvaient entre six et sept kilomètres du sinistre. À l'instant de l'explosion, Rakkim avait cru voir des corps propulsés dans les airs. Le feu faiblissait à vue d'œil, submergé par le déluge. Il restait encore des torches, mais elles étaient moins nombreuses, et se dispersaient à présent dans les bois. Deux ou trois pins autour de la zone de l'explosion se mirent à craquer : les branches les plus basses avaient pris feu.

Sarah se tenait à son côté, et tous deux se tenaient la main comme s'ils assistaient à un feu d'artifice donné pour leur mariage. « Tu as réussi, Rikki. Tu l'as tué. »

Rakkim observait les arbres qui brûlaient sous la pluie.

« On peut y aller, maintenant ? demanda Sarah. Il est mort, n'est-ce pas ? »

Rakkim l'embrassa, savourant une nouvelle fois la chaleur de ses lèvres. « On peut y aller. »

33

Regarder Sarah dormir dans la lumière du matin...
c'était un plaisir qu'il croyait ne plus jamais avoir. Son
visage était à moitié dissimulé par ses cheveux noirs, un
foisonnement d'anglaises emmêlées, humides de sueur.
Bien que le rideau fût tiré, il pouvait voir les perles qui
recouvraient son corps, ces perles de sueur qui subsistaient
de leurs transports amoureux, tout de gémissements, par-
delà les mots. Ils étaient restés par la suite enchaînés,
incapables d'oublier l'explosion de la voiture de l'assassin
sous la pluie. Le chocolat et les fleurs convenaient souvent
amplement, mais l'ultime aphrodisiaque, c'était bel et
bien la peur. Rakkim l'observait respirer paisiblement,
fasciné par ses lèvres entrouvertes, la forme de sa bouche,
cette porte qui donnait sur l'enfer et le paradis, ce fruit
mûr de promesses.

Malgré tout le feu et le soufre imaginables, la vision
chrétienne de l'enfer n'était qu'un pâle reflet de l'enfer
des musulmans. Ceux qui rejetaient Allah étaient brûlés
vivants durant l'éternité, leur peau sans cesse remplacée
afin que le supplice ne connaisse aucun répit. Si l'enfer
chrétien offrait des tortures relativement bénignes, leur
paradis offrait également des plaisirs édulcorés : de petites
ailes, des nuages et des harpes. C'était en revanche l'extase
suprême qui attendait les musulmans au paradis : des
partenaires vierges et parfaits, les plaisirs de la chair portés
à leur summum durant l'éternité, la juste récompense
d'une vie de dévotion.

Rakkim passa le bout de sa langue sur la lèvre inférieure de Sarah. Ce n'était peut-être pas le paradis qui

l'attendrait après la mort, mais il était tout de même reconnaissant de l'aperçu qu'il en avait grâce à Sarah. La chaleur de son corps, la courbe de ses hanches... il ne se sentait jamais aussi proche de Dieu que lorsqu'il était en elle. C'était dans ces moments que Rakkim parvenait presque à se pardonner ses propres péchés. Il se souvint de Colarusso, dans le sous-sol de l'église, lui demandant s'il voulait se confesser. Ces catholiques. Leur Dieu pardonnait tout. Quelle rigolade.

Sarah ouvrit les yeux, le regard tendre.

« Je croyais que tu dormais. »

Sarah posa la main entre les jambes de Rakkim, et le fit durcir presque instantanément, le caressant avec une infinie douceur. « Mon doux assassin.

– Ne m'appelle pas comme ça. »

Sarah l'embrassa. « Tu es trop modeste. »

Quelques instants plus tard, Sarah somnolait, allongée sur lui. La main de Rakkim reposait sur la base de sa colonne vertébrale, recouverte d'un fin duvet. Humide. Il avait au cours de ces deux dernières heures léché la moindre parcelle de sa peau. Salée et sucrée, chaude comme l'été... cela résumait assez bien Sarah.

Elle se redressa, le regarda de ses yeux encore assoupis. Ses petits seins se frottaient contre sa poitrine nue. « Tu m'as manqué, Rakkim. »

Il sentit ses mamelons se durcir contre sa peau. « Je vois ça. » Elle appuya sa tête dans son cou tandis qu'il saisissait ses fesses à pleines mains, s'enfonçant en elle.

Ils ne formaient plus qu'un sur le canapé convertible, dans cet immeuble de bureaux à moitié vide, leurs vêtements jetés par terre. À côté des cartons où se trouvaient les carnets de Richard Warriq. La photo de Sarah bébé dans les bras de son père était posée sur la table basse. Le bruit de la circulation leur parvenait de la rue, étouffé. Des coups de klaxon, la rumeur des moteurs, des conversations sporadiques. Un moment parfait. Trop parfait pour durer.

« Tu crois qu'il est encore vivant ?

– Les assassins sont difficiles à tuer. » Il caressa ses flancs, et elle eut la chair de poule. « Tout ce que je sais, c'est qu'il n'est pas ici. Il n'y a que nous. »

Sarah roula pour se poser sur le côté, une jambe sur sa cuisse, et il durcit à nouveau. « Je n'arrête pas de penser à Miriam. Je ne lui ai même pas dit ce que je recherchais dans les carnets de son père.

– À moi non plus. »

Sarah bâilla. « Pas ce ton-là avec moi. On n'est pas encore mariés.

– Oui, c'est sûr, tout changera quand ce sera le cas. Tu seras une épouse modèle qui ne me contredira jamais, et je m'emmerderai comme personne. » Il parvint à lui arracher un sourire, et elle posa une main sur sa poitrine. « Qu'est-ce que tu cherches au juste dans ces carnets ? »

La main de Sarah trembla. « Une quatrième bombe. »

Rakkim s'assit dans le lit.

« New York, Washington, La Mecque... » Sarah tressaillit. « La quatrième bombe était censée exploser en Chine.

– Comment le sais-tu ?

– Si la quatrième bombe avait explosé, la Chine ne serait pas restée neutre. Elle ne serait pas devenue un État islamique pour autant, mais un milliard et demi de Chinois auraient partagé notre douleur et notre colère. La Russie n'aurait jamais osé accueillir les exilés israéliens. L'équilibre géopolitique mondial aurait été complètement différent. D'un point de vue universitaire, le plan du Vieux était... extrêmement brillant.

– Est-ce que la bombe devait être posée dans le barrage des Trois-Gorges ? »

Elle tâcha de dissimuler sa surprise. « Peut-être.

– Peut-être ? Parce que tu as peut-être planté une punaise sur ta carte au hasard en te disant simplement que ce serait un bon départ pour tes recherches ? »

Sarah le regarda dans les yeux. « Tu es allé dans ma chambre ? Tu as remarqué ça ? » Elle secoua la tête, et sembla se demander si elle devait poursuivre. « Mon père a appris l'existence d'une quatrième bombe peu de temps avant d'être assassiné. Elle devait exploser quelque part en Chine, voilà ce qu'il avait dit à ma mère. Elle continue à croire que c'était Shanghai, mais je reste convaincue que c'était le barrage des Trois-Gorges...

– Ta mère ? demanda Rakkim, interdit. Tu l'as revue ? »

Sarah hocha la tête. « Katherine m'a contactée il y a deux ans, juste après la parution de mon bouquin...

– Mais la dernière fois que tu l'as vue, tu n'étais encore qu'une enfant...

– C'était elle. Dans son premier e-mail... elle m'appelait *cicciόna*. C'est de l'italien. Ça veut dire "grosse dondon". J'étais assez enrobée quand j'étais petite. » Sarah pleurait, embarrassée, mais elle riait également. « Ma mère est la seule personne à m'avoir jamais appelée comme ça. C'est l'une des rares choses d'elle dont je me souvienne. »

Rakkim la serra contre lui. Elle sanglota dans le creux de son cou. Sarah n'avait jamais parlé de sa mère, même lorsqu'ils étaient enfants. Redbeard avait interdit qu'on y fasse allusion, mais ce n'était pas cela qui l'en avait empêchée. Sarah faisait ce qu'elle voulait. Non, c'était plutôt sa façon à elle de faire semblant de ne pas être affectée par l'absence de sa mère. Si Sarah était convaincue d'être en contact avec sa mère, Rakkim s'en remettait complètement à son instinct. Ça semblait en outre tout à fait logique. Katherine Dougan s'était enfuie après l'assassinat de son époux. S'il y avait une personne au monde susceptible de s'être intéressée plus en détail aux attentats sionistes, c'était selon toute évidence le chef de la Sécurité nationale. Le Vieux l'avait fait tuer mais, avant de mourir, James Dougan en avait sans aucun doute parlé à son épouse. Les confidences sur l'oreiller étaient l'un des plus anciens moyens de communication.

Sarah essuya ses larmes. « J'avais promis de ne jamais le dire à personne. Pas même à Redbeard. Pas même à toi.

316

– Redbeard est probablement déjà au courant. » Tous ces hommes que Redbeard avait interrogés à la suite du meurtre de son frère... même si aucun d'entre eux n'était au courant de la quatrième bombe, certains avaient sûrement parlé du Vieux avant de mourir. Dieu seul sait ce que Redbeard a pu apprendre. « Où se trouve-t-elle ?

– Je n'en ai aucune idée. Je l'aurais rejointe depuis longtemps si je le savais.

– Pourquoi t'a-t-elle impliquée dans cette affaire après tout ce temps ? Elle devait forcément savoir que cela ferait de toi une cible.

– Elle n'a pas eu le choix. Elle a passé vingt ans à chercher cette bombe à Pékin et Shanghai, les capitales politique et financière de la Chine, comme l'étaient Washington et New York pour notre pays. Elle a travaillé avec des gens de confiance qui n'ont pourtant jamais rien trouvé, pour la simple et bonne raison qu'ils cherchaient au mauvais endroit. Elle voulait simplement que je l'aide à trouver une zone précise dans Shanghai grâce à mes connaissances et mes ressources universitaires, mais je lui ai dit qu'elle s'était tout bonnement trompée.

– Tu as su qu'elle s'était trompée ? Comme ça, de but en blanc ?

– Pas de but en blanc. » Sarah bâilla à nouveau. Il semblait que le fait de partager ces secrets l'avait vidée de ses dernières forces. « Ma spécialité... mes recherches m'ont poussée à me spécialiser dans la collecte de données aberrantes. Est-ce que tu sais au moins ce que ça signifie ?

– Ça veut dire que tu te sers de BD et de musique country pour écrire l'histoire. »

Sarah sourit. « Ça veut dire que je trouve des trésors là où la plupart des gens ne creusent même pas. » Elle se blottit contre sa poitrine. « Les prémisses de Katherine étaient peu solides. Le Vieux a détruit New York et Washington parce qu'il voulait mettre le pays à genoux, mais il savait pertinemment qu'il lui aurait été impossible de prendre le pouvoir en Chine. Qui plus est... la destruction de Shanghai aurait entraîné la ruine de l'économie et de la finance mondiales, et aurait paralysé la Chine pendant au moins une génération. Détruire le barrage en accusant les juifs aurait été plus sage. Le barrage est autant une fierté nationale que l'une des plus grandes infrastructures industrielles du pays. Sa destruction aurait rangé la Chine du côté du nouvel axe mondial planifié par le Vieux, et les aurait renvoyés vingt ans en arrière sur un plan économique.

– Sarah... je comprends que ce soit un exercice académique des plus intéressants, mais...

– En 2012, des crayons de combustible nucléaire ont été volés dans une toute nouvelle centrale tadjike. La technologie du réacteur était du dernier cri, mais très dangereuse. » Sarah marmonnait, collée contre sa poitrine. « Les crayons étaient constitués d'un très rare isotope, censé être beaucoup plus puissant que de l'uranium. Extrêmement instable. La moitié des salariés de la centrale sont morts d'irradiation dans l'année. Le vol du combustible a été caché au public. Mon père ne l'a appris... qu'un mois avant son meurtre. C'est à cause de ça... à cause de ça qu'il suspectait l'existence d'une autre bombe.

– Le matériau utilisé pour les autres bombes était du simple uranium, dit Rakkim.

– Le barrage a été conçu pour résister à un séisme d'une ampleur de 9,5. L'armée chinoise était chargée de la sécurité : le Vieux n'avait aucune chance de pouvoir s'en approcher suffisamment. Pour détruire le barrage, il fallait une explosion vraiment très puissante, cinq mégatonnes minimum. Voilà pourquoi il avait besoin du combustible de la centrale tadjike.

– D'accord.

– Pas la peine de me dire ça juste pour me faire plaisir. » Les yeux de Sarah se fermaient malgré elle. « J'ai rencontré tellement de personnes avant de trouver Miriam. Un expert en danses chinoises traditionnelles

318

à Los Angeles... un géologue à Chicago... ce politicien retraité de l'ancien régime qui avait assisté à l'inauguration du chantier en 1994. Ce vieux dégueulasse se léchait les babines en me décrivant les fruits confits qu'ils avaient mangés au cours de la réception qui avait suivi, mais c'est lui qui m'a parlé du père de Miriam. Il disait que c'était un "curieux bonhomme, qui passait sa vie à tout noter dans ses carnets". Miriam vivait sur le campus, et j'ai dû habiter un temps dans un camping près de Barstow, en Californie, pour en apprendre davantage à son sujet.

– Je me suis penché sur quelques-uns des carnets. Richard Warriq était timbré.

– C'est dans ces carnets que j'ai trouvé ma toute première preuve. » Sarah respirait profondément. « Trois ans après les attaques nucléaires, Warriq se trouvait dans une auberge toute proche du principal bassin de rétention. Il écrivait que certains voyageurs se plaignaient du peu de poissons qu'ils pêchaient à présent dans l'un de leurs lacs préférés. Ils ne se plaignaient pas du fait qu'ils ne mordaient plus à l'hameçon, mais du fait que les rives du lac étaient jonchées de poissons morts. »

Rakkim caressa les cheveux de Sarah. « Comment s'appelait ce lac ?

– Apparemment, Warriq était plus intéressé par la mauvaise odeur que les pêcheurs dégageaient, parce qu'il ne parle pratiquement que de ça. » Sarah bâilla. « Je sais à quoi tu penses.

– Non... pas du tout.

– Je traque de petits riens du tout... des petits détails qui, mis bout à bout, donnent quelque chose. Les détecteurs de radiations d'un aéroport du nord du Laos ont repéré quelque chose un mois avant les attentats. La ville était une plaque tournante bien connue de la contrebande internationale. Les responsables de la sécurité ont bien pris connaissance de cette alerte, mais n'ont pas agi en conséquence. » Sarah somnola quelques instants, et reprit soudain. « Tu vois... la quatrième bombe fuyait déjà avant même d'arriver en Chine.

– Rendors-toi, je vais...

– Un article qui date de dix ans, dans le *Journal d'ornithologie en ligne*. Une espèce de sterne arctique, au terme de sa migration annuelle vers le sud, a élu domicile dans les marais du Yangzi. Depuis les attaques nucléaires, le nombre de couvées n'a cessé de diminuer, et beaucoup d'oisillons naissaient avec d'importantes malformations. C'est intéressant... tu ne trouves pas ?

– Où se trouvent ces marais ? Est-ce que l'article mentionnait un lieu précis ? »

Sarah ferma à nouveau les yeux. « Les marais suivent le cours du fleuve sur plus de cent cinquante kilomètres. De toute façon plus personne n'étudie les sternes arctiques. L'espèce est en principe éteinte. Pollution, réchauffement climatique. » Un autre bâillement. « Je suis tellement fatiguée, Rikki. Je suis crevée, mais j'ai raison. »

Rakkim l'embrassa. « Tu es sur quelque chose d'énorme. Tu as réussi à faire peur au Vieux, Sarah. C'est pour cette raison qu'il a chargé un assassin de te suivre. Il espère que tu le mèneras jusqu'à Katherine.

– Katherine m'a dit que je lui avais manqué. Moi, elle m'a beaucoup manqué. Tes parents te manquent des fois, non ?

– C'est tellement loin.

– Je te connais bien, Rikki, tu ne peux pas me mentir. » Sarah se blottit contre lui. « Dormons. Dormons comme ça et réveillons-nous dans les bras l'un de l'autre.

– Dors, toi. Je n'ai pas sommeil.

– Ne me laisse pas toute seule.

– Sûrement pas. Imagine le pétrin dans lequel tu irais te mettre sans moi. »

Sarah sourit. Elle se laissait aller à la fatigue. « Je n'ai pas eu une bonne nuit de sommeil depuis que je suis partie de chez moi.

– Tu es chez toi, ici.

« – Nous sommes en sécurité, ici, non ?

– Nous sommes en sécurité. »

Rakkim attendit que sa respiration se fît plus régulière, puis alla dans la pièce aveugle qui jouxtait le bureau et ferma la porte derrière lui. L'immeuble tout entier avait fait figure de prouesse technologique à l'époque de sa construction, ses bâtisseurs rêvant de relancer le marché immobilier, mais l'économie avait continué à stagner. La majorité des bureaux du complexe étaient vides, pourtant les pièces de non-détection étaient encore en état de marche : les émetteurs de signaux installés au cœur des murs fonctionnaient parfaitement. Même dans le meilleur des cas, personne n'aurait pu repérer leur emplacement.

Redbeard se saisit maladroitement du téléphone pour répondre. Sa voix était rauque de sommeil.

« C'est moi.

– Est-ce que tu l'as enfin retrouvée ? aboya Redbeard, à présent aussi bourru qu'à son habitude.

– Je veux que tu te renseignes au sujet d'un campement de loups-garous. Je suppose que tu as toujours des contacts parmi...

– Ils ont attrapé Sarah ?

– Non. C'est environ à treize kilomètres à l'est de *Green Briar*. Tu vois où c'est ?

– Les loups-garous sont extrêmement dangereux, Rakkim, même pour quelqu'un comme toi. Si tu comptes leur demander de l'aide pour retrouver Sarah, il vaudrait mieux prendre toutes tes...

– Le campement se trouve près d'une route réservée à l'exploitation forestière qui part de *Green Briar*. Du ciel, tu devrais repérer une épave de voiture calcinée dans la zone dont je te parle. Une épave récente. Je veux savoir ce que tu auras trouvé d'autre à cet emplacement.

– Tu penses que Sarah se trouvait dans cette voiture ?

– Un assassin feddayin me poursuivait dans la région, la nuit dernière. Un feddayin renégat, et particulièrement vicieux...

– Et tu lui as mis des loups-garous dans les pattes ? »
Redbeard eut un petit rire chaleureux. On aurait pu croire
qu'ils discutaient d'une blague que Rakkim avait faite à un
membre de l'équipe adverse.

« Entre en contact avec les loups-garous. Il faut que
je sache si l'assassin est mort.

– Il travaille pour Ibn Aziz ?

– Tu sais très bien pour qui il travaille. »

Silence de Redbeard.

« Je te rappelle d'ici un jour ou deux.

– Est-ce que tu sais où est Sarah ?

– Dans la pièce d'à côté. Je l'ai retrouvée, comme je te
l'avais promis. » Rakkim mit fin à la communication.

Sarah dormait encore, un bras plié sous la tête. Il pouvait
voir son pouls battre à sa gorge, et il se demanda si elle
était en train de rêver de sa mère.

Parfois, au milieu d'une foule, il arrivait à Rakkim
d'entendre une femme rire, et ce rire était celui de sa mère.
Il se surprenait alors à se demander si elle s'était vraiment
trouvée à New York lorsque la bombe avait explosé. Peut-
être était-elle sortie de la ville ce jour-là. Il l'imaginait
esseulée après l'attentat, alors que l'ensemble du réseau
de télécommunication était suspendu, perdue à l'autre
bout du pays. Mieux valait être perdue que morte. Même
perdue, elle pouvait encore rire.

Sarah se retourna. Il aurait voulu se lover sous les
draps à ses côtés. Mais il alla chercher les cartons remplis
de carnets, et se mit à lire.

34

Angelina décrocha dès la première sonnerie. C'était un téléphone portable à usage unique, qu'elle avait acheté une heure auparavant. Impossible à localiser. Son cœur battait aussi vite que les ailes d'une colombe. « A-allô ?

– Qu'est-ce qui ne va pas ? Sarah va bien ? »

Angelina s'efforça de reprendre son souffle. Katherine avait répondu à son message très rapidement. Elle surveillait sûrement de près le site par le biais duquel elles avaient l'habitude de se contacter. À moins qu'elle n'ait installé une sorte d'alarme automatique. Angelina ne lui posait jamais ce genre de question. Moins elle en savait... Parfois, des semaines entières passaient avant que Katherine réponde. Des mois. Voire des années.

« Angelina ? » Dans la voix de Katherine, elle percevait l'écho familier, le son du signal dérouté par plusieurs satellites afin de dissimuler son point d'origine. « Est-ce que quelque chose est arrivé à Sarah ?

– Non, nous n'avons encore reçu aucune nouvelle.

– Tu me fais peur. »

La communication aurait été plus facile si Katherine avait donné à Sarah les moyens de la contacter directement, mais Katherine tenait à ce que cela reste le privilège exclusif d'Angelina. Il lui fallait compartimenter les informations. Sans exception. Même si elle s'en voulait toujours par la suite, il arrivait parfois à Angelina de se dire que si James Dougan avait été aussi discipliné et prudent que son épouse, il n'aurait jamais été assassiné.

« Un nouvel imam a dirigé la prière de l'aube, ce matin... l'imam Masiq. L'un des disciples du mollah Ibn Aziz envoyés dans les mosquées principales pour répandre leurs sermons nauséabonds. Il doit avoir trois poils au menton, et il nous a fait la leçon comme si nous étions des enfants. » Angelina grinça des dents. « Tu aurais dû voir la tête de l'imam Jenk. » Elle rabattit son hijab, que le vent avait soulevé. « Ce nouvel imam nous a dit que nous nous étions montrés trop tolérants envers les catholiques, qu'ils étaient le ver dans le fruit de notre République, et que nous devions nous défendre contre leur hérésie. Nous étions scandalisés... moi, en tout cas. La plupart des fidèles étaient trop abasourdis. Ou alors ils avaient trop peur.

– Les Robes noires s'en prennent toujours aux catholiques quand le besoin s'en fait sentir, dit Katherine. Oxley faisait de même lorsque cela l'arrangeait. Ça leur passera. Nous avons d'autres problèmes autrement plus importants à...

– Un monastère dans les environs de Portland a été incendié il y a deux jours. Plus d'une dizaine de moines se sont retrouvés enfermés à l'intérieur, et les pompiers sont restés dehors à attendre que le feu s'éteigne de lui-même.

– Portland a toujours été un nid de...

– Hier, trois églises de Seattle ont été vandalisées. Les vitraux brisés, les autels renversés. Ça s'est passé à Seattle, pas dans un nid de fondamentalistes. »

Angelina s'assit sur un banc face à un immeuble en construction. Un squelette d'acier, haut de six étages, et qui continuait à grandir. Le bruit des marteaux-piqueurs emplissait l'air. Des bétonnières grondaient. Des ouvriers se criaient dessus. Le vacarme ambiant était la meilleure protection contre toute écoute faite à leur insu. Au deuxième étage, un homme de haute taille enleva son casque pour essuyer la sueur qui coulait sur son front. Dévoilant sa superbe chevelure rousse. Il se remit au travail avec un regain de rage, abattant un gros marteau sur une poutre d'acier. Les muscles de ses bras se dessinaient finement alors qu'il battait de toutes ses forces. De la poussière volait tout alentour, grise et blanche, maculant le tchador noir d'Angelina, mais elle n'en essuya pas une seule particule.

« Est-ce que Redbeard a une idée des raisons qui ont poussé Sarah à fuir ? demanda Katherine.

– Je n'en sais rien.

– Mais à ton avis ? Tu vis avec lui depuis vingt-cinq ans, tout de même.

– Redbeard ne s'ouvre à personne, moi y compris », répondit Angelina. Le ton de Katherine ne lui plaisait pas. Malgré toutes ces années, Katherine se prenait encore pour la maîtresse de maison. Chacun à sa place, et elle au-dessus de tous.

« Excuse-moi, Angelina. Je... je n'en peux plus d'être si loin. De te demander d'être mes yeux et mes oreilles. J'ai été injuste. Excuse-moi. »

Angelina la fit attendre quelques secondes avant de répondre. « Tout ce que je sais, c'est que Redbeard est très préoccupé. Hier soir, il a gratté cinq fois sa cuiller au fond d'un bol vide avant de se rendre compte qu'il n'y avait plus de soupe. Il se fait du souci pour Sarah, évidemment, mais il n'y a pas que cela. Il ne va pas bien du tout, Katherine. Je ne sais pas ce qu'il a.

– La même chose que nous tous. Nous vieillissons. »

Angelina fit tinter les perles de son chapelet. « Je continue tout de même à croire que tu aurais dû soumettre tes doutes à Redbeard, et non à Sarah.

– Ce sont bien plus que de simples doutes.

– Raison de plus pour t'adresser à Redbeard. Sarah n'est qu'une enfant.

– C'est toi qui l'as élevée, Angelina. Tu la considéreras toujours comme une enfant. Je n'ai pas eu cette chance. » Il n'y avait pas un soupçon de reproche dans la voix de Katherine. « Sarah est la fille de James Dougan. Elle est peut-être jeune, mais elle fera ce que la situation exige d'elle.

– Redbeard a beaucoup de moyens à sa disposition. Si tu t'étais adressée à lui, il aurait d'ores et déjà trouvé la vérité. C'est tout ce que je dis.

– Redbeard aurait étouffé la vérité en se disant qu'il n'aurait fait là que son devoir. Il croit toujours en son rêve d'un État musulman idéal.

– Moi aussi. »

Il y eut un long silence. « Tu n'étais pas obligée de m'aider, Angelina. »

Angelina manipulait de plus en plus vite son chapelet. « Bien sûr que si. »

Katherine soupira, et ce soupir fut si clair qu'Angelina se retourna, prête à voir Katherine assise à côté d'elle.

« Sois prudente, Katherine. Cet Ibn Aziz n'est pas un homme de Dieu. Ce monastère de Portland... ce ne sera pas le dernier à être livré aux flammes. Nous entrons dans une ère de dangers.

– Nous n'avons jamais connu d'autre ère.

– Ça n'a rien de comparable.

– Eh bien... nous devrons prier l'une pour l'autre, rétorqua Katherine d'un ton charmeur de gamine. Avec deux femmes aussi fortes et passionnées que nous suppliant Son aide, Dieu sera bien obligé de tendre l'oreille. »

Des feuilles mortes traversèrent le trottoir dans un tourbillon. Angelina se rappelait parfaitement Katherine, virevoltant avec grâce dans ces réceptions organisées par le tout nouveau chef de la Sécurité nationale et son adorable épouse. La République était alors toute jeune, pleine d'espoir, riche de promesses de paix et de tolérance. Katherine avait dansé avec le président, le séduisant par sa féminité, son ouverture d'esprit et son intelligence. La majeure partie des politiciens avaient été choqués par son manque de tenue et la soupçonnaient d'avoir simulé sa conversion. Mais le président s'était laissé charmer, par elle, tout autant que par son époux. James Dougan était aussi beau que direct, un véritable défenseur de la nation, impitoyable lorsqu'il le fallait, charitable même lorsque les caméras n'étaient pas tournées dans sa direction. C'était le couple parfait, le couple chéri. L'espoir d'un avenir musulman.

Cela avait été une époque bénie. Angelina avait été engagée pour prendre soin du bébé. Sarah avait été une enfant très fragile, ce qui était loin d'être rare dans les premiers jours de la République, même dans les milieux les plus privilégiés. Sarah s'était épanouie grâce aux attentions d'Angelina, avait grossi : même ses cris s'étaient emplis d'une nouvelle vigueur. Redbeard passait énormément de temps à la villa, et cet homme féroce, impérieux, semblait se plaire dans son rôle d'oncle bougon mais plein d'amour. Angelina avait le plus grand mal à détourner son regard du frère de James Dougan. Parfois, elle sentait également son regard se poser sur elle, mais il ne s'y attardait jamais longtemps lorsque Katherine se trouvait dans la même pièce. Qui aurait pu l'en blâmer ? Des jours heureux, riches de promesses. Et qui s'étaient achevés brutalement. James Dougan, assassiné. Redbeard, blessé. Katherine, disparaissant après une rapide conversation téléphonique avec Angelina. Katherine, maîtrisant à peine sa douleur et sa peine, suppliant Angelina de rester au côté de Sarah. La suppliant de lui dire à quel point elle l'aimait. Katherine, inflexible face aux supplications d'Angelina. Répétant encore et toujours qu'elle devait fuir. À cause des devoirs qu'elle avait envers son époux. « Sont-ils plus grands que ceux que tu as envers ton enfant ? avait demandé Angelina d'un ton outré. – Oui. » Cette douleur dans la voix de Katherine... Angelina n'avait jamais rien entendu de tel. « Oui, ils sont plus grands encore que cela. »

« Peut-être que quand tout cela sera terminé... lorsque la vérité sera révélée, je pourrai retourner chez moi, dit Katherine.

– Tu aurais pu revenir il y a déjà des années, répliqua Angelina.

– Nous en avons déjà parlé tant de fois. Le risque aurait été trop grand. »

Le risque. Angelina aurait pris tous les risques pour revoir son enfant, Katherine, non. Elle avait de plus grandes priorités. En bonne musulmane, Angelina comprenait la nécessité du sacrifice, mais Katherine n'était plus musulmane, et un tel sacrifice ne pouvait être justifié qu'au nom de Dieu.

« Si tu as des nouvelles au sujet de Sarah, contacte-moi.

– Je t'en ferai part imméd... » La communication fut brutalement coupée. À chaque discussion téléphonique avec Katherine, elle ne savait jamais à quel moment elle allait raccrocher. Elle savait simplement que la fin de leur échange serait abrupte. Katherine avait son agenda, et personne d'autre qu'elle n'avait le privilège de le connaître.

Au deuxième étage de l'immeuble en construction, l'ouvrier roux rangea son marteau à sa ceinture à outils, et observa le quartier, les mains sur les hanches. Le soleil finissait de se lever derrière lui, enflammant sa chevelure. Trois jeunes femmes passèrent en contrebas, et il les regarda. Jadis, les jeunes femmes auraient eu droit aux sifflements d'admiration et remarques déplacées que leur auraient adressés les ouvriers sur leurs échafaudages. À présent, on les observait, mais sans le moindre commentaire. Le grand rouquin repoussa son casque plus haut sur son crâne, les suivant du regard jusqu'à ce qu'elles disparaissent au coin de la rue. Il aperçut alors Angelina, se rendant compte qu'elle-même l'observait, et sourit de toutes ses dents. Elle crut même le voir rougir.

Avant la transition, alors qu'elle avait tout juste 18 ans, une taille de guêpe et de petits seins... Les ouvriers travaillaient torse nu, suant sous le soleil d'été, le corps luisant comme s'ils s'étaient enduits d'huile. À cette époque, si lointaine, elle pressait le pas devant les chantiers, les yeux rivés au sol, sous une avalanche de sifflements... qui ne lui déplaisaient pas vraiment. Angelina se remit à égrainer les perles de son chapelet, comptant en silence les quatre-vingt-dix-neuf noms de Dieu tout en regardant le grand rouquin se remettre au travail.

35

Rakkim relut le passage du journal intime de Richard
Warriq. Il jeta un rapide coup d'œil à Sarah qui ronflait
légèrement, dans la lumière de cet après-midi que laissaient
filtrer les rideaux. Un instant, il envisagea de la laisser
dormir. Un instant, il envisagea de reposer le carnet dans
le carton. Laisser tous ces soucis en sommeil, comme elle.
Il alla jusqu'au canapé convertible et la réveilla avec
douceur.

Sarah ouvrit les yeux.

« Je crois avoir trouvé ce que nous cherchons.

– Comment ça, nous, Don Diego de la Vega ?

– Hein ?

– Laisse tomber. » Sarah commença à bâiller, et s'interrompit presque aussitôt : « Tu veux parler des carnets ? »

Rakkim lui tendit celui qu'il avait entre les mains. « Les
carnets sont organisés selon le pays traversé. Il semblait
tout à fait logique que tu recherches dans ceux consacrés
à la Chine des mentions susceptibles d'indiquer l'emplacement de la quatrième bombe. Mais puisque tu n'as rien
trouvé jusqu'à présent, je me suis dit qu'il serait probablement intéressant de se pencher sur les autres. » Il tapota
une page du doigt. « Voici le compte rendu d'un voyage
d'affaires en Indonésie, au printemps 2015. Ce passage
remonte à onze jours avant les attentats sionistes. »

Indonésie, 8 mai 2015

Suis arrivé la semaine dernière par avion pour vérifier l'effet de l'activité sismique sur le pont Sukamo. Caractère indonésien toujours aussi grossier. Ai trouvé un cafard mort entre mes draps à l'hôtel (Jakarta Ramada, chambre 451, minisuite, petit déjeuner compris). Ai envoyé plainte par e-mail à propos du cafard à la réception, ainsi qu'une copie à la direction afin qu'à l'avenir on choisisse un hôtel mieux tenu. En guise de déjeuner, ai acheté de la viande censée être hallal à un vendeur de rue. Ai jeté la brochette dans le caniveau dès la première bouchée et me suis rincé la bouche. Éviter ce genre de viande, même si affamé. Hier pour la prière de la nuit, température de 27 °C. Dans la salle des ablutions de la mosquée du quartier, eau tiède et peu propre. Me suis plaint auprès de l'imam, sans résultat. Homme avec très mauvaise dentition, incisive droite brisée. Ai procédé à des tests approfondis sur le pont suspendu. Ai dû réétalonner mes instruments à trois reprises, à cause du taux d'humidité ambiant. Employés indonésiens considéraient manifestement mes efforts inutiles. Ont levé les yeux au ciel à plusieurs reprises. Ai formellement certifié le bon état du pont. Ai conseillé à la direction de procéder à un examen tous les trois ans, les changements climatiques à venir et les pluies violentes qui en découleront étant susceptibles d'altérer la compacité du sol. Ai également souligné le fait que le pont aurait dû être construit plus en aval, où une implantation plus profonde dans la roche aurait été possible. Une fois de plus, travail bon marché, vite fait, mal fait. Désirais signifier officiellement que j'avais un meilleur emplacement en tête, au cas où le pire arriverait un jour.

Curieuse rencontre à l'aéroport de Jakarta alors que j'attendais mon vol pour La Mecque (Air Indonesia, place 37D, classe économique). Ai vu ancien collègue Safar Abdullah qui attendait dans salle d'attente islamique. Safar apparemment en proie à grande détresse. Suant abondamment, visage rouge, pris de tremblements. Ai d'abord pensé qu'il souffrait d'intoxication alimentaire. Peu surprenant, étant donné le manque d'hygiène généralisé propre à l'ensemble de l'archipel indonésien. À en croire le billet qu'il serrait dans sa main, il venait cependant de Hongkong, et attendait un vol pour San Francisco. Vu le nombre de vols directs Hongkong-San Francisco, je présume qu'il ne s'agit là que d'un exemple de plus de la pingrerie des entreprises. Nous autres ingénieurs qui travaillons sur le terrain, en dépit de notre formation supérieure et notre expérience, sommes constamment à la merci des petits épiciers de province qui décident des dépenses de l'entreprise, qu'il s'agisse de chambres d'hôtel pires que passables, ou de frais journaliers complètement irréalistes. Je me suis assis près du pauvre Safar, lui ai soumis mes inquiétudes quant à sa santé, et ma compassion quant au fait qu'il n'avait pu obtenir un vol direct pour rentrer chez lui. Le pauvre homme était si surpris qu'il ne me reconnut pas, et regarda tout autour de lui comme s'il cherchait une issue par laquelle s'échapper. Comme la mi-journée approchait, je lui ai proposé de prier avec moi, mais il a décliné mon invitation en avançant que, à cause de ses récents voyages, il se trouvait dans un état d'impureté extrême. Il était effectivement dans un état déplorable, les yeux injectés de sang, la peau recouverte de cloques, barbe et cheveux clairsemés par endroits. Deux de ses dents étaient apparemment tombées, détail d'autant plus choquant que je me souvenais de lui comme d'un bon musulman qui s'enorgueillissait de toujours présenter bien. Assurément, il semblait embarrassé d'être vu dans un tel état, aussi lui ai-je offert une tasse de thé sucré, boisson qu'il a acceptée avec grand plaisir. Lorsque je lui ai dit que je me rendais à la Ville sainte, il s'est mis à pleurer, des larmes de sang coulaient le long de ses joues alors qu'il me suppliait de prier pour lui. Je le lui ai promis et me suis excusé.

Une heure plus tard, je montais à bord de mon avion (vol n° 349), heureux de partir enfin. Hélas, et bien que j'eusse très précisément spécifié que je désirais être assis à côté de musulmans jusqu'à la correspondance de Delhi, on m'a informé qu'on ne pouvait accéder à une telle requête qu'en classe affaires. J'ai donc pris place à côté d'un gros Indien de Bombay qui a pris soin de se repaître de poulet saté et de boulettes de riz durant tout le voyage. Il m'a même proposé un bout de crevette frite, une insulte délibérée, j'en suis convaincu. Qu'il rôtisse en enfer.

Sarah releva les yeux sur Rakkim. « Tu as trouvé. »

Rakkim haussa les épaules. « Chute de cheveux, des cloques... je me suis dit que ce pouvait être des signes d'irradiation.

– Ce *sont* des signes d'irradiation. » Sarah sourit, et secoua la tête. « Ce n'est pas le père de Miriam qui appartenait au réseau d'agents du Vieux, mais ce... Safar Abdullah. Et la bombe fuyait bel et bien. Je me demande s'il a été le seul à survivre à cette mission.

– À en croire la description de Warriq, il n'a pas dû survivre très longtemps.

– Peut-être ne s'attendait-il même pas à survivre, ajouta Sarah. Ce ne serait pas la première mission suicide que le Vieux aurait imposée à ses fanatiques. » Elle se releva, le drap glissa à ses pieds, et elle apparut, mince et dorée, les cuisses légèrement ouvertes, aussi lisses qu'une pêche. « Est-ce que Warriq cite le nom de l'entreprise pour laquelle Safar Abdullah travaillait ?

– En tout cas, je n'ai rien trouvé de tel. Mais il y a tellement de carnets...

– Peu importe. S'il était effectivement irradié, il est certainement mort depuis des années à l'heure qu'il est. En revanche, nous pouvons toujours retrouver sa famille, ou ses amis. » Sarah marchait de long en large. « Warriq a dit qu'ils avaient été collègues. Nous pourrions consulter la liste des missions de Warriq, puis contacter chacune des entreprises pour lesquelles il a travaillé, et voir si Safar Abdullah figure sur la liste des personnes qui bénéficient d'une retraite versée par ces entreprises. Même s'il est mort, nous obtiendrons au moins une adresse et le nom d'un bénéficiaire. »

Rakkim l'observait en train de faire les cent pas dans la pièce, tout en mettant au point son plan. « Tu es sûre de vraiment vouloir faire ça ?

– Tu veux laisser tomber ?

– Ce n'est pas quelque chose de forcément mal. C'est ce que ta mère a fait. » Rakkim crut que Sarah allait le gifler. « Redbeard et le Vieux jouent l'un contre l'autre depuis vingt ans. Peut-être ferions-nous mieux de ne pas entrer dans la partie.

– Tu serais capable de laisser tomber ?

– Avec toi ? Bien sûr.

– Je ne te crois pas.

– Même si tu mets la main sur cette quatrième bombe, cela ne prouvera pas pour autant que le Vieux se trouve derrière tout cela. Peut-être Safar Abdullah travaillait-il pour les Israéliens.

– Va dire ça à Miriam. Tu crois que ce sont les Israéliens qui l'ont tuée ?

– Ce qui est arrivé à Miriam n'est qu'un début, dit Rakkim. Tu dois te préparer à cela. Il faut que tu te demandes si le jeu en vaut vraiment la chandelle.

– Je ne suis pas une intellectuelle confortablement à l'abri dans sa tour d'ivoire. Plus maintenant, en tout cas. » Sarah se rapprocha à grands pas. « J'ai tué un homme la semaine dernière. Je lui ai enfoncé une baguette dans l'œil. Il y a eu ce bruit humide et visqueux dont je me souviendrai jusqu'à la fin de mes jours. Quand je me regarde dans une glace, j'ai du mal à me reconnaître. »

Rakkim la vit enfiler une chemise blanche, qui laissait dépasser ses jambes nues. « J'aimerais seulement que tu comprennes ceci : tu pourrais ne pas obtenir le résultat que tu cherches. Les livres d'histoire, ça s'écrit après la guerre, après les morts. Je suis loin de tout ça, Sarah. Je me fous du président, je me fous du jour des Martyrs, et de tout le reste.

– Si je ne savais pas que les choses pouvaient encore empirer, je serais peut-être tentée, dit posément Sarah, mais l'histoire ne reste jamais statique, il y a toujours une période d'essor, et une chute. Les fondamentalistes sont de plus en plus audacieux, et les modérés ont opté pour la politique de l'autruche. Quatre professeurs de l'université ont été remerciés cette année. "Insuffisamment islamiques." » Elle se rongea l'ongle de l'auriculaire, et se força à cesser. « La semaine dernière, j'ai croisé la route d'une Robe noire... » Elle secoua la tête. « Laisse tomber si tu veux... moi, je continue.

– De toute façon, je n'aime pas le Canada. » Rakkim sortit deux cannettes de café d'un petit placard, les secoua, et versa le liquide déjà chaud dans deux tasses. Il s'assit sur la banquette qui se trouvait juste au-dessous de la fenêtre, sur le rebord de laquelle il déposa le café de Sarah. Elle vint s'asseoir à côté de lui. « Je connais un pirate qui peut nous trouver l'historique complet des employeurs de Safar Abdullah. » Il sourit. « Le problème, c'est que je serai peut-être obligé d'épouser l'une de ses filles.

– Je ne partage pas, tu le sais très bien. Je suis la nièce de Redbeard. » Sarah sirota son café, une jambe ramenée contre sa poitrine, heureuse de paresser en plein après-midi.

Rakkim jeta un regard entre les rideaux. Il avait sciemment choisi cette suite, sciemment choisi de s'asseoir sur cette banquette. Le point de vue était parfait. La façade de verre de l'immeuble d'en face lui permettait de voir les deux côtés de la rue. Le marché venait sûrement de fermer pour la journée. Des ménagères se pressaient sur le trottoir, les bras chargés de cabas débordant d'articles. Deux ouvriers se disputaient gentiment tout en marchant, dans des grands mouvements de mains, le col de leur veste rabattu. Un gamin sur un vélo bleu se frayait un chemin dans la circulation. Le truc dans l'observation active, ce n'était pas de rechercher quelqu'un de dangereux, mais de ressentir tout ce qui n'était pas à sa place. Une voiture garée, moteur allumé. Les mauvaises chaussures. Les mauvais gants. Une vieille femme qui redressait les épaules. Un homme qui lisait un journal sans jamais tourner la page. « Si tu attends de voir le couteau, tu meurs, lui avait enseigné son instructeur feddayin. Mieux vaut repérer le fourreau vide, et vivre. »

Ce matin, Rakkim avait vu un moderne aux cheveux longs traîner devant l'entrée de l'immeuble, dissimulé par un surplomb, se balançant d'un pied sur l'autre. Il se croyait sûrement invisible. Rakkim avait été sur le point de réveiller Sarah pour lui dire de s'habiller en vitesse, lorsqu'une jeune femme était apparue en bas, et avait embrassé le moderne. Tous deux s'étaient enlacés dans un coin d'ombre avant de s'en aller en pressant le pas.

« Est-ce que tu as appelé Redbeard ? demanda Sarah. Je ne veux pas qu'il se fasse trop de soucis pour moi. »

Rakkim observait la rue. « Je lui ai dit que je t'avais retrouvée. » Une colonne de voitures attendait que le feu passe au vert. Le gaz d'échappement bleuté était balayé par le vent. Voitures neuves, vieilles voitures, peu importait : elles rouillaient toutes et leur peinture se craquelait. « Tu veux qu'on sorte s'acheter quelque chose à manger ?

– Tu n'as rien qui traîne ici ?

– Du thon en boîte... des bouteilles d'eau... de la bière, des cœurs d'artichaut, des pommes, des oranges. » Un homme à la barbe grise traversa au vert et un automobiliste klaxonna. « Il doit me rester aussi quelques biscottes. »

Elle posa un pied sur sa jambe, et le chatouilla avec ses orteils. « Restons ici. Je suis fatiguée. Tout ce que je veux, c'est manger, lire et faire l'amour. » Ses yeux pétillaient. « Et avant tout, j'ai envie de prendre une douche. Si tu es gentil, tu pourras me laver le dos.

– J'ai le droit de laver quoi si je suis méchant ? »

Sarah se mit à déboutonner la chemise blanche, en prenant son temps. « Ton futur beau-père... le pirate, ça ne l'embête pas si je t'accompagne ?

– Lui non. Mais toi, oui.

– Comment ça ?

– Tu as toujours peur du noir ? »

36

Après la prière
de la mi-journée

« Cesse d'ouvrir la bouche comme ça, dit Ibn Aziz à son garde du corps yéménite, tandis que deux feddayin les escortaient dans un long couloir. On dirait un mécréant dans une mosquée. »

L'insulte fit mouche. Omar se redressa de toute sa taille, rejetant ses deux larges épaules en arrière en tentant de rattraper les feddayin.

Ibn Aziz marchait de son pas lent mais régulier, et Omar revint bientôt à son côté. La démarche assurée d'Omar était un signe de faiblesse, de même que sa main reposant sur sa dague. Cette dague appartenait à la famille d'Omar depuis plus de trois cents ans. Une lame à double tranchant, longue de vingt-cinq centimètres, faite du plus bel acier de Damas. Ibn Aziz s'était attendu à ce que l'officier feddayin qui les avait accueillis sans arme à l'extérieur de l'école militaire demande à Omar de lui remettre sa dague, mais il s'était contenté de jeter un regard à la lame, avant de s'incliner face à Ibn Aziz, un sourire suffisant aux lèvres. Le porc.

Ses conseillers avaient voulu le convaincre de ne pas rendre visite au général Kidd dans l'enceinte de l'académie militaire des feddayin, le siège même de son pouvoir, mais Ibn Aziz n'avait que mépris pour leurs craintes. Il voulait signifier clairement au général Kidd que, malgré son jeune âge, le chef des feddayin avait affaire à un pair, un guerrier de Dieu et un tacticien accompli. Dans la semaine qui avait suivi son avènement, Ibn Aziz s'était débarrassé de dizaines de partisans d'Oxley, s'était servi de ses contacts dans les médias pour présenter sous le meilleur jour son accession au sommet de la hiérarchie des Robes noires, et avait initié sa campagne contre les catholiques. Il en était à son douzième jour de jeûne, son haleine empestait, mais son cœur était aussi pur que la flamme d'un chalumeau.

Les deux feddayin qui les conduisaient ignoraient quasiment Ibn Aziz. Ils marchaient de ce pas caractéristique des feddayin, aux longues enjambées, des pas feutrés de panthère qui n'avaient rien à voir avec la cadence vive et régulière du commun des soldats. Même leurs uniformes avaient quelque chose de... non militaire. Des uniformes tout simples, bleu clair, avec des boutons de cuivre ternes. Pas d'épaulettes, pas de médailles, pas d'insignes. Les feddayin s'arrêtèrent au bout du couloir, frappèrent un coup, et ouvrirent la porte en se postant de part et d'autre.

Omar s'avança en premier, selon l'étiquette, mais l'un des feddayin posa sa main sur sa poitrine.

« Seulement le mollah », dit-il.

Omar écarta violemment sa main, commença à tirer sa dague... et se retrouva aussitôt par terre. Il se releva d'un bond furieux, mais Ibn Aziz leva la main. « Attends-moi dehors, Omar. Tu tiendras compagnie à nos frères feddayin, déclara-t-il en affectant l'ennui. Je verrai le général Kidd seul à seul. » Il passa le seuil, en remarquant le regard insolent du feddayin. Bientôt, très bientôt, le général Kidd comprendrait que la sagesse voulait qu'il approfondisse ses relations avec les Robes noires. Il comprendrait qu'il avait tout intérêt à traiter Ibn Aziz en allié digne d'honneur. Afin de sceller leur alliance, Ibn Aziz ne demanderait qu'une chose... les yeux de ces deux feddayin.

Le général Maurice Kidd jeta un coup d'œil à Ibn Aziz lorsque celui-ci le rejoignit sur le balcon, et se retourna presque aussitôt. Grand et mince, Kidd se tenait au garde-corps, l'air décontracté. Il avait à présent une cinquantaine d'années, son visage était vierge de toute ride et brillait comme de l'obsidienne. C'était un musulman dévoué, férocement loyal. Il avait quatre épouses et vingt-sept enfants, mais vivait simplement. Son ascension avait débuté lorsque, encore simple capitaine feddayin, il avait pris le commandement des forces islamiques décimées lors de la bataille de Philadelphie, et lancé une contre-attaque qui avait arrêté l'avancée des troupes rebelles. Cela faisait à présent douze ans qu'il commandait les feddayin, et était toujours aussi heureux d'envoyer ses troupes servir l'islam au-delà des frontières, ou affronter les soldats des États de la Bible sur leur frontière commune. Il portait comme toujours un uniforme sans ornement, le même que portaient les autres feddayin, à l'exception d'un petit croissant d'or sur chaque épaule, signe distinctif de son grade. « Bienvenue, mollah Ibn Aziz. »

Ibn Aziz se tenait à côté du général. Son nez frémit quand une brise légère lui apporta la puanteur de la scène qui s'offrait à ses yeux. Le balcon surplombait un champ rempli des hommes les plus sales qu'Ibn Aziz eût jamais vus. Il avait rendu visite à des ermites plus soignés de leur personne, et vu des fossoyeurs plus propres.

« Mes hommes blessent-ils la délicatesse de vos sens, jeune mollah ? » demanda le général Kidd.

Ibn Aziz n'avait pas remarqué le bref regard que lui avait jeté le général. « Je me demande simplement comment vos hommes peuvent faire leur prière dans un tel état, répliqua-t-il d'un ton calme.

– Ces recrues viennent de passer trois mois en manœuvres. Trois mois à dormir dehors sous le soleil, la pluie et la neige, et jamais pendant plus d'une heure ou deux d'affilée. Trois mois sans un bain, sans un repas chaud, sans changer une fois d'habits. Trois mois de combat rapproché, à jouer au chat et à la souris, à se cacher dans les ronces, trois mois de douleur et de peur. Ils étaient quatre cents au départ. Cent vingt-sept sont arrivés au bout. » Le général Kidd fixa alors Ibn Aziz. « Lorsque mes hommes ont le temps de prier, ils le font avec l'assurance qu'Allah ne S'intéressera pas à leur répugnante apparence extérieure, mais à ce qui brûle en eux.

– Soit... eh bien, ce serait un plaisir de les bénir. »

Le général Kidd ne répondit rien, se contentant de le fixer de ses yeux d'un noir liquide.

Ibn Aziz bénit l'ensemble des hommes en contrebas, qui l'ignorèrent tous. Il les vit se vautrer par terre, ouvrir leurs rations de leurs mains sales, en riant et en jurant. Une foule ignoble à la voix rauque. « La raison qui m'amène ici...

– Veuillez recevoir mes condoléances pour la mort du mollah Oxley, coupa le général Kidd. Une disparition tout à fait prématurée. C'était un grand ami des feddayin.

– Les Robes noires continuent à soutenir les feddayin, les guerriers les plus pieux et les plus dévoués qu'on puisse trouver en ce monde. Vous êtes vraiment le fleuron de l'islam.

– Une brusque crise cardiaque... Il n'y a vraiment eu aucun signe annonciateur ?

– C'est comme si Allah l'avait envoyé au paradis en un clin d'œil.

– Oxley avait un appétit prodigieux. Peut-être y a-t-il une leçon à retenir. » Le général sourit à Ibn Aziz. Ses dents étaient d'un blanc presque aveuglant. « Vous êtes aussi maigre qu'un fil barbelé, Ibn Aziz. De toute évidence, le paradis devra vous attendre encore longtemps.

– Ma passion n'est pas la nourriture, cher général, rétorqua Ibn Aziz, agacé. Ma passion est Allah, et la pureté de notre pays. C'est de cela que j'aimerais m'entretenir avec vous. » Il s'approcha. « Nous sommes attaqués de toute part. Les juifs, les gitans, les athées, les sudistes... et, plus dangereux qu'eux tous réunis, les modernes et les catholiques qui vivent à nos côtés, ce ver qui gangrène notre intégrité morale. »

Le général Kidd observait ses hommes. Il semblait à peine prêter attention à son visiteur.

« J'ai pris des mesures contre les catholiques, déclara Ibn Aziz.

– Je sais. Des monastères brûlés, des lieux de culte mis à sac... d'aucuns prétendent que vous voulez trop entreprendre à la fois. Un choix particulièrement risqué pour quelqu'un nommé depuis si peu de temps à un poste tel que le vôtre.

– Les délits d'ordre moral sont du ressort des Robes noires, lança Ibn Aziz, incapable d'adoucir la dureté qui perçait dans son ton. Les catholiques mangent du porc. Ils se noient dans des litres d'alcool. Ils élèvent chez eux des chiens afin que lorsqu'ils marchent parmi nous, nous soyons obligés de nous frotter contre les poils de ces bêtes immondes. » À mesure qu'il s'enflammait, les postillons sortaient de plus en plus abondamment de sa bouche. « Les catholiques ne rasent ni leurs aisselles, ni leur intimité comme le font les bons musulmans, afin que leur sueur croupisse dans la pestilence la plus révoltante. Sans eux, la nation ne s'en porterait que mieux.

– Les Robes noires n'ont le droit d'agir que sur les musulmans fondamentalistes...

– Les vrais musulmans, siffla Ibn Aziz.

– Notre pays peut difficilement se permettre de diviser son peuple. » Le général Kidd rajusta son impeccable uniforme bleu. « Suivez-moi, vous allez apprendre quelque chose. » Il descendit les marches qui, du balcon, menaient au champ, et Ibn Aziz fut contraint de l'accompagner. Les feddayin, exténués, se relevèrent en toute hâte, brossant leurs guenilles du revers de la main. Ils étaient aussi faméliques que des loups errants, brûlés par le soleil, couverts d'éraflures et de sang, les yeux enflés, la barbe en broussaille. « Regardez autour de vous, mollah Ibn Aziz, avant de brûler d'autres églises. Beaucoup parmi ces hommes étaient catholiques avant de se convertir.

– De fausses conversions, comme vous n'êtes pas sans le savoir », répliqua Ibn Aziz, suivant le général qui s'avançait dans la foule. Ibn Aziz tenta de son mieux d'éviter de toucher les hommes. « Des conversions auxquelles ils ne se sont pliés que pour entrer chez les feddayin. »

Le général Kidd serra dans ses bras l'un des feddayin qui, les yeux fous et les lèvres fendues, répondit à cette accolade avec gratitude et vigueur. Lorsqu'ils se séparèrent, l'uniforme du général était sale. Il en embrassa un autre sur la joue, se laissa embrasser la main par d'autres qui se pressaient autour de lui, en quête de son approbation, de sa reconnaissance, en scandant son nom d'une seule et même voix rauque. Il s'enfonça plus avant dans la masse de recrues, acquiesçant, les tapant dans le dos. Son uniforme était à présent tout à fait répugnant, recouvert de boue et de sang, galonné d'herbes folles.

« Nous devons nous prémunir contre ceux qui singent ainsi la foi, insista Ibn Aziz.

– Je n'ai pas le pouvoir de sonder leurs âmes. Et je me fous de savoir ce qu'elles recèlent. » Le général Kidd effleura du doigt le lobe d'oreille déchiré d'un de ses feddayin, et se retourna vers Ibn Aziz. « De plus, n'est-ce pas le travail de Redbeard que de protéger le pays de ses propres citoyens ? C'est l'affaire de la Sécurité nationale, pas des feddayin.

– En effet. » Ibn Aziz inclina la tête en resserrant sa robe contre lui. Il ne laissa pas paraître sa joie. Le général était tombé dans son piège. « La question que je vous pose, général, est de savoir si Redbeard fait ou non son travail. »

Le général prit un morceau de nourriture des mains recouvertes de boue sèche d'une des recrues, l'en remercia, et l'avala. « Nous n'avons subi aucune attaque terroriste d'importance depuis trois ans. » Il se lécha les lèvres, et adressa un large sourire à ses hommes. « Les réseaux terroristes sont régulièrement démantelés, et les coupables exécutés. Il semblerait que la Sécurité nationale remplisse admirablement la tâche qui lui incombe.

– La nièce de Redbeard est une putain et une rebelle à sa religion. Mécontente d'avoir écrit un livre où elle minimise le rôle d'Allah dans la création de notre nation, elle a à présent fui sa maison. Elle vit libre des contraintes de la foi et de la tradition, et souille par là même l'image de ce qu'une femme doit être. Comment pouvons-nous nous en remettre à Redbeard quant à la protection de notre nation, alors qu'il est incapable de protéger sa propre nièce du péché ? »

Le général Kidd salua ses troupes. Les recrues lui renvoyèrent son salut, hurlant son nom, la voix brisée, en un vacarme horrible et assourdissant. À en croire l'expression du général Kidd, on aurait pu penser qu'il s'agissait d'un chœur d'anges.

« J'ai besoin de vous pour retrouver cette chienne, dit Ibn Aziz. Certains de vos hommes sont versés dans les arts de l'ombre. Il ne leur sera pas difficile de...

– Je n'envoie pas mes hommes à la poursuite de femmes. » Le général rayonnait littéralement en observant ses recrues. « Dites à vos Robes noires de remuer leurs gros culs, si vous tenez à ce point à la retrouver. »

Ibn Aziz aurait voulu l'attraper par le col et le secouer jusqu'à ce qu'il comprenne l'occasion inespérée qu'on lui offrait, mais le général était trop impur pour qu'il le touche. « Général ? Je vous en prie, général. Nous devons parler en privé. »

Le général Kidd sortit de la foule et gravit les marches qu'ils avaient descendues. Ibn Aziz allait devoir passer des heures au hammam. Il allait devoir brûler sa robe. L'ordure qui l'imprégnait ne pouvait être lavée.

Le général Kidd adressa un large mouvement de la main aux recrues depuis le balcon, le visage strié de boue. Les hurlements redoublèrent d'intensité.

« Vous ne percevez peut-être pas le lien existant entre les échecs privés et publics de Redbeard, mais d'autres s'en aviseront, prévint Ibn Aziz. J'ai des amis haut placés dans les conseils de direction de chaînes de télévision qui ne demandent qu'à m'aider. Ne vous laissez pas duper par ma jeunesse, général. Comme vous le fîtes jadis à Philadelphie, je suis sur le point de lancer une offensive. Cela représente une formidable opportunité, tant pour les feddayin que pour les Robes noires. Vous vous en rendez bien compte, tout de même ? »

Le général Kidd le regarda enfin, et Ibn Aziz frissonna.

Ibn Aziz joignit pieusement les mains, s'en voulant d'avoir fait preuve d'une faiblesse de la sorte. Le corps était traître. Le corps était une porte ouverte sur le mal. « Il en va de notre intérêt commun, c'est tout ce que je voulais dire. J'ai entendu qu'il existait une... assez bonne entente entre la hiérarchie des Robes noires et le haut commandement des feddayin. Il semblerait que tous deux s'accordent à penser que Redbeard a rempli son devoir, et n'est plus d'aucune utilité. »

Le général Kidd se retourna vers ses recrues qui l'acclamaient. « La bonne entente dont vous parlez ne concernait qu'Oxley et moi. Si vous parvenez à le ramener d'entre les morts, alors nous pourrons parler. »

Furieux, Ibn Aziz tourna les talons. Omar, son garde du corps, fut bien vite à son côté.

Les deux feddayin restèrent de part et d'autre de la porte qui donnait sur le balcon, les laissant quitter les lieux sans escorte. Une insulte de plus. Leurs voix résonnèrent à l'autre bout du couloir, aussi volubiles que celles de juifs.

Qu'ils rient. Ibn Aziz avait déjà essuyé bien des moqueries, mais les morts ne riaient plus. Sa tête battait au rythme du sang dans ses artères, sans qu'il eût pu dire s'il s'agissait des effets de son jeûne ou de sa colère. Malgré le manque de coopération du général, on finirait par retrouver la nièce de Redbeard. Peu importait le prix à payer. Cette putain serait présentée au public, à la télévision, dans toute sa dégradante turpitude. On parviendrait peut-être même à lui faire avouer la responsabilité de son oncle dans cet abandon au péché auquel elle se livrait tout entière. Oui, l'aide des feddayin aurait été une véritable bénédiction, mais Ibn Aziz avait appris à ne se fier à personne, à part lui-même... et Dieu.

Ibn Aziz sentit une nouvelle énergie le parcourir. On prétendait que la nièce était obstinée, mais certains hommes sous ses ordres étaient versés dans l'art de la persuasion. Si on leur laissait assez de temps, ils seraient en mesure de lui faire avouer n'importe quoi.

Non sans peine, Ibn Aziz s'était procuré une photographie de la nièce et l'avait communiquée à chaque Robe noire du pays. La photo remontait à plusieurs années, elle avait été prise sur le campus alors que la nièce se précipitait en classe, mais ses traits se distinguaient clairement, à l'instar de la souplesse de ses membres, digne de la catin qu'elle était. On avait découvert que Redbeard avait fait appel à son orphelin pour l'aider à retrouver sa nièce. Rakkim Epps. Un feddayin renégat. La photo qu'on possédait de lui était elle aussi un peu ancienne, mais sur son visage se reflétait l'insolence sereine qui était le propre de tant de feddayin. Lorsqu'il en aurait fini avec Redbeard, Ibn Aziz s'occuperait de réformer l'élite guerrière de la République.

Il écarta Omar et ouvrit grand les portes qui donnaient sur l'extérieur. Le vent fouetta leurs robes. De bonnes nouvelles lui étaient parvenues ce matin. On avait découvert un nid de vipères sionistes. Il avait eu l'intention d'inviter le général Kidd à la petite fête. Tant pis pour lui. Ibn Aziz redressa la tête presque sans sentir le froid qui régnait. La nuit passée, il avait rêvé pour la troisième fois de cette ville, transformée. Les rues de la capitale semblables à du cuivre battu, les caniveaux ruisselant de sang rouge. Des colombes volaient dans les airs, un vaste vol de colombes, et leurs ailes battaient aussi fort qu'un orage. Ibn Aziz s'était réveillé, pleurant de joie.

37

APRÈS LA PRIÈRE
DE LA MI-JOURNÉE

« Comment s'appelait ce personnage de BD dont tu n'arrêtais pas de parler, déjà ? » Sarah serrait si fort la main de Rakkim qu'il avait presque mal. Il n'arrêtait pas de parler, afin de lui faire oublier dans la mesure du possible l'endroit où ils se trouvaient. « Avec ce type moitié homme, moitié chauve-souris. Il se sentirait chez lui, ici.

– Il n'était pas moitié chauve-souris. »

Rakkim la sentit trébucher dans les ténèbres totales, et la soutint afin qu'elle ne tombe pas. Elle avait failli refuser lorsqu'il lui avait dit qu'ils devraient emprunter un tunnel sans la moindre source de lumière. Il s'était fait une carte mentale du chemin qui menait jusqu'au repaire souterrain de Spider, une carte dressée dans l'obscurité la plus complète. Toute lumière n'aurait fait que le perturber. Sarah était parvenue à faire les premiers pas toute seule, mais aussitôt qu'il eut fermé la porte d'accès, elle s'était accrochée à lui. Il s'était assis avec elle par terre, sur la pierre nue, avait attendu qu'elle s'habitue aux ténèbres, à l'air frais qui circulait dans les tunnels, et aux bruits. Cela n'avait pas fonctionné. Elle avait toujours aussi peur du noir que lorsqu'elle était enfant, même si elle refusait que cette peur l'empêche d'avancer. « Mais cette chauve-souris humaine, elle pouvait voir dans le noir, non ?

– C'était Batman, "l'homme chauve-souris", pas la "chauve-souris humaine". » La voix de Sarah chevrotait, et ses ongles s'enfonçaient dans la main de Rakkim. « Non, il ne pouvait pas voir dans le noir. Il portait juste un costume qui le faisait ressembler à une chauve-souris.

– Pourquoi ça ?

– Je n'en sais rien.

– Il pouvait voler ?

– Non, il avait juste ce costume. » Sarah étouffa un cri : quelque chose venait de détaler au loin. « C'était... c'en était un autre. Superman. Lui, il pouvait voler. »

Rakkim posa sa main sur le mur, sentit l'angle de l'intersection, et s'engagea dans le tunnel à main droite. « Ils avaient vraiment tout un tas de dieux, sous l'ancien régime.

– Ce n'était pas des dieux. Pas exactement. C'était plutôt les stars de cinéma qui jouissaient de ce statut de dieux. Dans un sens.

– Et tu veux qu'on revienne à ça ?

– Non », répondit sèchement Sarah. Sa voix se répercuta contre les parois, et Rakkim était heureux qu'elle ne puisse voir le sourire qu'il arborait. « Je veux qu'on revienne à une pleine liberté de voyager, d'étudier et d'explorer, de partager les informations, d'améliorer nos connaissances. J'aimerais qu'on ait à nouveau le droit de faire des erreurs, et de ressayer après coup. L'islam n'a rien à craindre des nouvelles idées.

– Ne dis pas ça dans la Grande Mosquée d'Ali, tu risquerais de te faire trancher la langue.

– L'ayatollah al-Hamrabi est un imbécile qui ne comprend rien au Coran.

– Aucun doute : tu te ferais à coup sûr trancher la langue. »

Sarah éclata de rire et se mit à balancer leurs bras comme s'ils étaient deux enfants se promenant au parc. Ils marchèrent dans une flaque d'eau. « Miriam et moi...

– Quoi ?

– Miriam et moi avions l'habitude de parler du fait que notre République vivait sur les acquis intellectuels de l'ancien régime, et que nos réserves s'épuisaient de jour en jour. L'islam a dominé la pensée occidentale pendant trois cents ans, durant une ère où les musulmans étaient les plus ouverts aux influences des autres cultures. C'est ce califat qu'il faudrait restaurer, et pas l'autocratie militaro-politique dont rêve le Vieux. »

Le sol du tunnel s'inclinait progressivement en une pente descendante. Encore trois cent douze pas et ils tourneraient à gauche pour emprunter un tunnel plus étroit. Sarah serrait à nouveau la main de Rakkim de toutes ses forces.

« Lorsque le pouvoir des fondamentalistes sera brisé et que le Vieux se sera réfugié dans sa tanière, où qu'elle se trouve, peut-être pourrons-nous bâtir une république qui révère l'innovation et la recherche. Une recherche guidée par la foi, mais d'une grande rigueur intellectuelle.

– Je voterais plus volontiers pour de la musique bruyante, de la bière fraîche et des plages mixtes. »

Le rire de Sarah rebondit contre les parois de roche du tunnel. « Je ferai en sorte qu'on inclue ça dans la nouvelle Constitution. »

Rakkim emprunta une nouvelle galerie en tirant Sarah derrière lui. « On y est presque.

– Tu es sûr que Spider ne se fâchera pas en me voyant arriver sans avoir été invitée ?

– Pas plus qu'en me voyant arriver sans avoir été invité. » Rakkim avait pourtant essayé d'avertir Spider. Il était passé par le restaurant où travaillait Carla, la fille de Spider, mais le patron lui avait dit qu'elle s'était fait porter pâle.

« Pourquoi nous arrêtons-nous ?

– Je suis en train de chercher quelque chose. » Rakkim faisait courir ses mains le long de l'encadrement de la porte qui se détachait de la paroi, tâchant de trouver le loquet. Il y eut un déclic et la porte s'ouvrit. L'obscurité était toujours totale. Il guida Sarah à l'intérieur de la petite réserve qui faisait office de vestibule. « Spider ! C'est moi, Rakkim ! » Aucune réponse. Il tâtonna sur le mur et trouva l'interrupteur. Tous deux clignèrent des yeux, éblouis par la soudaine lumière.

« Allah soit loué, c'est fini », dit Sarah sous l'ampoule.

Rakkim la serra dans ses bras. « Tu t'en es très bien sortie.

– Je me suis retenue de hurler pendant tout le trajet. »

Rakkim se lava les mains au lavabo, et retira ses chaussures. Il attendit qu'elle fasse de même, puis ouvrit la porte qui donnait sur la pièce principale. « Spi... » Il s'interrompit aussitôt, et entra. Il jeta un regard circulaire.

La pièce était vide. Pire encore. Elle était sens dessus dessous. Les tables avaient été renversées, les tapis à moitié roulés, les tapisseries dignes des plus grands musées pendaient lamentablement, comme si on avait pensé à les emporter, pour abandonner cette idée au dernier instant. Les ordinateurs mis en réseau avaient été désossés, les disques durs enlevés et les unités centrales éventrées. Des cartons avaient été remplis à ras bord de vêtements, puis abandonnés là. Les lits avaient été retournés, et les tiroirs des armoires avaient été laissés à moitié ouverts. Le sol était jonché de jouets : un rhinocéros en peluche, une balle de base-ball, une pièce de jeu d'échecs... un cavalier noir. Les deux réfrigérateurs étaient grands ouverts. De la nourriture renversée baignait dans une flaque de lait. Et pourtant, pas une goutte de sang. Pas une seule. Spider et sa famille s'étaient échappés en toute hâte, mais ils s'en étaient sortis sains et saufs.

« Que lui est-il arrivé ? » demanda Sarah, qui se tenait tout à côté de Rakkim. Elle se baissa pour ramasser le rhinocéros en peluche. « Il y a une empreinte de semelle de botte sur ce rhino. Si nous avons enlevé nos chaussures, j'imagine que c'est la procédure que suivait Spider. Alors qui a bien pu marcher dessus ? »

Rakkim prit le rhinocéros. Sans un mot, ils remirent tous deux leurs chaussures.

« L'assassin n'aurait pas fait une chose pareille, n'est-ce pas ?

– Non. Ce n'est pas son style. » Rakkim regarda à nouveau autour de lui, sans se presser, tentant de trouver un objet que n'auraient pas remarqué celui ou ceux qui avaient saccagé la pièce.

« Tous ces lits, tous ces berceaux... Combien de personnes vivaient ici ? demanda Sarah.

– Il a énormément d'enfants. J'en ai vu cinq ou six, la dernière fois que je suis venu. Et j'en ai entendu d'autres. Il y en avait aussi des plus âgés. Spider n'aime pas sortir, mais il aime bien avoir de la compagnie. »

Sarah se frotta les épaules. Il ne faisait pas froid, mais elle devait à coup sûr imaginer la masse de terre et de béton qui reposait au-dessus de leurs têtes. Imaginer quelle sensation on devait éprouver en restant enfermé ici. « Qu'est-ce que tu cherches ?

– Je n'en sais rien. » Rakkim regarda sous une chaise. L'une des anciennes boules à neige de Spider reposait par terre, brisée. Les Twin Towers de New York gisaient, froissées, au milieu des éclats de verre. Aux quatre coins de la capitale, les boutiques de souvenirs vendaient des versions similaires, à ceci près que les tours étaient en flammes. Cette boule de neige-ci remontait à avant la transition.

« On ferait mieux de partir.

– On ne va pas tarder.

– Nous allons devoir avoir recours à Redbeard pour retrouver Safar Abdullah, c'est ça ? Rakkim ? »

Rakkim reposa les Twin Towers. « Non, j'ai... » Il pencha la tête, tendant l'oreille. Puis saisit Sarah par le bras.

Sarah ne résista pas, ne protesta pas. Elle n'entendait aucun bruit suspect, mais elle connaissait bien Rakkim.

Rakkim la conduisit dans ce qui avait été une chambre d'enfants, la cacha sous le matelas à moitié démis d'un lit, et elle se roula en boule pour être aussi discrète que possible. Rakkim vérifia la cachette sous plusieurs angles pour s'assurer qu'on ne pourrait la voir. Sur le mur, face aux lits, on avait peint avec des couleurs vives une table de Mendeleïev. Des voix provenaient du tunnel, à présent assez bruyantes pour que Sarah puisse les entendre. Elle se recroquevilla plus encore. Il s'accroupit pour l'embrasser. « Je t'aime.

– Maintenant, je sais que nous sommes en danger. »

Rakkim s'éloigna. Les voix se firent plus fortes encore alors qu'il se glissait derrière un énorme tapis roulé qui reposait à la verticale contre un mur. Ce n'était pas une cachette idéale, mais, de là, il pouvait voir quiconque entrerait dans la chambre, et s'interposer entre les assaillants et Sarah. Il pourrait réagir rapidement, surgir en un éclair. Son poignard reposait dans sa paume. Ce contact, comme toujours, suffit à le réconforter.

« Qui a laissé la lumière allumée ? » Une voix aussi âpre que du papier de verre.

« Pas moi. »

Rakkim risqua un regard dans une fente du mur, et aperçut deux robustes gaillards sur le seuil de la porte, mains sur les hanches. Deux autres hommes se trouvaient déjà dans la pièce, jetant un coup d'œil à ce qui avait été déplacé. Vestes en nylon noir, pantalons larges, dague à la ceinture, barbes impeccablement taillées. Les bras armés des Robes noires.

Ceux qui se trouvaient sur le seuil s'inclinèrent au passage d'un homme, apparemment un supérieur hiérarchique de leur ordre. Deux autres gardes du corps le suivaient. La Robe noire était plus jeune que ne l'aurait cru Rakkim. La barbe mal entretenue, c'était sans aucun doute l'homme le plus efflanqué qu'il ait jamais vu hors d'une prison. Une peau aussi pâle qu'un linceul, des yeux injectés de sang. L'individu rappela à Rakkim un chien enragé qu'il avait tué en Caroline du Sud. Un bâtard famélique qui avait mordu deux hommes, leur déchirant les mollets, et qui bougeait encore après que Rakkim lui eut planté un râteau dans l'abdomen.

« Par Allah, cet endroit empeste le juif, s'exclama la Robe noire. Quelle pestilence cela aurait été s'ils avaient été encore ici, Tarik. »

Le garde le plus robuste baissa la tête.

« Depuis combien d'années cherchons-nous ce juif ? demanda la Robe noire. Depuis combien de temps ce... Spider nous échappe-t-il ?

« – Avec tout le respect que je vous dois, mollah, nous n'avons toujours pas la certitude que Spider existe.

– Et manifestement, ce n'est pas encore aujourd'hui que nous aurons l'occasion de nous en assurer, n'est-ce pas ? » La Robe noire décocha un coup de pied dans une laitue qui roula au sol. « J'avais espéré être en mesure de jeter ce juif en pâture aux caméras. De montrer au peuple que nous avions réussi là où Redbeard avait échoué. De prouver qu'il a laissé les ennemis de l'islam creuser leurs terriers dans les entrailles de nos villes. Et à présent, nous n'avons plus rien. » Il jeta un regard sinistre au garde, tandis que les autres continuaient à inspecter les lieux. « Votre informateur a manqué à ses promesses, Tarik. Tout ce que nous avons réussi à faire, c'est obliger la vermine à se trouver un nouveau nid.

– Nous... nous étions à deux doigts de réussir, mollah, répondit le garde d'une voix rauque.

– Ah... à deux doigts... reprit la Robe noire. Voilà qui change tout. » Il ouvrit grand les bras, et ses mains squelettiques dépassèrent des manches de sa robe. « Vous avez vu ? Ma colère vient de s'évaporer comme la rosée sous les glorieux rayons de l'aube ! »

Rakkim jeta un coup d'œil en direction du lit. Sarah était invisible. Il se demanda si ce mollah était Ibn Aziz. Redbeard avait dit que le nouveau chef des Robes noires était un fanatique, mais cet homme semblait bien trop jeune pour avoir acquis un tel pouvoir.

« L'informateur a espionné la serveuse pendant des semaines afin de découvrir où elle disparaissait après ses heures de service, dit le garde. Il ignorait si elle était juive, ou si elle vivait simplement dans l'un des entrepôts abandonnés de la ville. C'est le cas de beaucoup de gens. C'est son instinct qui l'a poussé à maintenir sa surveillance, et dès qu'il l'a vue plonger dans le tunnel secret, il nous en a informés. Il a pris un risque, et il a eu raison, mollah. Nous avons procédé à notre descente une heure

352

après son coup de téléphone, mais il nous a été impossible de retrouver le chemin qu'elle avait emprunté. Elle... elle a dû sentir que quelqu'un l'avait suivie. Quand nous sommes finalement entrés dans cette pièce, ils étaient tous partis.

– Que devons-nous à cet informateur ? demanda la Robe noire. Que devons-nous à cet homme qui se laisse... "sentir" par une femelle ?

– 20 000 dollars. La récompense habituelle pour une information valable. Plus 10 000 pour chaque juif capturé. Mais, bien entendu, ça ne s'applique pas à ce cas.

– Je vous remercie de le souligner.

– Nous les retrouverons, mollah. Ils sont aux abois. »

Rakkim serra le poignard dans sa main alors qu'ils approchaient. Six hommes armés et une Robe noire. Tout dépendrait de leurs positions respectives... et de leur niveau d'entraînement. Rakkim aurait pour lui l'effet de surprise, mais s'il attendait d'être repéré pour attaquer, il ne bénéficierait plus de cet avantage. Le plus grand danger était que Sarah se retrouve mêlée au combat : s'il devait la défendre, il lui serait impossible de tirer pleinement profit de sa rapidité.

« Regardez ces immondices », déclara la Robe noire. À en croire sa voix, il devait se trouver juste de l'autre côté du tapis. « Regardez les blasphèmes scientifiques que ces juifs immondes enseignent à leur progéniture ! » Il passa devant la cachette de Rakkim (un simple mouvement de la tête, et il l'aurait aussitôt aperçu), pour aller se planter face à la table de Mendeleïev. S'il avait vu Sarah, il aurait pu lui envoyer un coup de pied sans faire un pas de plus. La Robe noire inclina son buste en arrière et cracha au centre de la peinture murale. Un épais crachat glissa le long de la paroi.

Les gardes éclatèrent de rire.

Rakkim était absolument immobile. La Robe noire mourrait en premier. Puis ce serait au tour des autres.

La Robe noire tourna les talons, et repassa devant Rakkim. « Payez votre informateur. Payez-le en petites coupures, et fourrez-les-lui au fond de la gorge. Emplissez son gosier. Étouffez-le avec son argent. Qu'il apprenne le prix de l'échec. »

Leurs pas s'éloignèrent. La lumière s'éteignit. La porte se referma. Rakkim retrouva Sarah dans les ténèbres.

38

« C'est moi, dit Rakkim.

– Laisse-moi parler à Sarah, répliqua Redbeard.

– Qu'ont dit les loups-garous à propos de l'assassin ?

– Laisse-moi lui parler. Tout de suite. »

Redbeard se ferait un plaisir de camper sur sa position aussi longtemps que Rakkim le lui permettrait : plus ils passaient de temps au téléphone, plus grandes étaient les chances de Redbeard de parvenir à les localiser. Rakkim ne mordit pas à l'hameçon. Il passa le téléphone à Sarah.

« Il veut te parler.

– Bonjour, mon oncle. » Sarah regardait droit devant elle, en direction du ferry qui traversait sans hâte les eaux de Baraka Bay, couleur de rouille dans le soleil couchant. Elle portait un nouveau sweat-shirt à capuche, rose, à motifs camouflage, et un pantalon large assorti. Le look rétro-branché qui était de rigueur chez les modernes. Tous deux étaient assis sur un banc, avec vue imprenable sur le front de mer. C'était un incroyable soulagement de se retrouver à l'air libre après leur petite séance de claustrophobie dans les tunnels souterrains. « Je vais bien... je te dis que je vais bien. J'ai 26 ans. Je suis en âge de faire mes propres choix. » Elle écouta en se mordant la lèvre inférieure. « La honte n'est pas ce qu'on pourrait appeler la meilleure des stratégies, étant donné la situation. » Un regard à Rakkim. « C'est impossible... Non. Je t'aime, mais je me refuse à faire ça. Dis à Angelina que je vais bien. Dis-lui que je fais mes prières. » Elle tira la langue à Rakkim, et lui passa le téléphone.

Rakkim observait le tramway qui filait sur les rails parallèles au front de mer. Un court trajet, aller-retour, plein à craquer de touristes. « À ton tour, maintenant.

– On n'a retrouvé aucun loup-garou sur les lieux, dit Redbeard.

– Tu es sûr qu'il s'agit du site dont je t'ai parlé ?

– J'ai retrouvé la carcasse de la voiture, telle que tu l'avais décrite, mais il n'y avait plus un seul loup-garou. Plus un seul loup-garou susceptible d'être interrogé, en tout cas. »

Rakkim resta silencieux un instant. « Combien ?

– Mes hommes ont retrouvé dix-sept corps éparpillés sur la zone. Rien que des loups-garous. S'il y a eu des survivants, ils ont dû s'enfuir bien avant que nous arrivions. Ils se sont sûrement dispersés dans les bois, parce que leurs véhicules et leurs marchandises étaient encore sur leur campement. Des cartons pleins de montres, de lunettes et d'équipement de sport. Je m'y suis rendu en hélicoptère dès que j'ai reçu le premier rapport. Un petit tour du campement m'a suffi pour remarquer qu'une voiture manquait. Un 4×4. Il y avait des traces fraîches de pneus dans la boue, et elles remontaient jusqu'à la route. Une vraie boucherie, autour de la carcasse calcinée. Dix-sept loups-garous... Même pour un assassin feddayin, c'est un joli exploit.

– Espérons que le Vieux le récompense d'une médaille. » Silence de Redbeard. Le tramway s'ébranla, cette fois-ci sur le trajet retour. Rakkim entendit le faible son de la cloche.

« Il vaudrait mieux que tu ramènes Sarah à la maison. Laisse-moi m'occuper du Vieux, dit Redbeard. Je l'ai tenu en respect jusqu'ici...

– Tu ne peux plus l'arrêter. »

Redbeard gloussa avec condescendance. « Ne me dis pas ce que je peux ou ne peux pas faire, mon garçon.

– Tu n'as pas les hommes taillés pour ce boulot, et tu ne peux pas faire confiance à ceux dont tu disposes. Si tu étais en mesure d'arrêter le Vieux, tu n'aurais pas eu besoin de moi pour retrouver Sarah à ta place.

– Reviens à la maison.

– J'ai vu Ibn Aziz. Du moins je crois que c'était lui. Il est très jeune. » Rakkim vit trois voitures se garer le long du tramway. Une quatrième s'arrêta en travers des rails, obligeant le tramway à s'immobiliser dans des grincements de frein. Des hommes bondirent des voitures et s'engouffrèrent dans le tram, tandis que d'autres surveillaient l'issue de derrière. L'un d'eux ressemblait au dandy arrogant qui lui avait mis le grappin dessus, le soir du Super Bowl, mais Rakkim était trop loin pour être sûr qu'il s'agissait bien de lui. Il espérait que c'était le cas. « Tu ferais bien de surveiller tes arrières, mon oncle. Je crois qu'Ibn Aziz t'a d'ores et déjà déclaré la guerre.

– Mieux vaut que ce soit lui plutôt qu'Oxley. »

Rakkim avait acheté un transmetteur d'ondes personnalisable dans la Zone, une heure auparavant, au génie de l'électronique qui avait acheté à Sarah le mouchard de Redbeard. C'était considéré comme un crime : acheteur et vendeur pouvaient écoper de lourdes peines. Le transmetteur envoyait des ondes spécifiques à une petite unité qu'il avait installée dans le tramway, les mêmes ondes que celles du portable qu'il était en train d'utiliser, mais beaucoup plus puissantes. Il observa les touristes descendre du tram en file indienne, sous l'œil des agents de Redbeard. « Je te recontacterai quand j'en aurai appris plus.

– Tu ne peux pas avoir le Vieux par la ruse. Pas tout seul. »

On obligea les passagers à s'aligner sur le front de mer.

« Pas si sûr. Tu es plus malin que le Vieux, et pourtant je viens de t'avoir par la ruse. » Il raccrocha.

Le soleil couchant faisait étinceler la pointe des cheveux de Sarah, tandis que l'appel à la prière du muezzin retentissait, ondulant, depuis la Grande Mosquée, invitant tous les croyants. Ils restèrent où ils étaient, observant les hommes de Redbeard saccager l'intérieur du tramway. De la violence gratuite. Un signe de faiblesse.

Rakkim regardait fixement la nouvelle enseigne lumineuse géante de Djihad Cola en attendant que Mardi réponde à son appel. Sarah se trouvait près de lui, aussi subjuguée.

Il devait y avoir au moins cinq mille personnes dans Pioneer Square pour cette première. La foule débordait même de la place, s'entassant jusque dans les rues adjacentes. Les spectateurs étaient si serrés les uns contre les autres qu'il avait été extrêmement facile pour Rakkim de piocher ce téléphone portable dans la poche d'un jeune moderne. Zebraskin Interactive, le tout dernier modèle.

« C'est moi, dit Rakkim aussitôt que Mardi eut décroché.

– Qu'est-ce qu'il y a ? »

Les modernes présents dans la foule crièrent et applaudirent lorsque l'enseigne géante s'illumina : c'était un hologramme haut comme trois étages dont la profondeur semblait infinie. Les fondamentalistes se balançaient d'avant en arrière, récitant à voix basse leurs prières, saisis d'un enthousiasme extatique. Sarah elle-même en resta bouche bée.

« C'est quoi, ce bruit ? » demanda Mardi.

Ce n'était pas l'hologramme en soi qui soulevait cette admiration générale : cela faisait près de vingt ans que la publicité holographique était monnaie courante. C'était la publicité elle-même. L'islam n'approuvait pas la représentation du visage et du corps humain : les enseignes géantes de la République ne présentaient donc qu'une simple image du produit, et misaient sur la beauté des couleurs et des polices de caractères pour faire passer leur message publicitaire. Un bien piètre ersatz, qui expliquait lui aussi le marasme économique qui régnait dans le pays.

« Je t'entends vraiment très mal, dit Mardi.

– Il faut absolument que tu quittes le Blue Moon. »

La nouvelle publicité Djihad Cola représentait un couple musulman, jeune et bien portant, en train de savourer un J-C, sous l'œil discret de leur chaperon qui apparaissait en arrière-plan. Le caractère unique de cette publicité reposait sur le fait qu'elle n'était pas seulement holographique, mais également mosaïque : les images étaient en effet constituées de citations du Coran en caractères arabes disposées en une infinité de lignes délicates. L'utilisation des caractères permettait de contourner l'interdit concernant la représentation d'êtres humains, et, de plus, tous s'accordaient à penser que les lettres arabes, en particulier lorsqu'il s'agissait de sourates du Coran, possédaient un pouvoir mystique hors du commun. Autant de valeur ajoutée pour le produit. Le programme utilisé pour générer cette publicité avait coûté trois ans de travail acharné, mais il ne faisait aucun doute que le système de représentation mosaïque allait révolutionner le marché publicitaire. Le lancement avait lieu dans la capitale, mais d'autres « premières » suivraient, à Los Angeles, Chicago, New Detroit, Denver, et d'autres grandes villes. Le mollah Oxley avait donné l'aval des Robes noires à l'utilisation de cette technique, mais Rakkim se demanda ce qu'Ibn Aziz pouvait bien en penser.

« Mais où es-tu ? » demanda Mardi.

Rakkim se retourna en couvrant le téléphone pour le protéger autant que possible du vacarme ambiant. « Il faut que tu quittes le Blue Moon. Tout de suite. Le représentant en alcools forts que tu as trouvé si charmant... c'est un assassin feddayin.

– Tu n'en sais rien.

– Prends l'argent qui se trouve dans le coffre et casse-toi. Appelle Riggs de l'aéroport et dis-lui de s'occuper du club pendant un mois. Il s'en sortira très bien pendant ces quelques semaines.

– Il va piquer allégrement dans la caisse.

– Considère ça comme le prix à payer pour rester en vie. » Rakkim baissa la voix en tentant de se faire entendre. « Prends des vacances, chère associée. Tu as déjà plus d'argent que tu ne pourrais en dépenser. Pars. Ne passe même pas chez toi pour prendre des affaires. Pars, c'est tout. Appelle le club dans un mois et demande à me parler. Si je ne suis toujours pas de retour, reste au large encore un mois, et rappelle.

– Ça va aussi mal que ça ?

– Pire. »

39

« J'ai dû jouer au contorsionniste pour te trouver ça. »
Colarusso redressa le col de la veste de Rakkim, et en
profita pour laisser tomber une puce dans sa poche.
« Ce que j'ai fait est complètement illégal.

– Je parie que c'est la première fois que tu vas à
l'encontre de la loi », dit Rakkim.

Colarusso réprima un sourire en s'appuyant contre la
rambarde qui encerclait la patinoire. Il observa Anthony
Jr. et Sarah, main dans la main, Anthony Jr. glissant d'un
pas lourd, assez maladroit. « Ils font un joli couple, non ?

– Va te faire foutre. »

La patinoire couverte était pleine de modernes et de
catholiques, pas mal de modérées aussi, qui portaient des
tchadors très snobs. Pour les modérés, la patinoire était
l'un des rares endroits où ils pouvaient avoir un contact
physique avec leur partenaire, sous le regard de leur chaperon. « Je me disais juste que quand un mec met sa carrière
en jeu pour un ami, il est naturel que l'ami en question lui
raconte un peu ce dont il retourne, voilà tout.

– Sarah est en train d'écrire un livre qui pourrait lui
valoir pas mal de problèmes. Safar Abdullah fait partie
de ses recherches. Je suis là pour m'assurer qu'elle mange
bien et qu'elle dorme bien. C'est à peu près tout ce qu'il y
a à savoir.

– Abdullah est mort il y a plus de vingt-cinq ans, tu ne
risques pas de lui faire la causette. » Colarusso aspira un
bout d'aliment coincé entre ses dents. « Les ingénieurs
doivent vraiment être les personnes les plus chiantes
du monde. Qui peut mourir de cause naturelle à 43 ans ?

Il a sûrement dû mourir d'ennui. » Colarusso remonta son pantalon. « J'ai toujours été curieux. Si je n'étais pas devenu flic, j'aurais sans doute été un sale voyeur.

– Je ne crois pas qu'Abdullah soit mort de cause naturelle. Tu te sens mieux, maintenant ?

– Un peu, oui. » Colarusso redressa les épaules. « J'espère que tu n'as pas prévu d'exhumer le corps. Parce que quelqu'un t'a pris de vitesse. Plutôt bizarre, non ? Un fervent musulman, et pourtant sa famille le fait déterrer une semaine après les funérailles. Déterrer, et incinérer. Sa femme a signé toutes les autorisations, mais ça n'a évidemment pas empêché la direction du cimetière de faire un scandale. Cimetière des Martyrs de Falloujah, Los Angeles. Meilleur cimetière musulman de toute la ville, d'après ce que j'ai lu. J'ai trouvé dans le dossier une copie de la lettre incendiaire qu'ils ont envoyée à l'épouse. Tu devrais la lire. Et une autre adressée également à la pauvre bonne femme, signée de son imam. Un vrai classique. Il la menaçait des flammes de l'enfer. Elle et feu son chéri. Faut reconnaître qu'un saint homme, ça n'a pas son pareil pour remuer le couteau dans la plaie. »

Rakkim observa des jeunes gens vêtus de couleurs vives passer à toute vitesse devant lui. Autrefois, les patinoires diffusaient de la musique, mais aujourd'hui les patins qui tourbillonnaient étaient la seule mélodie qu'on pouvait entendre.

« Alors, qu'est-ce qui pourrait pousser une bonne musulmane à faire déterrer son mari à la pelleteuse au beau milieu de la nuit ? demanda Colarusso. J'ai l'ordre écrit de la morgue qui s'est chargée du boulot. Ils ont fait ça à deux heures du mat'. La morgue a dû payer leurs gars deux fois plus cher de l'heure. » Il se pencha vers Rakkim. « Maintenant tu sais ce qui m'a mis la puce à l'oreille. »

Rakkim saisit une vue d'ensemble des personnes assises dans les gradins, des chaperons et des jeunes gens qui faisaient une pause. Tous ces visages et pas un seul qui retînt son attention. Il arrivait que les Robes noires fassent irruption dans ce genre d'endroit, simplement pour embêter tout le monde, mais le patron de la piste faisait de très fréquentes donations à la mosquée du coin. « Est-ce que tu sais où se trouve la femme ?

– Elle est morte deux ans après monsieur. Inhumée au cimetière al-Aqua de Van Nuys. Franchement pas le même standing que les Martyrs de Falloujah.

– Des enfants ? Des parents ?

– Une fille. Fatima. Tout est dans la puce. Disons que c'est peut-être une bonne chose que ses parents ne soient plus là pour voir ce qu'elle est devenue. »

Rakkim aperçut trois dames d'un certain âge, tout près d'eux. Trois chaperons en tchador sombre qui pépiaient à toute vitesse en gardant les yeux rivés sur les trois jeunes femmes dont elles avaient la responsabilité. « Merci, Anthony.

– Je me fous de tes remerciements, grommela Colarusso. Tu recherches des morts. Je veux savoir pourquoi.

– Je crois que tu ferais mieux de rester en dehors de ça et de t'occuper d'une autre affaire.

– Ne me dis pas comment faire mon boulot. Ça me donne envie d'oublier qu'on est amis.

– D'accord. » Rakkim continuait d'observer les lieux, aux aguets. « L'assassin qui a noyé Miriam Warriq... celui qui a échangé les têtes de ses domestiques, Sarah et moi l'avons aux trousses. » Il sentit Colarusso résister au réflexe de regarder autour de lui. « On lui a faussé compagnie il y a quelques jours, mais il ne va pas abandonner pour autant. Et lorsqu'il en aura assez de ne pas nous retrouver, il va s'en prendre à n'importe quelle personne nous connaissant de près ou de loin.

– Tu crois qu'il s'en prendrait à un inspecteur de police ou à sa famille ?

– Je pense qu'il s'en prendrait au président lui-même si l'ordre lui en était donné.

– Qui lui donne ses ordres ? »

Rakkim s'était laissé piéger. « Tu sais quoi ? On va dire qu'en temps voulu je te dirai tout. Je ne te cacherai absolument rien. Mais pour l'instant, je veux simplement que tu restes hors du coup, autant que possible. À l'abri du danger. Comme ça, si j'ai besoin de toi, tu seras en vie, sain et sauf et en mesure de m'aider.

– Et toi, tu sais quoi ? On va dire que toi et moi, on retrouve cet assassin et on le tue. Tu as dit que tu ne pouvais pas le battre tout seul. Alors faisons-le tous les deux. Je m'occuperai de la paperasse. Comme tu l'as si bien dit, ce ne sera pas la première fois.

– On ne ferait que se tirer dans les pattes.

– Tu crois que je te ralentirai, c'est ça ? » Colarusso perdit sa bonne humeur naturelle. « J'ai sous cette veste un Wesson automatique et j'ai le niveau "expert" au stand de tir. J'ai tué cinq hommes dans l'exercice de mes fonctions et ça ne m'a jamais empêché de dormir ne serait-ce qu'une seconde. Tu crois que ton assassin me fait peur ? »

Rakkim vit un père qui tenait sa fille par la main, lui apprenait à patiner tandis que les autres défilaient en un flot ininterrompu autour d'eux. « Il y a trois nuits de cela, déclara Rakkim à voix basse, l'assassin est tombé dans une embuscade de loups-garous. Il en a tué dix-sept, avant de disparaître au volant d'un de leurs véhicules.

– C'est... c'est une sacrée fusillade, ça.

– Il n'a utilisé qu'un poignard.

– Dix-sept loups-garous avec une lame ? Tu t'es mal rancardé.

– Les assassins feddayin n'ont même pas besoin d'un poignard. Ils s'en servent uniquement par plaisir. » Rakkim observait toujours le père et la fille. Elle commençait à saisir le truc, allongeait ses pas, mais son père restait derrière elle, prêt à l'attraper si elle tombait. « Je croyais que l'accident de voiture suffirait à le tuer. Ou le blesserait assez gravement pour que les loups-garous n'aient plus que des bouts à se disputer.

– Dix-sept ? »

Ils restèrent ainsi, épaule contre épaule, à regarder les jeunes gens glisser en rond. Rakkim regrettait de ne pas avoir vu la tête de l'assassin au moment où ses pneus avaient éclaté. L'assassin s'en était sorti, mais le fait d'être tombé dans le piège de Rakkim avait dû blesser son amour-propre. Pour un type comme lui, une petite tape pleine d'attention était souvent plus douloureuse qu'un coup de marteau.

« Tu as besoin d'aide pour aller à Los Angeles ? Cet assassin doit sûrement guetter l'aéroport. Je peux peut-être faire quelque chose pour vous.

– Je suis ouvert à toute proposition de ta part. »

Colarusso sourit. Quelques minutes plus tard, il décocha un signe de la tête à son fils qui passait devant eux comme un bolide. « Regarde un peu Anthony Jr. Depuis que sa candidature pour les feddayin a été acceptée, c'est comme s'il avait grandi de cinq centimètres. Du jour au lendemain. Il range sa chambre sans qu'on ait à le lui dire. Fait son footing de huit kilomètres tous les matins. Il me vouvoie même, des fois, tu imagines un peu ? Mais le plus important, c'est que... on dirait qu'il est plus solide, solide comme il ne l'a jamais été. Comme s'il y voyait plus clair. Comme s'il savait enfin où il allait. » Colarusso secoua la tête. « J'avais déjà une dette envers toi... maintenant j'ai l'impression que je ne pourrai jamais la racheter.

– Tu ne me dois absolument rien. »

Colarusso fixait la glace. « Je crois que tu es vraiment devenu le héros d'Anthony Jr. C'est le même refrain, tous les jours, Rakkim ceci, Rakkim cela...

– Ça lui passera vite. » Rakkim vit Sarah glisser. Elle avait lâché la main d'Anthony Jr. et pirouettait au centre de la patinoire. Son patin mordit la glace. Elle se rattrapa à temps pour ne pas tomber, et se remit à glisser, rougissant de honte. « Quand tu as recherché ces infos sur Abdullah... tu ne l'as pas fait directement, pas vrai ?

– Aucune trace, comme tu me l'avais demandé.

– Est-ce que les flics présents sur les lieux du crime savent qui je suis ?

– Je leur ai dit que tu étais de la Sécurité nationale. Que Redbeard t'avait envoyé pour prendre en charge les enquêtes sur le terrain. Ils se sont bien gardés de demander ton nom. T'inquiète pas. Personne ne sait que nous sommes plus que de simples inconnus l'un pour l'autre. Un dépravé comme toi. Si on apprenait qu'on est potes, ça pourrait foutre en l'air ma fulgurante ascension professionnelle.

– Et au Super Bowl ? »

Colarusso haussa les épaules. « La moitié des inspecteurs présents au match s'était fait inviter.

– Très bien. » Rakkim envoya un signe de la main à Sarah. « Comment t'es-tu procuré ces informations sur Abdullah ?

– Je suis passé par une fille des ressources humaines, répondit Colarusso. Elle a accès à des banques de données aux quatre coins du pays, afin de pouvoir vérifier le profil des aspirants policiers.

– Et elle ne t'a pas demandé pourquoi tu voulais ces informations ?

– Je lui ai dit que j'étais sur un projet top secret. Je crois que ça lui a plu. » Colarusso resserra son nœud de cravate assez mal fait, sans grande amélioration. « C'est une musulmane modérée bien sous tout rapport, en léger surpoids, la trentaine passée et célibataire, alors tu vois très bien où elle veut en venir. » Il se gratta le ventre. « Elle est toujours très gentille avec moi. Elle rigole à toutes mes blagues et doit se dire que je suis un dur, un vrai. Le fruit défendu, quoi. » Il afficha un large sourire. « Enfin bon, tu sais ce qu'on raconte à propos des catholiques.

– Euh... non.

– Allez, joue pas les abrutis. Tu le sais très bien.

– Mais de quoi tu parles ?

– Les catholiques sont plus solidement bâtis, chuchota Colarusso. Notre bazar... il est plus gros que celui des musulmans.

– Alors celle-là, je ne l'avais jamais entendue, répliqua innocemment Rakkim. Tout ce dont j'avais entendu parler

366

à propos des catholiques, c'est ces trucs avec les petits enfants de chœur.

– On a résolu le problème il y a très longtemps. »

Rakkim vit Sarah et Anthony Jr. se diriger vers le stand des rafraîchissements. Anthony Jr. lui offrit un verre de cidre chaud. Il jeta un coup d'œil à Rakkim, et détourna presque aussitôt le regard.

« C'est une très jolie femme, commenta Colarusso.

– Oui.

– Tu as bien de la chance.

– Qu'est-ce que tu essayes de me dire ?

– Marie n'arrête pas de fanfaronner depuis qu'Anthony Jr. a reçu sa convocation. Dans un rayon de deux kilomètres, tout le monde sait que son fils va entrer chez les feddayin. Elle est en train d'organiser une grande fête pour le mois prochain, juste avant son départ. » Colarusso fit craquer ses phalanges, sans se presser. « Je suis censé te dire... je suis censé te faire savoir que si tu as envie d'épouser une de nos filles, tu n'as qu'un mot à dire. »

Rakkim le dévisagea. D'abord Spider, et à présent Colarusso.

« Je sais, je sais, elles sont complètement ordinaires, mais Mary Ellen est une excellente cuisinière, et elle a des hanches parfaites pour donner naissance à une armée de marmots. Elle ne serait même pas ta première épouse. J'imagine que Sarah occupe déjà le terrain. Mais tu peux prendre Mary Ellen en troisième ou quatrième position.

– Une femme, c'est bien assez.

– À qui le dis-tu. Bon. Au moins, j'aurai demandé. »

Rakkim sourit. « Tu as l'air soulagé. »

Colarusso commença à répondre lorsque Sarah et Anthony Jr. arrivèrent soudain. Anthony Jr. évita le regard de Rakkim.

40

AVANT LA PRIÈRE
DU COUCHER DU SOLEIL

« C'est vrai que les gens venaient nager ici ?

– Tout à fait. »

Des plates-formes pétrolières se dressaient au large de la côte, par centaines, aussi loin que portait le regard de Rakkim. Les vagues fouettaient la plage d'une écume boueuse et noirâtre. Huntington Beach était jonchée de galettes de pétrole figé, le sable poissait sous la main. « Ils utilisaient un savon spécial pour se laver après le bain ?

– Il n'y avait pas autant de pétrole dans la mer, avant. » Sarah dépaqueta un des sandwiches épicés à la viande de chèvre qu'ils avaient achetés à l'aéroport international Ben Laden. Elle en retira les piments, les mit de côté, et mordit à belles dents. « Ils n'exploitaient pas les ressources pétrolières du large.

– Pourquoi ? » Rakkim adorait la voir manger. « Ils n'avaient pas besoin de carburant ?

– Ils s'en moquaient. Ils préféraient jouer dans la mer. Ils s'amusaient avec ces planches... des planches de surf, voilà le nom qu'on leur donnait. C'était censé être marrant. Les touristes affluaient de toute la planète pour venir nager, pêcher et dépenser leur argent. »

Rakkim regarda autour de lui. La promenade qui longeait la plage était bruyante, bondée de retraités se baladant bras dessus bras dessous, de mères avec leurs bébés. Sarah avait insisté pour qu'ils posent leur couverture parmi les jeunes gens qui pique-niquaient, sur le petit carré de gazon, face au coucher de soleil. Rakkim n'avait que 30 ans, mais il se sentait trop vieux pour s'allonger ainsi, au milieu de modernes et de catholiques au regard peu farouche, tous bronzés, exhibant leurs longues jambes, tandis que les couples s'enlaçaient dans la lumière déclinante du soleil. Même la Zone ne ressemblait pas à ça. Pas en plein jour. Pas en plein air.

Il faisait 5 °C avec un ciel chargé lorsqu'ils avaient quitté Seattle ce matin même. Il en faisait 30 sur tout le sud de la Californie. Ils avaient passé la journée à faire des sauts de puce, d'un petit aérodrome à un autre, pour atterrir enfin à l'aéroport international Ben Laden, il y avait de cela une heure. Les scanners biométriques avaient beau être hors d'usage, Rakkim avait de toute façon décidé de multiplier les étapes de leur voyage vers le sud. Colarusso leur avait donné des pièces d'identité qu'il avait volées à la cellule des opérations d'infiltration, et avait confié à Rakkim une liste d'aéroports dont le système de sécurité était défaillant. Un voyage aussi sûr que fatigant. Ils avaient loué une voiture grâce à leurs fausses pièces d'identité, et avaient chargé le GPS de les guider jusqu'à la plage par le trajet le moins embouteillé. Sur ce coup-là, ils n'avaient pas été chanceux. Lorsque Sarah en aurait assez de la plage, ils chercheraient un motel. Ils pouvaient bien attendre le lendemain pour partir à la recherche de Fatima Abdullah.

Rakkim n'avait fait que passer par cette région, quelques années auparavant. Le trajet en voiture entre l'aéroport et la plage avait été pour lui comme une révélation. Les autoroutes étaient congestionnées, mais elles comportaient douze voies, étaient lisses comme du verre, et disposaient de détecteurs d'ozone et d'échangeurs à la trajectoire parfaite. Seattle détenait le pouvoir politique, mais le sud de la Californie semblait avoir l'argent. Une partie provenait de l'exploitation pétrolière, mais, à en croire Sarah, les éléments démographiques étaient bien plus importants. Alors que le reste du pays était profondément musulman, la majorité sud-américaine de la population du sud de la Californie était restée catholique. Grâce à ses ressources naturelles et une population connue pour ne pas rechigner à la tâche, ce coin du pays avait prospéré. Il suffisait de regarder autour de soi pour se rendre compte que les choses étaient différentes, ici. Les immeubles grimpaient haut, les voitures étaient mieux entretenues, beaucoup d'entre elles étaient de marque française ou japonaise, équipées de piles à combustible et de moteurs vectoriels. Il existait encore des quartiers violents et défavorisés, mais, contrairement à la capitale, il régnait ici une agitation et une effervescence qui ne se démentaient jamais, donnant l'impression que tout était possible et qu'il suffisait de saisir sa chance.

Sarah avait réagi intensément à ce brusque changement. Elle semblait s'être épanouie comme une fleur au printemps. Elle avait retroussé les jambes de son pantalon jusqu'en haut des genoux et avait retiré sa veste. Elle ne cessait d'enfouir ses orteils dans l'herbe. « Je ne suis allée à Los Angeles que pour des conférences universitaires. Nous ne sommes quasiment pas sortis de l'hôtel et du centre de convention. Tenue de rigueur exigée. » Elle regarda autour d'elle. « Je pourrais passer le reste de mes jours ici. »

Rakkim sourit. « Colarusso m'a dit un jour que si je me retrouvais à la place d'un catholique un vendredi soir, je ne voudrais plus jamais redevenir musulman.

– Ça me rappelle un vieux film, dit Sarah. Avec une fille qui s'appelait Gidget. Ses amis et elle passaient pratiquement tout leur temps à la plage. Ils étaient à moitié nus la plupart du temps, et personne ne semblait s'en rendre compte, ce qui était d'autant plus étrange qu'elle était nonne.

– Je n'ai jamais croisé ce genre de nonne de toute ma vie.

– Gidget pouvait aussi voler. Comme Superman. Ou un ange, je ne sais plus. » Sarah souleva un pan de son T-shirt, offrant son ventre au ciel. « Aaah. C'est à ça que doit ressembler le paradis. » Le regard de Rakkim caressa son nombril. « Ou l'enfer. »

Sarah saisit les piments qu'elle avait mis de côté et les prit dans sa bouche. Elle gardait les yeux fixés sur Rakkim tout en mâchant. Puis elle se pencha et l'embrassa, fouillant sa bouche de sa langue. Son baiser était brûlant, mais il ne s'en détourna pas.

Anthony Colarusso avait une jolie maison dans un coin habité par des catholiques, dans le quartier de Madrona. Les pelouses y étaient bien entretenues, les façades avaient été récemment ravalées, et les rues étaient propres de tout détritus et de toute crotte de chien. Darwin rabattit le col de son manteau de cachemire, les mains fourrées au fond des poches, tandis qu'il remontait la rue. Rasé de près comme un baptiste. Il s'était garé à un pâté de maisons, après en avoir fait le tour. Deux gamins passèrent devant lui en patinette, de sales mioches maigrelets en short et T-shirt, malgré la température et l'humidité qui régnaient. Un vieux aux yeux chassieux qui ratissait les feuilles mortes de son carré de gazon salua Darwin et lui demanda s'il cherchait une adresse. Il précisa qu'il vivait ici depuis cinquante-sept ans, et proposa son aide. Darwin l'avait remercié, en répondant qu'il savait parfaitement où il allait.

Darwin boitait légèrement : un élancement remontait le long de sa colonne vertébrale à chaque pas qu'il faisait. Souvenir de l'accident de la semaine précédente. « Accident ». Le terme n'était pas vraiment approprié. Les loups-garous l'avaient poignardé à quelques reprises, mais les plaies avaient presque complètement cicatrisé. C'était surtout son ego qui avait souffert. Rakkim avait dû bien rigoler en voyant la voiture de Darwin enchaîner les tonneaux, cette nuit-là. Rakkim et Sarah avaient complètement disparu, mais quelqu'un savait forcément où ils étaient. Darwin s'était souvenu de Rakkim et Colarusso sortant de la maison de Miriam Warriq, il s'était souvenu de ce gros inspecteur qui suivait Rakkim comme un chien, relayant ses ordres aux policiers en uniforme. Il suffisait de les regarder pour comprendre que leurs relations n'étaient pas strictement professionnelles. Ils étaient amis.

Il n'avait pas fallu longtemps à Darwin pour trouver l'adresse de Colarusso. L'un des laquais du Vieux qui travaillait dans la police avait pu contourner les obstacles informatiques qui protégeaient les données relatives au personnel. Des feuilles mortes se faufilèrent entre les jambes de Darwin alors qu'il traversait la chaussée. Il glissa sur les dalles qui menaient jusqu'au perron de Colarusso et sonna à la porte. Les premières notes de la 5ᵉ Symphonie de Beethoven retentirent à l'intérieur. La quintessence du chic prolo.

Darwin passa une main dans ses fins cheveux bruns. Il releva les yeux lorsque la porte intérieure s'ouvrit, et aperçut Anthony Jr. qui le regardait de l'autre côté de la grille de sécurité. Qualité supérieure. Grillage en acier suédois, treize millimètres d'épaisseur. Un équipement très onéreux, surtout pour un salaire d'inspecteur. Les fenêtres devaient également être protégées par le même grillage. Colarusso devait passer beaucoup de temps loin de sa famille. Le gentil papa.

« Salut ! » Darwin sourit. « Je ne t'avais pas revu depuis le Noël organisé par tes parents, il y a sept ou huit ans. Qu'est-ce que tu as grandi. »

Anthony Jr. ne réagit pas. C'était un grand gamin musclé, vêtu d'un jogging bleu de la King Fahd High School. Les cheveux courts. Une fine bande de barbe courait le long de sa mâchoire. « Alors, tu m'ouvres ou tu me laisses mourir de froid dehors ? » Anthony Jr. ne bougea pas. « J'imagine que tu ne te souviens pas de moi, évidemment. » Darwin fouilla dans sa veste. « En tout cas, mes félicitations. Tu es très prudent. » Il lui montra l'insigne qu'il avait pris au jeune policier. « Darwin Conklin. Je suis officier de liaison auprès du maire. »

Anthony Jr. ne jeta qu'un rapide coup d'œil à l'insigne. « Tant mieux pour vous.

– Est-ce que ton père est là ? J'ai à lui parler.

– Il n'est pas encore rentré. »

Darwin regarda sa montre. « Je peux l'attendre à l'intérieur ?

– Qui c'est, Anthony ? »

Darwin surprit une femme empâtée sur le seuil de la cuisine, en train de s'essuyer les mains avec un torchon.

Anthony Jr. ne quittait pas Darwin des yeux. « Je m'en occupe, maman. »

Darwin pointa du doigt le petit croissant de lune argenté qui pendait au-dessus de la porte. « Tu as été accepté chez les feddayin ? »

Acquiescement circonspect d'Anthony Jr.

« Félicitations ! » Pas de réponse. « Je t'en prie, est-ce que je peux entrer ? » Darwin arbora un large sourire. « Le maire m'a refilé son rhume la semaine dernière, et je suis juste en train de m'en remettre. »

Anthony Jr. tendit lentement la main vers le loquet. Et se figea.

Darwin remua la poignée. « Qu'est-ce qui ne va pas ?

– Vous.

– Anthony, tu n'as pas peur de moi, quand même ? »

Anthony Jr. le regardait droit dans les yeux. Il acquiesça lentement.

Darwin ouvrit son manteau. « Je ne suis même pas armé. Je ne suis qu'officier de liaison. Mon boulot, c'est de parler. De dialoguer. C'est tout.

– Allez dialoguer avec quelqu'un d'autre. »

Darwin hocha la tête. « Si les feddayin en sont réduits à accepter des jeunes gens comme toi, je crois que je vais vendre mes titres d'emprunt de guerre.

– Je sais qui vous êtes. » Bien qu'il fût protégé par un entrelacs de treize millimètres d'épaisseur, Anthony Jr. tremblait.

Darwin sourit, et son sourire fut cette fois sincère. Il était incapable de se souvenir de la dernière fois où on avait percé à jour sa vraie nature. Avant qu'il soit trop tard. Anthony Jr. avait peut-être les instincts d'un feddayin né, mais il était tout aussi probable que Rakkim l'ait averti qu'un individu du type de Darwin pourrait un jour sonner à leur porte. Lui ou son père, le gros flic. La gentille famille, tous unis, tous se protégeant les uns les autres. Se disant toutes sortes de choses. Sa petite visite aux charmants Colarusso n'avait pas été complètement vaine.

La mère d'Anthony Jr. réapparut sur le seuil de la cuisine. « Anthony ?

– Appelle la police, m'man. Dis-leur d'envoyer deux voitures. »

Darwin lui fit coucou d'un revers de main. « Bonjour, Marie. Vous êtes tout en beauté, comme toujours. »

La mère d'Anthony Jr. passa une main dans ses cheveux. « Arrête tes enfantillages, Anthony, laisse entrer ce pauvre homme.

– Appelle-les, m'man.

– Bon, lâcha Darwin. Bravo à toi, Anthony. Tu ne t'es pas laissé avoir.

– Je n'aime pas que vous disiez mon prénom.

– Est-ce que je peux te donner un petit conseil ? demanda Darwin. J'imagine que tu n'arrêtes pas de t'entraîner depuis que tu as été accepté. Que tu prends tout un tas d'hormones de croissance et d'autres cochonneries. » Il sourit à nouveau. « Tu ferais mieux de t'entraîner à gérer ton sommeil. Règle ton réveil pour qu'il sonne à une heure d'intervalle, afin de te réveiller toutes les heures durant la nuit. Quand tu arriveras à te réveiller sans la sonnerie, à te réveiller sur le qui-vive, à te sentir l'esprit alerte, alors, règle un intervalle d'une demi-heure. C'est de ça que tu auras besoin pour arriver au bout de la formation feddayin, parce que tu ne dormiras pas plus d'une heure d'affilée durant toute la première année.

– J'ai appelé, Anthony, cria sa mère de l'autre bout de la maison. Maintenant ferme cette porte. Laisse la police s'en occuper.

– Je parie que c'est une formidable cuisinière, dit Darwin.

– Je dors déjà par terre, dit Anthony Jr. J'ai aussi coupé le chauffage dans ma chambre. Mais ce truc-là, pour gérer son sommeil... c'est plutôt pas mal, comme idée.

– J'ai plein de bonnes idées. » Darwin semblait partagé entre deux décisions. « Autre chose... » Il jeta un bref regard aux alentours, et le poignard en polymère glissa le long de sa manche jusque dans le creux de sa main. « Lorsque l'instructeur chargé des évasions demandera s'il y a des volontaires... » Il baissa la voix, et Anthony Jr., sans même s'en rendre compte, se rapprocha. « ... Tu ferais mieux de... » Darwin abattit sa main contre le grillage, et la lame passa au travers des entrelacs d'acier. Elle aurait dû se planter dans l'œil gauche d'Anthony Jr., mais celui-ci avait reculé au dernier moment.

Anthony Jr. essuya le filet de sang qui coulait sur sa joue. Son souffle était court et précipité.

« Très bien joué. » Darwin rangea son poignard. « Il se peut que tu arrives au bout de ta formation. On pourrait se revoir à l'occasion, on se raconterait nos différentes missions. » Il adressa à Anthony Jr. un salut désinvolte, et tourna les talons. Il ne boitait quasiment plus, comme s'il venait de rajeunir de quelques années.

Sarah tira les rideaux, laissant pénétrer les derniers rayons du soleil couchant dans leur chambre de motel sur le front de mer. Elle était nue, courbes et creux luisant de sueur. Rakkim durcit à nouveau rien qu'en la regardant. Elle se pencha en avant, les mains posées sur le rebord de la fenêtre, ses fesses tendues dans sa direction. La fenêtre était grande ouverte, les rideaux dansaient au gré du vent.

« Tu veux que je fasse une crise cardiaque ? »

Elle se retourna vers lui, et éclata de rire. « Je n'ai jamais été aussi heureuse. »

Il l'observait en écoutant les sons qui leur provenaient de dehors. Des vélos. Les cris des mouettes. Le flux et le reflux des vagues. Le vrombissement des hélicoptères passant dans le ciel, presque silencieux. L'espace aérien de la capitale était extrêmement réglementé, mais pas celui de Los Angeles. Ici, rien ne semblait sujet aux interdictions. « Viens te coucher.

– Dis le m...

– S'il te plaît. »

Le vent gonflait les rideaux autour d'elle. « Tu te rends compte, Rakkim ? Nous avons fait l'amour les fenêtres ouvertes. On nous a forcément entendus dehors. » Ses mamelons étaient sombres et durs. « Nous nous sommes promenés en public en nous tenant par la main, sans avoir à compter les minutes qui nous restaient avant de devoir nous séparer. Sans avoir à peaufiner les excuses que je devrais soumettre à Redbeard, à imaginer toutes les réponses aux questions qu'il aurait été susceptible de me poser. Colarusso est la seule personne au monde à savoir que nous sommes ici. Nous sommes libres. » Elle s'avança vers lui, le soleil couchant dessinant sa silhouette d'or. « Je n'ai pas envie de partir à la recherche de Fatima ce soir.

– Parfait.

– Je ne veux pas non plus la rechercher demain. Je veux faire l'amour, faire la grasse matinée. Je veux prendre le petit déjeuner dans ce café que nous avons vu. Je veux courir sous le soleil et boire du café frappé mexicain et écouter de la musique. Je veux que tu danses avec moi. Et puis je veux que nous fassions encore l'amour. »

Rakkim l'observa tandis qu'elle approchait. Elle était à présent au bord du lit, et il sentait sur elle leurs parfums intimes mêlés. « Ça me plairait aussi. À part le chapitre "danse". »

376

Elle glissa sur le lit, et il caressa son entrejambe humide. « Restons ici aussi longtemps que nous le pourrons, dit-elle. Parce que lorsque nous partirons, lorsque nous la retrouverons, tout recommencera. Et il n'y aura plus de place pour nous deux...

– Ce n'est pas vrai. »

Elle le glissa en elle, tellement doucement que c'était comme s'il avait toujours fait partie d'elle. « Ce ne sera pas comme ça. » Elle se balança paisiblement sur lui, et il suivit la cadence de ses reins, sa chaleur l'irradiant tout entier. « Une fois que nous serons partis d'ici, le temps jouera à nouveau contre nous. Nous nous remettrons à regarder par-dessus nos épaules. » Elle s'agrippa plus fort à lui en gémissant, et l'enfonça jusqu'à la garde. Il ne put s'empêcher de crier alors qu'elle accélérait ses mouvements.

Rakkim grogna en arquant le dos.

Elle secoua la tête en le chevauchant, et les boucles noires de ses cheveux semblèrent flotter dans le crépuscule.

41

« Personne viendra vous ouvrir, m'sieur », dit le gamin alors que Rakkim appuyait sur les boutons de l'interphone. Il avait une dizaine d'années, avec des yeux de bête sauvage, des cheveux blond sale, et il était maigre comme un clou. À en juger par l'état de ses vêtements, il devait dormir tout habillé. « La moitié de ces boutons marchent pas, de toute façon. »

Rakkim regarda aux alentours tandis que Sarah fouillait dans son sac. Ils se trouvaient au pied d'un immeuble, la dernière adresse connue de Fatima Abdullah, selon les informations que Colarusso avait réussi à obtenir. Un quartier pouilleux de Long Beach, à majorité catholique. Des poubelles renversées et des épaves de voitures en pleine rue. Si Fatima se prostituait toujours, le milieu de la matinée était le meilleur moment pour espérer la trouver chez elle. Rakkim et Sarah avaient passé ces trois derniers jours au motel de Huntington Beach, à prendre leur temps, à n'être que deux amoureux souhaitant que cela ne s'arrête jamais. Pour eux, c'était ce qui se rapprochait le plus d'une lune de miel.

Sarah tendit au gamin un billet de 10 dollars. « Nous recherchons Fatima Abdullah. Elle se fait parfois appeler Francine Archer. Ou Felicity Anderson. »

Il était trop tôt pour payer le gamin. C'était trop tôt, et trop peu.

Le gamin fourra le billet dans une de ses baskets. Il éteignit sa cigarette, et l'enveloppa dans un bout de papier chewing-gum. Prêt à se sauver. « Jamais entendu parler d'elle.

– Comment t'appelles-tu ? demanda Rakkim.

– Cameron. » Le gamin tendit la main. « Ça fait 10 dollars de plus. »

Rakkim chassa sa main d'une tape. « Je t'en donne cent contre une info valable. » Il fit apparaître sur l'écran de son portable la photo la plus récente qu'il avait pu trouver de la fille de Safar Abdullah. Il s'agissait d'un cliché d'identification pris à la suite d'une interpellation, cinq ans auparavant : le contact de Colarusso n'avait rien trouvé de plus satisfaisant.

Cameron ouvrit grand la bouche, et finalement acquiesça. « Donnez-moi l'argent. » Il hésita. « Faites-moi une copie aussi. »

Rakkim lui tendit cinq billets de 20. Le téléphone portable cracha une impression de la photo qu'il lui donna.

Cameron tenait la photo comme s'il s'agissait d'un flocon de neige. « Qu'est-ce qu'elle était belle. Elle... elle ne ressemble plus à ça, maintenant.

– Dans quel appartement habite-t-elle ? demanda Rakkim.

– Elle vit plus ici. Et elle s'appelle ni Francine ni Felicity ni Fatima. C'est Fancy. Fancy Andrews.

– Elle n'a rien à se reprocher, dit Sarah. Nous voulons simplement la rencontrer pour parler de son père.

– Elle n'a pas de père. Plus aucune famille.

– Je m'appelle Sarah, au fait. » Elle lui serra la main. « Je suis ravie de faire ta connaissance, Cameron. »

Le gamin regarda Rakkim. « Et vous, m'sieur ? Vous êtes ravi, vous aussi ?

– Où est-ce que Fancy a déménagé ? demanda Sarah. Je suis sûre qu'elle ne serait pas partie sans te le dire.

– Des fois, je lui rendais de petits services. » Son regard hésita entre Sarah et Rakkim, pour finalement se poser sur Sarah. « Elle avait des migraines... et des fois les gros balèzes venaient l'embêter. J'essayais de la prévenir quand ils arrivaient, mais...

379

– Et ces gros balèzes ne t'embêtaient pas, toi ? demanda Rakkim.

– Je suis trop rapide. » Le visage de Cameron refléta son impuissance. « Et je n'ai rien qui les intéresse.

– Elle avait de la chance de t'avoir comme ami, dit Rakkim.

– Si j'avais été plus grand, je ne les aurais jamais laissés l'embêter, répliqua Cameron, les yeux lançant des éclairs. Elle disait que c'était pas grave. Qu'elle avait juste horreur de faire ça gratuitement. Et c'était censé me réconforter. »

Sarah posa une main sur son épaule, mais il s'en dégagea. « Il faut absolument qu'on la retrouve.

– Foutez le camp, m'sieur, dit Cameron. Tout de suite. »

Rakkim descendit les marches du perron jusqu'au trottoir. Lui aussi avait repéré les balèzes en question.

« OK, m'sieur, faites ce que vous voulez, j'en ai rien à foutre. Mais je veux pas qu'ils l'attrapent, elle.

– Rakkim ? » demanda Sarah.

Trois hommes accouraient dans sa direction, et un quatrième restait en retrait, marchant tranquillement. C'était sûrement le chef. Les trois excités étaient de grands types d'à peine 20 ans, rasés de près et bien nourris, alors que le chef était sec comme une branche morte. Ils portaient des pantalons larges en soie, des T-shirts sans manches qui mettaient en valeur leurs bras musclés, des rangers parfaitement cirés, et des couteaux de l'armée accrochés à leur ceinture. Leur crâne était entièrement rasé, à l'exception d'une natte sur le haut. Le style du ghetto. Le plus gros avait la moitié du cou recouvert d'un tatouage grossier de la Vierge de Guadalupe. Ils l'encerclèrent. Trop près. Ils auraient dû se laisser plus d'espace.

Le chef arriva, sourit à Sarah en soulevant un chapeau qu'il n'avait pas. « Vous avez pris la mauvaise sortie sur l'autoroute, très chers musulmans ?

– Ils allaient partir, Zeke », lança Cameron.

Zeke posa un index sur ses propres lèvres pour le faire taire. « Les enfants ne doivent jamais se mêler des affaires des grandes personnes. T'as toujours pas compris ? » Zeke remit ses testicules en place en souriant à Sarah. « Vous avez oublié de régler la taxe de passage. On va mettre ça sur le compte d'une méconnaissance de la loi... » Il regarda Rakkim en pointant la Ford garée à l'angle de la rue. « C'est ta caisse, Mohammed ?

– Elle vous plaît ? » demanda Rakkim d'un ton enjoué.

Zeke ouvrit la main. « Clefs. Portefeuille. Tu peux te barrer. Ta salope reste.

– Je peux rester, moi aussi ? proposa Rakkim. Vous avez l'air supersympa. »

La réponse déplut à Zeke. Elle était tout à fait inhabituelle. Avant qu'il ait pu mettre en garde ses compagnons, les trois autres tirèrent leurs couteaux, et les lames étincelèrent au soleil. Zeke brandit une matraque, un de ces bâtons d'un kilo cinq que les brigades antiémeutes de la police étaient seules à utiliser. On n'osait imaginer comment cette arme était arrivée entre ses mains.

« Oh ! Oh ! dit Rakkim. Me voilà dans de beaux draps. »

Zeke tapota sa matraque dans le creux de sa main. Il commença à avertir les autres, mais il était déjà trop tard.

Les trois hommes se précipitèrent sur Rakkim. Pour une attaque en groupe, il était toujours préférable que chacun lance l'assaut à son tour, afin que personne ne se gêne, mais cela faisait bien trop longtemps qu'ils ne s'en prenaient qu'à des proies faciles.

Rakkim saisit la main armée de celui qui se trouvait à sa gauche, et la tordit d'un coup sec. Il asséna de toutes ses forces son poing gauche sur la trachée d'un autre. Abattit son pied sur le côté du genou du troisième alors que celui-ci arrivait sur lui. Sans se retourner, Rakkim évita la matraque qui siffla dans l'air. Zeke recula, mais son coup raté l'avait légèrement déséquilibré, et Rakkim put facilement le prendre de vitesse, enfonçant la base de sa paume droite dans son nez, et l'envoyant au tapis. En trois secondes à peine, tous se retrouvèrent étalés sur le trottoir.

Le tatoué se releva en saisissant son poignet cassé dans un concert de jurons. Le troisième assaillant hurlait de douleur, la jambe tordue dans un angle singulier. Le dernier était étalé par terre, les bras et les jambes pris de convulsions, alors qu'il essayait en vain de respirer. Sa trachée était écrasée, son larynx ne laissait plus passer la moindre bouffée d'air. Son visage était rouge incarnat. Bientôt, il serait pourpre. Puis noir. Zeke était déjà debout, titubant, ignorant le sang qui coulait à gros bouillons de son nez cassé, imbibant son T-shirt. Il ramassa sa matraque.

« Rakkim ? » Sarah semblait sous le choc. « Cet homme... cet homme n'arrive plus à respirer. »

Rakkim aperçut du coin de l'œil Cameron, qui descendait les marches pour se tenir derrière eux.

Zeke cracha du sang, en observant les spasmes de l'agonisant se calmer progressivement. « Tu sais, Mohammed, c'était juste pour déconner, ce que je t'ai dit. »

Rakkim tendit la main. « Sans rancune, j'espère. »

Zeke agrippa sa matraque, refusant de lui serrer la main.

À l'aide de sa main intacte, l'homme au poignet brisé aida celui au genou broyé à se relever. Ils partirent, gémissant à chaque pas, se tenant à distance de Rakkim.

« Pourquoi tu resterais pas dans le coin ? proposa Zeke. Il y a quelques amis que j'aimerais te présenter. On reviendra dès qu'on aura organisé les funérailles de Benny. »

Rakkim les regarda quitter les lieux. Benny était à présent immobile et silencieux, les ongles plantés entre les pavés du trottoir.

« Vous êtes qui, m'sieur ? demanda Cameron.

– Il faut que tu partes d'ici, dit Rakkim.

– J'ai des millions de cachettes. Je n'ai pas peur.

– Est-ce que tu as la moindre idée de l'endroit où peut se trouver Fancy ? » demanda Sarah.

Rakkim lui lança un regard surpris. Elle l'avait pris de vitesse.

Le gamin scrutait le mort. « Une fois, Benny m'a tenu pendant qu'ils étaient en train de faire payer leur taxe à Fancy. Il m'a tenu par les cheveux, et il m'a obligé à regarder. » Il releva les yeux sur Rakkim. « J'aimerais bien savoir comment vous lui avez cassé le cou. Vous pourriez m'apprendre ?

– On n'a pas assez de temps pour ça.

– Bien sûr... je comprends. » Cameron se retourna vers Sarah. « En juin dernier, Fancy est venue me chercher pour me montrer où elle vivait maintenant. Elle a dit que c'était une surprise pour mon anniversaire, mais mon anniversaire tombe en mai. » Il regarda Rakkim. « Je sais pas précisément où elle habite. C'était la nuit, et elle s'arrêtait constamment pour ramasser des trucs dans les poubelles. Elle a dit que c'était la voiture de sa copine. Sa copine était vraiment gentille. Elle m'a donné une paire de chaussures qui allaient plus à un de ses enfants.

– Donne-nous un repère, dit Rakkim.

– Vous avez déjà entendu parler de Disneyland ?

– L'ancien parc d'attractions, c'est ça ? demanda Rakkim.

– Sans doute le plus grand parc à thèmes de toute l'histoire, précisa Sarah. Il existait un véritable empire Disney. Des films, des chaînes de télévision, des dessins animés, tout ce que tu peux imaginer.

– Même si vous me payiez, je serais incapable de retrouver la nouvelle maison de Fancy, dit Cameron. Mais on arrivait à voir Disneyland par les fenêtres de derrière. Ce qu'il en reste, en tout cas. Cette "montagne"...

– Le Space Mountain ? proposa Sarah.

– J'en sais rien... il y avait de la neige dessus. Pas de la vraie neige, bien sûr...

– Le mont Cervin, rectifia Sarah. Les wagons du Space Mountain roulaient à l'intérieur de la fausse montagne, pas à l'extérieur. Je confonds toujours ces deux attractions.

– Ouais, comme vous voulez, dit Cameron. En tout cas c'est tout ce que je sais. Sa chambre était au premier étage et je pouvais voir la neige. »

Rakkim lui tendit 200 dollars supplémentaires. « Quand nous serons partis, tu seras tenté de fouiller les poches de Benny. Résiste à cette tentation. Tu te diras que si tu ne prends pas son argent ni son portable, quelqu'un d'autre le fera à ta place. Mais ne le vole pas. Laisse les autres voler les morts. Pas toi. »

Le gamin le regarda droit dans les yeux.

« Quand nous aurons retrouvé Fancy, tu veux qu'on lui dise quelque chose de ta part ? demanda Sarah.

– Ouais. » Le gamin cligna des yeux, et détourna le regard. « Dites-lui de venir me chercher. Dites-lui de me retrouver sur le parvis de Saint-Xavier, à midi. Dites-lui que je l'y attendrai tous les jours. »

42

Flash spécial. Attentat terroriste dans la baie.

Rakkim reposa son kebab hallal tandis que le message défilait au-dessus du distributeur de serviettes posé sur la table. Des images de métal plié et de pylônes renversés. Rakkim glissa sur le skaï rouge de son siège, dans le fast-food *Pious Sam's Pious Eats*[1], pour se rapprocher de l'écran. Une partie du pont Commandant-Massoud qui traversait la baie de San Francisco s'était effondrée au beau milieu de la journée, en pleine heure de pointe. Des centaines de morts. La caméra zooma sur les corps qui flottaient sur l'eau, tandis que le courant précipitait des véhicules retournés contre les piliers de soutènement. Le maire de la ville apparut à l'écran, sa robe et son turban bousculés par le vent. Il exhortait Redbeard à répondre de ce manquement impardonnable de la Sécurité nationale, qui n'avait su prévenir cette attaque terroriste. En arrière-plan, des femmes en burqas noires, invisibles derrière le grillage qui leur permettait de voir, tapaient de grandes pierres plates les unes contre les autres sous la pluie fine, gémissant de colère et de tristesse.

Sarah n'avait jeté qu'un rapide coup d'œil aux images.

Rakkim pointa l'écran du doigt. « Tu as vu ça ? »

Sarah acquiesça. « Un autre pont s'effondre, et on accuse les terroristes. L'excuse habituelle pour des années de négligence de la part des autorités.

---

1. « Les Plats Pieux du Pieux Sam ». *(N.d.T.)*

– Justement, cette fois-ci, plutôt que de s'en prendre aux infidèles, ils accusent la Sécurité nationale d'avoir permis que cela arrive.

– C'est le maire Miyoki. Il a toujours été un ennemi juré de Redbeard.

– Est-ce qu'il l'a déjà accusé nommément, jusqu'ici ?

– Miyoki est en pleine campagne pour sa réélection. C'est San Francisco. *"Charia City"*. Ils décapitent des homosexuels toutes les semaines sur les places publiques. Redbeard représente tout ce que Miyoki déteste. »

Rakkim n'était pas convaincu. L'accusation de Miyoki semblait être un autre indice du déclin du pouvoir politique de Redbeard. « Qu'est-ce qu'il y a ? Tu n'as pas touché à ton repas. »

Sarah repoussa son assiette. « Est-ce qu'il fallait vraiment que tu le tues ?

– Non. J'aurais pu le laisser me désosser. Peut-être que, pour le récompenser, Zeke lui aurait permis de s'occuper de toi pendant quelques secondes.

– Je t'en suis vraiment reconnaissante, ne te méprends pas. Je sais parfaitement ce qu'ils nous auraient fait, mais tu n'as pas tué les deux autres. Tu leur as juste... cassé quelques os, afin qu'ils ne puissent plus nous faire de mal. »

Rakkim faisait semblant de se concentrer sur le message qui défilait. « Ça m'a facilité les choses.

– Qu'est-ce que tu veux dire ?

– Eh bien, tout s'est passé très vite. Ça veut dire que mon entraînement a pris le dessus, et que j'ai laissé faire.

– Mais, si tu avais eu le temps... tu ne l'aurais pas tué, n'est-ce pas ? »

Rakkim savait où elle voulait en venir. Elle avait vu à quel point il était rapide, une heure auparavant. Elle avait vu le feddayin en lui, et cela la terrifiait. Ça le terrifiait lui aussi, parfois. Les questions de Sarah cachaient autre chose. Anthony Jr. lui avait parlé, à la patinoire. Il lui avait certainement raconté la façon dont Rakkim les avait méticuleusement découpés, lui et ses potes, dans la ruelle, la façon dont Rakkim avait dansé au milieu d'eux cette nuit-là, tranchant une centaine de fois dans leurs chairs, jamais assez profondément pour que les blessures soient sérieuses. Anthony Jr. lui avait probablement parlé de ses cicatrices. Il s'était sûrement proposé de les lui montrer un de ces quatre. Rakkim espérait que Sarah avait vu clair à travers les fanfaronnades du gamin, qu'elle avait compris ce qui s'était vraiment passé. Il était simple d'être rapide. Le contrôle de soi, c'était cela, le plus difficile.

Rakkim lui prit la main. « Je ne suis pas comme l'assassin, si c'est ce qui te tracasse.

– Je me dis juste... je me dis juste que ce doit être difficile de ne pas aimer faire ce en quoi tu excelles. »

Rakkim lâcha sa main. « Je ne m'excuserai pas.

– Je ne te le demande pas. » Sarah lui prit à son tour la main. « Tu es sûr que tu ne veux pas appeler Colarusso pour qu'il nous aide à retrouver Fancy ?

– Je l'ai déjà mis en danger. Je ne vais pas empirer encore les choses.

– Alors appelons Colarusso à partir d'une ferme de données. Ce sera totalement anonyme...

– Un appel provenant d'une ferme de données signifiera que quelqu'un désirant dissimuler son identité a joint Colarusso. À ton avis, comment cela sera-t-il interprété par ceux qui l'auront mis sur écoute ? » Rakkim s'adossa à son siège. Il baissa la voix. « Anthony est le seul à savoir où nous sommes. Tout contact peut compromettre cet avantage. Je connais quelqu'un ici qui peut nous être utile. »

Sarah retira sa main.

Rakkim observa au loin la circulation de l'une des autoroutes intérieures. Après avoir quitté Long Beach, ils avaient flâné en voiture dans la ville, se demandant ce qu'il convenait de faire à présent. Sarah avait remarqué le nombre considérable d'églises catholiques, coiffées pour la plupart de croix, ce qui était strictement interdit dans la capitale. La pollution était pire à l'intérieur des terres que le long de la côte. L'été dernier, plus de dix-huit mille personnes étaient mortes d'insuffisance respiratoire aiguë au cours d'une inversion thermique qui avait duré trois semaines sans que les médias en parlent. Ni à l'échelle locale ni à l'échelle nationale. À la patinoire, Colarusso avait confié à Rakkim que les flics disposaient tous dans leur équipement de réserves d'oxygène. Le prix de leur déjeuner tardif apparut sur le message défilant. Rakkim introduisit l'argent dans la fente, et appuya sur le bouton « Gardez la monnaie ».

« Nous sommes passés devant une mosquée, tout à l'heure, à un peu plus d'un kilomètre d'ici, dit Sarah. J'aimerais visiter le site de recettes pour voir si ma mère m'a laissé un message. Leur kiosque Internet possède les filtres adéquats.

– Vous ne vous étiez pas mises d'accord sur un intervalle précis pour communiquer ? »

Sarah hocha la tête. Un camion passa, chargé d'énormes pastèques, vertes à rayures noires. « Les contacts se font toujours à intervalles irréguliers.

– Elle est prudente. C'est bien. »

Sarah regarda par la vitrine. « J'aimerais la rencontrer. J'aimerais la voir, lui parler... et en même temps je regrette presque qu'elle m'ait contactée. » Sarah reporta alors son regard sur Rakkim. « J'aimerais tellement qu'on retourne au motel.

– Tu n'as qu'un mot à dire. »

Sarah hocha à nouveau la tête. « Ne me tente pas. »

43

« Vous avez manqué le déjeuner, dit sœur Elena, la novice, un peu essoufflée.

« Je ne voulais pas me laisser tenter par la tarte aux fraises et à la rhubarbe de sœur Gloria. » Katherine avait voulu rester seule. Le mensonge était un péché véniel, facile à expier.

« La mère supérieure aimerait vous voir. »

Katherine resta là où elle était. Sœur Elena pouvait prendre ses mensonges pour argent comptant, mais Bernadette ne tolérerait pas que Katherine l'éconduise. Le vent fouetta sa robe de nonne, la faisant virevolter autour d'elle, mais elle ne fit pas même l'effort de la rabattre. Angelina avait vu juste quant au nouveau chef des Robes noires. Ibn Aziz était bien plus que dangereux. « J'ai fait un cauchemar hier soir, dit-elle alors que des volutes de fumée noire continuaient de s'élever des collines lointaines. Et je me suis éveillée pour constater qu'il s'était réalisé. » Elle vit trembler sœur Elena, une religieuse dévouée d'une vingtaine d'années, douce et aimable. Katherine se demanda ce que cette jeune femme ferait lorsque l'incendie rongerait leur retraite, se demanda ce que Sarah ferait en de telles circonstances. Toutes deux avaient à peu près le même âge. Elena avait été confiée au couvent par sa mère, une adolescente musulmane qui avait trouvé refuge auprès des sœurs durant sa grossesse, avant de disparaître dans une ville quelconque. Sarah, elle, avait tout juste 5 ans lorsque Katherine l'avait abandonnée.

« Est-ce un feu de forêt ? » Sœur Elena plissa les yeux en considérant les fumerolles. « Ce n'est pourtant pas la saison.

– C'est Newcastle. »

Le couvent était un ancien pavillon de chasse, à l'orée d'une forêt du centre de la Californie. La ville la plus proche était Newcastle, qui vivait de l'exploitation forestière. Elle se trouvait à quatre-vingts kilomètres, soit une journée entière sur les routes balayées par le vent et sillonnées d'ornières. Une ville animée, où l'on ne s'intéressait pas à la politique, et où musulmans et chrétiens vivaient côte à côte. Les religieuses n'avaient jamais rien à craindre lorsqu'elles allaient faire quelques courses en ville, mais Katherine avait piraté les fréquences de la police depuis un certain temps, certaine que les troubles commenceraient par éclater à Newcastle. Katherine avait remarqué un changement notable la semaine précédente : les chaînes de télévision religieuses nationales avaient fait preuve d'une rage et d'une paranoïa sans précédent.

« Ma sœur ? » Sœur Elena posa sa main sur celle de Katherine. « Nous ferions mieux de ne pas impatienter la mère supérieure. »

Durant tout le chemin du retour, sœur Elena ne cessa de jeter de brefs coups d'œil par-dessus son épaule, en direction des colonnes de fumée, manquant même de trébucher, troublée par ses désirs contradictoires. Elle confesserait sûrement ce besoin de regarder derrière elle comme une faute, et recevrait sa pénitence avec gratitude. Après tout, la femme de Loth n'avait-elle pas été changée en statue de sel pour s'être retournée et avoir contemplé la pluie divine de feu et de soufre s'abattre sur les villes de Sodome et Gomorrhe ?

La première fois qu'elle avait entendu cette histoire, Katherine avait considéré qu'il était horrible d'être punie ainsi, simplement à cause de sa curiosité. Elle était encore catholique à l'époque, et lorsqu'elle avait exprimé sa désapprobation, la religieuse de l'école élémentaire catholique avait répondu que ce n'était pas la curiosité de la femme de Loth qui avait été punie, mais sa désobéissance, les anges lui ayant expressément interdit de se retourner. Katherine avait répliqué que les anges étaient idiots de croire qu'un être humain pouvait s'empêcher de contempler un tel spectacle, que la femme de Loth était courageuse et que Loth était un lâche. Katherine avait ajouté qu'elle aussi se serait retournée, même si elle avait dû être changée en une fichue statue de sel. Cela avait été la première fois qu'elle s'était fait battre à l'école élémentaire catholique, la première d'une longue série. À présent qu'elle se souvenait de l'incident, ce n'étaient pas ces sévices qui la choquaient le plus, mais l'idée de la destruction instantanée d'une grande ville par une pluie de feu. Peut-être l'histoire de l'humanité n'était-elle qu'une danse macabre que Dieu et le diable menaient chacun à son tour.

Sœur Elena s'essoufflait dans l'escalier qui menait au bureau de la mère supérieure, au troisième étage du couvent. Trop de temps passé devant son ordinateur, et pas assez dehors. Katherine n'était pas le moins du monde à bout de souffle. Elle avait 50 ans, et ses longues jambes étaient encore finement ciselées. Le couvent pourvoyait en grande partie à ses propres besoins. Katherine passait autant de temps dans les champs et à la ferme que les autres religieuses, et, durant les heures consacrées quotidiennement à la prière, Katherine se promenait par les sentiers et les collines avoisinants. Ses cheveux étaient encore sombres, sa modeste poitrine encore ferme... assez ferme, en tout cas, et certaines nuits il lui arrivait encore de se retourner sur sa couche spartiate, entre veille et sommeil, des nuits où elle pensait à son mari, des nuits où, Dieu lui pardonne, elle pensait à son frère, Redbeard.

Sœur Elena frappa à la porte de la mère supérieure, d'abord de façon hésitante, puis aussitôt plus fort, comme si elle s'était reproché la peur qu'elle éprouvait, et Katherine remarqua que ses phalanges étaient rouges, meurtries. Sœur Elena était la favorite de la mère supérieure et, en tant que telle, se devait d'en faire deux fois plus que toutes les autres novices, laver les marches de pierre une fois par jour, assumer les tâches subalternes les plus ingrates sans la moindre plainte.

« Entrez, aboya la mère supérieure.

– Merci », dit Katherine à sœur Elena en entrant. Elle referma la porte derrière elle. « Tu es bien trop dure envers cette petite, Bernadette.

– Et bonjour à toi, Kate. » Mère Bernadette était une religieuse desséchée, lugubre, qui avec ses mèches de cheveux blancs dépassant de sa coiffe semblait beaucoup plus vieille qu'elle ne l'était en vérité.

Depuis ces vingt dernières années, depuis l'assassinat de son époux, Katherine s'était cachée dans ce couvent. Si les autorités l'avaient retrouvée en ces lieux, toutes les religieuses auraient été exécutées sur-le-champ, leurs corps mutilés, et le couvent réduit en un tas de cendres. Pas un seul instant durant ces vingt ans, même au cours des deux fouilles auxquelles les agents de Redbeard avaient procédé, Katherine n'avait craint d'être trahie. La dernière fois (cela devait bien remonter à dix ans), elle était sortie de sa cachette, dans le presbytère, avec un châle qu'elle avait tricoté dans l'obscurité. Bernadette le portait parfois les nuits d'hiver, lorsque, seules toutes les deux, elles regardaient la télévision dans son bureau. Bernadette, qui ne mangeait quasiment rien, adorait les émissions culinaires, tandis que Katherine ne s'intéressait qu'aux journaux télévisés. Elles se relayaient devant l'écran.

« Je viens de recevoir des nouvelles de Pékin », dit Bernadette en sortant de derrière son bureau pour s'asseoir sur le sofa antédiluvien. Des touffes de rembourrage sortaient de part et d'autre malgré les coutures sans nombre destinées à prolonger son existence. Le bureau était petit, avec pour seules décorations un gros crucifix et une photographie du pape Jean-Paul II, le pape en fonction lorsque Bernadette avait prononcé ses vœux. « Nos sœurs ont terminé leur mission d'aide médicale aux démunis dans la banlieue ouvrière de la ville. Leurs dosimètres n'ont rien enregistré.

– Bon, c'en est donc fini pour Pékin, et fini pour Shanghai. Après toutes ces années, il ne nous reste plus qu'à remettre tous nos espoirs entre les mains de Sarah. » Katherine sourit. « Et celles de Dieu, bien entendu. »

Bernadette fronça les sourcils. Elle n'avait jamais apprécié ce genre de plaisanterie lorsqu'il était question de sa religion. Elles étaient toutes deux cousines, et bien que Bernadette fût de douze ans son aînée, elles avaient toujours été très proches. Lorsque Katherine s'était convertie à l'islam avant d'épouser James Dougan, tout contact avait été coupé. Mais même ainsi, lorsqu'elle avait dû chercher une cachette, Katherine n'avait pas hésité un seul instant à frapper à sa porte. Elle savait que Bernadette l'accueillerait.

« C'est un lourd fardeau que de se reposer sur quelqu'un d'aussi jeune, fit observer Bernadette.

– J'ai attendu plus de vingt ans pour la contacter, répondit Katherine d'un ton sec. Tu crois vraiment que je l'aurais mise dans une situation si délicate si j'avais eu d'autres recours ? »

Le regard de Bernadette se durcit. « Tu aurais dû réfléchir à tout cela avant de te convertir à cette foi barbare. Je n'ai jamais aimé ton mari, de toute façon. Trop beau. Trop ambitieux.

– Le problème, ce n'est pas la foi, Bernadette. Ce sont les croyants. »

Bernadette détourna le regard. C'était une très vieille discussion.

Plus de vingt ans. « Pourquoi m'as-tu abandonnée ? » Cela avait été la première chose que Sarah lui avait demandée après qu'elle se fut convaincue que c'était bien sa mère qui lui avait envoyé ces curieux messages.

Lorsque son père avait été assassiné, Sarah était hospitalisée dans un service de soins intensifs, avec une pneumonie aiguë. Katherine sommeillait sur une chaise, près de la tente à oxygène, lorsque Redbeard l'avait appelée pour lui annoncer d'une voix faible que James était mort, et que deux de ses meilleurs hommes se rendaient immédiatement à l'hôpital.

Pourquoi m'as-tu abandonnée ? Une question sans réponse. Aucune réponse n'aurait pu satisfaire Sarah. Aucune n'aurait pu satisfaire Katherine.

La nuit qui avait précédé son assassinat, James l'avait serrée dans ses bras, et lui avait murmuré que si quelque chose lui arrivait, quoi que ce fût, bénin ou pas, elle devrait prendre Sarah avec elle et se cacher quelque part. Il avait mis un chapelet dans sa paume en lui disant que les perles de bois contenaient des informations codées, la clef d'un secret plus important encore que sa propre vie. Ces informations devaient être protégées à tout prix.

Ce matin-là, à l'hôpital, Katherine avait été obligée de choisir entre un secret dont elle ne savait rien et sa fille qu'elle aimait. Sous le coup de l'assassinat, et bien trop consciente de ses fantasmes adultérins, elle s'était imaginé que Redbeard se trouvait derrière le meurtre de James. Que c'était de Redbeard que James avait peur. Dans les quelques minutes dont elle avait disposé pour se décider, elle avait choisi d'abandonner Sarah. Une bonne épouse. Une mauvaise mère.

« Tu aurais dû déjeuner avec nous, dit Bernadette. Il y avait de la soupe aux lentilles. »

Katherine manipula son chapelet. Malgré tous ses doutes, elle n'aurait pu abandonner Sarah si Angelina ne lui avait pas promis de veiller sur elle jusqu'à son retour. Plus de vingt ans étaient passés, et elle n'était toujours pas revenue. Après que les perles du chapelet eurent livré leur secret, Katherine avait su que Redbeard était innocent... aussi innocent qu'elle-même. Mais il était déjà trop tard. Sa fuite avait suffi à convaincre les autorités qu'elle avait trahi son époux, et à faire d'elle une cible.

« Tu as eu vent des troubles à Newcastle ? demanda Bernadette.

– Très tôt ce matin, je suis allée au sommet de la colline, et j'ai tout de suite su que quelque chose n'allait pas. Aucune des étoiles qui brillaient dans le ciel ne me semblait à sa place. » Katherine manipula plus frénétiquement son chapelet. Elle n'était plus musulmane, mais le contact des perles la rassurait. « Juste avant midi, j'ai intercepté des appels destinés à la police. La rumeur a couru selon laquelle le concessionnaire de poids lourds, un catholique, devait ses greffons de cornée à des enfants musulmans sains. Un attroupement se formait devant sa concession, conduit par des femmes ayant l'habitude de prier dans la mosquée la plus conservatrice. » Katherine regarda sa cousine dans les yeux. « Mon instinct ne m'a jamais trompée, tu le sais. Même si cela ne m'a guère aidée. J'avais demandé à James de ne pas se rendre à Chicago, ce jour-là. Je l'ai supplié de rester avec moi à l'hôpital en attendant que Sarah aille mieux, mais il m'a juste embrassée avant de partir à toute vitesse, comme s'il avait été pressé de mourir. » Elle détourna le regard, la mâchoire serrée. Malgré toutes ces années, elle était encore en colère contre lui.

« Le feu s'éteindra de lui-même, dit Bernadette. Cette folie passera. »

Katherine prit la main de sa cousine, légère comme une aile d'oiseau, et sentit contre la sienne sa peau froide et sèche. « Je vais partir. Avec mes lunettes et ma prothèse dentaire, je passerai inaperçue. De toute façon, je doute que quelqu'un me recherche encore de nos jours. Je fais partie de l'histoire ancienne.

– Je ne veux même pas en entendre parler. » Bernadette serra la main de Katherine. « Tu es en sécurité, ici. »

Katherine hocha la tête. « Nul n'est en sécurité, où que ce soit.

– "Dieu est mon berger", cita Bernadette. Ce ne sont pas que de simples mots, Katherine. C'est la parole du Seigneur. C'est la promesse qu'Il nous fait. »

Katherine embrassa sa cousine sur la joue. « Je t'aime, Bernadette. »

395

Les yeux de Bernadette luirent d'un éclat humide. « Le monde est une forêt sombre pleine de loups... Chaque fois que tu quittes le couvent, j'allume des cierges pour que tu reviennes saine et sauve. »

Katherine ne tenait plus en place depuis quelques années, multipliant les voyages. Sacramento, New Medina, Bakersfield. Et même un détour secret par le lac Tahoe, dans l'État libre du Nevada, à seule fin de s'y baigner. Mais jamais à Seattle. Elle avait été tentée de rechercher Sarah, de l'observer à distance... mais elle n'était jamais passée à l'acte. Le risque était trop grand. À moins que ce ne fût sa peur. Son meilleur voyage était sans doute cette excursion à Los Angeles en compagnie de Bernadette. Le son des cloches des églises les avait suivies partout dans la ville.

« Qu'est-ce qu'il y a de si amusant ? demanda Bernadette.

– Je me rappelais notre voyage à Hollywood, et ce moment où tu posais tes mains sur toutes ces empreintes de stars. Tu ne t'intéressais qu'à celles des starlettes les plus impudiques, des dévergondées à la scène comme dans la vie. Je n'arrêtais pas de me demander quelles pensées impures te traversaient l'esprit. »

Bernadette rougit. « Peut-être était-ce ma façon de prier pour leur salut.

– Tu t'amusais, Bernadette. On aurait dit une gamine. »

Bernadette détourna le regard. La peau de ses paupières était presque translucide. « C'était vraiment amusant. »

Katherine tapota tendrement la main de Bernadette. « Je m'en vais demain. Il y a tant à faire, je ne peux pas laisser Sarah s'en occuper seule. »

On cogna à la porte, et celle-ci s'ouvrit aussitôt. Sœur Elena se tenait là, sans avoir reçu la permission d'entrer. « Des hommes ! Deux hommes ! » Elle était très agitée. « Ils sont entrés sans qu'on les y autorise... »

Katherine et Bernadette s'étaient relevées d'un bond.

« Cours te cacher, dit Bernadette à Katherine.

– Trop tard. » Katherine se dirigea vers la porte. « J'insisterai sur le fait que vous n'aviez pas la moindre idée de ma véritable identité. Je leur dirai que je vous ai leurrées par mes ruses diaboliques. Peut-être... peut-être parviendrai-je à les en convaincre. » Elle serra Bernadette dans ses bras.

Bernadette la serra plus fort encore. Des bruits de pas résonnaient déjà dans l'escalier.

« N'aie pas peur, Bernadette. Sarah réussira là où nous avons échoué. »

Katherine l'embrassa sur la joue, puis se retourna pour faire face à ceux qui avaient enfin réussi à la retrouver.

Ce n'était pas deux hommes qui se tenaient sur le seuil. C'était un homme et un jeune garçon. Un homme petit et hirsute, un garçon maigre et renfrogné, tous deux recouverts de la boue des chemins.

« Je m'appelle Spider, et voici mon fils Elroy, dit l'homme en affichant un si large sourire qu'il menaçait de déchirer son visage. Vous êtes Katherine Dougan et je suis un génie. » Il claqua des mains sans rien dissimuler de son bonheur. « C'est une joie de vous rencontrer. Nous allons changer le monde. »

44

Rakkim désigna d'un mouvement de tête le panneau
« Bienvenue à Yorba Linda » alors qu'ils passaient devant.
« C'est bien ici qu'est né l'un des présidents de l'ancien
régime, non ?

– Je suis très impressionnée, dit Sarah. Richard
Milhous Nixon, trente-septième président des États-
Unis d'Amérique. Né le 9 janvier 1913 à Yorba Linda,
Californie.

– Est-ce qu'il est l'un de ceux dont le portrait avait été
sculpté dans cette montagne du Dakota du Sud ?

– Non ! »

À son expression, Rakkim comprit qu'elle n'aimait pas
parler de cette montagne. Le mont Rushmore, le nom lui
revenait à présent. La destruction de ces quatre visages
avait été l'un des premiers grands travaux de la nouvelle
République islamique. Redbeard s'y était opposé, en
avançant que cela représenterait une perte de temps et de
moyens considérable, mais les Robes noires avaient insisté,
considérant le monument comme un exemple insoute-
nable d'idolâtrie, glorifiant qui plus est des mécréants,
représentants d'une nation qui n'existait plus. Redbeard
s'était finalement incliné, usant par la suite de cet assenti-
ment pour obtenir des concessions sur des points qui lui
étaient chers. La destruction des quatre visages s'était
avérée bien plus difficile que prévue, l'incroyable masse
de pierre résistant à des quantités phénoménales d'explosifs. Après six mois de travaux, les visages étaient encore
partiellement intacts, grotesques et effrayants.

La mère de Sarah n'avait laissé aucun message sur le site de recettes de cuisine, qui ne présentait que les conseils habituels d'épouses pieuses sur la préparation de leurs plats préférés. Sarah avait passé une heure dans la mosquée, en grande partie pour prier, tandis que Rakkim l'attendait dans la voiture. En quittant la mosquée, malgré sa déception, elle paraissait en paix. Prête.

Sarah consulta le GPS. « Tu es déjà allé chez le sergent Pernell ?

– Pas depuis qu'il s'est installé ici. C'était l'un de mes instructeurs en combat rapproché, à l'Académie feddayin. Nous avons servi dans le même bataillon durant une courte période, lorsqu'il a réintégré le contingent des combattants, un an plus tard. L'académie n'aime pas que ses instructeurs passent trop de temps loin du champ de bataille, et la formation lasse très vite les instructeurs. » Rakkim releva les yeux sur un hélicoptère, un hélitaxi de plus survolant la ville. Des aéronefs en plein espace aérien... il ne s'y ferait jamais. « Nous nous sommes perdus de vue lorsque je suis devenu guerrier de l'ombre. Pernell est un gars bien. Amer, mais cela se comprend.

– Comment ça ?

– Il a été grièvement blessé au cours d'une opération en Nouvelle-Guinée. Une mine. Il a perdu ses jambes...

– Les feddayin n'ont jamais été envoyés en Nouvelle-Guinée.

– Tu diras ça à Pernell. Il t'apprendra sûrement deux trois jurons que tu ne connais pas. » Le GPS gazouilla : *Tournez à droite au prochain carrefour.* « Il a perdu ses deux jambes, et l'un de ses bras a été amputé au-dessus du coude, mais il a les meilleures prothèses qui existent sur le marché. Matériau composite russe, biopuces chinoises. Il peut s'habiller sans l'aide de personne, participer à des marathons, et se servir d'un couteau bien mieux que n'importe quel civil non handicapé. Il a quatre épouses dont il s'occupe parfaitement. Le seul hic, c'est qu'il ne peut plus servir sur le champ de bataille. Même pas à un poste subalterne.

– C'est pour ça qu'il est amer ? »

Rakkim haussa les épaules. « On le serait à moins.

– Toi aussi, ça te manque ?

– Pernell a voulu continuer à former les recrues feddayin, dit Rakkim en évitant de répondre à la question. Il lui a fallu tout juste un an pour qu'il se fâche avec l'ensemble de la hiérarchie. Pernell n'a jamais brillé par sa finesse ni sa diplomatie, et ses blessures n'ont fait qu'empirer les choses. On l'a rendu à la vie civile avec les honneurs, démobilisé avec une retraite à taux plein. La veille de son déménagement à Yorba Linda, il est passé par le Blue Moon. Il a assommé deux de mes videurs, simple question de principe, avant que j'arrive à le traîner jusque dans mon bureau. Je ne l'avais jamais vu boire quelque chose de plus fort que des infusions de khat, mais ce soir-là nous avons descendu une bouteille de vodka polonaise en refaisant le monde. Je ne l'ai pas revu depuis. »

Ils passèrent devant une mosquée, très grande, construite dans un style traditionnel, avec un dôme recouvert d'une mosaïque de lapis-lazuli. Yorba Linda était un bastion de l'islam conservateur, une petite ville de gazons impeccablement tondus et de propriétés d'une superficie moyenne d'un demi-hectare, où résidaient docteurs, avocats et hommes d'affaires. Elle jouissait du plus haut taux de natalité de toute la Californie, et ses madrasas étaient emplies d'élèves studieux.

« Qu'est-ce qui te fait croire que ton ami pourra nous aider à retrouver Fatima Abdullah ? demanda Sarah.

– Je n'ai pas dit que c'était mon ami. »

Tournez à droite au stop, ânonna le GPS.

« Pernell connaît pas mal de policiers dans le coin. Il est instructeur tactique auprès d'équipes de la SWAT[1], il

---

1. « *Special Weapons And Tactics* », unités d'élite d'attaque tactique de la police des États-Unis, dont les missions sont plus ou moins similaires à celles du GIGN français. *(N.d.T.)*

les forme aussi au maniement d'armes un peu inhabituelles. Il sera en mesure de se renseigner là où nous ne le pouvons pas.

– Tu lui fais confiance ?

– C'est un feddayin. »

Quelques minutes plus tard, après avoir passé le portail, ils se garèrent face à la porte à double battant de la résidence où les attendait Pernell, ses quatre femmes derrière lui. L'une d'elles faisait faire son rot à un bébé. Toutes quatre portaient des hijabs et des tchadors jaune clair : on ne distinguait que le parfait ovale de leurs visages sous le tissu. Pernell était un grand homme au visage buriné. Il avait une quarantaine d'années, des cheveux courts et noirs, une barbe épaisse, et une pleine bouchée de khat coincée entre ses dents et sa joue. Un large pantalon blanc et une chemise à manches longues malgré la chaleur de cette journée. Il prit Rakkim dans ses bras, l'embrassa sur les joues en le tapant virilement dans le dos avec sa main intacte. « Par les nichons flasques du pape, tu m'as vraiment manqué !

– Le seul homme au monde ayant une douzaine de gamins et à se sentir seul, dit Rakkim.

– Quatorze gamins. Deux nouveaux fistons, montés comme des Arabes. » Pernell jeta un coup d'œil à Sarah. « C'est qui, ça ?

– Sarah, je te présente Jack Pernell. Jack, je te présente Sarah, la femme que j'ai l'intention d'épouser. »

Pernell la toisa comme s'il s'agissait d'un défi à relever. « 'Chanté. » Il la salua d'un acquiescement, sans même tendre la main. « Mes épouses vont vous faire faire le tour de la maison. » Il saisit Rakkim par la nuque, le conduisant à l'écart. « Quant à nous, restons dehors. La dernière chose que je souhaite, c'est bien d'entendre des femmes bavasser d'épisiotomies, de migraines et de la meilleure façon de cuisiner un poulet. »

Rakkim jeta un regard à Sarah par-dessus son épaule tandis que Pernell l'entraînait.

Ils allèrent derrière la maison, qui était plus grande qu'elle ne paraissait, vue de la route. Elle comportait quatre ailes, une pour chaque épouse et ses enfants. Pernell devait sûrement tenir sa cour dans le bâtiment central. Ils traversèrent une splendide pelouse pour longer une piscine olympique. Sur l'eau, seul flottait un cygne blanc gonflable. Des bruits d'enfants provenaient de la maison, des cris, des pleurs, des rires aussi, mais aucun signe de leur présence dans les environs. Pas le moindre jouet, pas la moindre bicyclette, pas la moindre brassière. Rien d'autre que le cygne. Pernell commandait sa maisonnée comme jadis ses hommes. Les enfants étaient l'affaire des femmes. Ou de la madrasa. Lorsqu'ils en auraient l'âge, ses fils recevraient de lui une instruction spécialisée, très loin de la maison.

« Tu as l'air d'aller bien, dit Rakkim.

– C'est sûr. » Pernell ouvrait la marche sur son demi-hectare, littéralement au pas de charge. « Les servomoteurs de mes genoux sont en train de rendre l'âme et je dois attendre que les stocks se remplissent pour recevoir les pièces de rechange. J'ai attrapé une cochonnerie qui m'a cloué au lit pendant une semaine. Je viens à peine de sortir de l'hôpital. Mais à part ça, je pète le feu. » Il jeta un regard à Rakkim. L'un de ses yeux avait une apparence laiteuse, peu saine. « Et toi, qu'est-ce que tu viens faire ici ? Demander à ton vieil instructeur d'être ton témoin de mariage ?

– J'ai besoin de ton aide.

– Tu m'étonnes. » Pernell cracha une salve de jus de khat dans l'herbe. « Le fait que tu sortes major de ta promo, ça montre bien à quel point les feddayin ont le cerveau niqué. Mais le fait que tu prennes ta retraite à la fin de ton premier engagement, ça montre vraiment à quel point toi, tu as le cerveau niqué. » Pernell secoua la tête. « Quel gâchis ! Allah t'a donné ce talent... et tu l'as jeté aux orties. » Il haussa les épaules. « Enfin. Dieu l'a voulu ainsi.

– Jolie propriété que tu as là. Tu dois être pas mal sollicité en tant que consultant. »

Pernell cueillit une orange dans l'un de ses arbres, et la lança à Rakkim en ralentissant à peine. « Des flics. Ils croient tous que le fait de porter un flingue fait d'eux des guerriers, et que la réponse à n'importe quelle situation, c'est une grenade étourdissante. Je fais ce que je peux. Ces cracks de la SWAT croient tout savoir, et me considèrent toujours au début comme un vieux croûton. Il me faut en général dix minutes pour les sortir de l'erreur. Moins de temps encore si je casse une mâchoire, mais les haut gradés voient ça d'un assez mauvais œil. C'est pas vraiment ce qu'on peut appeler un vrai boulot, mais ça fait bouillir la marmite. »

Rakkim éplucha l'orange, mettant précautionneusement l'écorce dans sa poche.

Pernell lui jeta un regard sans s'arrêter de marcher. « Tu m'as l'air complètement crevé. Cette petite nana doit te donner pas mal de fil à retordre. »

Rakkim se mit à mâcher un quartier.

Une sauterelle bondit en face de Pernell, et il la fusilla d'une salve de jus de khat. « Tu es vraiment stupide d'avoir attendu jusqu'à maintenant pour te ranger. À l'heure qu'il est, tu devrais avoir au moins deux ou trois femmes. Ne tombe pas dans le panneau de la monogamie. Si tu y penses, c'est que tu as passé beaucoup trop de temps parmi les chrétiens. »

L'orange était sucrée et juteuse. « Une femme à la fois, c'est bien assez.

– Tu te trompes. Une femme pense que tu lui appartiens. Quand tu en as deux, trois ou quatre, chacune sait qu'elle peut se faire remplacer par un simple "Je divorce d'avec toi". Trois fois, et elle se retrouve à la rue. Une bonne musulmane sait parfaitement que son seul espoir est de faire en sorte que le maître de maison soit heureux. Ce n'est pas pour rien qu'Allah nous permet d'avoir quatre épouses.

– Merci du conseil.

– Je doute que tu le suives. Tu as toujours été une tête de mule. Mais ça ne fait rien, tu comprendras par toi-même. Ta petite nana a l'air sympa, mais elle a de la cervelle. Je l'ai su rien qu'en la regardant. Une femme avec une cervelle... tu cherches vraiment les emmerdes. »

Rakkim avala le dernier quartier d'orange dont le jus lui coulait sur le menton. « J'adore ça.

– On en reparlera dans quelques années, et tu me diras si c'est toujours le cas. » Pernell passa une main sur sa barbe. Ils marchèrent silencieusement jusqu'à revenir au bord de la piscine. Pernell s'étendit sur un transat, et la multitude de fines cicatrices qui zébraient son visage semblèrent s'enflammer un bref instant. « Un associé ne me serait pas complètement inutile. Je me fais pas mal d'argent, mais avec un bon associé je pourrais développer mon affaire. Les commissariats feraient n'importe quoi pour des formations feddayin. »

Rakkim s'assit à côté de lui.

« Il est temps pour toi de vendre ce lieu de perdition à Seattle et de gagner honnêtement ta vie. »

Rakkim observait le cygne gonflable glisser à la surface de la piscine. « Qu'est-ce que ça aurait d'amusant ?

– Rien n'est amusant », dit Pernell d'une voix faible. Il se ressaisit en voyant arriver deux de ses épouses accompagnées de Sarah. Elles apportèrent tasses, thé, et pâtisseries. Il attendit que ses épouses les aient servis, Rakkim et lui, et qu'elles se soient éloignées à reculons en les saluant. Sarah resta avec eux. Pernell plongea cinq morceaux de sucre dans sa tasse. « Je disais justement à Rakkim qu'il ferait bien de penser à épouser un quatuor. Mais il semble croire que vous lui suffisez amplement.

– C'est le cas. »

Pernell faisait tinter sa tasse en tournant sa cuiller. « N'allez pas faire du prosélytisme auprès de mes épouses avec vos foutaises de moderne. » Son sourire se voulait tout sauf convaincant. « Et je suis sérieux.

– Avec un époux tel que vous, une femme se sent forcément heureuse au sein d'un quatuor. Elle n'a à faire semblant qu'un quart de son temps. » Sarah sourit à Pernell. « Et je suis sérieuse. »

Pernell jeta un coup d'œil à Rakkim. « Oh oui, tu vas avoir des emmerdes avec celle-ci. »

Rakkim observa Sarah rentrer dans la maison de leur hôte. « J'y compte bien. »

Pernell avala bruyamment une gorgée de thé. « De quel genre d'aide tu as besoin ?

– Je recherche une épouse-à-louer. Ça ne fait pas si longtemps qu'elle... »

Pernell ricana.

« Pas pour moi. Elle s'appelle Fatima Abdullah. Dernier pseudonyme connu : Fancy Andrews. » Rakkim lui montra sa photo sur l'écran de son portable, et en imprima une copie à son attention. « Cette photo d'identification remonte à cinq ans. Elle s'était fait arrêter à Little Vatican pour avoir volé le portefeuille d'un de ses clients. Elle s'était fait interpeller l'année précédente pour possession d'héroïne.

– Little Vatican est rempli de délinquants. Rien d'étonnant. Rien que des chrétiens.

– Je me disais que peut-être un de tes contacts aux mœurs pourrait me rancarder sur l'endroit où je serais susceptible de la trouver. »

Pernell fit la moue en considérant la photo. « Cinq ans depuis sa dernière arrestation ? Cinq semaines, c'est déjà long quand on mène ce genre d'existence. Elle peut se trouver n'importe où, à l'heure qu'il est. Elle est peut-être morte.

– Je sais. » Rakkim se pencha vers lui. « L'accusation a été retirée en ce qui concerne cette dernière affaire. Le juge l'a classée sans suite. Ce qui veut dire qu'elle a dû payer le policier qui l'avait prise en flagrant délit, d'une façon ou d'une autre. Je me suis dit que depuis elle a dû se faire prendre à plusieurs reprises, sans pour autant que ça remonte jamais aux oreilles d'un juge.

– C'est vrai, il paraît que ça arrive de temps en temps. » Pernell avala une nouvelle gorgée de thé. « Qu'est-ce que tu lui veux ?

– Son père veut la retrouver. » Le mensonge sortit tout seul. Naturellement. « Il va bientôt mourir, et la honte qu'elle représente pour sa famille n'a plus d'importance à ses yeux. J'ai une dette envers lui.

– Alors ce n'est pas une question d'argent ?

– Je paierai bien volontiers pour le temps et l'aide que tu daigneras m'accorder.

– Comme tu paierais une épouse-à-louer ?

– Je n'ai pas envie de me bagarrer, Jack. Je veux simplement retrouver cette fille. »

Pernell lui décocha une tape dans le dos. Une forte tape. « Ça fait bien longtemps que je ne me suis pas bastonné pour de vrai. Je n'ai sûrement plus le niveau pour me mesurer à toi.

– C'est ça, je vais te croire. C'est toi qui m'as appris à me battre vicieusement.

– Je suis celui qui t'a appris qu'un combat vicieux, ça n'existait pas. Quand on se bat, on se bat, point à la ligne. »

Ils échangèrent un sourire complice. Tous deux savaient que c'était là la seule vérité.

« Tu n'étais pas la meilleure recrue que j'aie formée, dit Pernell en considérant la piscine. Il y en avait deux bien meilleures que toi. Hector Cinque... celui-là avait les mains les plus rapides que j'aie jamais vues. Il est mort, à présent. Une balle lui a transpercé la gorge, il y a de ça cinq ans, au cours d'une mission d'évacuation à Mombasa.

– J'ai entendu dire que le diplomate qu'ils ont rapatrié ne disposait même pas d'informations utiles. »

Pernell hocha la tête. « Je l'ignorais. La mission foireuse typique. Emir Zingarelli... Tu as travaillé avec lui ? Non ? Lui aussi était plus rapide que toi. Pas aussi rapide que Cinque, mais il était quand même vraiment rapide. » Un moustique bourdonna autour de Pernell, et finit par se poser sur sa main artificielle. « Zingarelli est mort, lui aussi. Son hélicoptère s'est abîmé au large de la côte texane. Sûrement un missile sudiste... ou un connard de mécano qui avait oublié de serrer le bon écrou. » Le moustique s'envola et Rakkim l'attrapa entre le pouce et l'index. « Cinque et Zingarelli, tous les deux morts, et nous voilà, nous, deux héros qui se bronzent le crâne au soleil. Amusant, non ? »

Rakkim le regarda dans les yeux.

« À plusieurs reprises au cours de ces dernières années, je vous ai détestés, vous tous, avec vos deux bras et vos deux jambes. Vous tous, qui aviez encore tout un tas de missions devant vous. Des fois... des fois je me dis que j'aurais préféré ne pas avoir de tenue de protection lorsque j'ai sauté sur cette mine. Ce foutu titane m'a sauvé la vie. » Pernell essuya son œil laiteux. Ce n'était pas une larme. Pernell n'avait sans doute jamais pleuré de toute sa vie. Il attendit que Rakkim dise quelque chose et, face à son silence, acquiesça. « Merci de ne pas m'avoir dit quelle chance j'ai. Merci de ne pas m'avoir dit qu'Allah a certainement des projets pour moi.

– Si Allah a des projets, apparemment, Il ne tient pas à nous en faire part. »

45

« On appelait ça l'endroit le plus joyeux au monde »,
dit Sarah alors qu'ils faisaient le tour d'une grande roue
effondrée. La plupart des poutres d'acier avaient été pillées.

Rakkim pointa du doigt un homme, la salopette baissée
aux chevilles, fumant une cigarette tandis que la tête de
son épouse-à-louer allait et venait. « Je suis sûr que ça
reste d'actualité au moins pour ce type. »

Disneyland avait été abandonné vingt ans auparavant,
la quasi-totalité de ses infrastructures volée, mais il restait
encore beaucoup de ce qui avait été le parc à thèmes, qu'il
s'agisse d'éléments trop lourds pour être déplacés, ou tout
simplement sans valeur. Ils arrivèrent au pied des vestiges
du mont Cervin. La fausse montagne avait été détruite en
grande partie, mais le pic enneigé était toujours en place :
il brillait sous la lune, point le plus lumineux dans les
ténèbres.

La nuit précédente, Pernell s'était renseigné auprès des
brigades des mœurs, et avait fini par trouver un inspecteur qui connaissait Fancy. Il lui avait dit qu'elle n'était
plus aussi bien cotée que du temps où elle travaillait
à Little Vatican. La dernière fois qu'il en avait entendu
parler, elle « travaillait » à Disneyland, avec le reste des
harpies spécialisées dans les 15 minutes chrono. L'inspecteur avait ajouté qu'elle suçait encore terriblement bien,
sans les mains, mais que c'était bien meilleur si on fermait
les yeux. Pernell avait invité chez lui Rakkim et Sarah : ils
avaient dîné à sa table, mais avaient refusé de dormir chez
lui. Ils étaient partis tard le soir, trop tard pour aller à
Disneyland. Ils avaient dormi jusqu'en début de journée,

puis s'étaient promenés le long de la plage. Sarah voulait à tout prix donner à manger aux mouettes. De retour au motel, ils avaient fait l'amour, conscients du temps qui leur était compté.

Ils avaient commencé leur enquête dès l'avenue principale de Disneyland, demandant à une épouse-à-louer qui officiait dans un tramway renversé si elle connaissait Fancy. Son « non » leur avait coûté 5 dollars. Ils accumulèrent bien d'autres « non » au cours de leur pérégrination. Par groupes de deux ou trois, des hommes d'affaires vagabondaient dans les rues désertes, leur attaché-case se balançant au bout de leur bras tandis que les épouses-à-louer les invitaient à les rejoindre. Musulmans et catholiques, employés de bureau et ouvriers, toutes classes et origines confondues. De petites bandes de voyous zonaient au pied des bâtiments, mais, malgré son isolement géographique et l'absence de policiers, le parc était un endroit relativement paisible. Les épouses-à-louer payaient les jeunes voyous pour assurer la paix, et les jeunes voyous savaient que le désordre nuisait aux affaires.

Une épouse-à-louer qui travaillait sous un Mickey en bois à moitié détruit leur dit enfin que Fancy avait l'habitude de faire des passes près du château de Cendrillon. Le château était rempli : des hommes assis par terre regardaient des matchs de basket-ball sur leur téléphone portable en attendant leur tour. Mais aucun signe de Fancy.

« Je n'aimais déjà pas Pernell quand j'avais bon espoir qu'il nous aide, dit Sarah, je crois que je l'aime encore moins maintenant que son information est en train de se révéler complètement inutile. »

Rakkim s'avança vers trois voyous vautrés dans une gondole amarrée. « Bonsoir. »

Le plus grand était une tête d'enclume au teint pâle, qui ne portait qu'une salopette afin de montrer ses tatouages au monde entier. Il scruta Sarah. « Trop belle pour ce trou à rats. Tu mettrais au chômage technique toutes les sorcières du coin. J'ai un numéro auquel tu peux appeler, c'est à Newport. Clientèle jet-set. T'as qu'à dire que tu téléphones de la part de Jimmy Boy.

– Merci, mais ça ne sera pas utile, répondit Rakkim. Nous recherchons une épouse du nom de Fancy. »

Jimmy Boy ricana. « Fancy est pas si terrible que ça. Rien de comparable avec ce que t'as sous la main. »

Cinquante dollars plus tard, Rakkim et Sarah étaient en route pour ce qui restait du « Monde de Nemo ». Il avait sorti l'argent d'une poche à part afin de ne pas révéler le montant exact qu'il avait sur lui, mais il continua cependant à guetter tout poursuivant potentiel.

Ce fut Sarah qui découvrit le « Monde de Nemo », en apercevant une très grosse étoile de mer en époxyde, partiellement brûlée. L'attraction à proprement parler se trouvait dans un énorme requin blanc en béton. Manifestement, les clients de Disneyland devaient jadis passer par un tourniquet tripode avant de s'engouffrer dans la gueule béante du requin. Bien qu'il ne lui restât plus que quelques dents, le requin semblait en grande partie intact. Une lueur dansait dans ses yeux en plastique rouge. Sarah s'avança vers la gueule, mais Rakkim posa sa main sur son épaule.

« Voyons si on peut passer par-derrière. »

Sarah sourit. Tous deux firent le tour du requin, et trouvèrent une rampe qui sortait de sa queue, une issue dissimulée par des planches d'aggloméré pourrissant que quelqu'un avait disposées pour en interdire l'accès. Sarah partit comme une flèche avant même qu'il ait une chance de l'arrêter. Elle se faufila entre les planches d'aggloméré sans les toucher. Rakkim était sur ses talons, se déplaçant lentement afin de laisser une chance à ses yeux de s'habituer à l'obscurité. Ils entendirent des voix devant eux puis l'écho d'un rire féminin. Sarah s'arrêta et Rakkim se glissa à côté d'elle.

Une femme était penchée au-dessus d'un gros crabe de terre cuite, les mains posées sur ses pinces écartées. Elle portait un petit chemisier blanc à frous-frous et une jupe courte remontée aux hanches. Un homme d'affaires

410

très soigné en costume vert se trouvait juste derrière elle, en plein effort, son pantalon à peine déboutonné. Des bougies brillaient dans de petites niches creusées dans le mur, et leurs mouvements projetaient des ombres folles dans toute la pièce. L'homme d'affaires jouit dans un concert de jurons essoufflés, puis s'éloigna brusquement d'elle. Toujours à bout de souffle, il jeta son préservatif par terre, essuya son pénis sur la jupe de la femme, puis le rangea dans son pantalon. La femme se retourna alors, rejeta ses longs cheveux bruns en arrière, et sourit dans la lueur dansante des bougies. C'était bien Fancy. « Waouh. Qu'est-ce que c'était bon. Tu m'as vraiment fait décoller, mon époux.

– Ouais ouais. » L'homme d'affaires se recoiffait avec un peigne.

« Ne pars pas tout de suite. » Fancy caressa son visage, mais il se détourna. « Quinze autres minutes. Je pourrais réveiller un mort, tu sais. »

L'homme d'affaires rangea son peigne dans sa poche. « Je divorce d'avec toi. Je divorce d'avec toi. Je divorce d'avec toi. » Et il s'empressa de sortir par la gueule du requin, donnant au passage un coup de pied dans quelque chose.

Fancy s'essuya avec un chiffon, rabaissa sa jupe. Elle ramassa les billets qu'avait laissés l'homme d'affaires. Soudain, sentant la présence de Rakkim et Sarah, elle sursauta. « J'ai pas d'argent sur moi.

– Pas de problème. » Sarah s'avança dans la lumière. « Ce n'est pas l'argent qui nous intéresse. »

Fancy tiqua en apercevant Rakkim, mais son attention se reporta presque aussitôt sur Sarah. « Deux jeunes et beaux musulmans en quête du grand frisson. Je crois que je peux gérer ça.

– Non, ce n'est pas ce que vous croyez, dit Sarah.

– Soyez pas timides. » Fancy passa sa langue sur ses lèvres. Des yeux de chat et des pommettes hautes, des gestes pleins de grâce. Elle avait dû être très belle, avant tous ces hommes d'affaires. « Sauf si ça vous excite.

– Nous sommes ici pour parler de votre père », coupa Rakkim. Déjà, elle reculait. « Nous sommes disposés à payer pour cette conversation », s'empressa-t-il d'ajouter par peur qu'elle ne fuie.

Sarah lui prit la main : « C'est très important, Fatima. »

Fancy détourna la tête. Les flammes des bougies tressautèrent. Des bougies parfumées. Noix de coco. « S'il vous plaît... ne m'appelez pas comme ça. »

Sarah ne lui lâcha pas la main. « Je m'appelle Sarah. Et voici Rakkim. Il faut absolument que vous nous parliez de votre père. »

Fancy regarda l'un et l'autre à tour de rôle. « Pourquoi ?

– Nous avons croisé Cameron, dit Rakkim. Il nous a demandé de vous passer le bonjour.

– Il va bien ? demanda Fancy.

– Il aimerait bien vous revoir, vous et votre amie, chez vous, répondit Rakkim. Il nous a dit que c'était le meilleur anniversaire qu'il ait jamais passé.

– Jeri Lynn l'aime bien, elle aussi. » Fancy s'assit sur le crabe, les épaules effondrées. « J'aurais dû aller le chercher. Cameron n'a personne pour veiller sur lui.

– Nous avons ça en commun. » Sarah s'assit à côté d'elle. « J'avais 5 ans quand j'ai perdu mes parents. Rakkim est orphelin de ses deux parents depuis ses 7 ans. »

Fancy la regarda droit dans les yeux, pour s'assurer qu'elle ne mentait pas. « Je... j'avais 7 ans, moi aussi. » À cette distance, même à la lueur des bougies, son visage transparaissait sous son maquillage. Fancy était comme vidée, malade, usée. « Vous ne vous en êtes jamais remis, hein ?

– Non, répondirent Rakkim et Sarah d'une seule voix.

– J'aimerais bien voir l'argent, dit posément Fancy. Vous avez dit que vous paierez. Je crois pas que ce soit déplacé de demander de l'argent si je vous aide. Après tout, c'est comme ça que je gagne ma vie. »

Rakkim posa une liasse de billets dans sa paume ouverte. Elle écarquilla les yeux. Il s'attendait presque à ce qu'elle lui dise que c'était trop, mais elle se contenta de fourrer l'argent dans son soutien-gorge. Il aperçut alors une cicatrice parfaitement circulaire à la base de sa gorge. Sarah la vit également. Trachéotomie. La médaille d'honneur des toxicomanes. Elle avait dû faire une overdose de trop, et on l'avait ramenée à la vie. Contre sa propre volonté, probablement. Il avait vu beaucoup d'hommes mourir, des hommes qui s'étaient battus contre lui alors qu'il s'efforçait de les sauver, heureux de quitter ce monde, prêts à tenter leur chance dans l'autre.

« Votre père est mort juste après son retour de Chine », déclara Sarah.

Fancy haussa les épaules. « Ma mère et moi... nous sommes allées l'accueillir à l'aéroport. Ça l'a mis en colère. Nous n'étions pas censées savoir qu'il arrivait. Nous avons tout de suite vu qu'il était malade. Il a dit qu'il avait mangé de la viande avariée dans l'avion, de la nourriture de mécréant, mais j'ai su tout de suite qu'il mentait. J'ai toujours su quand il mentait. » Elle releva les yeux sur Sarah. « En quoi ça vous intéresse ?

– Je fais des recherches concernant cette période historique. Sur l'année qui a précédé la transition. Qui a précédé les attentats sionistes.

– Qu'est-ce que ç'a à voir avec mon père ? Il était déjà mort quand c'est arrivé.

– Je m'intéresse uniquement à ce qui s'est passé avant. Votre père...

– Ça doit être chouette d'être prof d'histoire. » Fancy tripotait ses cheveux. « Avant, je voulais être prof, moi aussi. Institutrice. J'ai toujours adoré les enfants. » Elle roula une mèche entre son pouce et son index. « Je peux pas en avoir.

– Je suis désolée pour vous, dit Sarah.

– C'est pas grave. J'aurais sûrement pas été une bonne mère, de toute façon. » Fancy regarda Rakkim. « Vous, par contre, vous n'êtes pas historien. »

Rakkim sourit.

Fancy ne lui rendit pas son sourire. « Je connais bien les hommes. Je sais des choses sur eux avant même qu'ils aient ouvert la bouche. Juste en regardant leurs chaussures. Ou leurs mains. Ou leurs yeux. Leurs yeux, surtout. » Elle hocha la tête. « Mais avec vous, impossible d'y voir quoi que ce soit. » Elle jeta un coup d'œil à Sarah. « Et vous ?

– Nous avons grandi ensemble, dit Sarah. Je le connais bien. »

Fancy toisa Rakkim. « J'espère bien.

– Lorsque votre père est revenu de Chine, vous a-t-il parlé de son voyage ? demanda Sarah. Les endroits où il était allé, les gens qu'il avait rencontrés ?

– Je me souviens juste qu'il vomissait beaucoup. Et que ma mère pleurait beaucoup.

– Il a collaboré à la construction d'un très grand barrage chinois, dit Sarah. Ça a dû beaucoup l'enthousiasmer.

– Ça fait tellement longtemps que je n'ai pas repensé à ses années. J'étais heureuse, à l'époque. Mon père était strict, mais il m'aimait tellement fort. » Fancy ne lâcha pas Sarah du regard. « Il m'appelait "mon bijou". Il me serrait dans ses bras et il m'appelait son bijou. »

Rakkim laissa Sarah poursuivre seule l'entretien. Il était évident que Fancy en avait assez des hommes. Les parois intérieures du requin étaient recouvertes de graffitis obscènes, le sol était jonché d'emballages de fast-food, voire pire. Il régnait une odeur d'urine, de carton mouillé et de sous-vêtements sales. Les bougies parfumées de Fancy ne parvenaient pas à atténuer la puanteur, mais elles apportaient une touche sympathique au tableau sordide. Peut-être Fancy croyait-elle que c'était bon pour ses affaires.

« La maison dans laquelle vous habitiez a été démolie il y a des années, dit Sarah. Je l'ai vue de mes propres yeux.

– Personne ne voulait plus vivre dans cette maison. Elle portait malheur. Tout le monde l'a compris quand mon père est mort. À la façon dont il est mort. C'était si atroce.

– Il n'a pas consulté de docteur ? Nous n'avons trouvé aucun élément allant dans ce sens.

– Un docteur est venu à la maison. Un docteur que je n'avais jamais vu. Il a donné à mon père des médicaments contre la douleur, et a dit à ma mère de rester à la maison. De s'occuper de lui. Une sale maison. Une maison qui porte la poisse. Et puis maman qui se fait tuer quasiment tout de suite après... » Fancy secoua la tête.

Sarah lança un regard à Rakkim. « Votre mère est morte trois ans après votre père. Je suis sûre que cela vous a paru trop tôt, mais...

– C'est arrivé moins de trois mois après. J'étais avec elle. Ma mère conduisait, on roulait sur l'autoroute, un pneu a éclaté et nous avons eu un accident. Nous étions en chemin pour le désert, pour prier. Elle allait vite. On m'a dit que c'était un miracle que j'aie survécu. Ma mère a traversé le pare-brise, et je n'ai eu qu'une égratignure à la jambe. On m'a dit que c'était la volonté de Dieu. Qu'Il avait forcément de grands projets pour moi. » Son rire résonna à l'intérieur du requin.

« Qu'est-ce qui vous est arrivé ? demanda Sarah. Qui s'est occupé de vous ?

– Un policier m'a ramenée à la maison. Je voulais rester avec ma mère, mais il m'a dit que je devais prendre des affaires. C'était très bizarre. Encore maintenant, je me demande si j'ai rêvé. » Fancy remit en place son chemisier, dévoilant à nouveau la cicatrice à la base de sa gorge, qui, à la lueur des bougies, semblait gorgée de sang. « Quand nous sommes arrivés, il y avait des hommes dans la maison. Ils étaient en train de charger toutes nos affaires dans un camion de déménagement. Le docteur qui s'était occupé de mon père était là aussi. Je ne sais pas pourquoi, mais il était là. Le policier m'a laissée mettre quelques affaires dans un sac. Le docteur avait l'air d'être en colère contre lui, mais le policier a dit qu'il s'en foutait. Ensuite il m'a emmenée chez mon oncle. Mon oncle était un bon musulman. Il a accepté de remplir son devoir en m'accueillant, mais je ne crois pas qu'il en avait vraiment envie. » Fancy regarda Rakkim. « Ça me rend triste de parler de tout ça. Il me faudrait plus d'argent, s'il vous plaît. »

Rakkim la paya et elle rangea les billets.

« Est-ce que Cameron avait l'air de manger à sa faim ? demanda Fancy.

– Vous n'avez conservé aucun objet de cette époque ? coupa Sarah. Pas nécessairement quelque chose qui appartenait à votre père. Peut-être votre mère avait-elle un journal intime... ou un calendrier où elle comptait les jours qui restaient avant son retour. Ses carnets, ses attachés-cases... rien du tout ? »

Fancy hocha la tête. « Le docteur a tout pris. Il a complètement vidé la maison. » Les lèvres de Fancy se pincèrent. « Pourquoi vous me demandez tous ces trucs à propos de mon père, en vérité ? Et ne me sortez pas cette histoire de recherches en histoire. Je n'y crois pas une seule seconde.

– Nous pensons que votre père a été assassiné, répondit Rakkim. Et maintenant que je sais pour l'accident de voiture, je pense que votre mère a probablement été assassinée, elle aussi.

– Vous êtes flic ? lança Fancy. Je n'ai jamais eu de chance avec les flics.

– Quand mon père partait en voyage d'affaires, il me ramenait toujours un petit quelque chose, dit Sarah. C'était des trésors, pour moi...

– Vous avez eu bien de la chance. » Les flammes des bougies tremblaient, les ombres tourbillonnaient autour de Fancy. « À moi, il ne me rapportait jamais rien.

– Même pas une carte postale ? demanda Sarah.

– Qu'est-ce que vous croyez pouvoir faire en me posant toutes ces questions, mademoiselle l'Historienne ? siffla Fancy. Vous croyez pouvoir ramener les morts à la vie ? Peu importe la façon dont ils sont morts. Ils sont morts, un point c'est tout, et il n'y a rien que vous, ou n'importe qui d'autre, puissiez faire.

– Le docteur qui s'est occupé de votre père, celui qui a complètement vidé votre maison... est-ce que vous l'avez revu ? demanda Rakkim.

– Écoutez-moi, j'en ai absolument rien à foutre de... » Fancy s'interrompit : Rakkim venait de lever la main.

« Il y a quelqu'un dehors. » Rakkim était déjà en train d'éteindre les bougies.

46

Valet-six. Huit-cinq. Dix-dame. La carte visible de la croupière était un six. Le Vieux resta sur ses trois mises de 1 000 dollars.

Le magnat texan du soja considérait ses cartes comme s'il essayait de déchiffrer des hiéroglyphes égyptiens. Sa femme, une grosse blonde, remuait son verre en faisant tinter ses glaçons et méditait sur sa main. Après mûre réflexion, le magnat du soja demanda une carte avec sa main de treize, tira une figure, et dépassa la limite. La grosse blonde, avec une main de quinze (*quinze*, avec un six visible sur la main de la croupière), demanda aussi une carte, et dépassa également la limite.

Anna, la croupière, retourna sa carte cachée, un dix. Seize. Contrainte de demander une autre carte, elle tira un cinq. Vingt et un. Elle haussa un sourcil par sympathie envers le Vieux en raflant toutes les mises.

« Quelle foutue malchance », s'écria la blonde. Elle tapota le bras du Vieux. « On va l'avoir, ce coup-là, papy. »

Le Vieux la fixa d'un regard froid. Touché par une Texane qui l'appelait « papy ». Une Texane avec un crucifix serti de diamants autour du cou. Une Texane qui ne savait même pas jouer au black-jack, et qui prenait la carte qui aurait fait perdre la croupière. À tous points de vue, c'était une véritable abomination. Il ne manquait plus que la femme ait ses menstrues : l'insulte aurait été alors à son comble.

Valet-neuf. Valet-huit. Dix-dix. Anna avait un quatre visible. Le Vieux partagea ses dix, reçut une dame pour le premier dix et un roi pour le second. Parfait. Il avait à présent deux mains de vingt, une de dix-neuf et une de dix-huit.

La grosse blonde, avec son cinq-huit, tira un valet : « *Bust !* » Elle avait encore dépassé la limite.

Le magnat du soja avec son six-sept demanda une carte, tira un deux pour obtenir une main de quinze, et demanda une autre carte. Anna la croupière lui demanda de répéter. « Carte, bon sang, vous êtes sourde ? » répéta le sudiste.

Anna lui donna une reine. *Bust.* Elle retourna sa carte cachée, un roi, ce qui lui fit une main de quatorze. La carte suivante fut un sept, pour une main finale de vingt et un. À nouveau, elle rafla les mises. À nouveau, elle adressa un sourire discret et compatissant au Vieux.

« On y va, chérie, dit le magnat du soja. Cette croupière nous a tout pris. »

Anna les vit s'éloigner. « Je parie que vous allez les regretter. »

Le Vieux éclata de rire, déposa un jeton de 1 000 dollars sur chacune des six cases destinées aux mises, afin d'empêcher tout nouveau joueur d'entrer dans la partie. La plupart du temps, il appréciait avoir de la compagnie, il aimait le brassage des personnes qui se pressaient au casino. Tous ces visages différents. Toutes ces histoires différentes. Des catholiques et des musulmans modérés venus de Los Angeles, Chicago, Seattle, des sudistes de Chattanooga, Atlanta et La Nouvelle-Orléans. Des hommes d'affaires de Tokyo, Pékin, Paris, Londres et du Brésil. Une cohue de langues et de désirs. Le Vieux maîtrisait couramment la plupart de ces langues. La plupart des désirs également. Mais ce soir, il avait envie de jouer seul.

Anna lui distribua six mains, et dévoila une de ses deux cartes : un dix.

Le Vieux demanda une carte pour son sept-cinq. Pour son cinq-huit. Pour son six-cinq. Resta sur son neuf-valet. Sur son huit-dix. Demanda une carte pour son neuf-trois.

Anna retourna un sept. Elle remporta la mise de deux mains, et le paya pour ses quatre mains gagnantes. Ses doigts dansaient au-dessus de la table, longs, minces et parfaitement manucurés. Des mains adorables. « Vous ne voulez vraiment pas que je rappelle les deux Texans ? murmura-t-elle.

– J'ai bien peur que nous soyons obligés de continuer tout seuls », répondit le Vieux.

Une serveuse vint lui apporter son single malt habituel, avec un glaçon.

Le Vieux déposa un jeton de 25 dollars sur son plateau, leva son verre à l'attention d'Anna, et en but une gorgée qu'il savoura. Il se limitait à une boisson alcoolisée par jour, par égard pour ses reins et son foie. Ses greffons lui pompaient de plus en plus d'énergie, et le surcroît de vigueur qui suivait ses transfusions hebdomadaires durait de moins en moins longtemps et se faisait moins intense à mesure que les années passaient. En dépit de toutes les connaissances scientifiques existantes, la durée de vie humaine avait encore des limites. Allah Lui-même, Celui qui sait tout, le Très-Miséricordieux, avait décrété que tout homme devait un jour mourir. Il fallait bien mourir pour entrer au paradis.

Anna distribua à nouveau les cartes.

Le Vieux fit son choix presque instinctivement. Raclant silencieusement ses cartes sur le feutre vert de la table pour demander une carte, posant ses jetons sur les cartes lorsqu'il désirait rester. Après toutes ces années, il savait quels étaient les jeux où il était statistiquement plus sûr de gagner. Il était incapable de compter les cartes avec précision (les croupiers utilisaient à chaque table dix jeux de cartes), mais il allait de soi que le black-jack relevait autant du simple jeu de hasard que de l'application méthodique de la théorie des probabilités. Le Vieux jugeait inutile de trancher sur cette question. Le Coran interdisait les jeux de hasard, mais le Vieux était en paix vis-à-vis du jeu. En paix vis-à-vis de sa boisson alcoolisée quotidienne.

Même vis-à-vis d'une petite côtelette de porc à l'ail quand l'envie lui prenait. Allah excuserait ses manquements occasionnels. Il sourit, pensant à ce que son premier professeur aurait dit d'un tel sophisme.

Anna lui rendit son sourire, croyant qu'il lui était adressé. Elle le paya pour son black-jack, et ramassa toutes ses autres mises.

Les disciples du Vieux suivaient le Coran à la lettre, mais le Vieux ne s'y sentait pas obligé. Allah, Celui qui sait tout, ne lui avait-il pas fait don d'un cerveau, d'un appétit et du libre arbitre ? Le Vieux suivait ce qui était commandé par le Livre saint, les cinq piliers de l'islam. Il avait fait sa profession de foi, sa *chahada*. Il priait cinq fois par jour. Il s'abstenait de manger et de boire durant les journées du ramadan. Il versait 10 % de sa richesse chaque année. Il avait fait son pèlerinage à La Mecque, ainsi qu'à Jérusalem.

Anna distribua. Les cartes glissèrent sur le feutre vert tels des hérons rasant la surface d'un lac. Le Vieux avala une autre gorgée de scotch. Les choses qu'interdisait le Livre saint, il s'y adonnait avec modération. Ses habitudes alimentaires étaient loin d'être parfaites. Dans sa jeunesse, il s'était souvent rasé de près. Il avait des relations d'affaires et des relations intellectuelles avec des infidèles, il avait séjourné chez eux, avait dîné en leur compagnie. Il jouait. Il était pleinement impliqué dans la banque et la finance, alors que la prise d'intérêts était strictement interdite. Il manquait profondément de sobriété, à tout point de vue : plus simplement dit, il s'amusait souvent du monde et de lui-même.

Anna dépassa la limite. Elle lui régla ses gains.

Le Vieux les remit aussitôt en jeu.

Les cartes glissèrent sur la table, propulsées par les longs doigts d'Anna.

Ce qui différenciait le plus le Vieux des musulmans traditionalistes était peut-être le fait qu'il se reposait sur la science et la technologie. « Islam » signifiait « soumission », mais c'était une soumission à Allah, le Très-Miséricordieux, qui était exigée du croyant. Pas une soumission de sa propre intelligence. Pas une soumission de sa propre curiosité. Les interdictions du Coran tiraient leur origine du fait qu'Allah, Celui qui sait tout, parlait alors au prophète Mahomet, que son nom soit béni, un homme du VIe siècle après Jésus-Christ. Le Coran était l'éternelle vérité, mais les premiers hommes qui l'étudièrent n'étaient alors qu'au début de leur apprentissage. Ces interdictions avaient pour but de pousser les premiers musulmans à se concentrer sur leur vie quotidienne. Le Vieux, lui, transcendait l'histoire. De telles idées auraient été considérées comme des blasphèmes par Ibn Aziz et ses fondamentalistes, mais c'était bien eux, et non lui, qui étaient responsables de la ruine de ce pays. Des satellites tombaient du ciel. Les infrastructures énergétiques étaient obsolètes. Vingt-cinq ans après la guerre civile et la sécession, ce qui avait été les États-Unis d'Amérique était réduit à un coin de tiers-monde, dont les principales exportations consistaient en matières premières, alimentaires et minérales. Le Vieux avait bien l'intention de changer tout cela. Mille ans auparavant, le califat avait conquis la plupart du monde connu, mais il avait également été un jardin de science et de connaissance, au sein duquel avaient fleuri les arts. Cette ère reviendrait un jour.

Anna dépassa la limite. Lui régla ses gains. Sous les lumières artificielles, son visage était rosé. L'année dernière, suivant les vœux insistants de son petit copain, elle s'était fait avorter. D'un garçon. Elle ignorait qu'il était au courant. Le Vieux lui avait fait livrer des fleurs, chez elle, dès le lendemain matin. Des dizaines de roses blanches. Sans carte. Rien que les fleurs. Son petit copain était entré dans une rage folle. Il l'avait battue. Il avait piétiné les fleurs. Lorsque Anna était partie travailler, le Vieux avait envoyé deux hommes chez elle. Le premier avait rempli une valise d'affaires du petit copain, le second l'avait ligoté et l'avait mis dans le coffre de sa propre voiture. Ils s'étaient rendus très loin dans le désert, et l'avaient enterré vivant. Ils avaient ensuite fait demi-tour et, à mi-chemin, avaient abandonné sa voiture sur le bord de la route, avec un trou dans le radiateur. Puis ils étaient rentrés à Las Vegas dans leur véhicule.

Anna lui sourit à nouveau.

Il n'avait pas fait éliminer le petit copain parce qu'il éprouvait du désir pour Anna. Son petit copain l'avait rendue malheureuse, et le Vieux aimait que ses croupiers soient de bonne humeur.

Ellis, le responsable des croupiers, l'observait d'un air absent. Il avait été agent de change à la Bourse de Londres, un agent extrêmement brillant, même, jusqu'à ce qu'on diagnostique chez sa femme une tumeur cérébrale maligne. En dépit de tous ses efforts, elle était morte dans des conditions abominables. Ellis s'était rendu à Las Vegas pour noyer sa douleur, et n'était jamais reparti.

La serveuse vint reprendre son verre vide. Elle portait une jupe courte qui mettait en valeur ses jolies jambes. Des bas à coutures. L'impudeur étirée sur une ligne longue et fine.

Elle s'appelait Teresa. Vingt-deux ans, née à Biloxi, dans le Mississippi. Installée ici depuis deux ans. Elle suivait un cursus en management hôtelier dans une fac de la ville. Elle avait pour l'instant une moyenne très satisfaisante. Le Vieux s'enorgueillissait de connaître les gens qu'il côtoyait, et il en côtoyait des dizaines par jour, des centaines par mois. C'était l'une des choses qu'il adorait à Las Vegas. Il y avait toujours quelqu'un de nouveau à connaître.

Casinos et hôtels regorgeaient de catholiques, de musulmans et de sudistes, et aucun d'entre eux ne discutait de religion ni de politique. À les regarder tous, on aurait pu croire qu'il n'y avait jamais eu de guerre civile. Tous venaient ici pour se détendre, pour pêcher, pour être libres. Pour affaires, également. Des industriels venus de Chine, de Russie ou du Brésil concluaient des contrats de plusieurs millions de dollars en flottant dans une piscine, recouverts d'huile solaire. Les salles des centres de convention étaient bondées d'ingénieurs qui s'échangeaient des informations cruciales en grignotant des crevettes géantes pêchées le matin même aux Philippines. Les rues étaient submergées des flots de touristes que déversaient les économies florissantes du Brésil, de la France et du Nigeria. Le monde entier venait à Las Vegas. « La Ville ouverte », comme le proclamait l'affiche qui accueillait chaque arrivant à l'aéroport.

Anna avait deux reines. Elle rafla ses mises.

Le Vieux jeta un regard à ses nouvelles cartes. Toujours aucune nouvelle de Darwin. L'assassin lui laissait des messages. Lui demandait des faveurs, mais se refusait à le tenir au courant de ses avancées. Ou de ses échecs. Darwin connaissait sa propre valeur, et le Vieux ne l'ignorait pas non plus.

Il aurait dû charger Darwin de tuer Redbeard et son frère James, plutôt que de s'en remettre au garde du corps personnel de Redbeard. Tout aurait été différent. Si Redbeard avait suivi son frère dans la tombe, l'homme de paille du Vieux aurait été nommé chef de la Sécurité nationale. Sans Redbeard, le Vieux aurait pu user de son influence pour manipuler le président. En alimentant ses craintes. Quelques incidents terroristes auraient suffi pour mettre le pays sur le pied de guerre. Une rupture diplomatique, et la guerre ouverte aurait été déclarée contre les États de la Bible, armée et feddayin unis dans l'effort, quel qu'en eût été le prix. Une seule et même nation sous l'autorité d'Allah [1].

Anna ramassa une fois de plus ses mises. Ellis se retourna pour observer les autres tables.

---

1. « *One Nation under Allah* », référence au serment d'allégeance au drapeau américain, où l'on trouve : « *One Nation under God* », « une seule et même nation sous l'autorité de Dieu ». (*N.d.T.*)

Darwin aurait sans nul doute réussi à tuer les deux frères, mais, à l'époque, ce n'était encore qu'un inconnu. À cette époque, le Vieux n'avait pas encore eu recours à ses services, et il ne croyait pas un mot de ce qu'on lui avait dit au sujet de l'assassin. À présent, il savait que tout était vrai.

Le Vieux consulta ses cartes. La rumeur voulait que Redbeard eût survécu à la tentative d'assassinat grâce au Coran qu'il portait sur lui : le Livre saint aurait empêché deux balles de lui perforer la poitrine. Redbeard était tout à fait capable de répandre ce genre de fausse information après coup, présentant sa survie miraculeuse comme un signe de la providence divine.

Le Vieux se rappela de ne pas ressasser le passé. C'était l'un des signes précurseurs de la sénilité. Il se souvint des rires que soulevaient chez lui ces vieillards enchaînés par leurs erreurs passées, ces rois et ces princes perdus dans leurs propres souvenirs. Il fut un temps où il avait été capable de voir à cinquante ou soixante ans devant lui... et d'agir en conséquence. À tout juste 40 ans, déjà démesurément riche, il avait perçu le mensonge inhérent au concept européen d'État providence, et ce avant n'importe quel démographe. Un système prenant en charge les individus du berceau à la tombe avait besoin d'enfants pour continuer à fonctionner, et les Européens étaient un ramassis de libertins sans dieu ni foi, des fornicateurs qui faisaient fi de la paternité. Dès le début des années soixante-dix de l'ère chrétienne, il avait commencé à faire d'énormes donations aux politiciens et aux journalistes. Ces hommes qui donnaient forme au débat sur l'immigration. On avait considéré que l'afflux de travailleurs musulmans âpres à la tâche représentait une solution, et les vannes avaient été grandes ouvertes. Des musulmans d'Afrique du Nord et de Turquie, fertiles et croyants. La lente conquête de l'Europe, sa transformation en un continent islamique presque sans la moindre effusion de sang, telle avait été sans doute sa plus grande victoire. Ces cinquante ans étaient passés aussi vite qu'un après-midi.

De nouveau, ses cartes glissèrent sur le feutre vert. Il considéra l'une d'elles. Le valet borgne lui renvoya son regard. Le traître rouge. Le Vieux se souvint du nouveau pape. Son nouveau pape. Qui avait accédé à ses fonctions deux ans auparavant. Une autre récolte prête à être moissonnée. Quarante ans auparavant, il avait semé ses hommes au cœur du Vatican. Une dizaine d'hommes, instruits et disposant de nombreuses relations, versés dans les subtilités de la diplomatie. Une dizaine d'hommes qui avaient lentement gravi les échelons de l'Église catholique. L'un d'eux était à présent le pape Pie XIII. Lorsque le Vieux lui en donnerait le signal, le pape ferait publiquement sa profession de foi. Sa conversion à l'islam aurait un profond impact sur les bastions catholiques d'Amérique du Sud, et dans les dernières poches de résistance de l'Europe de l'Est.

Avec une main de douze, il demanda une carte, et reçut l'autre valet borgne. *Bust.* Par la faute du valet de pique. Le traître trahi. Un signe de mauvais augure. Qui résumait les mauvaises nouvelles de ces dernières semaines. Le mollah Oxley, soutenu pendant des années par le Vieux, avait été assassiné par Ibn Aziz, un fougueux ascète aux joues encore recouvertes de duvet. Ibn Aziz avait déjà commencé à réveiller les vieilles haines qui opposaient musulmans et chrétiens de la République. Si on lui en laissait le temps, il finirait par briser en deux le pays.

De nouvelles cartes. Anna chantonnait doucement pour elle-même. Une berceuse pour le fils qu'elle n'aurait jamais.

Et pendant ce temps-là, la nièce de Redbeard courait elle-même à sa perte. Il restait cependant une chance que le Vieux puisse se servir d'elle à son avantage. Il se pourrait même que Rakkim et elle deviennent les pièces les plus importantes de l'échiquier. Rakkim était un guerrier de l'ombre, l'un des rares hommes invisibles. Darwin désirait le tuer, les tuer tous les deux, mais ce n'était encore là qu'une preuve des limites de Darwin en matière de stratégie. Le défi était à présent de réunifier le pays, de revendiquer les anciennes frontières des États-Unis. Malgré le marasme qui le gangrenait, ce pays restait encore la terre où pourrait pousser un islam plein d'une nouvelle sève, un islam qui transformerait tout autour de lui. La connaissance que Rakkim avait des États chrétiens était d'une valeur inestimable.

Anna ramassa ses jetons à l'aide du râteau.

Le Vieux se rendit compte qu'il avait perdu le compte des cartes. Si absorbé par ses succès et ses échecs qu'il s'était laissé distraire. Il se releva de son siège. Déposa un jeton de 1 000 dollars dans la paume d'Anna, et la bénit.

Un faible son retentit dans son oreille alors qu'il traversait le casino. Qu'est-ce que Darwin voulait encore ?

47

Rakkim se plaqua contre la paroi intérieure du requin géant, l'oreille aux aguets. Quatre ou cinq hommes se trouvaient à l'extérieur, au bas mot. Les bougies étaient éteintes, la pièce plongée dans l'obscurité. On pouvait voir un rayon de lune à travers la gueule du requin, d'où pendaient des dents abîmées. Une silhouette passa fugacement devant l'ouverture. Rakkim relâcha légèrement le manche de son poignard. La silhouette qu'il venait de surprendre portait un casque de protection et un épais gilet pare-balles. Des lunettes à vision nocturne, globuleuses, d'un modèle daté. SWAT. Ils n'étaient sûrement pas ici pour Fancy. *Qu'est-ce que tu as fait, Pernell ?* D'autres silhouettes passèrent devant une fenêtre semi-réfléchissante, en direction de l'issue arrière. Par chance, ils trébuchèrent dans leur hâte.

Sarah et Fancy étaient restées accroupies à l'endroit où Rakkim les avait laissées. « Qui est-ce ? demanda Sarah.

– La police, répondit Rakkim. Est-ce qu'il y a un autre moyen de sortir d'ici, Fancy ?

– L'entrée de devant et celle de derrière, c'est tout. » Fancy remit de l'ordre dans ses cheveux. « Qu'est-ce que les flics ont à nous faire peur comme ça ? Ils savent bien qu'ils n'ont qu'à demander.

– C'est la SWAT. Ils ne demandent jamais rien. » Même dans les ténèbres, Rakkim vit que Sarah l'avait compris. « Ils vont nous attaquer des deux côtés. Où vous cacheriez-vous, ici ? »

Fancy regarda autour d'elle, puis pointa du doigt. « Sous la tortue de mer. Il y a assez de place pour nous trois.

« – Allez-y. Toutes les deux, dit Rakkim d'un ton calme. Lorsque vous serez en place, je veux que vous gardiez les yeux fermés et les doigts enfoncés dans les oreilles. Dans quelques minutes, il va y avoir ici énormément de bruit et de lumière. Restez au sol, le plus bas possible, et respirez par petites bouffées. Allez-y. Maintenant. »

Sarah serra sa main avant de s'enfoncer en compagnie de Fancy au plus profond des ténèbres.

Rakkim trouva un coin parfait à côté d'une pieuvre dont seuls deux tentacules étaient encore intacts. Logée dans une niche de la paroi intérieure du requin, la pieuvre le protégerait relativement bien de toute attaque, qu'elle vienne de devant ou de derrière.

« Ici la SWAT d'Anaheim. Sortez les mains en l'air ! »

Rakkim entendit les planches d'aggloméré craquer : ils étaient en train de dégager l'issue arrière. Il glissa ses index dans ses oreilles, mais garda les yeux ouverts. Il aurait le temps de les fermer.

« Vous avez cinq secondes pour sortir ! »

Rakkim enfonça plus profondément ses doigts dans ses oreilles. Une grenade étourdissante passa le seuil de la gueule du requin. Une autre arriva de derrière. Il ferma les yeux, ouvrit la bouche pour répartir la pression lorsque...

BOUM. BOUM.

Deux explosions soudaines, deux flashes d'une lumière si vive qu'il vit des étoiles, malgré ses yeux fermés. Il les rouvrit, sans grande amélioration : la pièce était remplie d'une fumée blanche parfaitement opaque. Exactement ce qu'il avait espéré. Pernell lui avait dit que les membres de la SWAT étaient fous amoureux de leurs grenades étourdissantes. Ils avaient l'habitude de les utiliser dans des maisons ou des appartements dont les fenêtres étaient brisées, et dans lesquels la fumée se dissipait rapidement. Le requin était en béton coulé, avec un plafond voûté et des fenêtres de plastique épais. La fumée resterait sur place, rendant leurs lunettes de vision nocturne totalement inutiles.

L'unité s'empressa d'entrer, prenant position de part et d'autre des issues, comme on le leur avait appris. Ils cliquetaient en se déplaçant : leur harnachement n'avait pas été correctement mis. Il branlait. Rakkim resta à terre, sous la couche de fumée, ventre pressé contre le sol répugnant. Ils étaient armés de mitrailleuses standard de la SWAT, au canon court et à la crosse repliable. Quarante coups par chargeur. Le leader de devant bougea, celui de derrière également, tous deux remuant la main pour disperser la fumée, et criant l'un après l'autre. L'écho de leurs voix les désorientait plus encore. Celui de derrière retira ses lunettes, et s'avança dans la salle, à demi accroupi. Le petit malin.

Rakkim se dirigea lentement vers lui, tâchant de ne pas trop faire bouger la fumée.

« Tu vois quelque chose ? cria le leader de devant, debout sur la langue du requin.

– La ferme ! répondit celui de derrière. Enlève tes... »

Rakkim plongea son poignard dans sa nuque, juste dans l'infime espace entre son gilet pare-balles et son casque, enfonçant la lame dans le creux qui se trouvait entre la première vertèbre cervicale et le tronc cérébral. Un poignard feddayin pouvait transpercer d'un coup un gilet pare-balles, mais le coup n'était pas nécessairement fatal, et il arrivait que la lame reste prisonnière. Un coup dans les cervicales signifiait une mort instantanée, presque sans effusion de sang. Il posa le mort à terre aussi silencieusement que possible. La fumée blanche tourbillonna autour d'eux.

« De quoi ? demanda l'un des autres.

– Il a dit : "la ferme ! " »

La fumée se trouvait au niveau du genou. Rakkim s'accroupit et les observa en train d'avancer dans la pièce. Il compta six... non, sept paires de bottes. Sans compter le mort qui gisait par terre. Quelqu'un aurait dû leur apprendre ce qu'était une retraite tactique. Attendre de reprendre l'avantage du terrain.

L'un des hommes passa juste devant lui, mais Rakkim n'attaqua pas. Celui qui le suivait commença à tousser, et Rakkim se releva pour lui trancher la gorge, couvrant son attaque en toussant lui-même. Il posa délicatement l'homme à terre. Du sang coula sur ses mains.

« T'es sûr qu'ils sont là-dedans, Cleese ? »

Silence. Puis les quintes de toux semblèrent venir de tous côtés. Sans doute aussi de derrière la tortue. Sarah et Fancy, elles au moins, avaient une excuse. L'unité SWAT était venue avec des grenades étourdissantes, mais sans masques. De la stupidité à l'état pur, à moins que ce ne fût une blague de l'officier chargé de l'équipement.

« Cleese ?

– Putain. OK, restez tous où vous êtes. » De nouvelles quintes de toux. « Enlevez vos lunettes. Enlevez-les ! On va attendre que la fumée se dissipe. »

Rakkim mit la main sur une cannette de soda écrasée, et la lança en direction de la dernière voix qui venait de se faire entendre. Le feu des mitrailleuses illumina brièvement la fumée. Un homme hurla, s'écroula par terre, sous la fumée, en agrippant sa jambe. Rakkim se dissimula derrière un poisson ballon.

« Ne tirez que si vous voyez votre cible, bande de cons. Nous devons ramener cette fille vivante. Sinon, pas d'argent. Tuez l'homme. N'hésitez pas une seconde, ne le laissez pas parler, abattez-le à vue. C'est un feddayin.

– Tu nous avais pas dit ça, Emerson.

– Ouais, c'est quoi, ces conneries ? enchérit un autre.

– S'il y en a parmi vous qui ne veulent pas leur part de la récompense, ils sont libres de partir », répondit Emerson.

Personne ne partit.

Rakkim aurait aimé se rapprocher d'Emerson, mais il y avait bien trop de paires de bottes entre eux deux. Et la fumée commençait à se disperser.

« Harris, tu es toujours en position ? demanda Emerson.

– Affirmatif.

– À trois on tire sur les fenêtres. Un, deux, trois. »

Rakkim se déplaça alors qu'ils tiraient, se servant du bruit et de la fureur pour tuer un autre membre de l'unité. Puis un autre. La fumée se déversait par les fenêtres brisées, aspirée par l'air plus froid de l'extérieur.

« Elle est là-bas ! » s'écria Fancy, se précipitant dans la fumée presque dissipée, toussant, les bras en l'air. « Ne tirez pas ! » Elle trébucha contre une étoile de mer et atterrit aux pieds de Rakkim. « Ne... » Elle le reconnut, et ses lèvres remuèrent sans un son : « Je suis désolée. » Elle se releva et continua son chemin.

Des balles s'abattirent sur la paroi, juste à côté de lui, projetant des éclats d'époxyde dans tous les sens. Rakkim se dirigea vers la cachette de Sarah. Il la vit sortir à toute vitesse de derrière la tortue pour se jeter sur l'un des hommes.

Celui-ci abattit la crosse de sa mitrailleuse sur son épaule, la précipitant à terre. Il se retourna, arborant un large sourire, et eut à peine le temps d'apercevoir les yeux de Rakkim avant que sa nuque soit brisée.

Rakkim fit un tour sur lui-même. Il crut d'abord qu'on l'avait attrapé, mais il finit par entendre les déflagrations de l'arme à feu. Si lentes qu'on aurait dit une marche funèbre. Il était à terre. Gisant sur le dos. Il tourna la tête et vit Sarah. Il essaya de tendre le bras vers elle, mais il était bien trop fatigué. Chaque souffle produisait un désagréable gargouillement. Il n'y avait pas d'air dans ce requin. Il était en train de mourir dans un parc à thèmes. Un parc abandonné. C'était plus amusant dans les films. Il s'attendait à ce que le reste de l'unité vienne lui régler son compte d'un instant à l'autre. Mais ils devaient se douter qu'il n'irait pas bien loin. Il chercha son poignard à tâtons, avant d'abandonner. Plus loin... très loin, il pouvait voir l'homme qui avait été touché à la jambe. Il se pointait lui-même du doigt. Puis il pointa Rakkim. Puis lui-même, à nouveau. Ah... c'était donc lui qui lui avait tiré dessus. C'était toujours une joie de voir quelqu'un content de son boulot.

Un homme se pencha au-dessus du blessé. Mais où était son gilet pare-balles ? Et ses bottes ? Cet homme ne faisait pas partie de l'unité. L'homme attrapa le blessé par les cheveux, poussa sa tête en avant, et glissa son genou contre sa nuque. Au même endroit où Rakkim avait touché le premier. L'homme regarda Rakkim, et lui envoya un clin d'œil.

L'assassin. Rakkim roula sur lui, et retrouva son poignard. Il était très lourd. Presque aussi lourd que ses paupières. Le sol était jonché de morts en uniformes de la SWAT. Pas une botte en vue. Pas une verticale, en tout cas.

Sarah se penchait au-dessus de lui. Ses lèvres bougeaient, mais l'intervalle était si long entre le moment où elle parlait et celui où il l'entendait qu'il avait l'impression qu'elle se trouvait à l'autre bout de la terre, et qu'elle lui parlait par liaison satellite. Il sentit les larmes de Sarah couler sur son visage. Il avait envie de faire une longue promenade avec elle sous une pluie chaude, mais avant cela il devait lui dire, pour l'assassin. Il fallait juste qu'il arrive à reprendre son souffle. Sarah avait déchiré un pan de sa chemise et l'avait posé sur la poitrine de Rakkim, en pressant. Il grogna, et elle pressa moins fort. C'était une erreur. Il voulait lui dire… mais sa bouche se remplissait de sang.

Rakkim vit Fancy qui courait en direction de l'assassin. Il la vit embrasser sa main… ses deux mains, celle qui tenait la lame tournée vers l'intérieur, dissimulée le long du bras.

L'assassin ne lâcha pas le regard de Rakkim alors qu'il aidait Fancy à se relever, tout en la réconfortant.

Le poignard continuait à glisser dans la paume de Rakkim. Assez près pour le lancer. Surprendre l'assassin. Les feddayin ne lançaient jamais leurs poignards. Une des toutes premières leçons du premier jour de formation. Un poignard qu'on lance tue un homme. Un poignard qu'on garde… un poignard à la main, peut en tuer des centaines. Paroles de sagesse... mais pas à cet instant précis. Rakkim serra le poignard, luttant pour ne pas sombrer.

Un sudiste lui avait appris le lancer de couteau. William Lee Barrows. Sergent, premier régiment des volontaires de Caroline. Un type sympa. Un des rares vétérans survivants. Il adorait enseigner ses trucs à Rakkim après une journée de travail à l'usine. Ils restaient dehors jusqu'au milieu de la nuit, à boire de la bière et à planter les couteaux de chasse de Barrows dans un vieux chêne. Barrows, stupéfait par la vitesse à laquelle Rakkim apprenait. *« Tu perds ton temps ici, mon gars, tu ferais mieux de t'engager chez les Chevaliers de Jésus, histoire de te faire quelques têtes-à-serviettes. »* Rakkim, avalant une gorgée de bière. *« Dieu me pardonne, Willy Lee, mais je serais bien incapable de buter quelqu'un même si ma vie en dépendait. »* Rakkim ouvrit les yeux.

L'assassin le regardait, rassurant toujours Fancy. Comme s'il attendait quelque chose... comme s'il attendait Rakkim. L'assassin acquiesça alors, et enfonça son poignard dans l'oreille de Fancy. Jusqu'à la garde. Presque pas d'effusion de sang. Il voulait sûrement que son costume reste propre. Il allongea Fancy par terre avec des attentions de jeune marié. Puis il se dirigea vers lui et Sarah.

Rakkim se débattit. Il étouffait.

L'assassin pencha la tête de Rakkim de côté, afin que le sang coule de sa bouche. Puis il saisit les mains de Sarah, les reposa sur la poitrine de Rakkim, et appuya. « C'est ça. Vous aviez bien saisi le truc, mais il faut maintenir une pression constante. Sinon il se noiera dans son propre sang. Bien. Exactement comme ça. » Sa voix était apaisante. Aimable. Il regarda Rakkim. « Ne vous inquiétez pas. On s'occupe de vous.

– Qui... qui êtes-vous ? demanda Sarah en poussant des deux mains.

– Ne vous arrêtez pas, répondit l'assassin. Pressez de tout votre poids. Une pression constante. » Il ouvrit le clapet de son téléphone portable, et appuya sur un bouton. « Redbeard ? C'est moi. »

Menteur, hurla Rakkim. Non... il l'avait simplement pensé.

« Dieu merci. » Sarah sourit à Rakkim. « Tout va bien se passer, Rikki.

– On a eu quelques petits problèmes, comme je m'y attendais. » L'assassin était un homme d'âge moyen, en bonne condition physique, aux cheveux brun clair qui s'éclaircissaient avec l'âge, et un visage doux, rasé de près. Un visage qui inspirait la confiance. Il aurait pu être cadre commercial dans une banque. Ou agent immobilier. « Le jet nous attend déjà ? L'équipe médicale également ? Bien. Rakkim a été touché par balle à la poitrine, impact classique. Le poumon gauche se remplit de sang... Je n'en sais rien, je ne suis pas docteur. » Il regarda Rakkim. « Redbeard veut savoir si vous allez survivre. »

De toutes ses forces, Rakkim tenta de se relever, mais il ne parvint même pas à redresser la tête.

« Il va s'en sortir, Redbeard, dit l'assassin. On ne peut pas tuer un feddayin, vous le savez bien. Assurez-vous simplement que le jet soit prêt à décoller dès notre arrivée... Non, pas le temps pour un hélico... Je ne sais pas, dix minutes. »

Rakkim essaya de croiser le regard de Sarah pour l'avertir, mais elle était obnubilée par la pression qu'elle devait maintenir sur sa poitrine, et lorsqu'elle le regardait, elle était trop occupée à se montrer courageuse pour lire dans ses pensées.

Sans cesser de parler au téléphone, l'assassin s'approcha tranquillement d'un des cadavres. Il se mit à le fouiller. « Oui, je sais parfaitement à quelle distance se trouve l'aéroport, mais nous n'allons pas prendre un taxi. » Il sortit un trousseau de clefs d'une des poches du mort, et les secoua à l'attention de Rakkim. « Dites à l'équipe médicale que nous serons là dans dix minutes. Je brancherai la sirène afin qu'ils nous entendent arriver. »

48

« Comment se porte-t-il ? » demanda Sarah.

Darwin appuya son index sur son propre lobe d'oreille. « Comment vous sentez-vous, vous ?

– J'ai encore les oreilles qui bourdonnent à cause des coups de feu, mais je vais bien. » Sarah s'avança jusqu'à une cloison du jet privé, s'arrêtant devant la porte close de la petite salle d'opération. Elle n'entendait que le son des moteurs. L'équipe médicale était en train d'opérer Rakkim dans la cabine principale, tandis que Darwin et elle devaient se serrer dans la cabine avant. « Est-ce qu'ils pensent qu'il va s'en sortir ?

– Il va complètement s'en remettre.

– Quelle est l'opinion des médecins ? »

Darwin haussa les épaules. « Vous savez comment sont les médecins... ils ne veulent jamais s'engager sur un pronostic. »

Sarah s'effondra sur le siège qui lui faisait face, plongeant sa tête dans ses mains. Elle se redressa soudain, scrutant ses mains. Elles étaient pleines de sang. Ses vêtements... ses cheveux... elle était entièrement recouverte de sang. Le sang de Rakkim. Le sang des policiers. Tous ces salauds, morts à présent. Darwin lui avait dit qu'il y avait une grosse récompense pour elle et Rakkim. Les Robes noires auraient presque vendu leurs mères pour la voir capturée. Il avait dit que Redbeard ne s'était rendu compte des proportions du djihad personnel d'Ibn Aziz que deux jours auparavant. Darwin avait été envoyé pour les retrouver, et les protéger au péril de sa vie. Sarah le regarda. La cabine était si exiguë que leurs genoux se frôlaient. « Est-ce que je vous ai déjà remercié ? »

Darwin sourit. « À plusieurs reprises déjà. Mais vraiment, c'est inutile. » Son costume semblait sortir du pressing, à l'exception de quelques minuscules taches de sang. Elle se demandait comment il avait réussi ce tour de force.

« Vous avez mis votre vie en danger pour sauver la nôtre... ils étaient si nombreux.

– C'est mon boulot. Et il me plaît.

– Redbeard doit vraiment vous faire confiance pour vous avoir envoyé. » Sarah frotta ses mains sur sa jupe. Cela ne fit qu'empirer les choses.

« Je suis sincèrement désolé que ce jet ne soit pas équipé d'une douche, mais vous pouvez néanmoins vous débarbouiller dans les toilettes de devant. Je vous trouverai une tenue médicale que vous pourrez enfiler par la suite. Ça vous va ? »

Sarah se releva. « Oh, ce serait vraiment merveilleux. Je dois avoir l'air vraiment horrible. »

Darwin se leva à son tour, et la salua en baissant la tête. « Vous êtes ravissante, mademoiselle Dougan. »

Sarah rit. « Vous avez des goûts esthétiques plutôt intéressants. » Elle se glissa dans les toilettes, et verrouilla la porte derrière elle. Les lieux étaient minuscules. Elle enleva ses habits et les fourra dans la poubelle. Elle se savonna les mains, les bras, puis le visage. Le savon sentait le citron. Elle se lava, et se relava dans des éclaboussements de joie. Rakkim allait s'en sortir. Redbeard avait envoyé l'avion et les médecins. Redbeard avait envoyé Darwin... et puis tout le monde savait qu'il était extrêmement difficile de tuer un feddayin. Tout le monde. Elle trempa une serviette dans de l'eau chaude et se mit à nettoyer ses cheveux. Un petit bout d'os tomba dans le lavabo. Elle faillit vomir. Elle sanglotait à présent, tout en continuant sa toilette. Elle sursauta : on venait de taper délicatement à la porte.

« Mademoiselle Dougan ? Vos affaires de rechange. »

Sarah entrouvrit à peine la porte. Darwin lui tournait le dos, le bras tendu, lui présentant les vêtements médicaux bleus. Elle s'en saisit et referma la porte. « Merci beaucoup. » Lorsqu'elle sortit, cinq minutes plus tard, elle se sentait beaucoup mieux. Tant qu'elle ne respirait pas par le nez. « Est-ce que je peux vous emprunter votre téléphone ? J'ai essayé d'appeler mon oncle avec le mien, mais ça n'a pas marché.

– Le jet possède un dispositif de brouillage. Pour des raisons évidentes de sécurité.

– Il doit sûrement y avoir un moyen de le joindre. Vous l'avez bien appelé, non ?

– Tout à fait. Il m'a ordonné d'éviter à présent toute transmission. Ibn Aziz a sans le moindre doute découvert ce qui vient de se passer, et il ne va pas tarder à prendre des mesures.

– Oui... bien sûr. Du nouveau au sujet de Rakkim ?

– Son état est stationnaire, selon les médecins.

– C'est positif, non ? C'est une amélioration.

– C'est ce qu'ils disent toujours. » Darwin lui tapota le bras. « Tâchez de ne pas vous faire de souci. Pourquoi ne pas vous rasseoir ? » Il indiqua le siège. « J'ai pris la liberté de vous servir un verre d'eau gazeuse. Nous pouvons toujours causer. Le temps nous paraîtra plus court. »

Sarah se rassit face à lui. « Quand arriverons-nous à Seattle ?

– Vous savez, j'ai lu votre livre. Deux fois. »

Sarah se détendit légèrement. « Vous avez fait ça pour impressionner Redbeard ? Si c'est le cas, il faut que je vous prévienne tout de suite : il est loin d'apprécier ce bouquin.

– Moi, j'ai beaucoup aimé. » Darwin passa une main dans ses cheveux fins. « Votre postulat de départ, selon lequel les véritables dieux de l'ancien régime étaient les acteurs et les musiciens... et selon lequel leur conversion à l'islam fut une victoire essentielle... c'était tout bonnement brillant. »

Sarah acquiesça poliment. « Les médecins ont dit que vous aviez sauvé la vie de Rakkim.

– Je n'aurais pu y arriver sans vous. » Darwin avait des yeux calmes. D'un gris clair et transparent... presque familiers. « Vous avez fait preuve d'un grand sang-froid dans le parc d'attractions, ainsi que sur le chemin de l'aéroport. J'espère que vous ne prendrez pas mal ce compliment.

– Non, du tout. » Sarah le regarda dans les yeux et Darwin lui renvoya son regard. Beaucoup d'hommes avaient du mal à regarder une femme dans les yeux : ils détournaient les yeux, par peur de paraître impolis, ou les baissaient, doutant d'être suffisamment séduisants. Le regard de Darwin était neutre, froid, même, mais plein d'assurance et posé. Comme si le monde entier était une parade qui ne faisait que passer devant ses yeux. Elle se rappelait à présent où elle avait croisé de tels yeux. Au zoo. Il s'agissait de ceux d'un loup. *Canis lupus*. Encore petite, elle avait passé des heures à observer ces loups gris, fascinée par leur calme de prédateurs. Rien d'étonnant à ce que Redbeard l'ait envoyé pour les protéger d'Ibn Aziz. C'était un excellent choix.

« Qu'y a-t-il, mademoiselle Dougan ?

– Je vous en prie, appelez-moi Sarah. Je crois que nous n'en sommes plus aux formalités d'usage. »

Darwin sourit. « Vous m'en voyez ravi.

– Allons-nous atterrir sur la piste qui se trouve derrière la villa de Redbeard, ou près de l'Hôpital central ?

– La décision n'a pas encore été arrêtée. »

Sarah posa les yeux sur la porte qui donnait sur la salle d'opération. « C'est tellement difficile, d'attendre.

– On s'y habitue. L'attente peut s'avérer agréable. Si elle se double d'un sentiment d'anticipation.

– Soit. » Sarah croisa les jambes, et son pied glissa sur le bas du pantalon de Darwin. « Désolée, dit-elle en s'empressant de frotter le tissu. Comment avez-vous fait pour nous retrouver ? Rakkim pensait avoir effacé notre piste.

– Et vous pouvez être fiers de vous. » Darwin croisa ses mains sur ses jambes. « Si je n'avais pas mis la main sur la même information que celle que l'inspecteur Colarusso vous a transmise, je n'aurais même pas su dans quelle direction chercher. Mais une fois ce renseignement pris, il m'a été relativement simple de...

– Anthony vous a tout dit ? »

Darwin leva les mains. « Non, loin de là. J'ai simplement eu recours à la même source que lui. Une femme particulièrement conciliante, au département des ressources humaines. »

Sarah pencha la tête alors que l'avion virait brusquement sur l'aile. « Que se passe-t-il ?

– Rien qu'une simple correction de trajectoire. Tout va bien, je vous assure. » Darwin se pencha légèrement en avant. « Vous savez, je suis moi-même un collectionneur, tendance nostalgique, dirons-nous. CD, affiches de films, bandes dessinées. Héros et monstres. C'est sans doute pour cela que vos travaux m'ont à ce point attiré. »

Sarah somnolait, bercée par la rumeur des moteurs. Elle n'aimait pas qu'on associe l'intérêt pour la culture populaire de l'ancien régime à de la nostalgie, même si la confusion était assez fréquente. Elle ferma les yeux. Les coups de feu résonnaient encore à ses oreilles. Elle voyait encore le visage triste de Fancy. Fatima Abdullah. Gisant sur le béton alors qu'ils transportaient Rakkim. Darwin avait dit qu'elle était morte, qu'ils devaient se dépêcher, et ils s'étaient empressés de fuir... mais en passant devant le corps, Sarah avait maudit le policier qui l'avait tuée. Elle espérait que quelqu'un la ferait enterrer décemment. Fancy avait dit un nom... Jeri Lynn. Sarah espérait que quelqu'un appellerait Jeri Lynn. Et que Jeri Lynn offrirait à Fancy une inhumation digne de ce nom. Avec les prières qui convenaient.

« Vous êtes-vous déjà intéressée dans vos recherches à la pornographie de la fin du XXe siècle ? »

Sarah cligna des yeux, comme pour se réveiller. « Non... ça ne m'est jamais passé par l'esprit.

– Oh, vous devriez, vraiment. C'est passionnant. Toute la culture de l'époque y est résumée.

– Je n'ai jamais rien lu à ce sujet dans la littérature. Je suis certaine que ce genre d'étude doit être soumis à de nombreuses restrictions d'accès. Est-ce qu'il existe un fonds propre que l'on peut consulter ?

– Non, la plupart des pièces appartiennent à des particuliers.

– Alors, comment avez-vous pu... » Sarah regarda la porte close qui donnait sur la salle d'opération. Cette conversation la mettait un peu mal à l'aise. « Oh, c'est vrai. Vous venez de dire que vous étiez vous-même collectionneur.

– À la fin des années quatre-vingt-dix, on assiste à un véritable bouleversement. Des tatouages partout, chez les femmes comme chez les hommes. Des piercings... des piercings à des endroits où nul n'aurait l'idée d'en avoir. Leurs stars de cinéma elles-mêmes en portaient. Leurs dieux eux-mêmes s'adonnaient à ce culte. » Darwin joignit ses mains, doigts écartés. « Fascinant, vous ne trouvez pas ? Un retour aux instincts primitifs, c'est ainsi que certaines personnes interprétaient le phénomène. Je vois plus cela comme une soif d'esclavage. Ils étaient si libres, si peu encombrés d'une quelconque morale, qu'ils avaient un besoin impérieux de chaînes. Quant aux pratiques sexuelles en soi, elles sont tout autant...

– Est-ce que vous... » Le sourire de Sarah était contraint. « Est-ce que vous aviez déjà retrouvé notre piste à Seattle ? J'essaye juste de... j'essaye juste de déterminer si nous avons commis une erreur.

– C'est tout à votre honneur, dit Darwin. Non, vos erreurs ne furent qu'humaines. Je vous ai attendus à Long Beach. À la dernière adresse connue de Fatima Abdullah.

Je croyais vous avoir manqués, et puis l'un de nos sbires a appelé pour dire qu'il vous avait vus tous les deux dans un café de Huntington Beach. Manifestement, vous n'étiez pas aussi pressés de la retrouver que nous le pensions. »

Sarah se sentit rougir.

« Il y a quelque chose de primal dans l'air de la Californie du Sud, vous ne trouvez pas ? » Darwin croisa les doigts. « Vous n'avez même pas fermé les fenêtres de votre chambre de motel. J'ai passé toute la nuit juste en dessous. J'étais si près que j'aurais presque pu vous toucher. J'ai entendu absolument tout. Quels bruits, hein. Tous ces grognements, tous ces gémissements. Je me demande ce que votre oncle aurait pensé de vous s'il les avait entendus. » Le regard de Darwin n'avait pas changé le moins du monde. Ses yeux restaient froids, gris et distants. « Quelque chose me taraude. Peut-être pourrez-vous m'aider. La troisième fois... où est-ce que Rakkim vous l'a mise, précisément ? J'ai été incapable de le deviner, et ça n'a pas cessé de me tracasser depuis. »

Sarah le regarda droit dans les yeux... et... enfin... le vit.

« Bon. Il faudra ajouter cela à la longue liste des grands mystères de la vie. » Darwin semblait à présent plus heureux. Satisfait, maintenant qu'elle savait. « C'est un sacré dilemme, non ? Vous ne savez plus trop ce que vous devez penser de moi.

– C'est tout à fait clair.

– Enfin quoi, en dépit de tout le reste, je vous ai quand même sauvé la vie. À vous et à Rakkim.

– Ça ne change absolument rien. » Sarah était surprise par son propre calme. C'était comme si elle avait pris quelque chose à Darwin et qu'elle s'en servait pour ancrer sa confiance en elle. Pour se protéger de sa propre peur panique. « J'éprouve à votre égard la même chose que m'inspire n'importe quel meurtrier engagé pour tuer.

– Je préfère le terme d'assassin.

– Je n'en doute pas.

– Pourquoi ne pas m'appeler Darwin, tout simplement ?

442

– Darwin ? C'est votre vrai nom ?

– Je sais, je sais. Je le tiens d'un blasphémateur. N'allez pas croire qu'il ne m'a pas posé un certain nombre de problèmes durant mon enfance et mon adolescence. Enfin. Nous traînons tous le fardeau de notre passé, n'est-ce pas ? »

Le bruit des moteurs se fit plus aigu alors que l'avion virait à nouveau sur l'aile.

« Nous n'atterrirons pas à Seattle. J'ai bien peur de vous avoir également menti à ce sujet. » Darwin sourit. « Est-ce que vous appréciez l'ironie ? »

Sarah continuait de scruter les yeux de l'assassin.

« Le groupe sanguin de Rakkim est O négatif. Un groupe relativement rare. Mais le véritable problème, c'est que les O négatifs ne peuvent être transfusés qu'avec du O néga-tif. En un si court délai, on n'a pu trouver qu'un litre de sang de ce groupe et de ce rhésus. » Darwin se pencha en direction de Sarah, qui vit alors passer dans son regard des images fugaces, et se demanda comment elle avait fait pour ne pas les voir plus tôt. « Je suis également O négatif. Si les médecins avaient eu besoin de davantage de sang en cours de vol, ils lui auraient fait une transfusion du mien. Amusant, n'est-ce pas ? »

Sarah se retint de toutes ses forces de trembler. Elle n'y parvint pas.

« Mon sang à moi. » Darwin était secoué d'un fou rire. « Je parie que vous y auriez pensé chaque fois qu'il vous aurait enculée ! » Il hurlait à présent de rire, la tête rejetée en arrière, ses lèvres dévoilant complètement ses dents.

49

« Merci encore d'avoir accepté de me rencontrer, dit Colarusso.

– J'avais de toute façon envie de vous parler. » Redbeard ne lâchait pas des yeux le fuselage métallique qui dépassait de la surface du Puget Sound. La queue du très gros porteur 977 s'élevait à plus de quinze mètres. Les vibrations du moteur du bateau firent trembler le pont. Le reste des touristes se trouvaient à l'intérieur, observant le monument derrière le double vitrage, mais Redbeard et Colarusso étaient à l'extérieur, exposés aux éléments, fouettés par un fort vent froid.

Le sel mordait les narines de Colarusso. « Depuis que vous avez insisté pour que je dirige l'enquête sur le triple meurtre dans la résidence de Miriam Warriq, mon chef a l'impression que nous nous connaissons, dit-il, mal à l'aise à l'idée que Redbeard s'intéressât à lui. Voilà pourquoi j'ai été chargé de m'adresser à vous.

– Et qu'est-ce que votre chef n'a pas le courage de me demander en face ?

– On a tout un tas de cadavres de chasseurs de primes sur les bras depuis quelques jours, répondit Colarusso. Tous liés aux Robes noires.

– Et le commissaire Edson croit que la Sécurité nationale est responsable ?

– Vous avez tout compris.

– La Sécurité nationale est bien responsable.

– Je vois. En fait... le chef redoute que les choses s'enveniment de plus en plus entre Ibn Aziz et vous, et que ce soit la police qui porte le chapeau. Après tout, on est censé maintenir la paix et l'ordre.

– Jerry Edson se moque de la paix et de l'ordre, il ne tient qu'à une chose : conserver son boulot. Et il le conservera, tant que son père sera à la tête du Comité des appropriations du Sénat. »

Colarusso se frotta le front. « Ce n'est pas moi qui vais vous contredire là-dessus, monsieur, seulement, je bosse pour ce connard. Je pourrais peut-être lui dire que vous déplorez toutes ces violences et que vous allez faire votre possible pour retrouver le responsable ?

– Des migraines, inspecteur ?

– De temps en temps.

– J'en ai constamment. Ces derniers temps, je me réveille en plein milieu de la nuit... je crois qu'il pleut parce que j'entends le bruit du tonnerre, mais tout est dans ma tête. Ma domestique me dit que je devrais consulter un docteur, mais dès qu'on commence à leur demander leur avis, on passe le reste de sa vie à faire des examens.

– Vous voulez pas rentrer ? » proposa Colarusso, frissonnant dans son pardessus. Il avait boutonné dimanche avec lundi sans s'en apercevoir. « Je me gèle le cul.

– Je préfère que nous restions dehors », répondit Redbeard, apparemment au chaud dans sa simple robe de laine. Il pointa du doigt l'épave. « Vous viviez déjà à Seattle lorsque l'avion s'est écrasé ?

– Mon épouse et moi étions à Hawaï pour fêter notre cinquième anniversaire de mariage. Ça me semble remonter à une éternité.

– Dix-sept ans en mars. Mille cent personnes, dont la plupart se trouvent encore ici. » Le visage de Redbeard était complètement fermé. « Nous avons fabriqué de toutes pièces l'histoire selon laquelle l'appareil avait été détourné par une secte apocalyptique brésilienne. Cette version des faits est évidemment complètement fausse.

– Vous voulez dire que les pirates de l'air ne voulaient pas s'écraser sur le dôme du Capitole ? Ou que ce n'était pas vraiment une secte apocalyptique ?

– Je venais souvent ici avec Rakkim et Sarah », dit Redbeard en fixant toujours l'épave. Le métal brillait encore, du moins à cette distance.

Colarusso ne posa pas d'autres questions à propos du détournement. Redbeard tentait de le déstabiliser par une tactique consistant tantôt à l'appâter, tantôt à changer de sujet, lui soumettant une information secrète, et coupant soudain court à ses révélations.

« La première fois que Sarah a vu l'avion, elle m'a demandé pourquoi tous les monuments nationaux célébraient la mort. Où étaient donc les monuments dressés en l'honneur de découvertes scientifiques ou médicales, en l'honneur de poètes ? C'est ce qu'elle voulait savoir. Elle avait alors 9 ans. Rakkim en avait 13. Vous voulez savoir ce qu'il a dit ? Il a regardé la partie arrière de l'avion qui se dressait quasi perpendiculairement à la surface de l'eau, et il m'a dit que le pilote avait piqué trop brusquement du nez. Il a dit qu'il était impossible de maîtriser le gouvernail de cette façon. Il a ajouté que le pilote aurait dû faire du rase-mottes, le plus horizontalement possible, et ensuite s'enfoncer dans le Capitole. » Redbeard secoua la tête. « Treize ans. »

Colarusso se demanda s'il avait le cran de rentrer à l'intérieur en plantant Redbeard sur le pont.

« J'ai appris que votre fils avait été accepté chez les feddayin », dit Redbeard.

Colarusso acquiesça. Surpris.

« Ça fait un peu mal au cœur, pas vrai ? demanda Redbeard. Ça m'a fait la même chose lorsque Rakkim a été accepté. C'était un grand honneur, bien sûr, mais je suis sûr que vous aviez d'autres projets pour lui. Vous espériez peut-être qu'il vous suive dans la police.

– Un catholique n'a aucun avenir dans la police. Au mieux, c'est un poste d'inspecteur.

– Il n'empêche. Je suis certain que vous rêviez d'autre chose pour Anthony Jr. » Le regard de Redbeard se perdit au loin. « Je rêvais d'autre chose pour Rakkim. Pour Sarah également. Pour moi. C'est sans doute ça, vieillir... accepter l'inacceptable.

– N'est-ce pas là la vérité que Dieu nous impose ? » Colarusso se ravisa aussitôt. « Désolé. Je voulais pas être aussi familier.

– Vous ne m'avez pas offensé, inspecteur. Nous ne sommes que deux hommes d'un certain âge, qui ruminent leurs regrets. »

Colarusso resta silencieux. Il était flic depuis trop longtemps pour croire au coup de blues complice d'un homme puissant.

« Rakkim a de la chance d'avoir un ami tel que vous, dit Redbeard. Cela fait bien longtemps qu'il ne s'est pas confié à moi. »

Colarusso réprima un sourire. Lorsqu'on s'attendait au pire venant des autres, on était rarement déçu.

« J'ai chargé Rakkim de retrouver ma nièce. Il a réussi. Malgré tous les hommes sous mes ordres, malgré toute mon expérience et tous mes contacts, j'ai échoué, et il a réussi.

– Vous l'avez bien formé. Ça devrait vous consoler.

– Au diable les consolations. Je veux ma nièce. Où sont-ils ? »

Colarusso s'appuya à la rambarde, et regarda les vagues fouetter le fuselage de l'avion. « Je l'ignore.

– Je pourrais vous menacer, inspecteur. Je pourrais vous dire que, d'un simple mouvement de la tête, on retrouverait de la drogue chez vous. Ou des preuves de votre connivence avec des juifs. Il existe une infinité de façons de détruire la vie d'un homme, et je les connais toutes. » Redbeard se tenait droit, jambes écartées. « Mais je ne ferai rien de tout cela. J'ai bien trop de respect pour vous. Si Rakkim vous considère comme un ami, c'est parce qu'il sait que vous ne cédez pas aux menaces. Et je n'ai qu'à vous regarder pour m'en convaincre.

– J'ai droit à un petit bisou avant que vous m'enculiez, c'est ça, Redbeard ? »

Redbeard éclata de rire, un rire qui venait du cœur et qui se brisa en une atroce quinte de toux. Il resta penché en avant jusqu'à ce que la toux prenne fin. Puis il se redressa, le visage écarlate. « J'aurais aimé avoir un ami tel que vous, inspecteur. Un homme qui se retrouve au poste que j'occupe ne peut s'offrir ce genre de luxe. Il peut cependant avoir une famille. Je n'ai jamais eu d'enfants, mais je croyais avoir une famille.

– Vous en avez une. J'ai assez discuté avec Rakkim pour le savoir. Vous êtes pour lui ce qui se rapproche le plus d'un père acceptable.

– Oui... je vous remercie. » Redbeard se retourna tandis que le bateau finissait sa ronde autour de l'avion à moitié abîmé, et prenait la direction du port. « Après que Rakkim eut demandé que vous soyez chargé du triple meurtre, je vous ai mis sous surveillance. La seule fois où vous avez tenté de semer l'agent chargé de vous filer remonte à la semaine dernière. Vous êtes entré à toute vitesse au Royaume des Cieux, à l'étage Hommes, et vous avez disparu alors que mon agent croyait que vous étiez en cabine d'essayage.

– De toute façon, les fringues sont trop chères pour moi là-bas.

– C'est exactement ce que je lui ai dit. Une leçon qu'il a, je n'en doute pas, parfaitement retenue. » Redbeard sourit. « Votre disparition ne m'a pas inquiété outre mesure. J'ai supposé que vous aviez rendez-vous avec Rakkim. Cela confirmait simplement que Sarah et lui étaient toujours dans le secteur, comme je m'y étais attendu. Ils connaissent tous deux la capitale comme leur poche, avec tous ses lieux de rassemblement et toutes ses cachettes. Même ainsi, j'ai chargé une équipe de guetter tout événement curieux qui surviendrait dans le pays. Les faits étranges. Les rumeurs. Les disparitions. J'ai résisté à la tentation d'inclure leurs profils respectifs dans la base de données de sécurité, par peur de mettre la puce à l'oreille à d'autres. Je suis sûr que vous comprenez.

– Ouais. » Colarusso frotta son gros nez. Le sel piquait. « Une fois leurs profils intégrés, la chasse aurait été ouverte. »

Redbeard passa un doigt sur la commissure de ses lèvres. « Hier soir, tard dans la nuit, on a soumis à mon attention un curieux rapport. Huit policiers ont été tués dans l'exercice de leurs fonctions dans le comté d'Orange, en Californie. Des membres de la SWAT. Parfaitement équipés. Tous morts. Aucune arrestation. Les autorités policières ont essayé d'étouffer l'affaire. Et puis ce matin, ils ont rendu publique la version officielle : une affaire de stupéfiants, une descente qui tourne mal.

– Ça arrive.

– Huit membres de la SWAT équipés des pieds à la tête, raides morts ? Combien de fois ça arrive par siècle ? Hier soir, il n'y avait que des flics morts sur place, et ce matin la morgue est pleine de petits voyous bien connus des services de police. » Redbeard passa une main sur sa barbe. « Je n'ai pas encore jeté un œil aux rapports d'autopsie des policiers, pas encore, mais je peux vous parier d'ores et déjà qu'ils ont été tués à l'arme blanche : un poignard, manipulé avec une extrême précision. » Redbeard regarda Colarusso. « J'ignore où se trouvent Rakkim et Sarah, mais quelqu'un le sait. Quelqu'un qui leur veut du mal. »

Colarusso ne détourna pas les yeux. Ce fut Redbeard qui se retourna.

« Lorsque nous serons de retour sur la terre ferme, vérifiez donc ce que je viens de vous dire. Je n'aimerais pas que vous vous en vouliez par la suite. »

Colarusso observait les pans de la robe de Redbeard, qui claquaient au vent. Les bons interrogateurs attaquaient toujours dans les angles morts. Ils arrivaient toujours d'une direction à laquelle on ne s'attendait pas. Ils étaient polis lorsqu'on s'attendait à des mugissements. Les meilleurs d'entre tous ne posaient même pas la grande question, la seule qui importait. Ils se contentaient d'exposer la situation, et laissaient à leur interlocuteur la liberté de les aider, ou de ne rien faire. Redbeard était le meilleur que Colarusso ait jamais croisé. « Ils sont en Californie du Sud. Je ne sais pas où précisément, mais je leur ai dressé un itinéraire à plusieurs escales, terminus l'aéroport international Ben Laden. Je ne sais pas ce qu'ils recherchent. Rakkim a refusé de me le dire. »

Redbeard lui tournait toujours le dos. « Je vous suis très reconnaissant, Anthony.

– Ça n'a peut-être rien à voir avec cette unité de la SWAT, mais... ils ont un assassin feddayin aux trousses. » Colarusso croisa les bras. « Je crois... je crois que l'assassin est passé chez moi la semaine dernière. Pas plus d'un jour après leur départ. Il a parlé à mon fiston. »

Redbeard se retourna. Il se rapprocha de lui. Inquiet.

« Rien ne s'est passé. Tout le monde va bien.

– Alors ce n'était pas l'assassin, conclut Redbeard.

– Il a essayé de faire croire qu'il bossait auprès du maire. Anthony Jr. a refusé de le laisser entrer. Il m'a dit qu'il n'avait pas senti ce type. Il m'a même dit qu'il s'était pratiquement pissé dessus. Vous ne connaissez pas mon fils, mais ce n'est pas le genre de truc qu'il accepterait d'avouer en temps normal. J'ai appelé le bureau du maire. Ils n'avaient envoyé personne...

– Appelez dès maintenant votre famille et dites-leur de faire leurs valises. Je vais envoyer des hommes pour...

– Déjà fait. J'ai chargé Anthony Jr. de partir avec sa mère et ses sœurs. Je lui ai dit qu'il devait les protéger. Ça lui a pas plu, mais il a obéi.

– Et vous ?

– Qu'il vienne taper à ma porte une seconde fois, grogna Colarusso. Je lui exploserai la cervelle. Je lui viderai mon putain de chargeur dans la gueule. » Le vent froid le fit frissonner. « Vous inquiétez pas, Anthony Jr. ne lui a rien dit. De toute façon, le gamin n'est au courant de rien. »

Redbeard hocha la tête. « Il sait que votre fils avait été mis en garde contre des inconnus susceptibles de sonner à votre porte. Un assassin feddayin sait pratiquement lire dans les esprits. »

Colarusso se sentait mal à l'aise. « Rakkim avait besoin d'une info, et cette femme des ressources humaines m'a aidé à la trouver. Cela fait plusieurs jours qu'elle n'est pas repassée à son bureau, et je commence sérieusement à m'inquiéter. Les autres nanas du service disent qu'elle a l'habitude d'enchaîner les arrêts maladie, mais cette fois elle n'a prévenu personne. » Il regarda autour de lui. « Je me suis introduit chez elle. Tout était à sa place. Rien qui ait bougé d'un millimètre. » Le moteur du bateau trépida, et il eut l'impression de perdre pied. « J'ai essayé de joindre Rakkim, mais il a éteint son portable. Il croit qu'il peut se faire repérer rien qu'en recevant un message.

– Il a tout à fait raison. »

Colarusso s'humecta les lèvres. « J'ignorais que c'était possible.

– Revoilà votre migraine ? »

Colarusso se frotta à nouveau le front. « C'est comme si des mecs étaient en train de casser des cailloux dans mon crâne. »

Redbeard eut un sourire triste. « Je vois parfaitement ce que vous voulez dire. Peut-être que lorsque vous m'aurez soumis l'information que vous avez donnée à Rakkim, nos migraines nous laisseront un petit répit. »

50

Les quatre hommes s'emparèrent d'Angelina alors qu'elle sortait de la mosquée. Des hommes robustes qui la soulevèrent littéralement de terre et s'empressèrent de l'emmener jusqu'à une voiture noire qui les attendait. Elle cria à l'aide, les pieds traînant par terre alors qu'ils traversaient le parking. Beaucoup la virent, l'entendirent. Des femmes qui avaient prié à ses côtés au long de ces vingt dernières années, et qui firent toutes semblant de n'avoir rien vu ni rien entendu. Toutes, à l'exception de Delia Moubarak, qui cria son nom. Delia, qui regarda tout autour d'elle en quête d'un quelconque soutien, mais fut giflée par son mari, qui l'éloigna ensuite en la tirant par la main, comme une vilaine petite fille qui aurait fait une bêtise. Les hommes poussèrent Angelina sur la banquette arrière, deux d'entre eux s'asseyant de part et d'autre. Les deux autres montèrent à l'avant. Les portières se refermèrent, aussi lourdement que les portes de l'enfer.

« Lorsque Redbeard apprendra ce que vous avez fait, je ne voudrais pas être à votre place pour tout l'or de la Suisse », dit Angelina.

Les hommes gardèrent le silence. Les yeux fixés droit devant eux.

« Ainsi, Ibn Aziz pensait avoir besoin de quatre hommes pour interpeller une petite vieille dame. Vous devez être extrêmement fiers de servir un maître aussi puissant. »

L'homme à sa droite l'insulta, mais celui qui conduisait lui intima de se taire.

Angelina se mit à manipuler son chapelet de prière. Ils pouvaient à présent se taire autant qu'ils le souhaitaient, elle avait appris ce qu'elle voulait savoir. C'était bel et bien Ibn Aziz qui avait ordonné sa capture. Elle écoutait le cliquètement des perles de son chapelet sous ses doigts habiles, confortée par les noms de Dieu.

Rakkim ouvrit lentement les yeux. Non sans effort. Trop de lumière perçait à travers les rideaux. Ses paupières lourdes se refermèrent. Non. Non.

« Bien joué. » Un vieil homme était assis à son chevet, jambes croisées. Un vieil homme sémillant et élégant, dans un costume trois-pièces vert pâle. Légèrement parfumé, la barbe blanche, une peau légèrement basanée... la même couleur que celle de Rakkim. « Ne vous rendormez pas à nouveau. Restez donc un peu avec moi. »

Rakkim se força à s'éveiller totalement. La partie supérieure du lit bougea en silence jusqu'à ce qu'il se trouve presque assis.

« Est-ce mieux ainsi ? demanda le vieil homme. Je commençais à m'ennuyer de vous voir dormir. » Il sourit. Ses dents étaient si petites. « Vous aviez l'air de rêver. »

Rakkim humecta ses lèvres sèches. Peut-être était-il encore en train de rêver ? Il but une gorgée d'eau du verre que le vieil homme porta à sa bouche. « Où... suis-je ? » Sa voix était aussi craquelée que ses lèvres.

« À Las Vegas.

– Sarah ?

– Elle se porte on ne peut mieux. »

Rakkim changea insensiblement de position dans le lit d'hôpital, grimaçant. Il se souvenait que Sarah et lui étaient arrivés en Californie. La nuit était tombée et...

« Les spécialistes qui vous ont opéré de la cage thoracique sont très impressionnés par la vitesse à laquelle vous êtes en train de récupérer. » Un autre sourire. « Bien entendu, ils n'ont jamais eu affaire à un feddayin.

– Depuis... combien de temps suis-je ici ?

– Ils voulaient vous administrer des antidouleurs, mais je leur ai dit que votre seuil de tolérance à la douleur était extrêmement élevé. Qui plus est, j'imagine que vous préférez garder toute votre lucidité.

– Ça fait combien de temps ?

– Deux jours. Votre corps a d'ores et déjà absorbé la plupart des points de suture. C'est proprement fascinant. »

Rakkim inspira profondément. Ce fut douloureux, mais cette fois il n'en montra rien. « Êtes-vous le médecin qui s'occupe de moi ?

– C'est une façon de voir les choses. » Les mains du vieil homme se posèrent mollement sur ses jambes. « Ce sont mes médecins particuliers qui s'occupent de vous. Vous ne pourriez bénéficier de meilleurs soins nulle part au monde, bien qu'à ce stade vous n'ayez plus vraiment besoin d'eux : il s'agit à présent de laisser à votre corps le temps de recouvrer toute sa vigueur. »

La tête de Rakkim résonna d'une pulsation si bruyante qu'il avait de la peine à entendre quoi que ce fût. La dernière chose dont il se souvenait était d'avoir eu peur. Pas pour lui. Pour Sarah.

« Ce que je ne donnerais pas pour avoir votre constitution... dit le vieil homme.

– Sarah ? Comment va-t-elle ?

– Elle n'a pas eu une seule égratignure. On vous a tiré dessus. À deux reprises. Vous en souvenez-vous ? »

Rakkim secoua la tête. « J'étais dans un animal marin. Je n'arrive pas à me l'expliquer.

– Peut-être êtes-vous Jonas. Ou Pinocchio.

– Non... c'était un requin, pas une baleine. »

Le vieil homme lui tapota la main. « Je ne devrais pas abuser de votre état. J'espère que vous ne m'en tiendrez pas rigueur. On vous a tiré dessus. La première balle vous a simplement éraflé le flanc, mais la seconde vous a percé le poumon. Vous avez perdu pas mal de sang. Vous ne vous souvenez donc de rien ? »

Rakkim humecta à nouveau ses lèvres sèches. Le vieil homme avait un très léger accent anglais. « Je suis à Las Vegas ? Comment ai-je atterri ici ? »

Le vieil homme l'aida à boire une nouvelle gorgée. « En tout état de cause, on ne pouvait vous transporter dans un hôpital sur place. Tous ces policiers morts... » Le vieil homme hocha la tête. « C'eût été un peu difficile à expliquer, vous ne pensez pas ? »

Des policiers morts ? Rakkim se souvenait à présent. L'unité de la SWAT débarquant dans l'attraction, à Disneyland. Les gilets pare-balles. Il faisait sombre à l'intérieur du requin... et puis toute cette fumée... et ces coups de feu, et ce sang qui recouvrait ses mains. « Où est Sarah ?

– Elle dispose d'une chambre dans le bâtiment réservé aux visiteurs, mais elle a passé le plus clair de son temps à votre chevet, sur cette chaise même, durant ces deux jours. Je suppose qu'elle est en ce moment en train de se reposer un peu. » Le vieil homme saisit le pli de son pantalon, qu'il rehaussa quelque peu. Ses chaussettes étaient recouvertes de minuscules cadrans d'horloge. Des chaussettes de soie noire avec de minuscules horloges orange. « À moins qu'elle ne soit en train de faire du shopping. Ah, les femmes. Que serions-nous sans elles ? »

Rakkim le regarda dans les yeux. « Qui êtes-vous ? »

La porte de la chambre s'ouvrit sur une infirmière, une femme aux gestes brusques, dont les cheveux noirs étaient plaqués en arrière, sous un couvre-chef blanc. Elle s'inclina face au vieil homme, puis s'étonna que Rakkim se trouve en position quasi assise. « Vous êtes réveillé ? » Elle s'approcha et lui prit le pouls. « Chut. » Elle regarda sa montre, attendit, puis regarda à nouveau sa montre. « Bien. » Elle examina ses yeux, et secoua la tête. « Je n'y comprends rien... mais Allah soit loué. »

Rakkim se souvint d'autre chose, lorsqu'il se trouvait dans l'énorme requin. Fancy. Sarah et lui avaient retrouvé Fancy dans le requin... et puis l'assassin... l'assassin l'avait tuée.

« Eh, vous croyez aller où comme ça ? lança l'infirmière en le repoussant en arrière, surprise par sa force.

– À votre place, je l'écouterais, monsieur Epps. Il faut toujours faire confiance aux professionnels. » Le vieil homme se releva. « Je repasserai vous voir à un meilleur moment. Nous avons tant de choses à nous dire. »

Rakkim fut pris de vertiges. Il s'accrocha à l'infirmière, incapable de déterminer si ce souvenir qu'il avait de l'assassin n'était qu'un rêve. Un rêve de plus. Non... c'était bien arrivé. Il avait vu l'assassin tuer Fancy. Il avait vu l'assassin glisser son poignard dans son oreille comme pour lui murmurer un sombre et terrible secret.

L'infirmière lui tapota l'épaule.

La dernière chose dont Rakkim se souvenait était de se retrouver dans les bras de Sarah... dans un océan de sang, et de voir l'assassin s'approcher. Rakkim cria, et l'infirmière l'enfonça doucement dans les draps blancs et frais.

« Bienvenue dans la demeure d'Allah », déclara Ibn Aziz.

Angelina considéra la salle sans fenêtre, scruta les six Robes noires présentes. « Je ne vois Allah nulle part en ces lieux. »

Assis sur son siège à haut dossier, Ibn Aziz posa sur elle un regard menaçant. « Ne te moque ni de moi ni de Dieu, femme. Je te donne une chance d'expier tes péchés. Tu as élevé une putain. Peut-être n'en es-tu pas responsable. Peut-être n'as-tu fait que suivre les instructions de Redbeard, mais il n'en demeure pas moins que Sarah Dougan est une putain et une blasphématrice, et Allah exige que quelqu'un en réponde. »

Angelina rajusta son tchador, heureuse d'avoir prié ce matin. « Vous êtes fin comme un bout de bois sec, mollah Ibn Aziz. Vous auriez besoin d'une femme pour vous faire un peu grossir, pour mettre un peu de chair autour de vos os. »

Ibn Aziz jeta un regard à ses hommes afin de s'assurer que nul ne souriait. « Toutes ces années au service de Redbeard ont dévoyé ton jugement. Je n'ai nul besoin d'une femme.

– Alors au nom d'Allah, Celui qui a la science de la réalité des choses, pourquoi suis-je ici, mollah ? Pourquoi m'avoir fait quérir, si ce n'est pour demander mes services de domestique ? Assurément, ce n'est pas pour me demander mes conseils sur un point de doctrine. »

Ibn Aziz acquiesça. « Il est bon que tu te comportes ainsi. Je suis trop prompt à accorder le pardon lorsqu'il est mérité. Ton insolence ne fera que me faciliter la tâche. »

Angelina s'inclina. « Tout le plaisir est pour moi. »

Ibn Aziz se releva et brandit un poing osseux en sa direction. « Tu vas me dire où se trouve cette putain. Tu es comme une mère pour elle. Elle n'aurait pas fui sans te dire où.

– J'aime cette enfant comme mon propre sang, mais j'ignore où elle est.

– Tu l'aimes, mais elle ne doit pas t'aimer, pour se vautrer ainsi dans le péché et te laisser expliquer ses actes à sa place. Elle doit te prendre pour une imbécile. »

Angelina l'observait attentivement. Il passait la main sur sa barbe duveteuse et pleine de trous. Un bien pauvre ersatz de barbe. Encore plus pathétique sur les joues d'un imam.

« J'ai failli l'attraper en Californie il y a quelques jours de cela, dit Ibn Aziz. Elle était à portée de main, mais elle est parvenue à fuir. Allah devait avoir Ses raisons...

– À votre avis, que fera Redbeard lorsqu'il découvrira que vous m'avez fait enlever ? Que feront les gens lorsqu'ils apprendront que vous avez profané une mosquée ?

– Je n'ai peur ni de Redbeard ni du peuple. Je n'ai peur que de Dieu.

– Vous avez de bonnes raisons de Le craindre.

– Silence, femme ! » Ibn Aziz se mit à parcourir la pièce de long en large. Absorbé dans ses pensées. Au paroxysme de la nervosité.

Durant toutes ses années au côté de Redbeard, elle ne l'avait jamais vu aussi décontenancé qu'Ibn Aziz. À quoi s'était-il attendu ? À une domestique terrifiée quémandant sa pitié ? À une modérée intimidée qui, les jambes cotonneuses, se serait prosternée face au chef des Robes noires ? Angelina avait déjà été battue. Elle ne craignait que Dieu, et elle savait qu'elle n'avait rien à redouter de Lui.

« Tu vas me dire où trouver cette catin », dit Ibn Aziz. Il était à présent tout à fait calme, et la fixait droit dans les yeux. « Si tu refuses, ou si tu en es incapable, alors tu seras traînée devant un tribunal religieux. Nous accuserons Sarah Dougan de fornication et de blasphème, et elle sera jugée par contumace. Tu seras la première à témoigner contre elle. »

Angelina ouvrit la bouche pour répondre, mais s'en abstint.

Ibn Aziz parut presque déçu. « Ne te fais pas d'illusion, tu témoigneras bel et bien contre elle. La seule question est de savoir combien de temps tu résisteras à la douleur. »

Les yeux d'Angelina étincelèrent. Il avait raison. Tous deux le savaient, et le plaisir qu'il en tirait était obscène. Elle baissa la tête, demanda à Dieu de lui donner assez de courage. Puis elle releva les yeux sur Ibn Aziz, les lèvres tremblantes. « Je vous dirai où elle se trouve. »

Ibn Aziz se rassit sur son siège. Il avait l'air si jeune. « Parle.

– Je.. je ne pourrai supporter d'entendre mes propres mots. » Angelina regarda les hommes qui l'entouraient. « Je ne peux parler en leur présence.

– Je ne renverrai pas mes gardes. »

Angelina inspira profondément. « Elle est... elle est... » Elle baissa la voix, et ses mots furent inaudibles.

« Plus fort !

458

– Je l'aime, mollah. Ma propre traîtrise brûlerait mes oreilles pour l'éternité si je l'entendais moi-même. »

Ibn Aziz jeta un regard à ses gardes du corps. Ils lui indiquèrent qu'elle avait déjà été fouillée. Il fit signe à Angelina d'approcher.

Elle fit un pas, et s'arrêta. Elle parla, mais ses mots furent encore plus discrets qu'auparavant.

« Plus près ! »

Angelina était à présent à moins d'un mètre. Assez proche pour compter chacun de ses cils.

« C'est assez près ainsi. Je ne supporte pas la puanteur des femelles. »

Angelina baissa la tête, et murmura.

Ibn Aziz, exaspéré, claqua sa main contre sa propre jambe.

Angelina s'avança tout en continuant à murmurer. Elle était à présent si proche qu'Ibn Aziz arrivait à l'entendre. Elle était en train de prier. Elle demandait à Dieu de lui donner la force. Elle demandait à Dieu de lui donner Sa bénédiction pour ce qu'elle s'apprêtait à faire.

Ibn Aziz se mit à crier, mais il était déjà trop tard.

Angelina se jeta sur lui. Elle enfonça un index dans l'un de ses yeux, l'enfonça profondément sous la masse gélatineuse, et le retira d'un coup sec. Ibn Aziz hurlait, se débattait, mais le siège massif l'empêchait de s'enfuir. Cinquante ans de travaux ménagers avaient conféré aux mains d'Angelina une force insoupçonnable. L'œil qu'elle avait énucléé pendait contre son poignet alors qu'elle lacérait de ses ongles le visage d'Ibn Aziz, tentant d'attraper l'autre. L'œil ressemblait à un grain de raisin. Un grain de muscat dont on aurait enlevé la peau pour un pacha. C'était une pratique courante, jadis. Elle étouffa un cri lorsque les dagues la transpercèrent, mais elle pensa à Sarah, et elle tint bon, continuant à écorcher ce visage de ses ongles. Ibn Aziz poussait des hurlements inhumains. Les gardes plongèrent leurs lames à plusieurs reprises, et elle se sentit frémir. Elle aurait aimé... elle aurait aimé que lui soit donné le privilège de voir Sarah et Rakkim se marier. De les voir s'embrasser. De prendre leur bébé dans ses bras. Les dagues... les dagues étaient douloureuses, mais moins qu'elle ne l'avait imaginé. La douleur était supportable. Plus que tout, Allah était miséricordieux.

51

« Désolé, monsieur, mais je ne vois toujours rien. »

Rakkim se tenait debout, bras écartés, face au panneau du scanner IRM.

« Refaites un scan. Réglez la précision au maximum. »

Le technicien se retourna vers Sarah. « Elle est déjà au maximum.

– Alors recommencez. » Sarah regarda par-dessus l'épaule du technicien pendant qu'il s'exécutait. Elle se tourna vers Rakkim, et hocha la tête.

Rakkim laissa tomber ses bras le long de son corps. Il aurait dû se réjouir. Il avait eu la conviction que le Vieux avait implanté dans son corps un mouchard quelconque durant les opérations qu'il avait subies, mais le scanner IRM n'avait rien décelé. Rien de métallique. Aucun corps étranger, biologique ou pas. La montre de Sarah n'avait repéré aucun signal non plus. Ils s'en étaient servis avant de se rendre au service d'imagerie de l'hôpital, passant au crible tous les types d'ondes qu'elle pouvait capter. Sarah paya le technicien. Cela aurait été un jeu d'enfant pour le Vieux. Les mouchards feddayin avaient la taille d'un grain de pavot, et ses blessures ouvertes auraient grandement facilité l'implantation d'un tel dispositif. Rakkim avait beaucoup d'autres cicatrices dans lesquelles un trou infime serait passé inaperçu. Alors pourquoi le Vieux n'avait-il pas profité de l'occasion ?

Sarah et Rakkim poussèrent une porte de service pour se retrouver dans l'une des cages d'escalier de l'hôpital. Cela faisait à présent trois jours que Rakkim s'était réveillé pour avoir ce semblant de conversation avec le Vieux.

Rakkim portait les vêtements que Sarah avait achetés en centre-ville, des habits ignobles dans lesquels il aurait refusé d'apparaître en public à Seattle : un pantalon noir à l'espagnole, sur les coutures latérales duquel s'alignait une longue file de petites boules, et une chemise de cowboy avec deux perroquets rouges brodés sur la poitrine. Habillé comme un touriste dans une ville de touristes. Même s'il s'agissait du camouflage idéal, il avait beaucoup de mal à se regarder dans un miroir. Sarah, elle, portait des vêtements typiquement modernes : une jupe de cuir bleu qui lui tombait au genou et un sweat-shirt à manches courtes dont la maille s'ajustait selon la température ambiante.

« Pourquoi est-ce que je suis habillé comme un matador ? demanda Rakkim.

– Je me suis dit que ça t'amuserait.

– Tu t'es dit que ça t'amuserait, toi.

– Aussi. » Elle serra sa main dans la sienne. « Comment tu te sens, pour de vrai ? »

Rakkim se mit à gravir les marches deux à deux. Sarah était sur ses talons. Ils s'arrêtèrent au dix-huitième et dernier étage, tous deux essoufflés. Rakkim compta jusqu'à cinq, et descendit. Arrivés au rez-de-chaussée, ils se remirent à grimper.

« Ça suffit, souffla Sarah une fois qu'ils atteignirent à nouveau le dernier étage. Après avoir déjeuné. On fera tout ce que tu veux. On grimpera au sommet de l'Everest. Ou on nagera. On nagera dans le Pacifique. »

Rakkim se pencha légèrement en avant, les mains posées sur ses genoux. Il cracha dans un coin poussiéreux. Au milieu du mucus, une minuscule tache de sang.

Ils redescendirent l'escalier et sortirent au rez-de-chaussée. En plein soleil matinal. 30 °C, et pas la moindre humidité. Au loin flottaient des montgolfières, pas les petits dirigeables de surveillance ternes et gris qui encerclaient Seattle, mais de gigantesques ballons aux couleurs vives, où les touristes pouvaient admirer le paysage.

« Je ne comprends toujours pas pourquoi nous sommes toujours en vie, dit Sarah alors qu'ils traversaient une pelouse pour rejoindre le trottoir. Pourquoi l'assassin ne nous a-t-il pas tués, tout simplement ? En tout cas, si Fancy possédait la moindre preuve que son père ait pris part à l'installation de la quatrième bombe, nous n'avons plus aucun moyen de la retrouver. »

Rakkim regardait autour de lui. Il n'était pas sorti depuis qu'on lui avait tiré dessus. L'air libre semblait d'une pureté parfaite. Las Vegas était magnifique : l'air était cristallin, la chaîne des Spring Mountains s'élevait à l'ouest, se détachant très nettement sur le ciel d'un profond bleu cobalt. Rakkim n'avait jamais vu un ciel si clair, que ce fût chez lui ou dans aucun des États de la Bible. D'ailleurs, ces derniers étaient plus pollués que les États-Islamiques d'Amérique, à cause de leur forte dépendance énergétique au charbon. Rakkim se retourna vers l'hôpital, une main en visière. De l'intérieur, il était impossible de s'imaginer à quel point il était vaste. Tout le bâtiment était ouvert vers l'extérieur, avec de grandes parois recouvertes de vitres et une grande entrée qui empiétait sur le trottoir. C'était le premier hôpital que voyait Rakkim à ne pas être entouré de barrières de protection visant à se prémunir de camions suicides remplis d'explosifs.

« Qu'est-ce que le Vieux espère gagner à nous laisser en vie ? insista Sarah.

– Il nous laisse en vie pour la même raison qu'avant : il est en train de se servir de nous pour repérer ses points faibles. Les détails qui lui ont échappé. Ceux qui pourraient l'impliquer directement. » Rakkim observa les voitures et les bus qui passaient, presque totalement silencieux, fonctionnant à l'hydrogène. Dirigés par la voix, également. Ici, le volant n'était plus qu'un anachronisme. « Si Fatima Abdullah constituait une menace, ce n'est à présent plus le cas. Le Vieux pense sûrement qu'il existe d'autres dangers potentiels. D'autres personnes qui en savent trop.

– Comme ma mère. C'est elle qu'il veut vraiment retrouver.

– Je ne comprends toujours pas pourquoi le Vieux ne m'a implanté aucun mouchard.

– Darwin n'a pas eu besoin de mouchard pour nous retrouver à Disneyland. Il a eu recours à la bonne vieille méthode, tout simplement. »

Rakkim demeura silencieux. C'était totalement vrai, et c'était loin de lui plaire.

Ils continuèrent de marcher, accélérant légèrement le pas, heureux de laisser l'hôpital derrière eux. Les casinos semblaient se dresser de plus en plus haut à mesure qu'ils approchaient du Strip, véritable cascade de lasers multicolores et de motifs chatoyants. Les Mille et Une Nuits. La Renaissance italienne. *Star Wars*. La Chine des mandarins. Des dinosaures et des mousquetaires. Les trottoirs étaient relativement vides : les touristes qui logeaient dans les hôtels avoisinants préféraient emprunter les gigantesques tapis roulants surélevés qui les menaient de casino en casino. Des touristes venant des États de la Bible et des États-Islamiques, beaucoup d'Asiatiques et d'Européens également. Jusqu'à une poignée de fondamentalistes hollandais (encore plus stricts que les Robes noires) qui reprochaient aux musulmans, à grands cris, les péchés qu'ils commettaient en ces lieux de perdition.

« Nous devrions contacter Redbeard, lui faire savoir où nous sommes, dit Sarah. Et prévenir Colarusso aussi.

– Le pire qui puisse nous arriver, c'est que Redbeard vienne ici pour nous sauver. Et si Darwin a dit vrai au sujet de la femme qui a informé Colarusso, il est de toute façon trop tard.

– Alors nous n'allons rien faire ?

– Pour l'instant, le Vieux nous laisse toute latitude pour agir. Pas de gardes. Pas de chaperons. Nous devons donc partir du principe que tout ce qui nous semblera facile à faire coïncidera avec ce que le Vieux veut que nous fassions. C'est pourquoi nous n'allons pas nous enfuir

464

comme ça. Nous n'allons pas appeler Redbeard. Nous allons attendre. Nous allons suivre notre propre feuille de route, pas celle du Vieux.

– Tu viens de dire "pour l'instant" », dit Sarah en s'arrêtant pour observer la vitrine d'une boutique de souvenirs. De petits robots futuristes en plastique exécutaient une chorégraphie préprogrammée, s'excusant mutuellement en cinq langues lorsqu'ils se heurtaient. « Tu viens de dire que nous n'allons rien faire pour l'instant.

– Il y a un certain temps, j'ai aidé un type qui faisait la plonge au Blue Moon à sortir de la République. Peter. Un garçon ambitieux, mais son ascendance posait problème.

– Il était juif ?

– Sa grand-mère l'était. Mais c'est amplement suffisant. L'un de nos clients montait à la capitale deux fois par an pour rendre visite à sa famille. Manager à l'hôtel-casino China Doll. Je les ai présentés. J'ai demandé une petite faveur. Ça fait maintenant deux ans que Peter travaille ici. Il est déjà responsable de la salle de jeux du casino. Peter Bowen. » Rakkim saisit une réplique miniature du Strip de Las Vegas, à l'abri dans une boule de plastique transparent, fourmillant de détails, éclairée par des diodes qui imitaient les faisceaux laser du modèle grandeur nature. 2,99 dollars. Ces bibelots étaient les équivalents modernes des anciennes boules à neige que Spider collectionnait. Rakkim se souvenait parfaitement des Twin Towers brisées au sol, dans le repaire souterrain déserté. Il se demanda si Spider était en lieu sûr. Si sa famille et lui avaient pu échapper aux Robes noires.

« Qu'est-ce qu'il y a ? » demanda Sarah.

Rakkim reposa le bibelot. « Tu devrais aller faire du shopping. Visite tous les magasins. Suis toutes les procédures habituelles. En chemin, passe par le China Doll pour dire bonjour à Peter. Il m'a dit un jour que la frontière de l'État libre du Nevada était une membrane semi-perméable. Il est aussi facile d'y entrer que difficile d'en sortir. Sans se faire repérer, en tout cas. Mais je suis certain que ce doit être loin d'arrêter Peter. Dis-lui que nous voulons passer la frontière. Informe-le qu'un habitant de Las Vegas extrêmement puissant nous épie, et qu'il devra prendre ce facteur en compte. Dis-lui que nous sommes prêts à mettre le prix qu'il faudra. Connaissant Peter, je doute qu'il nous demande le moindre sou. Propose-le-lui quand même.

– Et pourquoi est-ce que je ne lui proposerais pas de le sucer en échange, tout simplement ? dit-elle d'un ton enjoué, en inspectant un porte-cintres où étaient pendus des T-shirts souvenirs. La journée est splendide, je pourrais même lui proposer de tout avaler. »

Rakkim la regarda. « Tu as eu l'impression que je te faisais la leçon ?

– "Suis toutes les procédures habituelles, Peter ne nous demandera rien mais propose-lui quand même." Non, tu faisais à peine ton petit chef.

– Bon, écoute, traite avec Peter comme tu le sentiras. Dis-lui simplement que nous voulons relier Seattle au plus tôt.

– Pourquoi ne pas retourner plutôt en Californie du Sud ? Nous ferions mieux d'essayer de retrouver d'anciens collègues de Safar Abdullah, histoire de voir s'ils disposent d'informations intéressantes.

– Nous ne sommes pas dans notre élément, en Californie. Le seul contact que j'avais nous a trahis. Non, il faut que nous rentrions à la maison. Nous parlerons à Redbeard. Histoire de voir s'il est prêt à nous aider. Tout ne s'est pas passé à merveille pour lui non plus. Peut-être qu'il est prêt à en mettre un coup.

– Pourquoi est-ce que c'est toi qui en déciderais, d'abord ?

– D'accord. Tu décides. Considère les soutiens dont nous disposons en Californie. Nos possibilités d'accès aux informations. Notre connaissance de la ville. Les entrées que nous pouvons avoir chez les autorités. Considère les probabilités que nous avons de retrouver des personnes qui ont travaillé avec Abdullah il y a plus de vingt-cinq ans. Des personnes qui selon toute probabilité n'avaient rien à voir avec son voyage en Chine. Ajoute à cela le fait que les Robes noires sont à présent sur les dents. Vas-y, à toi de décider. »

Sarah faisait semblant d'examiner un T-shirt. « D'accord, on va à Seattle. » Elle rangea brusquement le T-shirt, et le cintre cliqueta sur la barre de métal. « C'est juste que j'ai horreur de lâcher le morceau.

– On appelle ça une retraite stratégique. C'est ce qu'on décide de faire lorsqu'on est en train de se faire botter les fesses, et qu'on préfère se regrouper en vue d'une tentative ultérieure. »

Sarah remit de l'ordre dans sa chevelure. « Je crois que je vais faire un peu de shopping, comme on a dit. Tu veux que je te raccompagne à l'hôpital ?

– Darwin m'a laissé une carte. » Rakkim scruta la gigantesque pyramide noire au loin. Le Luxor. Le plus vieux casino du Strip. « Je l'ai trouvée sur ma table de chevet en me réveillant ce matin.

– Qu'est-ce qu'elle disait ?

– "Je te prie de présenter mes excuses à Mlle Dougan. J'étais un peu surexcité durant le vol Disneyland-Las Vegas. Je suis sûr que tu me comprends." » Rakkim avait toujours les yeux rivés sur le Luxor. L'un de ses médecins lui avait dit que sa démolition était prévue pour l'année à venir. « Pourquoi Darwin souhaite-t-il te demander pardon ? Je t'ai demandé ce qui s'était passé après que j'ai perdu connaissance, et tu m'as répondu que vous aviez à peine parlé durant le vol.

– Il cherche uniquement à t'énerver.

– Et ça marche.

– Et qu'est-ce qu'il entend par "Je suis sûr que tu me comprends" ? » Ses yeux lancèrent des éclairs. « Tu vois, moi aussi je pourrais te poser le même genre de questions. C'est ce qu'il recherche. » Elle se retourna complètement vers lui. « Darwin a tenté de me terrifier, et il a réussi, pour un instant en tout cas. Il m'a surtout dégoûtée. Mais la chose la plus curieuse, c'est que... maintenant que je repense à notre conversation, j'ai l'impression que Darwin a commis une erreur en me parlant. » Elle salua de la main les touristes vêtus de couleurs vives qui défilaient sur le tapis roulant, au-dessus de leurs têtes. « Il n'a pas cessé de me poser des questions, en faisant semblant d'en savoir plus que ce qu'il sait en réalité. Il n'a pas la moindre idée de ce que nous recherchons. Le Vieux ne lui fait pas assez confiance pour lui donner une vue d'ensemble, et cela gêne énormément Darwin. C'est comme une insulte, pour lui. »

Rakkim lui sourit, et elle lui rendit son sourire, très enthousiaste. À en croire la joie qu'elle tirait de cette précieuse analyse, Darwin avait dû vraiment la terrifier.

Sarah était à nouveau sérieuse. « Quand tu le vois pour la première fois, il est si affable et arrangeant que c'est comme si tu n'avais personne en face de toi. Darwin est parfaitement... paisible. Mais plus tard, quand tu finis par le regarder vraiment bien en face, tu vois cet énorme ego au cœur du personnage. Un ego qui ne peut être contenté, qui ne peut être satisfait. La plupart d'entre nous se définissent par leurs réactions émotionnelles. Par les personnes dont on se sent responsable. Par celles dont on s'inquiète. Par celles que l'on aime. Darwin, lui... c'est un univers à lui tout seul. Le seul et unique. C'est pour cela qu'il semble si tranquille : de son point de vue, rien d'autre n'existe que lui. » Elle embrassa fugacement Rakkim. « Tu veux que je te dise un secret ? » Elle lui mordilla l'oreille. « Si j'étais le Vieux... j'aurais une peur bleue de Darwin.

– Allons à ton hôtel, dit Rakkim. Je pourrais toujours retourner à l'hôpital un peu plus tard.

– Tu penses que tu as repris assez de force ?

– Il faudra que je reste à l'horizontale. Pas d'acrobaties. »

Sarah lui montra le bout de la langue. « Rabat-joie. »

52

Après la prière
du coucher du soleil

« Tiens. » Darwin passa à Rakkim une pile de jetons noirs de 100 dollars. « Vas-y. Ça ne t'engage à rien.

– Où est mon poignard ? demanda Rakkim. Je sais que c'est toi qui l'as. »

Darwin secoua les dés. « Je comptais le garder comme souvenir.

– Je te passerai autre chose qui te fera te souvenir de moi.

– Monsieur ? » Le donneur de la table de craps rajusta son nœud papillon. « Faites vos jeux. »

Darwin prit un jeton de la pile de Rakkim, et le jeta sur la ligne « passe », à côté de son propre jeton rose de 1 000 dollars. « Maintenant, nous sommes dans le même camp. » Excepté à Disneyland, c'était la première fois que Rakkim voyait le visage de Darwin. Il était rasé de près, souple comme un serpent. Il lança les dés. Sept.

Hourras autour de la table. Le donneur paya les gagnants. La table était entourée d'une véritable cohue, des personnes serrées les unes contre les autres posant leurs mises et parlant bruyamment entre elles.

« Je double la mise », déclara Darwin en faisant rouler son autre jeton rose, de même qu'un autre jeton noir de Rakkim. Un autre sept.

Hourra ! Des joueurs d'autres tables s'approchèrent, attirés par l'énergie qui se dégageait de celle-ci, jouant des coudes, jetant leurs jetons. Darwin resplendissait dans sa veste en cachemire jaune canari et son pantalon à carreaux noirs et jaunes : le parfait cosmopolite, l'un des richissimes citoyens du monde qui atterrissaient à Las Vegas pour emplir encore plus leur carnet d'adresses, signer quelques contrats, et jouir de péchés haut de gamme. Rakkim ne savait pas si Darwin essayait de se fondre dans la faune, ou si c'était là son vrai pelage.

La mise de Rakkim s'élevait à présent à 400 dollars. Celle de Darwin à 4 000. Un troisième sept. La foule mugit de plaisir.

« Tu es mon porte-bonheur. » Darwin passa son bras autour des épaules de Rakkim. « Je suis vraiment content de ne pas t'avoir tué. »

Rakkim le repoussa. « De quoi voulais-tu me parler ?

– Je me suis dit que, après tout ce temps passé à jouer à cache-cache, on devait s'amuser un peu. » Darwin secoua les dés. Les gens qui encerclaient la table se penchèrent en avant, récitant leurs prières à mi-voix. Deux matrones chinoises recouvertes de bijoux se mirent à piailler pour les encourager. « Je suis très déçu que tu n'aies pas amené ta petite femme. Elle et moi avons passé un sacré moment pendant que tu te faisais découper. Elle ne m'a pratiquement pas laissé en placer une.

– Elle m'a dit que c'était toi qui n'arrêtais pas de parler. Je crois qu'elle s'est beaucoup ennuyée. »

Darwin continuait à faire cliqueter les dés dans sa main. « Tu aimes jouer au craps ?

– Jamais joué.

– Le meilleur jeu du monde. L'action à l'état pur. Quand tu passes devant une table de black-jack, ce ne sont que gentilles badineries échangées avec le croupier. Les gens jouent au black-jack assis. Ils échafaudent leurs plans, s'entraînent sur leur ordinateur pour gagner un demi-pourcentage d'avantage. Le craps, c'est de l'agressivité crue, du combat rapproché. Les gens hurlent, se poussent, supplient les dés. Sans que ça change rien. Aucun moyen de savoir ce que vont dire les dés. Pas de système. Pas de formule magique. Ce n'est qu'une affaire de chance, et impossible de savoir quand elle s'arrête. Et il vient toujours un moment où elle t'échappe. Une fois que tu as potassé tes probabilités, tu sais que plus longtemps tu restes à une table de black-jack, plus grandes sont tes chances de gagner. Au craps, c'est l'inverse : plus longtemps tu joues, et plus grandes sont tes chances de perdre. Ça fait partie du piquant du jeu. Quand tu tiens les dés, tu deviens le centre du monde. Tout ce que tu peux faire, c'est surfer sur la crête de cette vague. Surfer jusqu'à ce que tu tombes. Et la chute est toujours douloureuse. Les atterrissages en douceur, ça n'existe pas au craps. »

Rakkim bâilla.

« Monsieur ? » Le donneur tapota le feutre vert de son râteau.

Darwin jeta violemment les dés, qui rebondirent à l'autre bout de la table. Onze. « Payez la table », lança-t-il au donneur sous les applaudissements de la foule. Sa mise s'élevait à présent à 16 000 dollars.

Deux rousses de luxe le saluèrent de l'autre bout de la table.

Darwin répondit à leur salut. Il était de taille et de poids moyens, et aurait pu facilement passer inaperçu s'il n'avait pas émané de lui toute cette énergie. Une énergie qu'il pouvait masquer quand le besoin s'en faisait sentir, pour redevenir l'anonyme type, en apparence aussi inoffensif qu'une crêpe. Mais à cet instant, c'était une panthère, aux mouvements souples et sûrs, vive et alerte. Un homme qui ne devait pas aimer être surpris. Rakkim se souvint de la voiture de Darwin enchaînant les tonneaux dans le ravin, et imagina la rage qu'il avait dû éprouver. Les dix-sept loups-garous découpés en morceaux sous la pluie n'avaient sûrement pas suffi à apaiser sa colère. Rien ne pouvait apaiser un homme tel que Darwin. Il avait dû se tenir debout sur le bas de la route, laissant la pluie le laver... il avait dû sentir que Rakkim l'observait.

« Qu'est-ce qui te fait sourire ? demanda Darwin.

– Toi. »

Les lèvres de Darwin se pincèrent, mais il garda l'apparence de la bonne humeur. Il tendit les dés en direction de Rakkim. « Souffle.

– Crève. »

Darwin jeta les dés. Les yeux réduits à deux meurtrières.

La foule grogna tandis que le donneur ramassait toutes les mises.

« Tu m'as brisé le cœur, Rikki, lâcha Darwin.

– Ne m'appelle pas comme ça. »

Darwin empocha les jetons qui restaient à Rakkim, et le prit une fois de plus par les épaules. « Allons boire un verre.

– Vous avez toujours la main, monsieur ! » lança le donneur.

Darwin s'éloigna sans un mot, sans regarder derrière lui pour s'assurer que Rakkim le suivait. Il s'assit à une table du bar et observa Rakkim qui approchait. « Ton léger boitillement est excellent, dit-il à Rakkim alors que celui-ci prenait place face à lui. Cette petite crispation à la jambe droite, comme si tu essayais de dissimuler ta douleur. Joli boulot. Le Vieux doit complètement tomber dans le panneau. Pas moi. Tu ne t'es pas encore tout à fait remis, mais c'est tout comme. » Darwin sourit à la serveuse, un petit bout de femme gironde, vêtue d'une robe courte à frous-frous, le ventre nu, un anneau doré dans le nombril. « Double bourbon. Ce que vous avez de mieux. Pareil pour mon ami. »

Rakkim s'apprêta à refuser, mais se ravisa aussitôt. « Vous avez du Mayberry Hollow ? Du douze ans d'âge ? »

La serveuse haussa un sourcil. « Mais certainement, monsieur. »

Darwin la vit s'éloigner en se dandinant. « Tu l'as impressionnée. » Il était assis nonchalamment, le pied posé sur la banquette en cuir où se trouvait Rakkim. Dos au mur. De cette place, il pouvait voir toute la salle. « Je m'attendais à ce que tu me remercies de t'avoir sauvé la vie.

– Pourquoi ? » Rakkim s'approcha insensiblement. « Tu ne faisais que suivre les ordres. C'est bien ainsi que tu gagnes ta vie, non ? » Il remarqua la faible rougeur des lobes d'oreille de Darwin, et sut qu'il avait mis le doigt sur un point faible. « Peut-être devrais-je plutôt remercier le Vieux. C'est lui qui tient la laisse.

– Durant ces deux dernières semaines, j'ai eu envie de te charcuter un peu à de nombreuses reprises. Je suis le premier à l'admettre. » Darwin avait des yeux gris clair, très espacés, et dont les commissures extérieures étaient légèrement relevées. Des yeux de loup. « J'ai fini par beaucoup t'apprécier. Un adorable jeune tueur, voilà ce que tu es. Tu me rappelles quelqu'un que j'ai connu, il y a très longtemps. Cette bêtise avec les loups-garous... c'était vilain, très vilain. Tu vois, même si le vieux croulant ne m'avait pas demandé de te ramener ici, je t'aurais sauvé la peau à Disneyland. Je peux changer les règles quand j'en ai envie. » Darwin retroussa ses lèvres sur ses dents. « Maintenant, ou plus tard.

– T'es vraiment sympa. Je peux t'offrir une glace ?

– Est-ce que tu t'es demandé comment les policiers de la SWAT ont su où tu te trouvais ? »

Rakkim le regarda dans les yeux. « Je me suis dit que tu les avais appelés pour pouvoir jouer au héros. »

Darwin hocha la tête. « C'est ton vieux pote feddayin Pernell qui s'en est chargé. Il a entendu parler de la récompense d'un million de dollars offerte par les Robes noires. Il a voulu saisir sa chance. » Il sourit. « Un million pour Sarah. Tu ne vaux rien pour Ibn Aziz. »

Rakkim haussa les épaules, contrôla sa respiration. Darwin disait vrai.

La serveuse revint, posa leurs verres sur la table et repartit.

Darwin prit le sien, examina la couleur du liquide, en but une fine gorgée et claqua la langue. « Tu sais choisir ton bourbon. Je parie que tu tiens ça de tes missions en pays chrétien. Je n'y suis jamais allé, mais je me suis laissé dire que certains coins étaient plutôt jolis. » Il savoura une autre gorgée. « Je me suis déjà occupé de Pernell. Tu devrais me remercier. Je t'ai fait une véritable faveur. »

Rakkim posa une main sur son verre. « Je n'avais pas besoin que tu t'occupes de Pernell.

– Ça sert à ça, les amis. »

Rakkim fit glisser le bourbon dans sa gorge, en une longue traînée de feu. « Ça a dû être un vrai défi de tuer un infirme.

– Un feddayin infirme, ça n'existe pas. » Darwin lança un regard à Rakkim par-dessus son verre. « Pernell a dû apprendre que tu en avais réchappé. Et il a dû apprendre aussi pour tous les hommes restés sur le carreau. Il se terrait dans un commissariat du coin. Entouré de flics. Ça a été ça, le véritable défi. » Darwin ramassa la dernière goutte de liquide de son index, qu'il suça. « Je lui ai dit que tu lui envoyais tes meilleurs vœux, avant de le tuer. Je savais que tu aurais voulu que ça se passe comme ça. » Il se pencha en avant, pointant l'écran mural derrière le bar. « Tiens, regarde ce qui est arrivé à ton mollah préféré. »

Le mollah Ibn Aziz se faisait interviewer par un reporter de l'agence d'information nationale. Son visage était recouvert de pansements, et l'un de ses yeux disparaissait totalement sous la gaze. Il se répandait en propos violents contre les terroristes et insistait sur le fait que seule la main d'Allah l'avait sauvé des démons sionistes.

« Ça l'arrange plutôt, tous ces pansements », dit Darwin.

Rakkim aperçut Lucas qui passait devant un rang de machines à sous, et pesta intérieurement. Il devait y avoir une convention d'exportateurs de tabac, quelque part en ville. « C'est toi qui lui as fait ça ? demanda-t-il à Darwin.

– Pas d'insulte, je te prie. » Darwin fit tinter son verre contre la table afin de redemander la même chose. « Si je m'en étais occupé, il n'aurait pas eu le loisir de montrer ses blessures. » Il se pencha en avant, la peau du visage étirée comme si ce qui se trouvait en dessous ne pouvait que difficilement être contenu. « Je l'aurais éliminé dans sa propre mosquée. Je l'aurais éliminé au beau milieu des prières du vendredi, au vu et au su de tous les croyants. Je lui aurais fourré une côtelette de porc dans la bouche et j'aurais mis les voiles. Fin de l'histoire. J'ai dit au Vieux qu'il n'avait qu'un mot à dire pour que...

– Dave ! » Lucas s'avançait à grands pas, affichant un large sourire.

Rakkim resta assis. Il n'avait aucune chance de ne pas se faire remarquer par Lucas. Pas avec ses yeux. Lucas était exploitant de tabac, mais durant la guerre civile il avait été sniper. Il avait tué vingt-sept soldats islamiques au cours de la bataille de Nashville, une sanglante guérilla urbaine. Il était encore le meilleur tireur d'élite du comté de Gage, dans l'État de Géorgie, et faisait des poupées en feuille de maïs pendant son temps libre.

« Dave, j'arrive pas à y croire. » Lucas lui tapa l'épaule et s'assit à côté de lui. Un bon gars bien en chair dans un costume bleu à la coupe approximative. « Je suis en ville pour l'expo chinoise. Qu'est-ce que tu fais ici, toi ?

– Du... tourisme, tout simplement. »

Lucas jeta un regard à Darwin, puis à Rakkim, et se mit à lui tirer la barbiche. « Qu'est-ce que c'est, ce menton ? Tu ressembles à un bouc, ou à une de ces têtes-à-serviettes qu'il y a dans le coin. » Son rire se brisa tout net. « Oh non. Me dis pas que c'est vrai.

– Lucas...

– Par Notre-Seigneur Jésus-Christ, t'en fais partie ! » Lucas se releva brusquement, renversant sa chaise. « On nous dit toujours de faire attention aux espions, de pas faire confiance aux étrangers...

– On dirait que tu t'es fait avoir, sudiste, dit Darwin.

– Je suis désolé, lança Rakkim avant que Lucas ait eu le temps de réagir à la remarque de Darwin.

– On n'arrête pas de nous dire de faire attention aux étrangers, mais t'étais pas un étranger, dit Lucas, essayant toujours de comprendre. La première fois qu'on s'est causé, c'était comme si t'étais né chez nous. » Les poches qu'il avait sous les yeux avaient gonflé au cours de ces quatre dernières années. « Tu t'es assis sur mon sofa, t'as bu mon whisky. On a chassé ensemble, pêché ensemble... Ma nièce... putain, ma nièce est toujours sur mon dos, à me demander quand c'est que tu reviendras.

– Dommage que je n'ai pas de violon pour accompagner le mélodrame », commenta Darwin.

Lucas jeta un regard sombre à Darwin. « Hé, sac à merde, toi aussi t'es un espion ? »

Rakkim aperçut de minuscules mouchetures s'illuminer dans les yeux de Darwin. « Non, Lucas. C'est le mec chargé de me tuer.

– Ah ouais ? C'est vrai, ça ?

– C'est bien possible. » La main droite de Darwin se plia, presque imperceptiblement.

« Eh ben, le plus tôt sera le mieux. » Lucas se retourna vers Rakkim. Sans trop savoir quoi faire. Il avait envie de dire quelque chose, de continuer sur sa lancée. De donner libre cours à sa douleur, à son sentiment de trahison. Darwin se serait fait un plaisir de l'y aider et de le précipiter dans une situation que Lucas ne pouvait même pas imaginer.

« Adieu, Lucas, dit Rakkim.

– Ne pars pas, péquenaud, lança Darwin en imitant l'accent du Sud.

– Adieu », répéta Rakkim.

Lucas s'en alla à grands pas.

« Tiens. » Darwin passa son poignard à Rakkim. Il avait dû attendre l'occasion d'égorger Lucas avec la propre lame de Rakkim. « Tu m'as gâché la fête. »

Rakkim rangea le poignard. « Tu n'as encore rien vu. »

La serveuse apporta deux nouveaux verres.

Rakkim en but une gorgée. La dernière fois qu'il avait bu du Mayberry Hollow, c'était en regardant de vieux matches de football américain dans le salon de Lucas. Lucas avait des années d'enregistrements de football, qui remontaient à avant la guerre. Les Bulldogs de Géorgie. Il n'y avait vraiment que les rebelles pour choisir un chien comme mascotte. Il avait passé de bons moments avec Lucas. Il racontait les histoires drôles comme personne, et il riait encore plus fort quand c'était de lui qu'on se moquait. Mais pas cette fois-ci.

Darwin sirotait son bourbon. « Qu'est-ce que tu as sur le Vieux ? » Il tapota un ongle sur son verre. « Ça doit être quelque chose de spécial, parce que la fille et toi, vous l'effrayez vraiment.

– Il ne t'a rien dit ? » Rakkim s'adossa à la banquette. Darwin se maîtrisait assez bien, mais Rakkim pouvait déduire les changements de rythme infimes de sa respiration rien qu'en regardant les minuscules poils de ses narines. « Mince. Je me demande bien pourquoi. »

Darwin fit glisser son index sur le rebord de son verre. « Je n'ai pas besoin de savoir tout ce qui se passe dans la tête du vieux croulant.

– Il n'empêche. Un homme de ton talent... » Rakkim secoua son verre, faisant tinter le glaçon. « Ça doit faire un peu mal. »

Darwin sourit. « Des fois, oui. » Il pencha la tête, sembla écouter, puis jeta un regard sinistre à Rakkim. « Nous devons remettre les préliminaires à plus tard, Rikki. Le Vieux veut te parler. Fissa. »

53

APRÈS LA PRIÈRE
DU COUCHER DU SOLEIL

« J'adore ce moment de la fin de journée, dit le Vieux, les mains posées sur le garde-fou. Le vent tombe, et il s'ensuit ce bref instant de calme avant que les vents thermiques n'apportent l'air frais du désert qui descend des montagnes. »

Rakkim observa la ville qui s'étendait devant eux, vaste océan de néon et de laser scintillant au cœur de la nuit. Ils se trouvaient sur la terrasse du dix-neuvième et dernier étage de l'immeuble de l'International Trust Services. Des dizaines de montgolfières, sur lesquelles se reflétaient les tout derniers rayons du soleil mourant, flottaient face aux montagnes. Le Vieux semblait plus jeune que Rakkim ne l'avait cru : il devait avoir dans les 70 ans. C'était un Arabe distingué à la barbe blanche impeccablement taillée et au visage de faucon. Un soupçon d'accent anglais. Un costume bleu nuit, une chemise de lin à col Mao. Un homme pour qui l'autorité était loin d'être un fardeau.

« C'est un plaisir de vous rencontrer pleinement éveillé. Je me rappelle encore avoir reçu un rapport selon lequel Redbeard avait adopté un gamin des rues, et m'être demandé ce qu'il manigançait. » Le Vieux inclina la tête en direction de Rakkim. « J'ai vite compris l'extrême sagesse dont il avait fait preuve. Lui et moi ne sommes pas si différents que ça. Nous cherchons tous deux des alliés, de dignes instruments de notre volonté. Des personnes que nous pouvons modeler et former. Plus encore, nous recherchons un successeur capable de poursuivre notre tâche. J'ai choisi à cette fin d'avoir des fils. Redbeard, lui, vous a choisi.

– J'espère que vos fils vous ont été plus utiles que je ne l'ai été pour Redbeard.

– Vous êtes bien trop modeste. »

Rakkim surprit le léger changement dans son intonation. Ce léger souffle de regret. « Vos fils ont dû vraiment vous décevoir. »

Le Vieux rajusta ses manchettes. « Fort heureusement, j'en ai beaucoup.

– Vous allez avoir besoin de tous vos fils, jusqu'au dernier. »

Le Vieux ne releva pas la menace. « Croyez-vous en Dieu, Rakkim ? Un dieu qui s'intéresserait activement au monde ? Un dieu qui récompenserait la soumission et l'obéissance ?

– Je crois que Dieu a mieux à faire.

– Je pensais comme vous lorsque j'étais jeune. Tout du moins, j'espérais qu'Il eût mieux à faire. Ainsi, Il n'aurait pu remarquer ce que je faisais alors. » Le Vieux joignit les mains. « Vous n'avez pas perdu la foi, vous l'avez simplement mise de côté. Dieu a des projets pour vous. C'est la raison pour laquelle vous vous trouvez ici, en ce moment même. C'est pour cette raison que vous n'êtes pas mort après avoir reçu les balles de ce policier. Pour cette raison que j'ai chargé Darwin de vous ramener ici, et que j'ai fait soigner vos blessures. Vous et moi avons été choisis par Dieu pour réaliser de grandes choses. C'est tout autant un fardeau qu'une bénédiction. » Il posa sur Rakkim son regard profond. « D'aucuns pensent que je suis un démon, d'autres que je suis le mahdi. Mais en vérité, je ne suis qu'un musulman. Tout comme vous. Nous sommes frères. Nous ne devrions pas nous faire la guerre. »

Rakkim se rapprocha insensiblement. « C'est un peu tard. »

Le Vieux s'appuyait au garde-fou. Exposé aux ténèbres, avec les étoiles au-dessus de lui et le béton loin en contrebas. « Oui... il suffirait d'un tout petit effort pour me jeter dans le vide.

– Aucun effort, même. Vous auriez peut-être mieux fait d'inviter aussi Darwin.

– Je n'ai jamais permis à Darwin de venir ici. » Le vent se levait à présent, et le Vieux se tourna pour lui faire face. « En outre, vous êtes assez malin pour savoir ce qui arriverait à Sarah si vous osiez toucher à un seul de mes cheveux.

– Oui, mais même comme ça... c'est extrêmement tentant. »

Le Vieux ne réagit pas. « Darwin m'a dit qu'il vous avait rendu votre poignard. Quelle lame. Il paraît que la seule chose plus mortelle qu'un feddayin nu, c'est un feddayin nu avec un couteau. J'ai toujours eu le sentiment que cette renommée des feddayin était en grande partie surfaite. Cette image du guerrier saint et invincible s'imposait aux tout débuts de la République, mais, malgré tout votre entraînement et tous vos cocktails génétiques, vous n'êtes qu'humains. Bien entendu, je parle ici des feddayin affectés aux opérations communes. Un putsch au Ghana ? Des musulmans massacrés à Rio ? Des unités des Forces spéciales russes parachutées au Québec ? Envoyez les feddayin ! » Il pointa alors son doigt vers Rakkim. « Mais vous, vous êtes d'un tout autre acabit. Vous, ainsi que Darwin.

– Me mettre sur un pied d'égalité avec Darwin est une erreur. Je ne vous en croyais pas capable. Et vous savez bien que si elle est assez grosse, une seule erreur suffit pour aboutir à une catastrophe. » Les hélicoptères plongeaient et s'élançaient au-dessus de la ville, telles des libellules. « Cette bombe nucléaire qui n'a pas explosé en Chine, ça, ça a été une sérieuse erreur. On n'en fait pas de plus grosse. »

Les lumières de la ville éclairaient les traits du Vieux. « Elle ne se trouve pas en Chine. »

Rakkim le regarda.

Les yeux du Vieux étaient aussi paisibles que des volutes de fumée. « La quatrième bombe se trouve dans la mer de Chine méridionale, quelque part au large de Hainan. Par ma faute. Vous paraissez surpris, Rakkim.

– Je m'attendais à... des dénégations.

– Il ne devrait plus y avoir de secrets entre nous. Voilà pourquoi je vous ai redonné votre liberté, sans restriction ni surveillance aucune. J'ai bien assez d'esclaves à mon service. J'ai besoin d'un homme libre.

– Bien sûr.

– Je m'attendais à vos doutes. Comme toute chose, avec le temps, ils devraient finir par s'effacer. » Le Vieux avait les yeux mi-clos, en proie à la tristesse. « J'aurais dû faire poser la quatrième bombe sous le Vatican, comme mon fils Issam le voulait. La catastrophe aurait irrévocablement dressé les catholiques contre les juifs... et Issam se serait trouvé à mes côtés, à votre place. » Il secoua la tête. « Issam était le fils aîné de la dernière épouse que j'aie véritablement aimée. Premier de sa promotion au MIT. Un garçon brillant. Issam voulait faire exploser la bombe sous la basilique Saint-Pierre, mais le poids économique croissant de la Chine m'inquiétait bien trop. J'ai dit Shanghai, et il a obéi. À présent, il est mort. » Le vent balaya ses cheveux blancs et fins. « Il ne soufflait guère plus que cela lorsque leur chalutier a sombré. Safar Abdullah, qui avait acheminé les crayons de combustible nucléaire, Safar Abdullah, qui était déjà mourant, fut le seul à survivre. » Il s'accrocha au garde-fou. « Allah voulait sûrement me donner une leçon d'humilité.

– Vous avez tué au moins vingt millions de personnes ce jour-là. Ça fait un peu cher, pour une putain de leçon d'humilité. » Rakkim aperçut la commissure des lèvres du Vieux se pincer insensiblement. Il n'avait manifestement pas apprécié sa grossièreté.

« J'ai fait ce qui s'imposait pour défendre la foi. Pour la propager. Comme l'exige le saint Coran...

– Vingt millions...

– Ils sont morts pour restaurer le califat, conformément à la prophétie. Les croyants qui ont péri à La Mecque sont d'ores et déjà au paradis. Les autres... les autres brûlent en enfer. »

Rakkim s'obligea à garder son calme. « L'homme qui crie remporte des batailles ; l'homme silencieux remporte la guerre », c'était ce que Redbeard lui avait enseigné. « Si la bombe se trouve au fond de l'océan, vous n'avez rien à craindre. Alors pourquoi Darwin a-t-il tué Miriam Warriq ? Pourquoi a-t-il tué Fatima Abdullah ? De quoi avez-vous peur ?

– J'ai peur de manquer de temps, répondit le Vieux. Redbeard m'a coûté vingt-cinq ans. C'est le temps qu'il m'a fallu pour replacer mes pièces sur l'échiquier. Allah bénit l'homme patient, mais je ne bénéficierai probablement pas de vingt-cinq années supplémentaires.

– S'il n'y a aucune preuve de...

– Redbeard n'a pas besoin de preuves pour me nuire. N'avez-vous pas appris cela auprès de lui ? » Le Vieux croisa les doigts. Le dos de ses mains était veiné de bleu, les ongles en étaient jaunis. Les mains d'une momie. « Le président est mourant. J'ai travaillé d'arrache-pied pour m'assurer l'obéissance totale de son successeur. Le moment est... critique. Même sans preuve, ce que Redbeard pourrait avancer au sujet de la Trahison sioniste serait susceptible de semer le doute et la confusion au sein du peuple. Je ne laisserai pas les plans que j'ai échafaudés pour une succession en douceur se faire balayer ainsi.

– Ça va être un vrai plaisir de foutre en l'air toutes vos conneries.

– Ouvrez les yeux, Rakkim, et voyez ce que je vous offre. » Le Vieux ouvrit les bras face au Strip : le monde était là, miniaturisé à la perfection, Paris, Rome, le monde des pirates, la Grande Pyramide, le Pain de sucre de Rio, le mont Kilimandjaro, Pékin, le Kremlin. « Tout ce que vous voyez là peut vous appartenir. »

Rakkim considéra le monde. Il savait que le Vieux disait vrai.

Celui-ci le saisit par l'épaule, et le courant passa dans leurs deux corps. « Un vent sans précédent est en train de se lever. Vous pouvez devenir cette tempête, ou bien vous faire balayer comme un fétu de paille. Je vous offre une place à ma droite. Joignez-vous à moi, et rien ne vous sera refusé. Rien. »

Rakkim se dégagea. « Euh... même une caisse de Twinkies ? Il paraît que c'était des petits gâteaux vraiment délicieux qu'on vendait avant la transition, et j'ai entendu dire qu'il existait quelque part un entrepôt rempli de ces machins. Vous venez bien de me dire que rien ne me serait refusé, non ? Alors pour moi ce sera une caisse de Twinkies et... et un exemplaire du premier numéro de *Batman* pour Sarah. »

Le Vieux eut un rire sec. « Cela doit bien faire trente ans que je n'avais pas pensé à des Twinkies. » Il affichait un doux sourire. « Ibrahim, le plus vieux des fils qu'il me reste, ne va pas vous aimer. Il se sentira menacé, et j'aurai beau le rassurer autant que possible, il se rendra vite compte que je préfère votre compagnie. Vous n'êtes pas un descendant du Prophète, que son nom soit béni, et ne pouvez donc pas prétendre à ma succession. Ce fait devrait en principe modérer sa jalousie, mais ce ne sera pas le cas. Ibrahim craint Darwin, et vous, il vous haïra.

– On dirait que votre fils n'a pas grand-chose dans le pantalon. Je vous suggère de revoir toute cette petite campagne pour restaurer le califat. Vos arrières ne sont pas solides. »

Le Vieux le toisa. « C'est la raison pour laquelle vous êtes ici, Rakkim. Vous et Darwin.

– Alors ça, c'est flatteur. Vous essayez de me séduire ? Parce que si c'est le cas, il faut que vous sachiez dès maintenant que je finirai tôt ou tard par vous briser le cœur.

– Je suis prêt à en courir le risque. » Le Vieux porta son regard au loin. « Je regrette qu'Issam et vous ne vous soyez

483

pas connus. Il vous aurait apprécié. Il n'avait peur de personne. » Sa lèvre inférieure tremblota. « Un fils si beau... à présent perdu au fond d'une mer sombre. J'ai horreur de l'océan. J'avais l'habitude de nager tous les jours, mais depuis cet accident je ne puis supporter la vue des vagues. C'est sans doute pour cela que j'ai choisi de vivre au milieu du désert. »

Rakkim le scruta. Les larmes qui gonflaient ses yeux semblaient sincères.

Le Vieux s'éclaircit la voix. « Cela fait bien longtemps que je vous attendais. Exactement comme pour Darwin. J'ai recherché un assassin à la retraite pendant des années, quelqu'un ne figurant plus sur le registre de son corps d'armée, quelqu'un qui aurait brisé ses chaînes de feddayin. J'ai investi un temps et des sommes considérables pour ce faire, et ce n'est que plus tard, après avoir enfin trouvé Darwin, que j'ai appris pourquoi il m'avait fallu si long-temps pour réussir. » Il s'approcha de Rakkim. « Assassins et guerriers de l'ombre sont liés. Ils représentent deux unités d'élite feddayin, farouchement indépendantes... et ils se voient systématiquement trahis par leurs propres chefs. » Le Vieux lissa le revers de sa veste. « Les assassins remplissent en moyenne dix-neuf missions avant d'être éliminés. S'ils survivent au-delà de ce nombre fatidique, ils deviennent trop dangereux, trop rétifs aux ordres, et ont une soif de sang que rien ne saurait plus étancher. C'est le grand secret des feddayin, connu d'une petite dizaine d'officiers haut placés seulement. Les assassins n'en savent rien, bien entendu, ils croient au mensonge d'une retraite d'assassin bien méritée, sous une autre iden-tité, une fin de vie passée à se dorer au soleil comme un pacha. Mais ce ne sont que de vains espoirs. Un assassin à la retraite, cela n'existe pas. Mis à part Darwin. Il avait accompli quarante-cinq missions lorsqu'ils ont envisagé de le tuer. » Son amusement était glaçant. « Ils avaient attendu beaucoup trop longtemps.

– Comment peut-on tuer un assassin ?

– Vous prenez des notes ? »

Rakkim ne répondit pas.

Le Vieux acquiesça. « Les feddayin ont envoyé trois assassins pour tuer Darwin, des hommes d'expérience auxquels leurs supérieurs avaient dit que Darwin était en train de se retourner contre leur corps d'armée. » Les lumières rouges de la ville se reflétaient dans les yeux du Vieux. « Darwin les a tués tous les trois. Puis il a tué le général Cheverton, chef de l'unité des assassins. Celui-là même qui avait donné l'ordre de l'assassiner. Alors vous voyez bien que Darwin et vous avez quelque chose d'autre en commun. »

Le Vieux cherchait à impressionner Rakkim par l'étendue des informations qu'il avait à sa disposition. Un signe de vulnérabilité. Le signe d'un ego surdimensionné.

« Les guerriers de l'ombre sont d'une très grande valeur, bien plus utiles stratégiquement que les assassins, mais aussi dangereux qu'eux pour la hiérarchie. Les guerriers de l'ombre finissent toujours par passer à l'ennemi. C'est précisément cette prédisposition qui fait d'eux des guerriers de l'ombre. Cette faculté de se fondre dans le décor, de prendre instinctivement la couleur de l'ennemi... franchement, ça n'a rien d'étonnant. » Le Vieux hocha la tête. « Il y a beaucoup de feddayin à la retraite, mais aucun assassin à la retraite. Pas plus que de guerriers de l'ombre à la retraite. Darwin et vous, vous êtes uniques dans vos genres respectifs. »

Bien au-delà de la ville, loin derrière les montagnes, Rakkim pouvait voir les étoiles. Cette incommensurable distance avait quelque chose de rassurant. Assez proche pour voir, mais trop loin pour agir. Il s'imagina Dieu, vivant là, parmi les galaxies. En tout cas, c'était bien là qu'il choisirait de vivre s'il était Dieu.

Le Vieux s'appuya au garde-fou. « Que s'est-il passé exactement au cours de votre dernière mission ? J'ai essayé de le découvrir, mais tous les dossiers avaient disparu. Cela a dû être quelque chose de vraiment hors du commun.

Tout ce que je sais, c'est que vous êtes parti pour des mois. Bien plus longtemps que prévu. On vous a cru mort. Et puis vous êtes réapparu. Indemne, comme toujours. Aucun procès-verbal de débriefing n'a été conservé. Et puis quelques jours plus tard, vos deux supérieurs immédiats disparaissent. Deux hommes faisant partie de la crème des feddayin, volatilisés, comme ça. Par la position du cadavre du général Cheverton, Darwin avait très clairement exprimé son mécontentement, mais pour ce qui est de vos deux supérieurs, on n'a jamais pu retrouver leur trace. Il n'empêche que le message était aussi clair. Peut-être est-ce pour cette raison qu'on vous a permis de prendre votre retraite. À moins que cela ne soit dû à l'intervention de Redbeard. Il en avait le pouvoir, à l'époque.

– Merci bien pour la conversation et pour le joli panorama, mais je suis un peu fatigué. Je n'ai pas encore tout à fait récupéré de mes blessures. Je crois que je vais aller prendre un bon bain moussant.

– Attention à ne pas vous endormir dans la baignoire. J'espère que vous réfléchirez à ma proposition.

– Ne vous en faites pas, je vais sérieusement y penser. De toute façon, quel que soit mon choix, vous l'emporterez, pas vrai ? Si je signe, vous gagnez un guerrier de l'ombre. Si je refuse, Darwin me file et élimine toute personne susceptible de vous nuire. Je trouve la preuve, et il s'en débarrasse.

– Il n'existe pas de preuve. »

Rakkim haussa les épaules. « Vingt millions de morts, et vous n'avez même pas obtenu ce que vous vouliez. Nous voici au sommet de cet immeuble, des années après, et vous vous inquiétez encore de ne pas arriver à vos fins. C'est pathétique.

– Je reconnais mes erreurs. J'ai sous-estimé la réaction religieuse des chrétiens. J'ai trop longtemps vécu dans des villes. Je pensais que leur foi était agonisante et qu'elle pourrait être facilement remplacée. Je n'aurais jamais imaginé cette migration intérieure à la suite de l'élection de Kingsley, ces millions de baptistes, de pentecôtistes et de catholiques en route pour les pays de la Bible. J'aurais attendu cela de musulmans. Après tout, le Prophète lui-même, béni soit son nom, n'a-t-il pas fui La Mecque pour Médine ? Mais venant de chrétiens... Cependant, tout cela n'aurait pas eu la moindre importance si Redbeard était mort avec son frère. Mes disciples à la Sécurité nationale auraient pris le pouvoir, et la présidence de Kingsley aurait été considérablement écourtée. Alors nous aurions pu écraser les États de la Bible. Le pays avait besoin d'être unifié à l'époque, et c'est toujours le cas. Non, la perte de la quatrième bombe atomique ne fut qu'un accident, indépendant de ma volonté, mais je reconnais bien volontiers avoir sous-estimé la foi des chrétiens.

– C'est considérable, venant de vous. Vous devez tout de même admettre qu'il ne s'agit pas là que d'une simple petite erreur. Vous ne vous demandez jamais s'il est possible que vous vous soyez trompé sur d'autres choses ?

– Qu'auriez-vous voulu que je fasse, que je coure me cacher face à l'adversité ? répondit sèchement le Vieux, les lèvres pincées. Quand l'Occident se vautrait dans la cupidité, le vice et la vanité... j'ai prié. Et payé les politiciens. Quand l'Occident a banni la religion... j'ai prié. Et payé les anciens diplomates et les journalistes, des personnes pour lesquelles tout a un prix. Il m'est parfois arrivé de penser que jamais je ne pourrais me laver de toute cette corruption. Les attentats atomiques n'ont fait qu'abattre un arbre déjà pourri. Considérez un peu la mappemonde : la Chine domine peut-être le globe pour l'heure, mais j'ai également semé des graines en Russie. De plus, nombreux sont ceux qui dans ces pays regrettent d'avoir ouvert leurs frontières aux sionistes. Cela est loin d'être négligeable. Je vous le dis, la Russie est mûre. De même que l'Amérique du Sud. La Chine résiste toujours, mais regardez bien. L'Iran, l'Irak, l'Indonésie, le Pakistan, tout l'est de l'Afrique, le Nigeria, la mosaïque entière des croyants n'attend plus qu'un calife capable de les unir. Un calife capable de mener les musulmans à la gloire. La longue attente touche à sa fin, Rakkim. Tout commence ici. »

Rakkim applaudit. Les claquements résonnèrent à vide sur l'énorme balcon. « Waouh. Très beau discours. Je parie que vous ne devez pas avoir l'habitude d'être interrompu dans vos envolées. Vous vous laissez entraîner par vos propres mots, et alors rien ne peut plus vous arrêter. C'est une force quand tout va bien, mais ça peut être un énorme désavantage. Vous finissez par vous habituer à avoir toujours raison, et quand ça merde, et tout finit toujours par merder, vous ne savez plus quoi faire. Un instant de doute suffit à vous ébranler. Pas au point que les autres le remarquent, non, vous êtes un trop bon dissimulateur, mais vous en avez conscience, et cela vous terrifie. Alors vous appelez quelqu'un comme Darwin. Le problème, c'est qu'il est très difficile à contrôler. Vous ne pouvez même pas l'inviter ici, sur ce balcon, parce qu'il pourrait faire quelque chose que vous n'auriez pas prévu. Je parie que vous ne lui avez jamais confié ce que vous venez de me dire. J'ai tort ? » Rakkim remua l'index dans sa direction. « Vous voyez, ça aussi, ça pourrait être une autre erreur. Il serait certes très dangereux de révéler à Darwin ce que vous projetez de faire, mais il est encore plus dangereux de lui cacher des choses. Assassins, guerriers de l'ombre... nous autres, nous prenons certaines choses très à cœur. Je ferais très attention à lui, si j'étais vous.

– Merci du conseil. » Le Vieux ne semblait ni en colère ni en proie à la moindre émotion. Pour l'instant, du moins.

Rakkim sourit. « Bon, c'était bien joli, vraiment bien joli, comme vue, au sommet du monde, mais je vais aller prendre ce bain moussant. »

54

AVANT LA PRIÈRE
DE LA MI-APRÈS-MIDI

« Nerveuse ?

– Excitée », répondit Sarah.

Rakkim jeta un coup d'œil dans les miroirs de la boutique Joy Luck alors qu'ils en sortaient. Le carrefour principal du centre commercial était rempli d'une foule de consommateurs venus des quatre coins du monde. Des pétrobarons d'Afrique occidentale, tirés à quatre épingles, des techniciens japonais et russes, des Arabes à la tête de leur suite. Touristes du meilleur des mondes possibles. Aucun signe du moindre poursuivant : en fait, cela faisait maintenant plusieurs jours que Rakkim ne s'était pas senti filé. Le Vieux avait prétendu leur avoir laissé toute liberté, mais Rakkim se considérait toujours comme potentiellement suivi. Suivi par le meilleur pisteur.

Sarah s'était fait couper les cheveux dans un salon de coiffure à la mode au Mangrove Hotel. Couper et friser en une infinité de boucles. Rakkim avait horreur de ce look tape-à-l'œil, mais les boucles se déferaient bientôt, permettant à Sarah de changer rapidement d'apparence. Elle portait un pantalon et une veste de nylon métallisé, des bottines à talons aiguilles en peau de serpent pourpre, tout ce qu'il fallait pour attirer l'attention, mais dans l'un des nombreux sacs que portait Rakkim se trouvaient une tenue et des chaussures d'un style complètement différent.

« J'ai revu Ibn Aziz à la télé, en train d'invectiver les sionistes, dit Sarah. On dirait que son visage tout entier est une plaie purulente.

– C'est assorti à son âme.

489

– Je sais que tu ne crois pas que ce soit l'œuvre de Redbeard, mais qui d'autre aurait pu s'en prendre à Ibn Aziz ? Redbeard aura certainement appris qu'il a tenté de nous capturer à Disneyland, et il aura voulu lui envoyer une mise en garde.

– Ibn Aziz est un extrémiste : les mises en garde sont inutiles. Redbeard sait qu'avec ce genre de personnage, ou bien on opte pour l'élimination pure et simple, ou bien on laisse courir. Peut-être qu'une autre Robe noire a tenté de l'assassiner. Le mollah Oxley avait de nombreux amis. »

Sarah dansait sur la musique diffusée dans tout le centre commercial. Du cash calibré, c'était le surnom qu'on donnait à ce genre de musique, des suites harmoniques destinées à donner de l'énergie aux clients, à les désinhiber et à accroître leur plaisir. Après la première diffusion de cette musique, les ventes avaient augmenté de 17 %. C'était en réalité les fréquences subliminales qui faisaient toute la différence, des vibrations dissimulées dans les accords qui entraînaient la sécrétion d'endorphines chez les consommateurs. On changeait de thèmes musicaux tous les cinq jours, mais les fréquences subliminales restaient les mêmes, mois après mois. C'était la constante humaine. « Souris, Rakkim. » Elle secoua les hanches, et ses vêtements en nylon métallisé envoyèrent des étincelles.

Rakkim sourit. Elle ne faisait pas semblant, et ce n'était pas non plus l'effet des fréquences subliminales : elle était vraiment heureuse. Las Vegas n'était prisonnière d'aucun filtre Internet : la veille, elle était entrée dans un magasin de jouets, avait attrapé un ours en peluche Wi-Fi, et avait tapé l'adresse du site de La Pieuse Maîtresse de maison. Sa mère avait laissé un message codé : Katherine était à Seattle ! Sarah avait répondu qu'elle avait l'intention de goûter très bientôt à sa recette de *victory radishes*. Rakkim et Sarah avaient ensuite passé une demi-heure dans le magasin de jouets, à s'amuser avec des nanobots, pendant que Sarah se lançait dans un long cours magistral sur l'histoire des soldats de plomb et des poupées dotées de fonctions corporelles, et de tout ce que cela signifiait... détail que Rakkim avait aussitôt oublié.

Sarah se mit à danser pour Rakkim à côté d'une fontaine de lumière, et deux étudiantes chinoises recouvertes de bijoux imitèrent ses mouvements, toutes trois finissant par danser ensemble, sous l'œil d'un Rakkim paralysé. Les Chinoises saluèrent enfin Sarah en s'inclinant très bas, et Sarah les remercia d'une ample révérence.

Éclatante de joie, Sarah prit la main de Rakkim, et ils reprirent leur marche.

« Bizarre, ces étudiantes qui portent des copies de bijoux anciens, fit remarquer Rakkim. Je croyais que les Chinois étaient tournés vers l'avenir.

– Le rétrochic a conquis toutes les rues de Shanghai et de Milan. Les divas nigérianes portent des tenues de safari, les programmeurs français s'habillent comme des paysans, avec de la fausse boue et tout le reste. C'est une façon d'afficher ses origines à une époque où les exceptions culturelles sont remises en question. » Sarah serra plus fort sa main. « J'étais justement en train d'écrire un article à ce sujet avant que... » Elle se retourna, pour regarder les deux étudiantes chinoises se frayer un chemin dans la foule.

« Qu'est-ce qu'il y a ?

– Je ne sais pas trop. Rien. Quelque chose m'a intriguée... mais impossible de me rappeler ce que c'était. » Sarah secoua la tête. « Je vais essayer de remettre de l'ordre dans mes idées. »

Les alarmes de plusieurs montres retentirent autour d'eux, indiquant aux croyants qu'il leur restait quinze minutes avant la prière de la mi-après-midi. Nul ne se dirigea vers les sorties. Personne ne sembla faire le moindre effort pour s'arracher à son occupation présente, quelle qu'elle fût. En République islamique, les musulmans auraient aussitôt répondu à cet appel préliminaire, ou auraient tout simplement désactivé leur alarme, afin de dissimuler leur manque de piété.

Sarah se raidit. « On arrive à Desolation Row.

– Détends-toi. Ce n'est pas la première fois que Peter fait ça. »

Sarah hésita. « Qu'est-ce que tu penses vraiment de ce que t'a dit le Vieux ? Je sais que tu en as marre de parler de ça, mais pourquoi aurait-il admis être à l'origine des attentats sionistes, admis l'existence d'une quatrième bombe, pour ensuite mentir sur ce qui est arrivé à cette bombe ? Pourquoi ne pas mentir sur tout ?

– Le mensonge le plus efficace est vrai à 99 %. Si nous pensons vraiment que la quatrième bombe se trouve au fond de la mer de Chine méridionale, à quoi bon continuer à chercher ? Pourquoi ne pas accepter son projet de califat et faire tout ce qu'il nous demandera de faire ? Non, nous devons agir comme s'il mentait et aller de l'avant.

– Et s'il dit la vérité ? »

Rakkim l'embrassa. « Alors nous aurons l'air de deux abrutis. »

Sarah entra dans le magasin Desolation Row. Le chic du chic, délibérément transgressif, avec des mannequins émaciés aux larges cernes noirs, des murs de brique nue, un éclairage cru. Les vêtements étaient étriqués et mornes, destinés à ne mettre en valeur que les silhouettes les plus jeunes et les plus maigres. Aucun prix. Les lieux étaient bondés, en grande partie d'Asiatiques et de catholiques de Los Angeles, plus quelques Européens blonds. Sarah déambula dans les allées, inspectant les habits avec cette expression distante et inquisitrice de celles et ceux pour qui les prix n'ont aucune importance. Rakkim ressortit. Pour scruter les parages dans le reflet des glaces.

Dans quelques minutes, Sarah entrerait dans la cabine d'essayage numéro 9. Au lieu d'essayer des habits Desolation Row, elle enfilerait les vêtements discrets qu'ils avaient achetés. Rakkim arriverait deux minutes plus tard, se plaindrait bruyamment du temps qu'elle passait en essayage. Elle lui demanderait d'entrer pour l'aider, ils enlèveraient un panneau de la cabine et se faufileraient dans l'orifice pour aboutir dans un couloir de service. Peter les y attendrait. Quinze minutes plus tard, ils s'envoleraient dans l'une des montgolfières pour touristes qui sillonnaient le ciel de Las Vegas. Celle-ci dépasserait le circuit habituel et se dirigerait vers les États-Islamiques. Peter prétendait que ça arrivait constamment. Les vents étaient imprévisibles : ça faisait partie du charme de la balade en ballon. Une voiture les attendrait sur leur lieu d'atterrissage, le réservoir plein, avec tous les papiers d'usage, et un GPS programmé pour leur indiquer toutes les petites routes de campagne du pays.

« Rakkim ? » Sarah avait les yeux écarquillés. « Il faut que je te montre quelque chose. » Elle le tira à l'intérieur du magasin. « Tu vois cette femme à côté du présentoir à chaussures ? La vieille Chinoise avec sa petite-fille... »

Rakkim fit mine de s'intéresser à un chemisier. « Elle a subi d'excellentes opérations de chirurgie esthétique, dit-il. Ils ont réussi à la rendre à peine moins bridée tout en conservant une trace de cette particularité ethnique. Elle a l'air dégoûtée par toutes ces fringues, mais, à en juger par ses boucles d'oreilles en diamant, elle peut se permettre de...

– Regarde son pendentif.

– Joli. Tout simple, mais joli.

– C'est tout ? »

Rakkim brandit un T-shirt immonde à bout de bras sous prétexte de mieux l'examiner.

« C'est un petit pendentif de cuivre recouvert d'idéogrammes chinois. Il a l'air ancien. Qu'est-ce que je suis censé remarquer de vraiment important, Sarah ?

– Je n'en suis pas tout à fait sûre. » Sarah l'embrassa. « Va m'attendre dehors.

– Et Peter ? »

Sarah le poussa gentiment. « Allez, du balai, laisse-moi faire du shopping en paix. »

En sortant, Rakkim entendit quelques rires féminins dans son dos. Il trouva un café. Une foule d'hommes étaient vautrés sur de petites chaises en métal, des paquets sur les genoux, apparemment épuisés. Il demanda un double express. Dix minutes plus tard...

« Rakkim ! » Sur le seuil de Desolation Row, Sarah lui faisait signe d'approcher. « J'ai besoin de toi pour me décider. »

Rakkim rentra dans le magasin. La Chinoise et sa petite-fille attendaient face au comptoir qui disparaissait littéralement sous les vêtements. Rakkim suivit Sarah jusqu'à la cabine 9, et posa les sacs dans un coin.

Sarah ferma la porte derrière lui. Ils se changèrent rapidement et firent glisser le panneau.

Peter les attendait, bras croisés, un homme et une femme à ses côtés. Des doublures. « Heureux que vous ayez réussi. »

Sarah et Rakkim passèrent dans le couloir. L'homme et la femme enfilèrent les habits qu'ils venaient de quitter et prirent leur place dans la cabine d'essayage.

Peter remit le panneau en place et le bloqua. Il murmura quelques mots dans son téléphone portable. Un instant plus tard, une alerte à l'attaque biologique retentit dans tout le centre commercial. Dans la cohue qui se formerait aux issues de secours, n'importe qui ayant accès au réseau de vidéosurveillance se ferait berner par les doublures de Rakkim et de Sarah.

Peter les invita à traverser le couloir.

« C'était trop facile, dit Rakkim.

– Tu aurais préféré qu'on se fasse attraper ? » répliqua Sarah.

Rakkim regardait les autres montgolfières pour touristes, loin en contrebas, d'énormes globes recouverts de publicités, éclatant de couleur dans le coucher de soleil. Peter avait fait gagner de l'altitude à leur ballon afin de se laisser pousser par le vent d'est jusqu'à la frontière californienne. Rakkim frissonna, et resserra la capuche de sa veste épaisse. Il était mal à l'aise à la simple idée de se retrouver ainsi, en plein ciel, aussi superflu qu'un grain de poussière, complètement vulnérable, exposé à n'importe quelle roquette lancée d'en bas...

« Tu devrais être habitué à t'échapper, pourtant, lui lança Sarah, assise jambes croisées sur un coussin chauffant. Disparaître... c'est l'une de tes spécialités, non ? »

Rakkim suivit du regard la montgolfière la plus proche, qui venait d'entrer dans un courant ascendant, et gagnait lentement de l'altitude. « Ouais, et suivre la trace de chaque chose, planifier le moindre détail... c'est la spécialité du Vieux. »

Sarah pianotait sur le téléphone portable qu'elle avait emprunté à Peter. Le dernier modèle en provenance de Chine. Accès illimité aux banques de données. Indétectable.

En plissant les yeux, Rakkim arrivait à discerner le gratte-ciel au sommet duquel, la semaine précédente, le Vieux lui avait offert le monde.

Peter s'éloigna des personnes de confiance qu'il avait invitées afin d'avoir une couverture crédible. Il désigna la silhouette lointaine de Las Vegas d'un mouvement de la tête. « Jolie vue, hein ?

– Des nouvelles de nos doublures ? demanda Rakkim.

– Ils roulent plein sud en direction de l'Arizona, répondit Peter sans lâcher la ville du regard. La doublure de Sarah m'a dit qu'ils s'étaient fait filer par une série de véhicules, de marques et de modèles différents. Tous restaient à distance, et abandonnaient après huit ou seize kilomètres pour se voir remplacer par un autre véhicule. Apparemment, quelqu'un a mordu à l'hameçon.

– Bien, dit Rakkim. Très bien.

– Merci beaucoup, Peter, dit Sarah sans relever les yeux de l'écran du portable.

– La gestion d'un casino repose sur ce même principe : la contraction d'une dette, et son remboursement. » Peter lança un regard à Rakkim. « J'avais une dette envers Rakkim.

– Notez bien l'emploi de l'imparfait », répliqua l'intéressé.

Peter sourit. « La prochaine fois que vous viendrez ici, je serai patron du casino. » Le vent ne soulevait qu'à peine ses cheveux gominés. « Une voiture en pilotage automatique est en train de nous suivre : elle arrivera sur notre lieu d'atterrissage. J'attendrai que vous soyez partis pour communiquer notre position aux autorités. Même en respectant les limitations de vitesse, vous devriez arriver à Seattle dans deux jours. » Il salua Sarah en s'inclinant, puis rejoignit ses deux invités à l'autre bout de la nacelle.

Sarah attendit que Peter fût assez loin pour parler. « Nous n'allons pas à Seattle. Nous retournons à L.A.

– Qu'est-ce que tu racontes ?

– Le Vieux nous a menti, comme tu l'as dit. La quatrième bombe ne s'est pas abîmée au large de la Chine. Elle se trouve sur la terre ferme. » Les yeux écarquillés de Sarah semblaient trahir un léger surmenage. « Mais je ne sais pas où précisément. »

Rakkim s'assit à côté d'elle. « Tu es sûre que ça va ?

– Redbeard nous l'a toujours répété : "Gardez les yeux bien ouverts. Faites attention au moindre détail. La vie est un puzzle. Lorsqu'on trouve de nouvelles pièces, l'image change. N'ayez pas peur de jeter un nouveau coup d'œil au puzzle." J'ai simplement suivi ses conseils, Rikki. La cicatrice de Fancy... ce n'était pas une trachéotomie. Elle était bien trop ronde. Trop parfaite. Je me suis demandé sur le moment si elle se l'était faite délibérément. Les scarifications sont très répandues dans certaines sous-cultures...

– Les trachéotomies sont très répandues chez les toxicos qui font une overdose.

– Ça, c'est l'ancien puzzle. J'ai trouvé une nouvelle pièce dans le centre commercial, et cette pièce change tout. »

Rakkim jeta un coup d'œil de côté. Peter et les autres bavardaient tranquillement à l'autre bout de la nacelle.

Sarah saisit son bras. « La vieille Chinoise à Desolation Row portait un médaillon qui avait exactement les mêmes dimensions que la cicatrice de Fancy, et il reposait exactement au même endroit, dans ce creux à la base de la gorge. Elle m'a dit qu'il s'agissait d'une amulette porte-bonheur qui provenait de son village natal. Ce point à la base de la gorge est le lieu d'intersection de cinq méridiens d'énergie, selon la médecine traditionnelle chinoise. » Sarah serra son bras plus fort. « La cicatrice de Fancy était due aux radiations. Son père lui a sans doute rapporté un médaillon en guise de souvenir, après son dernier voyage, et le pendentif a probablement été contaminé par les radiations du carburant nucléaire qu'il transportait. Il n'a pas dû comprendre qu'il était contaminé avant de...

– Tu n'as parlé que cinq minutes à cette Chinoise et tu...

– Cinq secondes auraient amplement suffi. La cicatrice de Fancy m'a intriguée dès le moment où je l'ai vue. Je ne disposais tout simplement pas d'assez de données.

– Tu ne disposes toujours pas d'assez de données. »

Sarah lui montra l'écran du téléphone portable. Une cicatrice grise et ronde avec deux petits points roses. Elle fit un zoom arrière. Rakkim vit l'abdomen d'un homme qui présentait, du sternum au nombril, plusieurs cicatrices similaires.

« Des boutons ? » s'enquit Rakkim.

Sarah acquiesça. « Des boutons d'argent d'un uniforme militaire. Venant probablement de Tchernobyl ou d'une autre zone contaminée, revendus et réutilisés par le tailleur de cet homme. » Elle zooma, quasiment au maximum. La cicatrice emplissait tout l'écran. De minuscules bulles bordaient un cercle que de faibles stries reliaient presque au centre de la cicatrice. « J'ai vu les mêmes marques sur la cicatrice de Fancy. »

Rakkim observait l'image. « Il faisait sombre, dans ce requin...

– La lune éclairait bien assez les lieux et j'étais juste à côté d'elle. Je sais ce que j'ai vu. Je ne savais tout bonnement pas ce que cela signifiait. Mais maintenant, je sais. Le fils du Vieux s'est peut-être noyé dans la mer de Chine méridionale, mais le père de Fancy a réussi à rejoindre la côte. Avec la quatrième bombe.

– Mais... pourquoi lui aurait-il acheté un souvenir alors qu'il était en train d'accomplir la mission la plus importante de toute son existence ?

– Parce que c'est ce que font tous les pères en voyage, répondit calmement Sarah. Un père ramène toujours un petit cadeau à sa fille afin qu'elle sache qu'il pensait à elle lorsqu'il était loin. C'est pour cette raison que Fancy a dû garder le médaillon, même après avoir remarqué qu'il était nocif pour sa peau. Moi aussi, je l'aurais gardé. Si cela avait été la dernière chose que mon père m'ait donnée, je l'aurais gardée quelles qu'en soient les conséquences. »

Rakkim se souvint de la photo qu'il avait retrouvée dans sa boîte à musique, cette photo où l'on voyait Sarah, bébé, dormant dans les bras de son père. Il se souvint de sa réaction lorsqu'il la lui avait rendue. Elle avait pleuré de joie, sans pouvoir s'arrêter. Elle avait dit que c'était tout ce qui lui restait de son père. Rakkim, lui, n'avait rien. Tout souvenir, toute photo de sa mère et de son père avaient disparu avec le reste avant qu'il croise le chemin de Redbeard. Tout, sauf la clef. La clef de la maison dans laquelle il avait passé la première partie de sa vie. Quelques jours après son arrivée dans la maison de Redbeard, Rakkim avait jeté cette clef dans les toilettes. Il ne se souvenait plus à présent s'il avait fait cela parce qu'il pensait avoir un nouveau chez-lui... ou parce qu'il craignait que Redbeard ne se serve un jour de cette clef et de tout ce dont elle l'accusait.

« La vieille Chinoise m'a dit que chaque village avait son propre type de médaillon, reprit Sarah. Une fois que

nous aurons mis la main sur ce médaillon, nous pourrons en déduire où Safar Abdullah s'est rendu lors de son
dernier voyage. Nous saurons où il a posé la quatrième
bombe.

– La copine de Fancy... Jeri Lynn. Elle sait forcément
où se trouve ce médaillon. »

Sarah sourit. « Alors tu me crois ?

– Depuis que je te connais, tu ne t'es jamais trompée
sur le moindre sujet d'importance.

– Il faut encore que nous retrouvions Jeri Lynn.

– Ce sera la phase la plus facile. » Rakkim hésita. « Si le
médaillon était si important aux yeux de Fancy, Jeri Lynn
a dû le déposer près d'elle, dans son cercueil. Cela fait
maintenant plus d'une semaine qu'elle est morte. Il faut que
tu te prépares dès maintenant à son exhumation, parce
que c'est ce qui nous attend à Los Angeles. »

Face au soleil couchant, les yeux de Sarah s'enflammè-
rent d'un feu froid. « Je suis prête à faire ce qui s'imposera.
Tout comme toi. »

55

Rakkim et Sarah gravissaient les trois marches du perron alors que deux femmes sortaient de la maison. Elles s'embrassèrent. « Et prends bien soin de toi, Jeri Lynn, dit la blonde enceinte.

– Si je ne prends pas soin de moi, personne ne le fera », répondit la petite brune. Elle attendit que la blonde ait descendu précautionneusement les marches. « Vous venez pour la veillée mortuaire de Fancy ?

– Oui, répondit aussitôt Sarah.

– Entrez, entrez, dit Jeri Lynn. Il n'y a que des canapés au fromage et du soda orange, et le sorbet est en train de fondre. » Elle essaya de sourire. « J'imagine que vous n'êtes pas venus pour l'en-cas... » Sa bouche forma un gros « O ». « Mais si c'est pas... Cameron ? Cameron ! » Elle les bouscula presque, soulevant le gamin dans ses bras et le faisant tourner comme s'il s'agissait d'une peluche. Elle fit un signe de la main à Sarah, les yeux pleins de larmes. « Entrez, ma belle, vous m'avez offert le plus beau des cadeaux. »

Sarah et Rakkim la suivirent jusqu'au salon. Deux femmes étaient assises sur le canapé, une adolescente enrobée avec un bébé à moitié sur l'épaule, et une rouquine, les cheveux teints au henné, avec un visage de cheval de trait, qui feuilletait un album photo en gloussant.

« Les filles, voici... désolée, j'ai mal entendu votre nom, dit Jeri Lynn.

– Je m'appelle Sarah, et voici mon ami Rakkim.

– La petite maman, c'est Ella, et ça, c'est Charlotte, lança Jeri Lynn.

– Enchantée.

– Enchanté. »

Le bébé lâcha un pet tonitruant, et tout le monde sourit. Sa mère lui tapota le dos. « Là, ça va mieux, maintenant ? » Elle se releva, saisissant au vol un des canapés au fromage qui se trouvaient dans une assiette en carton sur la table basse. « Il faut qu'on rentre préparer le dîner. » Elle embrassa Jeri Lynn. « Je suis vraiment, vraiment désolée. »

La rouquine referma l'album. « Il faut que j'y aille, moi aussi. » Elle serra le bras de Jeri Lynn. « C'était vraiment une fille super, elle va nous manquer. »

Jeri Lynn les raccompagna jusqu'à la porte.

La veille au soir, Rakkim et Sarah avaient roulé jusqu'à Los Angeles et, une fois en ville, étaient allés directement à Disneyland. Il leur avait fallu quelques heures pour trouver des personnes qui avaient pu leur parler de l'amie de Fancy, et même ainsi elles n'avaient qu'une idée vague de l'endroit où elles vivaient. Quelque part aux abords de New Falloujah, tout près d'Orange. Aucune épouse-à-louer n'avait jamais été invitée chez elles. Cela semblait les fâcher. Rakkim avait été d'avis de faire le tour de tous les supermarchés et de toutes les épiceries avec la photo de Fancy, mais Sarah avait eu une bien meilleure idée. Ils attendraient le lendemain, se reposeraient un peu, et iraient à Long Beach pour prendre Cameron. Le gamin avait dit qu'il attendrait Fancy tous les jours sur le parvis de l'église Saint-Xavier. À midi. Ils pourraient ensuite sillonner New Falloujah jusqu'à ce que Cameron reconnaisse la maison. Le fait d'arriver en compagnie de l'enfant leur en ouvrirait certainement les portes.

Jeri Lynn revint dans le salon, et les pria d'un geste de s'asseoir. C'était une petite femme aux cheveux frisés, à la peau lisse et aux yeux fatigués. « Asseyez-vous. Quand je vois des gens debout chez moi, j'ai l'impression que ce sont des percepteurs. » Elle afficha un sourire courageux. « Vous n'êtes pas percepteurs, quand même ? »

Sarah et Rakkim s'assirent sur le vieux canapé en velours côtelé. Il était encore chaud des corps des deux invitées qui venaient de partir. Il n'y avait dans le salon que quelques vieux meubles en mauvais état, un petit écran mural, et un hologramme gratuit du président Kingsley sur l'un des murs. Un autre hologramme de famille, avec Fancy, Jeri Lynn et trois enfants en shorts et T-shirts assortis, se trouvait sur le buffet. Ils avaient l'air heureux. Des céréales sèches étaient incrustées dans le vilain tapis de laine synthétique verte. Des Chocolate-Soy'Os. Le petit déjeuner des champions. Un saladier en bois posé sur la table basse contenait environ 200 dollars en petites coupures chiffonnées, ainsi que des cartes de condoléances.

Jeri Lynn attrapa Cameron et le décoiffa affectueusement. « Merde, qu'est-ce que Fancy aurait été heureuse de te voir ici. » L'ourlet de sa robe noire avait été reprisé des centaines de fois, et commençait à rendre l'âme. Elle semblait s'en moquer complètement. Elle poussa l'assiette d'amuse-gueules au fromage dans leur direction. « Faut pas vous gêner pour grignoter, hein ? » Elle se laissa tomber sur une chaise face au canapé. « Comment connaissiez-vous Fancy ? Vous habitez son ancien quartier ?

– Nous... nous étions avec elle quand elle est morte », répondit Sarah. Il était vraisemblablement préférable de l'en informer dès le début mais, à sa place, Rakkim aurait amené le sujet un peu moins franchement.

Jeri Lynn les observa à tour de rôle. « C'est vous qui la recherchiez ce soir-là.

– Oui, répondit Sarah.

– Cameron, tu veux pas aller dans la cuisine te préparer un petit quelque chose à manger ? dit Jeri Lynn. Je suis sûre que tu meurs de faim.

– Je préférerais prendre une douche d'abord, répliqua Cameron. Si je peux ?

– Deuxième porte à droite. Appelle-moi quand tu auras fini, je t'apporterai des affaires propres. Tu fais à peu près la même taille que Dylan. » Jeri Lynn attendit qu'il ait refermé la porte de la salle de bains. « Merci de l'avoir amené ici. Fancy... elle l'aimait vraiment beaucoup. Elle arrêtait pas de dire qu'il fallait l'amener ici pour qu'il vive avec nous. » Elle remit de l'ordre dans sa robe noire, et écarta une mèche de cheveux qui lui barrait le visage. « Qu'est-ce que vous voulez ? » demanda-t-elle à Sarah. Elle avait à peine regardé Rakkim depuis qu'ils étaient entrés. « Vous voulez sûrement quelque chose.

– Nous sommes désolés, pour ce qui s'est passé, dit Sarah. Fancy était...

– Mes gamins reviennent de l'école dans environ une heure. Je ne veux pas que vous les dérangiez. Ils ont assez souffert comme ça. Cameron peut rester. Mes enfants l'aiment bien.

– Les hommes qui l'ont tuée... ils en avaient après nous...

– Je n'ai même pas pu l'enterrer. » Jeri Lynn faisait tourner la bague en or qu'elle portait à l'annulaire gauche. « Son corps est toujours dans la chambre froide des pompes funèbres, à attendre que je réunisse assez d'argent pour pouvoir l'enterrer comme il se doit. » Elle jeta un coup d'œil aux billets dans le saladier en bois.

« Nous pourrions...

– La mosquée du quartier a refusé de nous aider. Ils ont dit que Fancy n'était plus musulmane. Je leur en veux pas. Elle priait à la maison, mais elle avait trop honte pour aller à la mosquée. Les musulmans ont des règles assez strictes. Le corps doit être enterré dans les vingt-quatre heures. Voilà pour eux. » Elle continuait à manipuler sa bague. « Les catholiques, c'est pas mieux. Je suis catholique, mais pas comme ils voudraient que je le sois. Le curé a aussi refusé de l'enterrer. » Elle regarda Sarah. « Mes gamins arrêtent pas de me demander quand est-ce qu'ils pourront aller fleurir sa tombe, et moi j'arrête pas de leur dire bientôt. » Elle fixa le portrait holographique de Fancy et d'elle : elles se tenaient la main. « On avait une chouette vie avant que vous veniez la chercher. Pas une vie parfaite, d'accord... Elle détestait ce qu'elle faisait, et moi aussi, mais c'était comme qui dirait un personnage qu'elle incarnait la nuit. Ce n'était pas vraiment elle, c'était un peu comme un jeu auquel elle jouait. Le reste du temps, on était une famille, et on était heureuses. Heureuses.

– Nous réglerons ses funérailles, dit Sarah. Sans contrepartie. »

Jeri Lynn ne réagit pas.

« Est-ce que Fancy possédait un collier qu'elle avait reçu en cadeau, encore enfant ? demanda Sarah. Un petit médaillon rond, avec des idéogrammes chinois ?

– Pourquoi vous voulez ce truc ? répliqua Jeri Lynn. Ça vaut rien du tout, sauf pour Fancy.

– S'il vous plaît, pourrais-je simplement le voir ? insista Sarah.

– Il est pas à vendre. Je me fous de l'argent que vous êtes prête à mettre. Fancy sera inhumée dans sa robe préférée. Avec ses chaussures préférées. Elle sera enterrée avec une coiffure impeccable et un maquillage parfait... et ce médaillon autour du cou.

– Ce médaillon est la pièce maîtresse de notre enquête, dit Sarah. Ce médaillon...

– Vous êtes quoi, des flics ? C'est des flics qui l'ont tuée.

– Non, ce ne sont pas des flics », lança Rakkim.

Jeri Lynn le regarda.

« L'homme qui l'a tuée s'appelle Darwin, poursuivit Rakkim. Je l'ai vu faire. J'ai essayé d'aider Fancy, mais...

– Un policier a tiré sur Rakkim à plusieurs reprises, dit Sarah. Il a failli mourir.

– Pourquoi est-ce que ce Darwin a fait ça ? » Le visage de Jeri Lynn était écarlate.

« C'est tout ce qu'il sait faire, répondit Rakkim.

– Pourrions-nous voir ce médaillon, s'il vous plaît ? répéta Sarah. Je vous en prie, aidez-nous, Jeri Lynn.

– Jeri Lynn ! » La tête humide de Cameron dépassait de la porte entrebâillée de la salle de bains. « Je peux avoir des vêtements, s'il te plaît ? »

Jeri Lynn se leva dans un soupir, et se dirigea vers la salle de bains.

« Nous savons que le médaillon se trouve ici, murmura Rakkim à Sarah. Il arrivera un moment où nous devrons arrêter de le lui demander. »

Sarah déposa une petite liasse de billets de 100 dollars dans le saladier en bois. « Nous n'en sommes pas encore là.

– C'est toi qui crois que le médaillon est la réponse à toutes nos prières.

– J'ai dit pas encore. »

« Je me souviens encore de la première fois où nous nous sommes rencontrés, Maurice, dit Redbeard. Tu étais l'adjudant-major du général Sinclair. J'ai vu ce grand Africain au port de tête de roi, et je me suis demandé si tu tiendrais ne serait-ce qu'un an avec l'ensemble des officiers dressés contre toi. Ces choses qu'ils disaient dans ton dos...

– Elles n'étaient certainement pas pires que celles qu'ils me disaient en face », dit le général Kidd.

Redbeard était venu sans invitation et sans se faire annoncer dans la petite mosquée conservatrice. Le seul Blanc parmi tous les fidèles d'origine somalienne. Le général Kidd et lui se trouvaient à présent assis en tailleur sur des tapis qu'on avait déroulés sous une robuste glycine, à manger des dattes et à boire le café corsé et sucré que la plus jeune épouse du général leur avait apporté. Aucun garde du corps. C'était parfaitement inutile.

« Nous avons parcouru un grand pan d'histoire. » Redbeard cracha un noyau de datte. « Toi et moi avons traversé ensemble des eaux périlleuses, et pourtant j'ai le sentiment que le moment le plus dangereux de notre voyage est encore à venir.

– Le pays est à la dérive, Thomas. » Kidd but une gorgée de café brûlant. « Nous étions censés devenir le phare de ce monde. À présent, nous pourrions aussi bien être des mécréants, à voir la façon dont les jeunes se comportent. Ils sont sans vigueur, portés à l'indolence et à l'idolâtrie.

– Il convient de laisser aux jeunes le temps de trouver leur voie.

– Il convient de leur *enseigner* la voie. »

Redbeard avala bruyamment une gorgée de café. « Souhaites-tu qu'Ibn Aziz se charge de la leur enseigner ? »

Kidd porta une grosse datte à ses lèvres, et se mit à la mâcher lentement. « J'ai appris que quelqu'un de ta famille était mort. Les responsables... sont-ils morts eux aussi ?

– Les hommes qui ont ravi Angelina à la sortie de la mosquée sont morts. Tués par celui-là même qui les avait envoyés, avant que j'aie pu les retrouver. Comme si j'avais besoin de les interroger pour savoir qui était responsable. » Redbeard passa une main sur sa barbe, et tira fortement dessus. « Allah te donne le choix. Tu peux rester fidèle à ton serment et servir ton président, ou tu peux devenir le cimeterre d'un mollah qui enlève et assassine des femmes pieuses. Un mollah qui se réfugie dans la Grande Mosquée, entouré d'une centaine de gardes du corps. À croire que la protection d'Allah ne lui suffit pas. »

Le visage de Kidd était semblable à un masque, mais son regard trahissait son trouble. « J'aime le président Kingsley comme mon propre père, mais il est vieux. Il est en train de mourir à petit feu.

– Nous sommes tous en train de mourir à petit feu, Maurice.

– Es-tu venu pour me dire cela, mon vieil ami ? »

Redbeard plongea une main dans le panier d'osier, et sourit. « Je suis venu pour les dattes. »

Rakkim venait tout juste d'observer la rue par la fenêtre lorsque Jeri Lynn revint. Elle portait une petite boîte en émail rouge.

« Dieu vous bénisse, dit Sarah.

– Vous excitez pas. » Jeri Lynn s'assit à côté de Sarah et ouvrit la boîte. « Fancy disait que son père lui avait rapporté ça la dernière fois qu'il était revenu de Chine. » Jeri Lynn retira l'objet de la boîte, faisant se balancer au bout de la ficelle noire l'amulette de cuivre oxydé, recouverte d'idéogrammes chinois. « Fancy racontait qu'elle ne l'avait pas quittée pendant des années, elle l'appelait son médaillon porte-bonheur, mais je suppose que sa chance a fini par tourner. Elle était un peu plus âgée quand le médaillon a commencé à faire apparaître des squames sur sa gorge, et c'est à cette époque que tout est parti à vau-l'eau. Elle disait que, à son avis, c'était Allah qui la punissait de la vie qu'elle menait, alors elle a préféré le mettre à l'abri dans cette boîte. Des fois, je la surprenais avec, à se regarder dans la glace, et à sourire. » Jeri Lynn rangea le médaillon dans la boîte. « Ça paye pas de mine, mais Fancy adorait ce collier. »

Sarah ne tendit pas la main en direction de la boîte.

Jeri Lynn en referma le couvercle. Puis regarda Rakkim. « Cameron m'a raconté des choses sur vous. Il m'a dit qu'il vous avait vu tuer un homme à mains nues. Il a dit qu'il avait jamais vu un truc pareil. Je veux que vous me donniez votre parole. Si je vous donne ce médaillon, en échange je veux que vous me promettiez de retrouver ce Darwin. De le retrouver et de le tuer.

– Ça pourrait prendre un certain temps, dit Rakkim.

– Promettez-moi juste de le faire. Je vous demande pas votre emploi du temps.

– Je vous le promets. »

Jeri Lynn se retourna vers Sarah. « Est-ce que je peux avoir confiance en lui ? Fancy a jamais eu beaucoup de chance avec les hommes, et moi encore moins. »

Sarah regarda Rakkim dans les yeux. Elle repensait à ce qu'il lui avait dit à propos de l'assassin. Il avait dit qu'il n'avait aucune chance de le battre. « J'ai confiance en lui. »

Jeri Lynn tendit la boîte à Sarah. « J'espère que vous arriverez à en tirer ce que vous espérez. »

Sarah rangea la boîte.

« Je ne sais pas si ça a une grande importance à vos yeux, mais j'aurais tué Darwin de toute façon, même sans cette promesse, dit Rakkim à Jeri Lynn. Je l'aurais tué pour Fancy et pour quelques autres qu'il a massacrés. J'ai pris cette décision il y a déjà un petit moment. »

Cameron entra dans le salon. Il était impeccablement peigné, et portait un T-shirt usé sur lequel on pouvait lire « L.A. RAMADAN 2035 ». Il s'assit sur les genoux de Jeri Lynn sans paraître gêné le moins du monde. « T'es sûre que je peux rester ?

– Autant de temps que tu voudras, mon chéri. » Jeri Lynn le serra dans ses bras, mais continuait à fixer Rakkim. « Tenez votre promesse, et si vous pouvez le faire souffrir, ce sera encore mieux. Faites-lui mal. Faites-le hurler assez fort pour que les démons de l'enfer sachent qu'il leur appartiendra bientôt. »

56

AVANT LA PRIÈRE
DE LA MI-JOURNÉE

« Vous aviez dit que nous nous verrions demain », dit le professeur Wu. Il regardait à tour de rôle Sarah et Rakkim, décontenancé par le manque d'harmonie qu'engendrerait fatalement un rendez-vous annulé. « Nous devions nous retrouver au King Street Café, pas ici. Pas chez moi. Nous aurions partagé un dimsum, Sarah, et...

– Pouvons-nous entrer, professeur ? demanda Rakkim. J'aimerais autant de ne pas rester dehors par ce froid. »

Déçu, Wu lança un dernier regard à Sarah qui se demanda si c'était leur visite inopportune qui le fâchait, ou le fait que Rakkim venait de l'interrompre. Wu recula et leur fit signe d'entrer. « Je vous en prie. » D'un pas lent, il les conduisit jusqu'à un salon presque vide. Le petit cercle de calvitie à l'arrière de sa tête s'était considérablement agrandi depuis la dernière fois où elle l'avait vu, et recouvrait à présent la quasi-totalité de son crâne moucheté de taches de vieillesse. Il attendit qu'ils se soient assis sur le sofa, propre mais usé jusqu'à la trame, puis s'excusa : il devait aller chercher les photographies du médaillon qu'ils lui avaient transmises par Internet.

Rakkim et Sarah avaient traversé la Californie du Sud en empruntant les artères principales pour mieux se perdre dans la circulation. Selon un bijoutier de Long Beach, le médaillon de Fancy était légèrement radioactif. Pas assez pour constituer un réel danger, mais ces radiations constituaient en soi une preuve qu'il était lié à la quatrième bombe atomique. Le voyage n'avait été émaillé d'aucun événement notable, à l'exception d'un accident monstre dans le secteur de la Baie, qui avait failli leur coûter un détour par San Francisco, l'un des plus redou-tables bastions extrémistes. Le Golden Gate Bridge avait été rebaptisé du nom d'un Seigneur de guerre afghan, et décoré des crânes d'homosexuels exécutés après la transi-tion. Cela faisait à présent deux semaines qu'une partie du pont s'était écroulée. Les sionistes et les sorcières étaient montrés du doigt. Tout véhicule entrant dans la ville était fouillé. Les téléphones portables permettant de visionner des images ou de se connecter à Internet étaient confisqués, et les femmes habillées impudiquement étaient battues. Si le certificat de mariage de Sarah et Rakkim avait été reconnu comme un faux, ils auraient aussitôt été arrêtés pour fornication, voire pire.

Il pleuvait sur Seattle depuis cinq jours. Une pluie froide, persistante, qui vidait les rues de ses passants et envoyait les voitures dans le fossé. La chaleur et la liberté de la Californie du Sud manquaient à Sarah, mais elle était heureuse de se retrouver chez elle. Ou, du moins, dans ce qui lui faisait office de chez-elle. Un entrepôt dans la zone industrielle, au sud de la mosquée Cheik Ali. L'une des nombreuses cachettes de Rakkim. Cela faisait à présent trois jours qu'elle avait transmis des photos du médaillon à Wu, un universitaire chinois renvoyé de la fac quelques années auparavant, pour de basses raisons de politique interne.

Wu revint dans le salon en traînant les pieds, et s'assit précautionneusement dans un fauteuil. Ses doigts se refermèrent sur les bras de cuir. Son cou était si fin qu'il semblait tout juste soutenir le poids de sa tête. « Mardi est le meilleur jour pour un dimsum au King Street Café, dit-il en faisant tressauter sa pomme d'Adam. Mme Chen ne peut travailler qu'un jour par semaine, mais ses rouleaux de printemps aux champignons noirs sont les meilleurs de toute la ville.

– Peut-être une autre fois », s'excusa Sarah.

Wu poussa un rire proche du cri du phoque. Il regarda Rakkim. « Une élève brillante, mais qui a toujours semblé prendre un malin plaisir à passer outre les procédures habituelles. Elle n'en a jamais fait qu'à sa tête.

– Je suis choqué par ces révélations », dit Rakkim.

Wu rit à nouveau, et son visage devint soudain grave. « Je suis désolé de vous décevoir, mademoiselle Dougan, mais je suis dans l'incapacité de déterminer l'origine du médaillon. Il existe des dizaines de milliers de petits villages en Chine, et chacun se pique de battre son propre modèle de médaillon pour la fête annuelle des pruniers.

– Inutile de vous excuser, répondit Sarah en tentant de cacher sa déception. Je n'imaginais pas le gigantisme de la tâche. »

Wu se redressa à peine en s'appuyant sur les bras du fauteuil. « J'ai fait tout mon possible. Le médaillon commémore la fête de l'an 2015, l'année du mouton. La technique est assez fruste, mais cela fait partie du charme de ces objets aux yeux des collectionneurs. C'est bien d'un collectionneur que vous tenez cette pièce, n'est-ce pas ?

– Oui, répondit Sarah.

– Et ce collectionneur n'a pas la moindre idée du village d'où provient le médaillon ?

– Non », répliqua Sarah.

Wu acquiesça. « Les formules figurant sur le médaillon, "longévité et prospérité", sont tout à fait communes pour de tels objets, j'en ai bien peur. Le style des idéogrammes me pousse à croire que le médaillon est vraisemblablement originaire de la province de Hubei, voire, plus précisément, de la préfecture de Yichang, mais même ainsi cela représente une superficie considérable. La Chine est vaste. » Il baissa les yeux. « Je suis profondément désolé. »

Sarah joignit les mains, pleine de gratitude. Le barrage des Trois-Gorges se trouvait justement dans la préfecture de Yichang, et c'était bien en 2015 que les trois bombes atomiques avaient explosé. Elle se leva, et s'inclina. « Professeur, merci de votre aide.

– Une aide bien misérable. » Wu essaya de se relever de son fauteuil. « Il n'est rien qu'un vieux professeur à la retraite apprécie plus que de recevoir des nouvelles d'un de ses élèves préférés. » Ses yeux étincelèrent de malice. « Si ce n'est de déjeuner avec cette élève et son compagnon. »

Rakkim l'aida à se relever. « Merci encore, monsieur.

– Quel dommage que vous soyez si pressés, dit Wu en les raccompagnant jusqu'à la porte. Je n'ai toujours pas reçu la réponse de maître Zhao. »

Rakkim s'arrêta net. « Vous avez communiqué les photos du médaillon ?

– Bien entendu. Lorsque j'ai mesuré l'étendue de mon ignorance...

– Nous vous avions demandé de ne pas le faire, professeur. » Sarah sentit la nervosité de Rakkim, la hâte soudaine qu'il avait de partir. C'était lui qui avait insisté pour passer chez Wu sans le prévenir.

« Je pensais simplement que... il est assez courant que des collectionneurs rapportent des objets historiques dans leur pays sans la moindre permission, mais ce médaillon est si récent... » Wu les regardait à tour de rôle. « Je voulais simplement vous aider.

– À combien de personnes avez-vous transmis ces photos ? demanda Rakkim.

– Six. » Wu grimaça. « Y compris mon fils qui, en tant que maître de conférences à mi-temps à l'université de Chicago, dispose de tout son temps pour vous aider. » Il s'interrompit un instant. « J'espère ne vous avoir causé aucun problème. Maître Zhao pourrait vous être d'une grande aide. C'est un grand savant.

– Il n'y a aucun problème, professeur, rétorqua Sarah. Portez-vous bien. »

Rakkim serra délicatement la main de Wu, et s'aperçut qu'il tremblait. « Professeur, Sarah et moi aimerions vous inviter à déjeuner d'un dimsum, dans un mois. Le quatorze. Ce sera aussi un mardi. » Rakkim sourit. « Nous verrons si les rouleaux de printemps de Mme Chen sont aussi bons que vous le prétendez. Nous nous retrouverons au King Street Café, à 13 heures, le quatorze.

– Merveilleux ! s'exclama Wu, radieux. J'amènerai mon appétit, si vous amenez le vôtre. »

Dehors, Sarah attendit que Rakkim ait démarré pour parler. « Je doute que les six personnes contactées par Wu soient en relation avec le Vieux.

– Peu importe. Le Vieux possède certainement un grand nombre d'indicateurs dans le monde universitaire. Avec tous ces ordinateurs, ces bases de données... Un mot-clef et une recherche, c'est aussi simple que cela. »

Sarah jura entre ses dents, puis se retourna vers Rakkim. « C'est pour ça que tu l'as invité à déjeuner. »

Rakkim acquiesça. « Ainsi, si Darwin nous suit toujours, il préférera ne pas tuer le professeur avant la date fixée, afin que nous ne nous doutions de rien. » Il jeta un coup d'œil à son rétroviseur. « Si tout se passe bien, dans un mois, le Vieux aura d'autres priorités.

– Merci, Rikki.

– Ouais.

– Il y a bien un autre moyen de trouver le village d'où provient le médaillon. Mais ça ne va pas te plaire. »

Rakkim éclata de rire. « Quoi ? C'est dangereux ? »

Les yeux de Sarah pétillèrent. « Pire. »

57

« Monsieur l'ambassadeur, permettez-moi de vous présenter Sarah Dougan et son garde du corps, Rakkim Epps », dit Soliman ben Saoud.

L'ambassadeur Kuhn salua Sarah en opinant du chef, puis Rakkim. « Soyez les bienvenus dans notre petit bout de Suisse. » C'était un homme rond et courtaud, avec une moustache huilée recourbée vers le haut et des yeux d'un bleu d'eau pâle. Son veston rouge orné de décorations dorées et son pantalon cigarette lui donnaient l'air d'une oie qu'on avait fini de gaver. Il adressa un faible sourire à Ben Saoud. « C'est un plaisir de vous voir, Soliman. Quel dommage que votre inestimable père n'ait pu se joindre à nous. »

Ben Saoud attrapa un canapé sur le plateau que lui tendait un serveur en livrée, et grignota le foie gras enveloppé dans un pétale de rose. Ben Saoud était un bel Arabe, à la barbe carrée parfumée, aux yeux sombres et aux lèvres trop molles. « Les affaires d'État n'attendent pas. Je suis sûr que vous l'excuserez. » Il saisit un autre canapé et l'offrit à Sarah, en le tenant juste au-dessus de ses lèvres. « Il faut absolument que vous goûtiez cela, prunelle de mes yeux. »

Sarah en prit un sur le plateau. « Hum, c'est vraiment bon. Rakkim ? »

Rakkim fit signe au serveur qu'il pouvait disposer.

« Veuillez excuser l'impertinence de mon invité, monsieur l'ambassadeur, dit Ben Saoud. M. Epps est un feddayin, et, comme vous le savez, ce sont des êtres qui se contentent de plaisirs simples et sans artifices.

« – Oh, cher ami, ce sont d'effrayantes bêtes brutes, à ce que je me suis laissé dire. » L'ambassadeur toisa Rakkim. « Est-il vrai que vous êtes capable de tuer un homme d'un seul doigt ? »

Rakkim s'approcha si vite que l'ambassadeur n'eut pas le temps de réagir, et recourba la pointe gauche de sa moustache. « Voilà qui est mieux. »

L'ambassadeur recula, les yeux écarquillés. « Suivez... suivez-moi, Soliman. Il faut absolument que vous essayiez l'aspic d'oiseau-mouche. » Kuhn salua Sarah et Rakkim d'un bref mouvement de la tête. « Je vous souhaite une bonne soirée. »

L'ambassadeur et Soliman se frayèrent un chemin dans la salle. L'ambassadeur lança un dernier regard par-dessus son épaule, avant d'accélérer le pas. Sarah fit semblant de ne pas avoir apprécié la démonstration de Rakkim.

La fête comptait au bas mot trois cents personnes, qui riaient, mangeaient et buvaient, ambassadeurs et diplomates venus d'à peu près toutes les ambassades de la capitale Seattle. Des Nigériens et des représentants de toute l'Afrique de l'Est, vêtus de couleurs éclatantes, des Brésiliens et des Argentins, habillés à l'occidentale, des Suédois, des Norvégiens, des Australiens, une foule parmi laquelle se trouvaient certains visages que Sarah avait déjà croisés, au cours des événements auxquels elle s'était rendue avec Redbeard, mais également beaucoup de nouvelles têtes. Bien que la Suisse n'entretînt officiellement aucune relation diplomatique avec les États rebelles, il y avait également un représentant des États de la Bible, un homme d'un certain âge à l'épaisse crinière grise, qui, dans son froc noir, ressemblait à un prêcheur de campagne.

« Soliman avait l'air heureux de te voir, dit Rakkim. C'est vrai que ça ne court pas les rues, les Saoudiens qui font le baisemain. Et puis quelle élégance. À ton avis, combien de kilos d'émeraudes ont été cousus à l'ourlet de sa robe ? »

Un serveur leur proposa du champagne avec ou sans alcool. Sarah opta pour le non alcoolisé. Rakkim prit une flûte de vrai champagne.

« Soliman m'a fait une faveur en nous invitant ici ce soir », répliqua Sarah avant de boire une gorgée. Les bulles lui piquèrent le palais. « Lorsque son père l'apprendra, il aura de sérieux ennuis : son père considère que les Suisses sont des libertins. Et puis tu aurais préféré demander de l'aide à Redbeard ?

– Je ne l'aime pas, c'est tout.

– C'est très bien comme ça : lui non plus ne t'aime pas. »

Le père de Ben Saoud avait raison au sujet des Suisses : c'était véritablement une nation de libertins. Décadents, agnostiques, et riches plus que de raison. Strictement neutres depuis plusieurs siècles, ils traitaient avec tous les gouvernements du monde, indépendamment de considérations politiques ou religieuses, et ils s'enrichissaient avec tous. Les Suisses n'avaient ni alliés ni ennemis : ils n'avaient que des clients. Un quatuor à cordes jouait du Mozart afin de ne froisser personne. Des plateaux de crabe, crevettes et caviar étaient destinés aux Chinois, aux Russes et aux représentants de l'Amérique du Sud, tandis que des plateaux de mignardises hallal avaient été préparés pour les croyants. Absolument tous les convives étaient exposés aux effets des euphorisants administrés par l'air conditionné, une brume invisible d'hormones et de phéromones, idéale pour relaxer les convives et installer un climat de confiance.

Sarah se sentait un peu grisée. Ses épaules nues étaient parcourues de fourmillements, et elle ressentait chaque centimètre carré du tissu de la robe de soirée moulante qu'elle avait achetée le jour même dans le quartier moderne. Elle aurait aimé se retrouver seule avec Rakkim. « Qu'est-ce qui ne va pas, Rikki ?

– Je ne sais pas.

– Tu ne tiens pas en place. »

Rakkim échangea sa flûte vide pour une pleine sur le plateau d'un serveur qui passait, et en profita pour examiner la salle. « J'ai l'impression qu'on nous observe.

– Et moi je suis sûre qu'on nous observe. C'est précisément pour ça que toutes ces personnes se rendent aux réceptions des ambassades : pour observer les autres et tenter de deviner ce qu'ils trament.

– Ce n'est pas ce que je voulais dire.

– Bon... dans ce cas nous n'allons pas rester longtemps. » Sarah sentit le médaillon chinois dans la petite poche discrète de sa robe. « Rakkim... lorsque tu as juré à l'amie de Fancy de tuer Darwin, c'était une promesse en l'air, n'est-ce pas ? »

Rakkim acquiesça en photographiant mentalement la salle.

« C'était uniquement pour qu'elle accepte de nous donner le médaillon ?

– Je viens de te répondre », lança Rakkim.

Sarah le regarda dans les yeux : impossible d'y lire s'il disait la vérité. « Danse avec moi.

– On aime le risque, pas vrai ?

– Non. » Sarah lui prit la main et le tira dans la foule. « J'ai aperçu l'ambassadeur de Chine en train de danser avec l'une de ses concubines. Ce vieux pervers me fait de l'œil depuis mes 14 ans. »

Anthony Colarusso était assis à la table de la cuisine, en short, occupé à étaler du beurre de cacahuète sur du pain de mie, en regrettant amèrement que Marie n'ait pas fait des réserves avant de partir. Le couteau cliqueta contre les bords du bocal. Il n'en restait presque plus. Depuis qu'elle était partie se cacher avec les gamins, il ne se nourrissait plus que de sandwiches au beurre de cacahuète et de plats à emporter. Le pain se brisa sous sa poigne un peu brusque, et il hocha la tête. Il aurait dû réchauffer un peu le beurre de cacahuète au micro-ondes, mais il n'y connaissait rien en cuisine.

« Grille les tranches de pain, papa, ça sera plus facile à tartiner. »

Colarusso se leva d'un bond, renversant sa chaise.

Anthony Jr. se trouvait sur le pas de la porte qui donnait au cellier. Il riait.

Colarusso se jeta sur lui, lui donnant des claques que son fils fit semblant de trouver douloureuses. « Tu veux que je fasse une crise cardiaque, petit con ? »

Anthony Jr. l'enlaça dans ses bras, et le souleva de terre. Colarusso pesait trente-cinq kilos de plus que son fils, mais ce dernier faisait tournoyer le robuste inspecteur comme un petit rat d'opéra.

« Lâche-moi ! » Aussitôt libéré, Colarusso resta planté là, en caleçon à pois, mains sur les hanches. « Comment as-tu fait pour passer sous le nez d'Ames et Frank ? » Il saisit son arme de service, enleva le cran de sûreté et jeta un coup d'œil par la fenêtre de la cuisine. « Ils sont censés surveiller cette baraque.

– P'pa, je fais le mur depuis que j'ai 12 ans, c'est pas deux flics en uniforme qui vont me repérer. » Anthony Jr. s'assit à la table, passa son doigt sur le bord du pot de beurre de cacahuète, et le mit dans sa bouche. « Et c'est pas non plus deux flics en uniforme qui vont remarquer le mec qui est venu sonner à notre porte. Et même s'ils y arrivaient, ils seraient incapables de l'arrêter. »

Colarusso se planta devant son fils. « Tu es censé te trouver aux côtés de ta mère et de tes sœurs.

– Ces huit jours avec la cousine Charlotte, ça a été comme de passer quatre-vingts ans au purgatoire. Elle cuisine encore plus mal que maman, et tout ce qu'elle fait de ses journées, c'est tricoter des pulls pour ses poupées. » Anthony Jr. plongea à nouveau son doigt dans le bocal. « Elles sont en sécurité, t'inquiète pas. Une carte de vœux par an, c'est pas une piste intéressante. Et en plus, le mec qui a sonné à la porte, c'était toi qu'il voulait. »

Colarusso souleva son pistolet. « Eh bien, s'il veut sonner un autre coup, je suis là. »

Anthony Jr. releva les yeux. « Moi aussi, je suis là, p'pa. »

« Vous avez pris des cours de danse, monsieur l'ambassadeur, minauda Sarah.

– Non, mais j'ai perdu un peu de poids », répondit Lao, l'ambassadeur chinois, en la faisant fléchir, profitant de l'occasion pour frotter son ventre contre le sien. C'était un homme petit et rond, d'âge moyen, vêtu d'un habit traditionnel, chaussures de soie aux pieds. Depuis la transition, Lao s'était illustré comme un négociateur extrêmement dur en affaires au service de l'une des deux superpuissances mondiales. Seul l'ambassadeur russe pouvait se vanter d'une influence aussi considérable que la sienne au sein de la capitale. Or il venait d'être rappelé à Moscou. « J'ai l'impression que cela a déplacé fort à propos mon centre de gravité. »

– Oh oui, c'est indubitable.

– J'ai été quelque peu surpris de vous voir ce soir avec Soliman. » Malgré le mascara, les yeux de Lao étaient extrêmement perçants. « Un gentil garçon, mais je croyais que vous l'aviez finalement éconduit. »

Sarah sourit. « Nous sommes restés bons amis.

– Bien sûr, bien sûr. » Lao désigna d'un mouvement de tête Rakkim, qui se trouvait en retrait. « Je constate que Redbeard a dépêché un garde du corps pour vous protéger. C'était vraiment inutile. L'un des nombreux avantages des réceptions à l'ambassade suisse, c'est le peu de sécurité qui s'impose. Nous avons tous intérêt à préserver un asile de plaisirs civilisés, indépendamment de toute considération mesquine de notre pays hôte.

– Je m'en souviendrai à l'avenir, monsieur l'ambassadeur, mais vous connaissez mon oncle. "Rien n'est plus dangereux qu'un endroit sûr."

– Insiste-t-il pour que votre garde du corps vous protège jusque dans votre lit doux et chaud ? » Lao éclata de rire à sa propre question, l'œil luisant. « Veuillez m'excuser, Sarah. Les femmes chinoises sont d'un tempérament de feu, et j'en viens parfois à oublier la délicatesse des femmes musulmanes.

– Dix-huit ans que vous vivez dans la capitale, et il vous arrive encore de l'oublier ? gronda gentiment Sarah. Monsieur l'ambassadeur, vous êtes un vilain garnement.

– De plus en plus vilain à mesure que les années passent », dit Lao en la faisant tourner plus vite. L'éclairage embrasa la couche de sueur qui baignait son front. Il sentait le lilas. Il sortit soudain de sa manche volumineuse un éventail qu'il se mit à secouer énergiquement. « J'ai bien l'impression que l'ambassadeur Kuhn a augmenté la brume euphorisante. Je me sens tout à fait gris. »

La pause du quatuor fut un véritable soulagement pour Sarah qui rejoignit sans hâte un coin plus calme du salon. « J'ai une faveur à vous demander. »

Les airs charmeurs de Lao s'évaporèrent aussitôt.

« J'ai un bijou que j'aimerais vous montrer. Un médaillon qui provient de votre pays. Un petit pendentif fabriqué dans un village à l'occasion de la fête des pruniers. » Sarah déposa le médaillon dans sa paume.

Lao l'examina rapidement, et haussa les épaules. « Cela n'a pas la moindre valeur. En apparence, du moins.

– Je cherche le village dont il est originaire. »

Lao rangea son éventail dans sa manche, et lui décocha un sourire dissimulateur. « J'ai toujours été citadin.

– J'aimerais que vous gardiez ce médaillon, dit Sarah en s'approchant de lui. Lorsque vous aurez retrouvé le village, je crois que vous seriez très avisé d'inviter les autorités à inspecter les lieux. Quelque part autour de ce village se trouve quelque chose.. quelque chose de très intéressant, pour nous tous. »

Lao brandit à nouveau son éventail ouvert, derrière lequel il dissimula sa bouche. « Que dois-je rechercher exactement ? »

Sarah referma la main de l'ambassadeur sur le médaillon. « Des radiations. »

58

Rakkim se réveilla, et se mit aussitôt en position de combat.

Sarah referma la porte derrière elle et traversa la pièce dans son tchador et sa robe bleu foncé. « Je n'ai pas voulu te réveiller en sortant. » Elle semblait fière d'être partie aussi discrètement. Elle avait toutes les raisons de l'être.

Après avoir quitté l'ambassade, ils étaient rentrés à l'entrepôt par des chemins détournés. Rakkim était convaincu qu'on les avait épiés durant la réception, mais il était tout autant convaincu de n'avoir pas été pris en filature. Encore surexcités par la brume euphorisante, ils avaient fait l'amour pendant des heures, plus intéressés par la simple friction et la chaleur de leurs corps que par la tendresse et l'intimité. Elle s'était endormie, et il était resté éveillé, pensant à Mardi. Elle avait quitté le Blue Moon deux semaines auparavant, suivant ses ordres à la lettre. La ligne de son portable avait été momentanément suspendue : une excellente idée de la part de Mardi. Elle avait fait tout ce que la situation imposait de faire. Il espéra que cela suffirait. Éreinté, il s'était rendu aux arguments du lit chaud et de Sarah, roulée en boule à ses côtés, et s'était endormi alors que retentissait l'appel à la prière de l'aube, résonnant sur les pavés de la rue. Il avait rêvé de Mardi et de Darwin, se séduisant l'un l'autre autour d'un verre au Blue Moon, tandis que, de toutes ses forces, Rakkim tentait de se faire entendre.

« Tu as l'air bien gai, dit Rakkim. Tu as appelé l'ambassade de Chine ?

– L'ambassadeur Lao est indisponible, mais ça n'a rien de surprenant. Même s'ils ont déjà localisé le village, il va leur falloir bien plus de temps pour inspecter les alentours. » Sarah retira son tchador et sa robe. Elle ne portait en dessous qu'une petite culotte. « Ce n'est pas pour ça que je suis heureuse. Je suis passée par la mosquée où j'ai consulté le site de La Pieuse Maîtresse de maison. Ma mère a laissé un message. » Ses joues s'empourprèrent, et elle s'assit sur le lit. « Nous avons rendez-vous avec elle dans l'après-midi. Elle veut que tu viennes, toi aussi. » Sarah tripotait les draps. « J'ai tellement hâte. J'ai peur, bien sûr, mais... ça fait tellement longtemps.

– Où avons-nous rendez-vous ? »

Sarah s'allongea à son côté et posa sa jambe sur lui. « Je ne sais pas... mais toi, tu sais. » Elle l'embrassa. Son visage était encore froid. « Ma mère a dû apprendre que nous étions ensemble. "Rappelle bien à ton compagnon de partir du bon pied." Ça doit être un code. Elle voulait certainement s'assurer que je n'étais pas quelqu'un d'autre. » Sarah glissa sa main sous les draps. « Tu vois ce que ça peut vouloir dire ? »

Rakkim eut une soudaine sensation de vertige. « Je crois que oui. »

Ibn Aziz était allongé lorsque la seringue hypodermique pénétra l'abcès purulent sous son œil mort. La douleur fut incandescente. Il sentit un liquide chaud couler sur sa joue gauche, sentit l'odeur pestilentielle des tissus nécrosés, et pour la millième fois maudit la domestique de Redbeard pour ce qu'elle lui avait fait. Ses poings se serrèrent, mais aucun son ne passa le seuil de ses lèvres.

Le médecin commença à retirer la chair morte autour de l'orbite mise à nu. La dernière chose que cet œil avait vue avant que cette vieille sorcière le réduise en bouillie avait été son visage déterminé, malgré les innombrables coups de couteau dont les gardes la perçaient déjà. Il regrettait d'avoir rendu sa dépouille. Il aurait dû la jeter dans un égout, ou la laisser sur un champ de maïs pour que les corbeaux la picorent. Il s'était montré miséricordieux envers ceux qui ne méritaient aucune pitié. Plus jamais. Ibn Aziz avait parlé aux ayatollahs de San Francisco et Denver, deux des villes les plus pieuses du pays. Ils étaient prêts à obéir à ses ordres, le moment venu.

Son œil intact fut secoué de clignements incontrôlables alors que le médecin s'attaquait à un autre abcès, une poche de pus plus profonde, sous ses narines, tout près de l'os. La douleur roula dans tout son corps comme une marée soudaine et impérieuse. De tous les dons qu'il avait reçus d'Allah, sa capacité à supporter la douleur était l'un des plus merveilleux. Il la ressentait pleinement, comme n'importe qui, mais Ibn Aziz savait que la douleur était la voie qui menait au paradis. Ibn Aziz siffla entre ses dents alors que le médecin répandait un produit antiseptique, et ses lèvres frémirent d'extase.

Rakkim poussa la porte du salon de coiffure, et la laissa ouverte pour Sarah. Il était passé devant la vitrine cinq minutes auparavant afin de s'assurer qu'Elroy se trouvait bien au fond.

« Un petit rafraîchissement ? » proposa l'un des coiffeurs en relevant les yeux de son magazine.

Rakkim indiqua du pouce le siège de cireur de chaussures. « Il faut que je parte du bon pied, aujourd'hui.

– Je me demandais si tu allais deviner », dit Elroy alors que Rakkim s'asseyait sur le siège. Elroy sortit brosses et cirage de sa trousse sans cesser de grommeler. « J'ai même dit à Spider de donner plus d'indices. »

Sarah s'assit à côté d'Elroy. « Où est-elle ?

– Enchanté de faire votre connaissance. » Elroy étala le cirage noir sur les bottes de Rakkim, et se mit à frotter. « OK, je rends les armes, votre beauté a obscurci mon jugement. Elle est dans le salon avec le professeur Violet.

– Cluedo ? » Sarah éclata de rire. « Comment est-ce que tu peux connaître le Cluedo ?

– Cluedo, Scrabble, Risk, Big Business, Candyland... on joue à tous les anciens jeux, dans ma famille. » Une brosse dans chaque main, Elroy battait les bottes de Rakkim en cadence. « Je peux vous faire perdre votre culotte au Monopoly en moins d'une heure, montre en main. Je mets 100 dollars sur la partie, des vrais dollars, en vous laissant même les services publics. »

Rakkim n'avait pas la moindre idée de ce dont ils pouvaient parler.

Sarah s'adossa à son siège pour laisser Elroy poursuivre sa tâche.

Rakkim observait le ballet des brosses. « Ta famille va bien ?

– Je partage ma chambre avec quatre frères au lieu de deux, le réfrigérateur n'arrête pas de s'éteindre, mais les ordinateurs fonctionnent parfaitement, c'est tout ce qui compte. Ça... et le fait qu'on soit tous ensemble. Ça va, on est en sécurité. » Elroy recula légèrement pour admirer son œuvre. Les bottes étaient d'un noir d'obsidienne.

Rakkim lui donna un billet de vingt. « C'est parfait.

– Vingt dollars ? Pauvre naze. » Elroy fourra le billet dans sa poche. « Il y a une boutique de réparation au coin de la rue, dit-il à voix basse. Elle est fermée, mais si vous allez jusqu'au bout de la rue, Spider vous ouvrira. Elle vous y attend également. » Il regarda Sarah. « Vous lui ressemblez. Il y en a qui ont vraiment de la chance.

– Merci. » Sarah embrassa Elroy sur la joue. « Et pour ce qui est des services, ce sont les pires propriétés de tout le plateau. Je te les laisse si tu me donnes les trois rues bleu clair. Je te laisserai même tomber dessus deux fois de suite sans payer de loyer.

– Sûrement pas, madame. » Elroy releva les yeux vers Rakkim. « Merci de m'avoir présenté le cerveau du binôme, gros dur. »

Rakkim et Sarah sortirent par-derrière, et descendirent la rue. Quelques voitures abandonnées, vitres brisées. Des immeubles aux fenêtres barricadées. De la merde de chien, des graffitis et des cartons imbibés de pluie. Un quartier catholique défavorisé tout ce qu'il y avait de plus banal.

« Je l'aime bien, dit Sarah.

– Lui aussi t'aime bien. » Rakkim entendit un léger tapotement et se retourna. Il regarda par terre. Comme s'il venait de laisser tomber quelque chose par terre. Personne ne les suivait. Une porte s'ouvrit à l'arrière de la boutique de réparation et Sarah s'y engouffra. Rakkim entra à reculons, jetant un dernier coup d'œil, et la porte se referma derrière lui.

Spider lui serra la main. Dans la semi-obscurité de la boutique, on aurait dit un gnome, ses cheveux bouclés dépassant de son bonnet de marin, son sourire presque entièrement dissimulé par son épaisse barbe.

« Je veux voir ma mère », dit Sarah.

Spider ouvrit une autre porte qui conduisait à un petit atelier. Elle attendait là, simplement. Katherine Dougan. Plus âgée que sur les photos que Rakkim avait vues. Apparemment, elle avait passé beaucoup de temps en plein air, sous les intempéries et la morsure du soleil, mais c'était bien elle.

Malgré l'impatience qui l'habitait jusqu'alors, Sarah resta plantée là, à regarder sa mère qui en faisait autant. Ni l'une ni l'autre ne bougeait. Sarah finit par faire un pas timide, et sa mère se précipita vers elle, la prenant dans ses bras. Toutes deux se mirent à pleurer, s'accrochant l'une à l'autre, le visage baigné de larmes.

Rakkim se tourna vers Spider qui haussa les épaules, embarrassé.

Katherine repoussa doucement Sarah pour la toiser, scruter son visage, ses cheveux, son corps, sa peau, la dévorant du regard.

Sarah éclata de rire. Fit une petite pirouette sur elle-même.

Katherine la serra à nouveau dans ses bras, et toutes deux sanglotèrent. Elles n'avaient toujours pas prononcé le moindre mot.

Rakkim observa l'atelier. Il était assez sale, mais l'un des derniers modèles d'ordinateur portable chinois ainsi que deux modules satellites dépassaient d'une caisse. Complètement légal et en vente libre à Las Vegas, mais dont la possession constituait un délit grave en République islamique. Dix ans minimum. À condition de dénoncer qui vous l'avait vendu. Sur un écran aussi épais qu'un cheveu, plaqué au mur, on pouvait voir huit images de caméras placées sous des angles différents. Quatre dans la rue, deux dans un sens et deux dans l'autre. Les quatre autres caméras avaient été installées à une bonne hauteur, permettant une vue panoramique de tout le secteur. Si quelqu'un de suspect arrivait, Spider aurait amplement le temps de tous les faire sortir.

« Comment l'avez-vous retrouvée ? » demanda Rakkim à Spider.

L'œil droit de Spider tressauta. « Depuis combien de temps Redbeard est-il à sa recherche ? Et l'autre, là... depuis combien de temps ? Vingt ans ? » La bouche de Spider se tordit de plaisir. « Il m'a fallu trois semaines. Il est vrai que j'avais quelques atouts. » Il jeta un regard en direction de Katherine et Sarah. Elles parlaient à présent à voix basse. Elles se tenaient l'une à l'autre, comme persuadées que seul un contact physique étroit les empêcherait d'être séparées.

« Elle a passé tout ce temps à Seattle ? demanda Rakkim. Je n'arrive pas à y...

– Ne soyez pas idiot. » Spider jetait un coup d'œil à l'écran de surveillance toutes les six secondes, comme s'il avait un chronomètre dans la tête. « Elle s'est trouvé une cachette extrêmement sûre. Je suis bien obligé de lui tirer mon chapeau. Si elle s'était abstenue de communiquer avec Sarah, je doute qu'il eût été possible de la retrouver.

– Vous avez remonté sa piste à partir de ses messages ? Mais vous disiez que ça vous renvoyait aux quatre coins de la planète ? »

Spider sourit. Il semblait avoir vraiment beaucoup trop de dents. « Il était impossible de pister les messages que Sarah avait reçus au Mecca Café, alors j'ai opté pour une autre méthode. J'ai piraté tous les comptes d'accès des commerces voisins du café, en élargissant peu à peu les recherches en cercles concentriques. Ça a pris un certain temps, mais j'ai réussi à en dégager une série d'échanges d'informations qui remontaient à un peu plus d'un an. J'ai fait une analyse logarithmique... » Il sembla avoir mal. « Je vais faire simple. Les signaux étaient envoyés et renvoyés à travers le monde, mais ils avaient tous pour origine un seul et même satellite. Le problème, c'est qu'à ce point d'origine il n'y avait aucun satellite. J'ai fini par comprendre que le satellite utilisé pour la toute première émission du message était un satellite de l'ancien régime, dont l'orbite s'était considérablement dégradée. Personne n'utilise plus ce satellite. Une fois que j'ai compris ça, il ne me restait plus qu'à faire une petite triangulation.

– Vous avez fait tout cela alors que vous étiez en train de fuir les Robes noires ?

– Je vous impressionne, hein ? lança Spider.

– Un peu.

– Vous voulez que je vous fasse encore plus peur ? » Spider jeta un coup d'œil latéral sur l'écran. Rakkim ne prêtait quasiment plus attention à ce réflexe. « Elroy est bien plus malin que moi. J'arrive tout juste à le suivre. Et j'ai une fille de 7 ans qui d'ici quelques années coiffera Elroy au poteau.

– Benjamin ?

– Oui, Katherine », répondit Spider.

Rakkim regarda Spider. Il n'avait jamais entendu son prénom.

« Montrez-leur, s'il vous plaît », demanda Katherine.

Spider appuya sur une touche de son ordinateur portable. Tous se serrèrent autour de lui.

L'écran fut un bref instant complètement gris, puis apparut l'image d'un homme assis sur une chaise. *Je m'appelle Richard Aaron Goldberg.* L'un des visages les plus connus au monde. Le chef de l'équipe sioniste qui avait posé la bombe atomique de New York. Sa confession numérique était connue de tout écolier, et diffusée en boucle chaque année, le jour anniversaire de la tragédie. *« Il y a onze jours, mon équipe...*

– *Non, non, non. Ton langage corporel ne va pas. Combien de fois il faut que je te le répète ? Il faut que tu maintiennes ton dos courbé. Et remue un peu les jambes. Je suis en train de t'arracher ces aveux sous la contrainte, tu te rappelles ? Essaye encore.*

« Cette voix... c'est celle de Macmillan ? » demanda Rakkim.

« Je m'appelle Richard Aaron Goldberg. Il y a onze jours...

– *Tu n'arrives pas à stabiliser la taille de ta pupille. Peu importe qu'elle soit légèrement dilatée ou pas, ce qui compte, c'est qu'elle reste du même diamètre. C'est le changement de taille qui est le signe d'un mensonge. »* Un homme maigre aux lunettes épaisses entra dans le champ de la caméra, et posa une main sur le diaphragme de Goldberg. *« Utilise les techniques de respiration que je t'ai enseignées. »* Puis il sortit du champ.

« C'est monstrueux », lâcha Sarah.

Goldberg s'éclaircit la gorge. *« Je m'appelle Richard Aaron Goldberg. Il y a onze jours, mon équipe a simultanément fait exploser trois charges nucléaires. L'une a détruit New York. Une autre a détruit Washington, et la troisième a fait de La Mecque un piège à radiations. Notre intention était... »* Il posa une main sur son genou tremblant. *« Notre plan était d'accuser les islamistes de ces attentats. De semer la zizanie entre l'Occident et l'ensemble des musulmans, et de faire régner le chaos dans tout le monde musulman. »* Un filet de sueur coula de sa tempe le long de son visage. *« Je crois... je pense que nous aurions réussi avec un peu plus de chance. »* Il releva le menton. *« Je m'appelle Richard Aaron Goldberg. Mes hommes et moi-même faisons partie d'une unité secrète du Mossad. »* Quelques applaudissements. *« C'est mieux. J'ai bien aimé la goutte de sueur. On la refait. »*

L'écran redevint gris. Personne ne parla pendant un moment. On n'entendait plus que les grondements et grincements de la vieille boutique.

« Ce que nous venons de voir... c'est authentique ? finit par demander Rakkim.

– C'est authentique, répondit Katherine. Mon époux m'a donné cette vidéo la veille de son assassinat. Les données étaient dissimulées dans les perles d'un chapelet de prière.

– On peut facilement créer ce genre de documents de toutes pièces, dit Rakkim.

– Tout peut être truqué et arrangé mais, en l'occurrence, c'est bel et bien le plus grand interrogateur du FBI qui aide Goldberg à faire ses aveux, répliqua Spider. Lorne Macmillan, l'un des héros glorieux des États-Islamiques d'Amérique. »

Sarah avait toujours les yeux rivés sur l'écran vide de l'ordinateur portable. « C'est comme... c'est comme de voir Jack Ruby et Lee Harvey Oswald en train de répéter leur scène sur le parking du commissariat central de Dallas. » Elle secoua la tête. « "Alors je sortirais de la masse des photographes, Lee, et là tu t'arrêterais net en faisant semblant d'être étonné..."

– Qui est Jack Ruby ? » demanda Rakkim.

Spider approcha de l'écran de surveillance. « Cette voiture blanche ne me plaît pas du tout. » Il attendit. « Non... tout va bien, elle a tourné sur Madison. » Il continua cependant à épier les huit images.

« Pourquoi ne m'as-tu rien dit à propos de ça ? demanda Sarah d'un ton impérieux.

– Je... je ne pouvais pas, répondit Katherine en rougissant. J'avais peur que quelque chose t'arrive et...

– Tu ne me faisais pas confiance, dit Sarah.

– Ton père disait toujours qu'il était préférable que la main droite ne sache pas ce que faisait la gauche, rétorqua Katherine. Il n'en a même pas parlé à Redbeard.

– Tu ne me faisais pas confiance, répéta Sarah.

– Tu auras tout le temps de me détester, répliqua Katherine d'un ton sec. Pour l'heure, nous devons montrer cela à Redbeard. Comment disiez-vous, Benjamin ?

– Rapidité et diffusion, répondit Spider. Nous devons porter cette vidéo à la connaissance d'un maximum de personnes en un temps minimum. Autrement, la vague de désinformation officielle nous engloutira. J'avais pensé à pirater l'un des sites les plus populaires, tels que *whatdoido-imam.com* et *faithful-jobsearch.com*[1], mais je ne peux pas y arriver tout seul. Redbeard peut nous aider à contourner la plupart des obstacles, mais je ne suis même pas sûr qu'il faille s'attaquer à ces sites. Je crois que le mieux serait de faire une retransmission mondiale.

– Je ne sais pas si je peux demander ça à Redbeard », dit Sarah, toujours en colère. Elle était intellectuellement préparée à apprendre la vérité au sujet de la Trahison sioniste, mais le fait de la voir était tout à fait différent. Peut-être sa rencontre avec sa mère, après toutes ces années, lui avait-elle mis les nerfs à fleur de peau. « Il sait parfaitement ce qui pourrait arriver si cette vidéo... aussi choquante qu'historique, était révélée.

– Personne ne te demande de le faire. » Katherine était remontée, déterminée. « C'est moi qui le demanderai à Thomas. »

---

1. « quedoisjefaire-imam.com » et « pieux-cherchemploi.com ». *(N.d.T.)*

59

« Voyez qui est de retour au bercail », s'exclama Stevens, le dandy au visage grêlé qui avait arrêté Rakkim au Blue Moon, le soir du Super Bowl. Cela semblait remonter à des années. Ses cheveux étaient lisses et luisants, la coupe de son costume irréprochable. Ses chaussures augmentaient sa taille de cinq centimètres. Ses yeux avaient l'éclat de ceux d'un homme qui couvait quelque secret. « Tu n'as pas l'air très heureux de me revoir, feddayin.

– Surpris, c'est tout. »

Stevens le tapota du bout d'une baguette, en insistant vigoureusement sur l'entrejambe. « Désolé. Je dois m'assurer que tu n'as rien de dangereux dans le pantalon. Non. Rien du tout là-dedans. »

Les gardes qui avaient amené Rakkim à Stevens éclatèrent de rire, avant de se retourner vers Sarah et Katherine qui se faisaient fouiller par une de leurs collègues. Katherine était recouverte d'une burqa noire : seuls ses yeux étaient visibles à travers la fente prévue à cet effet.

Rakkim resta calme tandis que Stevens continuait sa fouille brutale. La sécurité à la villa avait toujours comporté plusieurs étapes, mais l'ampleur des contrôles avait atteint un niveau sans précédent. Ils étaient déjà passés par deux scanners capables de détecter armes biologiques, dispositifs électroniques et explosifs. Le support numérique des aveux de Richard Aaron Goldberg était inerte, et était donc passé au travers du crible de la sécurité.

« C'est une bonne chose que tu sois revenu, dit Stevens. Redbeard est complètement débordé.

« – Et depuis quand Redbeard se confie à toi ? » dit Rakkim, que les coups de baguette avaient un peu meurtri.

Une alarme retentit, et la garde qui fouillait Sarah se recula.

Rakkim jeta un coup d'œil à l'écran du bioscanner, et pesta entre ses dents, se maudissant de la grossière erreur qu'il avait commise. Le Vieux n'avait pas implanté un mouchard en lui, mais sur Sarah, sans doute en profitant de son sommeil. C'était une biopuce, indétectable par la montre de Sarah, ce qui expliquait pourquoi les deux premiers scanners de la villa n'avaient pas bronché. Rien d'étonnant à ce qu'ils aient pu s'enfuir de Las Vegas aussi facilement, flottant au-dessus du désert comme une bulle de savon... qu'un simple coup d'aiguille aurait suffi à faire éclater.

Pendant qu'un technicien neutralisait la puce de la taille d'une tête d'épingle placée derrière l'oreille de Sarah, Rakkim appela Spider et Elroy pour leur dire de rester à l'écart du salon de coiffure. Puis il appela Peter, Jeri Lynn et le professeur Wu. Peter se trouvait au casino. Il le remercia de son appel et raccrocha aussitôt. Jeri Lynn dit qu'elle avait voulu les prévenir, mais qu'elle n'avait aucun numéro auquel les joindre. Darwin l'avait réveillée en plein milieu de la nuit, assis sur son lit, faisant sauter sur ses genoux sa fille cadette. La voix de Jeri Lynn chevrota. Elle avait dit à Darwin tout ce qu'elle savait, et il s'était volatilisé aussi soudainement qu'il était apparu. Pas de réponse du professeur Wu.

Il rangea son téléphone alors que Sarah approchait. « Nos doublures... elles ont été prises en filature dès le centre commercial, jusqu'en Arizona. Pourquoi ?

– Pour nous convaincre que nous avions réussi à le berner. Le Vieux a besoin de nous pour trouver tous les points faibles qu'il aurait négligés dans son plan. Comme le médaillon, par exemple.

– Il nous considère plus utiles que dangereux. C'est pour cela qu'il ne nous a pas tués. » Sarah se gratta derrière l'oreille. Elle s'en rendit compte et s'interrompit, dégoûtée. « Il a dû changer d'avis, à présent, non ?

– Il sait pour le médaillon, mais pas à propos des véritables aveux. C'est un avantage considérable pour nous. »

Les portes du cœur de la villa s'ouvrirent dans un chuintement. Les différences de pressurisation visaient à protéger les lieux d'éventuelles attaques biologiques ou au gaz. Redbeard les attendait à l'intérieur, affichant une mine sinistre. Il était vêtu plus élégamment que d'habitude, portant une tunique et un pantalon blancs, et des babouches finement ouvragées. Rakkim aurait préféré voir Angelina en premier, mais elle devait sans doute être occupée à préparer un festin pour leur retour. Il ne sentit cependant aucune odeur de cuisine. Sarah, Rakkim et Katherine entrèrent. Stevens leur emboîta le pas, mais, d'un discret mouvement de la main, Redbeard lui ordonna de rester dehors. Les portes se refermèrent derrière eux trois. « Merci d'avoir ramené Sarah, dit Redbeard à Rakkim. Peut-être serait-il plus avisé la prochaine fois de laisser derrière toi une traînée de bouts de pain à l'attention du Vieux.

– Je viens de voir que tu as chargé Stevens de la sécurité, siffla Rakkim entre ses dents. Est-ce qu'il a déjà sa chambre dans la villa ?

– Je suis désolée, mon oncle, coupa Sarah. Je sais que je t'ai déçu, mais il fallait que je... »

Redbeard la serra dans ses bras. « Tu es saine et sauve, c'est tout ce qui importe. » Il regarda Katherine tout en gardant Sarah contre son cœur. « Et qui est cette femme pieuse que vous avez invitée chez nous ? » Katherine retira le pan de tissu qui lui recouvrait le visage, et Redbeard se figea. Ses yeux ne reflétèrent pourtant aucune surprise. Rakkim y lut autre chose. « Bienvenue... bienvenue à la maison.

– C'est un plaisir de te revoir, Thomas. » Katherine inclina la tête. « J'ai commis certaines erreurs.

– Moi aussi », dit Redbeard.

Sarah lança un regard à Rakkim qui lui répondit en haussant un sourcil.

« Nous avons besoin de ton aide, déclara Katherine.

– Allons parler dans mon bureau. » Redbeard ouvrit la marche en jetant un coup d'œil à Sarah. « As-tu trouvé ce que tu recherchais ?

– Je n'en suis pas certaine, répondit Sarah. Ce n'est pas à ce titre que nous sommes ici. C'est Katherine qui possède le véritable trésor. Elle a pris un risque inconsidéré en venant ici, mais tu le sais déjà.

– Je n'ai jamais cessé de te rechercher », dit Redbeard à Katherine. Tous deux marchaient à présent côte à côte. « Si seulement tu savais combien je...

– J'aurais dû te contacter après avoir compris que... » Katherine hésita.

« Après avoir compris que je n'avais pas assassiné mon frère », poursuivit Redbeard à sa place.

Katherine acquiesça.

« Je ne t'en veux pas, dit Redbeard. James m'avait dit qu'il avait en sa possession quelque chose de très sensible. Quelque chose qui présentait un danger pour lui autant que pour le pays. James m'aimait de tout son cœur, mais il a refusé de me dire ce dont il s'agissait. "Pas encore, m'avait-il dit. Bientôt, Thomas." » Ses yeux se brouillèrent. « Dix minutes plus tard, il mourait dans mes bras. Non, tu as fait ce que James aurait voulu que tu fasses. Tu as gardé le secret. Tu ne t'es fiée à personne.

– Il n'y avait pas que ça, dit Katherine. Je... ne me faisais pas confiance. »

Rakkim faillit écarquiller les yeux. C'était la première fois qu'il voyait Redbeard rougir.

Ce dernier ouvrit la porte de son bureau et les fit entrer.

« Où est Angelina ? demanda Sarah. J'ai hâte qu'elle arrive, en faisant semblant d'être en colère, pour me dire quelle vilaine petite fille je suis.

– Moi aussi, j'ai hâte de la voir, Thomas, dit Katherine. Elle sait à quel point je lui suis reconnaissante, mais j'aimerais la remercier en personne.

– Elle est encore à la mosquée ? insista Sarah. Elle devrait être de retour, à cette heure... Mon oncle ? Qu'est-ce qui ne va pas ? »

La vidéo toucha à sa fin et l'écran s'obscurcit. Ils venaient de visionner pour la troisième fois la répétition des aveux. Personne n'avait prononcé le moindre mot. Le seul son audible avait été les sanglots de Sarah qui, roulée en boule sur le canapé, pleurait la mort d'Angelina, tandis que Katherine lui caressait tendrement le dos. Rakkim se concentra sur Redbeard, tentant d'interpréter ses réactions.

Rakkim sentait encore les sanglots de Sarah résonner dans sa propre poitrine. Après que Redbeard leur eut tout révélé, il avait serré Sarah dans ses bras, et l'avait laissée pleurer pour eux deux. Il avait 9 ans lorsqu'il avait été recueilli par Redbeard. Angelina l'avait élevé, ou du moins elle avait essayé, et en partie réussi. Elle lui manquait déjà énormément. Cette odeur de propreté, le parfum de ce savon importé qui était son seul luxe en ce bas monde, lui manquaient déjà. Il irait un jour à la mosquée et prierait pour elle. Elle qui n'avait besoin d'aucune prière pour entrer au paradis. Il prierait de toute façon. En espérant qu'elle intercède un jour en sa faveur. Allah Lui-même pouvait-Il lui refuser quoi que ce soit ?

« Ce document est authentique, Thomas, dit Katherine, brisant le lourd silence.

– Je n'ai jamais cru que Macmillan avait glissé dans sa baignoire et s'était brisé le cou, comme le veut la version officielle. "Le héros qui a démantelé le réseau sioniste", c'était ainsi que tout le monde l'appelait. Le pays a observé un deuil national d'une semaine. James et moi faisions partie de la garde d'honneur de ses funérailles. » Redbeard

fixait le mur nu. « Je suis heureux que vous soyez ici...
mais j'aurais aimé que vous n'ameniez pas ceci avec vous.

– Nous devons diffuser ces images. » Sarah essuya ses
larmes. « Nous avons besoin de ton aide pour les diffuser
partout, avant que leur authenticité soit remise en question. Les gens doivent voir ça de leurs propres yeux,
l'entendre de leurs propres oreilles, avant que les médias
le dénaturent. »

Redbeard se saisit du support numérique et le lança
à Rakkim. « Je ne vous aiderai pas à détruire ce pays.
J'ai fait le serment de le protéger. Toi aussi.

– Notre pays a été fondé sur un mensonge, observa
Rakkim.

– Quel pays ne l'a pas été ? » Le regard de Redbeard était
glacial. « Dis-lui, Sarah. C'est toi, l'historienne. Raconte-lui
l'ancien régime.

– Ce que je sais, c'est qu'ils ne brûlaient pas vifs fornicateurs et sorcières, répondit Sarah. Ils ne lapidaient pas
à mort des jeunes filles qui avaient fui leur mari. Ils ne
tranchaient pas les mains des voleurs... »

Redbeard attrapa la main de Rakkim. « Il a gardé sa
main, lui. » Rakkim la dégagea aussitôt. « La loi est dure,
mais elle laisse la place à la miséricorde. Ne me dis pas ce
à quoi ressemblait ce pays avant, jeune fille. J'ai vécu cette
époque. On vendait de la drogue à chaque carrefour. Il y
avait des armes à feu partout. Dieu n'avait plus sa place
dans les écoles, pas plus que dans les palais de justice.
On naissait hors mariage, riche ou pauvre, il y avait tant
de bâtards que tu ne croirais pas même les chiffres que je
pourrais te citer. Un pays sans honte. De l'alcool vendu
dans les supermarchés. Des bébés tués avant d'être nés,
par dizaines de milliers. J'étais catholique, en ce temps-là.
Des politiciens ont voté ces lois et sont allés communier
après. Tu sais ce que c'est que l'eucharistie ? Ces politiciens se sont agenouillés pour recevoir le Christ, et les
prêtres se pressaient pour placer l'hostie sur leur langue. »
Redbeard secoua la tête. « Nous ne sommes pas parfaits,

loin de là, mais je ne retournerais à cette époque pour rien au monde.

– Ils n'avaient pas peur, rétorqua Sarah. Regarde toutes ces anciennes vidéos, tous ces vieux films... ils n'avaient pas peur. Et regarde autour de toi, mon oncle, parcours les rues : les gens sont terrifiés. Ils ont peur de ne pas agir comme il faut, de ne pas dire ce qu'il faut, de ne pas penser ce qu'il faut. Oui, les Américains étaient ivres de liberté. Oui, ils n'avaient aucune honte, mais ils ont accompli des choses merveilleuses grâce à cette liberté. Des découvertes historiques dans le domaine de la science et de la médecine. Des théories renversantes sur la nature de l'univers. Des avancées époustouflantes. De nobles...

– Vous vous trompez de débat, tous les deux », interrompit Rakkim.

Katherine regardait les photographies de New York, Washington et La Mecque qui recouvraient une partie des murs du bureau.

« James devait partager mon opinion, dit Redbeard à Katherine. Il avait ce document en sa possession, mais il te l'a confié afin que tu le mettes en sûreté. Il n'a même pas voulu le confier au président. Pas avant de s'être assuré que leur stratégie serait la même. James aurait voulu se servir de ce document pour brider les fondamentalistes, mais il ne l'aurait jamais révélé au monde. Il voulait sauvegarder l'essence musulmane de l'État. Tout comme moi. »

Rakkim posa sa main sur l'épaule de Redbeard. « Il ne s'agit pas de déterminer quel système politique est le meilleur. Il est trop tard pour cela. Ce document, c'est tout ce que nous avons. J'ai rencontré le Vieux. J'ai parlé avec lui. Tu ne peux plus l'arrêter, et il le sait. La santé du président décline de jour en jour. Lorsqu'il aura disparu, le Vieux avancera ses pions. Certains de ses fidèles sont prêts à remplacer le président. Des politiciens, des juges... il me l'a dit lui-même. Des hommes si proches du sommet du pouvoir qu'un coup d'État ne sera pas même nécessaire. Ce ne sera qu'un simple transfert de pouvoir légitime... légitime sur le papier, en tout cas. Et si le Vieux finit par s'impatienter, ce sera au tour du président de glisser dans sa baignoire et de se briser le cou.

– Le Vieux s'appelle Hassan Muhammed, lança Redbeard d'un ton sec. Il n'a jamais cessé de mentir de toute sa vie.

– Je ne pense pas qu'il mentait, cette fois, rétorqua Rakkim. Je l'ai rencontré à Las Vegas. Il m'a convié au sommet d'un gratte-ciel, l'une de ses immenses propriétés, parmi tant d'autres. Nous étions tous les deux seuls, là-haut, comme sur un tapis volant avec la ville étalée à nos pieds.

– Et il t'a offert une place d'honneur à ses côtés ? Il t'a offert une grosse tranche du monde, c'est ça ? » Redbeard passa une main sur sa barbe. « Je ne lis pas dans les esprits. Il est toujours stratégiquement avisé d'en appeler à la vanité et à la cupidité d'un homme. Sa seule erreur, c'est de s'être adressé à toi. »

Rakkim ne releva pas le compliment. Il percevait le trouble que Redbeard tentait de dissimuler derrière ses phrases grandiloquentes. « Le Vieux parle d'un califat tolérant, de la réunification de tous les courants disparates de l'islam, d'une nouvelle harmonie de tous les croyants. Il réserve même une place aux chrétiens. À l'entendre, on le croirait aussi modéré que toi, mais, une fois qu'il aura pris le pouvoir, penses-tu qu'il s'en tiendra à ses belles paroles ? S'il a pu tuer des millions de personnes avec des armes nucléaires, s'il a consenti à irradier La Mecque elle-même... penses-tu qu'il hésitera à commettre jusqu'à l'irréparable pour conserver le pouvoir ?

– Rakkim dit vrai, Thomas, lança Katherine. Tu le sais. »

Redbeard acquiesça et nul n'osa parler. « Dites-moi ce que vous attendez de moi, finit-il par dire. Si la vérité doit nous anéantir, alors qu'elle nous anéantisse. Allah est nécessairement du côté de la vérité.

– Merci, dit Sarah.

– Ne me remercie pas, rétorqua Redbeard. Je doute assez comme ça. Si vous vous mettez tous à me remercier, j'aurai la certitude que je suis en train de commettre une erreur. » Il plissa les yeux en direction de Rakkim. « Qu'est-ce que Sarah et toi faisiez à l'ambassade suisse, mardi soir ? Stevens est arrivé sur place cinq minutes avant votre départ. Si j'avais refusé de vous aider, auriez-vous prévu d'émigrer ? »

Rakkim avait bien senti qu'on l'observait. Il fut soulagé d'apprendre que l'espion était un informateur de Redbeard. « Ce pays est le mien. Je reste.

– Bien. Dans ce cas, nous resterons et nous nous battrons. » L'expression de Redbeard s'assombrit. « Et nous en aurons l'occasion sans doute plus tôt que prévu. Ton ami l'inspecteur Colarusso a reçu la visite de l'assassin envoyé par le Vieux. Colarusso n'était pas chez lui, et son fils a eu la présence d'esprit de ne pas ouvrir leur grille de sécurité, mais tu as raison, la situation est critique.

– J'appellerai Colarusso dès que nous partirons d'ici, dit Rakkim.

– Rien ne vous pousse à partir. Vos chambres sont telles que vous les avez laissées, répliqua Redbeard. J'espère que tu as pour projet de rester, Katherine, dit-il d'une voix douce. C'est aussi ici chez toi.

– Ce serait un honneur. »

Redbeard tira Rakkim contre lui. Rakkim pouvait sentir la fatigue de Redbeard. « Tu disparais pendant des semaines, et tu ne trouves rien de mieux pour engager la discussion que de me demander si Stevens a sa chambre à la villa. Ne t'ai-je donc rien appris ? Tu laisses parler ton orgueil plutôt que ton esprit. Plutôt que de voir en Stevens un rival, tu ferais mieux de le considérer comme un allié. C'est lui qui a arraché le corps d'Angelina des mains des Robes noires. C'est lui qui a pénétré dans ce nid de vipères, seul, et exigé qu'Ibn Aziz rende sa dépouille. D'après ce qu'on m'en a dit, les gardes du corps du jeune mollah voulaient tailler Stevens en pièces, mais Stevens n'a pas fléchi, et Ibn Aziz lui a finalement indiqué l'endroit où se trouvait Angelina. Ibn Aziz n'a rien avoué, bien sûr, mais nous avons pu la récupérer à temps pour l'inhumer selon les rites.

– Pardon, mon oncle. »

Redbeard le lâcha, et claqua ses paumes. « Bien. Comment puis-je vous aider ? »

Rakkim sourit. « Es-tu chargé de la sécurité de la cérémonie des oscars ? »

60

Rakkim pénétra sans se presser à l'intérieur du Blue Moon. Il espérait attirer l'attention d'éventuels poursuivants et laisser ainsi toute liberté d'agir à Sarah. La foule était clairsemée en milieu de semaine, et il avait pris tout son temps entre la station de monorail et le club. Il s'était arrêté de temps en temps devant les vitrines afin de voir s'il était suivi.

« Patron ! » Albert sortit de derrière le bar, et lui appliqua une forte tape dans le dos. « Z'étiez où ? »

Rakkim montra du doigt la cabine privative habituelle de Mardi, tout au fond du club. Il ne pouvait pas la voir d'ici, mais il savait qu'elle s'y trouvait. « Amène-nous deux verres, s'il te plaît. »

Mardi releva les yeux de sa paperasse lorsqu'il arriva à sa hauteur. Elle était plus blonde, plus bronzée, et elle semblait avoir perdu du poids.

« Ne te fâche pas.

– Pourquoi est-ce que je me fâcherais ? » Rakkim s'assit en face d'elle. Il voulait pouvoir voir l'entrée du club, et également être vu. « J'ai juste essayé de te sauver la vie.

– Ça faisait bientôt deux semaines que j'étais partie. J'allais devenir folle.

– Tu as amené Enrique avec toi.

– Il fallait bien que je m'occupe. » Mardi regarda autour d'elle, ennuyée. « Qui t'a raconté ça ? Enfin quoi, tu vas batifoler au vert avec la princesse des Mille et Une Nuits, et moi je suis censée me cacher toute seule ? »

Rakkim éclata de rire. « Batifoler ? » Il hocha la tête. « En principe, tu n'as plus à redouter la visite de Darwin. »

Le club s'emplissait peu à peu de clients, des modernes aux habits colorés et aux cheveux rasés en arabesques. L'appel à la prière résonna dans la rue, aussi faible qu'une balise perdue dans la brume marine, mettant en garde les marins contre les récifs. « J'ai entendu dire qu'Enrique était passé de la plonge au service, dès ton retour. »

Mardi rayonna, rejetant ses cheveux en arrière. Elle portait un fin bracelet d'or au poignet gauche. Vu le temps qu'elle avait passé sous le soleil, elle avait forcément eu besoin de quelqu'un pour lui étaler de l'ambre solaire sur le dos. Elle avait un dos magnifique, mince et finement ciselé, avec deux creux tout en bas. « C'étaient vraiment d'excellentes vacances. »

Albert vint leur servir deux jus de fruits frais à la glace pilée, resta un instant sur place, puis s'éclipsa.

« Tu m'as manqué, dit Mardi. Hé, je ne dis pas ça pour t'embarrasser. C'était par politesse.

– Je ne suis pas embarrassé et ce n'était pas par politesse.

– Alors, on t'en a confié une, c'est ça ? demanda Mardi.

– Quoi ?

– Tu as une nouvelle mission. Tarik avait le même regard quand on lui confiait une nouvelle mission. Il devenait si... calme, si profondément serein que je savais automatiquement qu'il était en train de se préparer. Se préparer à ce que le destin lui réserverait. Sans peur. Sans regret...

– Il bâtissait son navire de mort.

– Oui, c'est exactement ce que Tarik avait l'habitude de dire. Il n'y avait pas de place pour moi sur ce navire, pas de place pour qui que ce soit. » Mardi le fixait, de ses yeux d'un bleu froid. Parfois, lorsqu'ils faisaient l'amour, ses yeux s'attendrissaient, un bref instant. Ça n'avait rien à voir avec ce qu'il pouvait faire ou ne pas faire, c'était simplement un moment fugace où elle laissait tomber son masque. Peut-être acceptait-elle fugacement d'oublier son époux, ou bien ressentait-elle sa présence en Rakkim. Cette confiance de feddayin, comme une odeur que les feddayin dégageaient naturellement, selon les propres mots de Mardi. « Tu as une nouvelle mission.

– Oui. C'est vrai. »

Mardi fit traîner son verre sur la table, sans le soulever. « Je n'ai croisé Sarah qu'une seule fois, et elle ne m'a pas franchement plu, mais, Rakkim... à cette minute précise, j'ai vraiment de la peine pour elle. »

« C'est un coin adorable, Thomas.

– Tu es la seule à m'appeler encore comme ça, dit Redbeard. Ça me plaît. »

Katherine trempa sa main dans la petite cascade au cœur du jardin de Redbeard, où ils se trouvaient seuls, tous les deux. « J'ai toujours voulu avoir un jardin d'eau.

– Je sais.

– J'aime ce type de paysage, les sons qu'on peut y entendre, cette odeur. Cette vie qui palpite. » Katherine leva les mains, laissant courir l'eau le long de ses bras nus. La lueur du crépuscule approchant changea sa peau en cuivre. « Ces oiseaux, ces grenouilles, ces lézards, ces poissons. La mousse sous nos pieds, les feuilles caressant nos visages. Être ici, c'est comme faire l'amour à la terre.

– Je n'avais jamais vu la chose de cette façon.

– "Se rapprocher de Dieu", ça te convient mieux ? » Katherine sourit, regardant une feuille tournoyer dans l'eau, prise par un minuscule tourbillon. « Tu t'es bien occupé de Sarah.

– Angelina s'en est bien occupée.

– Non... il y a beaucoup de toi en elle. C'est une guerrière.

– Comme sa mère.

– Oui, comme moi. »

Ni l'un ni l'autre ne mentionnèrent James. Il avait énormément de qualités, mais James n'était pas un guerrier.

Pas comme Redbeard. Ni comme Katherine. « Est-ce qu'il t'arrive de te demander ce que... balbutia Redbeard.

– Oui. »

Redbeard opina du chef, peu désireux de poursuivre. Le fait d'être assis seuls tous les deux, dans son coin préféré, lui suffisait amplement. Il avait tellement rêvé de ce moment.

« Je n'aurais jamais pu trahir James, dit Katherine. Pas plus que toi. Mon regard te fuyait. Je me disais que cela suffirait.

– Je pensais que tu ne m'aimais pas, dit Redbeard. Je n'ai compris qu'hier, quand tu es revenue... j'ignorais tes sentiments.

– C'est pour cela que nous étions si maladroits et nerveux en présence l'un de l'autre, interprétant de travers toute remarque innocente. Notre conscience était coupable. Nous étions amants en esprit, adultères sans la moindre caresse. » Katherine attrapa une capsule rouillée de Coca-Cola au fond du ruisseau et la sortit de l'eau. « Il me semble que c'était hier.

– Il est trop tard, Katherine.

– Je sais.

– C'était mon frère. Je l'aimais. Je me sentais si... sale lorsque ces pensées me traversaient l'esprit. J'avais parfois peur qu'il parvienne un jour à lire mes pensées. Et puis après sa mort... je me suis parfois dit... je me suis dit que... » Redbeard éclata en sanglots, le corps secoué par les efforts qu'il faisait pour les contenir. « Je me suis dit que c'était peut-être ma faute. Que la raison pour laquelle je n'avais pas su anticiper son assassinat, la raison pour laquelle je n'ai pas réagi plus rapidement... peut-être était-ce parce que je voulais que...

– Chhhhhh. » Katherine, bien que menue, paraissait plus grande que Redbeard, alors qu'elle pressait son visage contre elle. « On t'a tiré dessus à trois reprises, et tu as pourtant réussi à neutraliser le meurtrier. Si tu avais vraiment souhaité la mort de James, tu t'y serais pris autrement.

– J'étais censé le protéger, gémit Redbeard.

– Nous faisons de notre mieux. Dieu s'occupe du reste.

– Je suis désolé, Katherine. J'aurais... j'aurais aimé que nous ayons le temps. »

Katherine déposa la capsule dans sa main. « Je suis sûre qu'il y en a d'autres comme celle-ci, tout près de l'endroit où je l'ai pêchée. Est-ce que nous avons assez de temps pour ça, Thomas ? »

Les naseaux de la jument de Sarah frémirent, et Sarah la fit avancer en tirant sur les rênes. « Je veux simplement que tu saches quels risques tu prends.

– Je vais te dire un petit secret, dit Jill Stanton tandis que toutes deux trottaient côte à côte aux abords d'un ranch voisin. Je fuis les objectifs depuis maintenant quinze ans, mais lorsqu'on est célèbre, vraiment célèbre, on peut faire ce qu'on veut, dans la plus grande impunité. Viol, drogue, vol... On peut parfois même commettre un meurtre. » Des sauterelles vertes volaient autour d'elles alors que les juments avançaient dans les hautes herbes. « Après la cérémonie des oscars qui se déroulera la semaine prochaine, je serai interviewée par l'ensemble des médias. Je serai le premier sujet de tous les flash-infos. Tu verras, ma belle. Je serai la victime innocente la plus parfaite que tu aies jamais vue. Tu n'as aucun souci à te faire pour moi. »

Sarah arrivait tout juste à maîtriser sa monture. Plus tôt dans la journée, elle l'avait louée au voisin de Jill, puis lui avait demandé d'appeler la star recluse. Rakkim avait inspecté les alentours et n'avait repéré aucun mouvement suspect, mais il restait sur ses gardes, comme toujours.

« Tes rênes sont trop courtes, remarqua Jill. Laisse un peu respirer ta jument ou tu vas l'effrayer. »

Sarah relâcha un peu les rênes. Elle était en sueur, avait une furieuse envie de se gratter, et hâte de descendre de cheval. «Je ne peux pas te révéler ce qui se passera ce soir... mais ce sera vraiment énorme.

– Je n'ai aucune envie de le savoir. Je suis la victime innocente, non ?

– Jill, c'est très important. Tout va changer après cette nuit. »

Jill éclata de rire, et la lueur du soleil couchant dévoila chaque ride de son visage. «Si j'avais reçu un dollar à chaque fois que j'ai entendu cette phrase... »

61

APRÈS LA PRIÈRE
DU COUCHER DU SOLEIL

« Idolâtrie ! » hurla Ibn Aziz face aux dizaines de milliers de personnes qui se pressaient face à l'auditorium du Prince héritier. La plupart étaient des modernes et des modérés, venus ici pour voir les stars de cinéma qui assistaient à la cérémonie des oscars, dont les images seraient retransmises sur les écrans hauts de trois étages installés à l'extérieur de l'auditorium. Dans la foule se trouvaient cependant plusieurs milliers d'extrémistes, fidèles d'Ibn Aziz, venus spécialement en autocars des quatre coins du pays. « Ceci est l'antre de l'idolâtrie !

– Idolâtrie ! » répondirent en chœur ses fidèles, des femmes en burqas noires claquant des pierres l'une contre l'autre, des hommes en djellabas se fouettant avec des chaînes. Tous se ruaient contre les gardes du corps d'Ibn Aziz, essayant de le toucher, suppliant qu'il les bénisse. « Idolâtrie ! »

Les modernes et modérés de l'assistance criaient dès que l'un de leurs acteurs préférés apparaissait sur les écrans, mais leurs voix se noyaient dans la rage de celles des extrémistes. Un cordon policier large de cinq rangées d'hommes armés protégeait l'entrée de l'auditorium, une gigantesque phalange antiémeute, dont chaque membre regardait droit devant lui, à travers la visière transparente de son casque. Des dizaines d'hélicoptères survolaient la zone, balayant la foule du faisceau de leurs projecteurs. La cérémonie des oscars avait habituellement lieu à Los Angeles, mais cette année, pour le vingt-cinquième anniversaire de la fondation des États-Islamiques d'Amérique, le président avait décidé qu'elle se tiendrait dans la capitale. Non seulement pour montrer au monde entier la tolérance de l'islam, mais également pour signifier qu'il soutenait activement l'un des moteurs de l'économie nationale.

La colère des fondamentalistes avait été en grande partie alimentée par Ibn Aziz dans un but purement politique. Comme c'était à présent l'habitude, la majorité des films nominés étaient des histoires édifiantes de bons musulmans terrassant la tentation par la seule force de leur dévotion. *Flesh or Faith*[1], qu'on pressentait pour l'oscar du meilleur film, racontait l'histoire d'une ravissante musulmane issue d'une famille pauvre, fiancée à un riche chrétien propriétaire de la maison qu'ils louaient. Au dernier moment, un ange lui apparaissait et la faisait rentrer dans le chemin de la vraie foi, et elle laissait le fiancé, seul et humilié, face à l'autel. *Miracles Inc.*, un autre film acclamé par la critique, avait recours aux effets numériques dernier cri pour suggérer en hologrammes les merveilles et plaisirs du paradis. Comme dans tout film hollywoodien, la production était sans défaut, le jeu des acteurs époustouflant, et le message véhiculé était un appel à la modestie et à la dévotion. Loin d'apaiser Ibn Aziz, la piété hollywoodienne apparaissait à ses yeux comme une menace, et le jeune mollah déclarait que tout le temps gâché dans une salle de cinéma aurait pu être passé à la mosquée.

« Au diable, ces images immorales ! Au diable, ces faux dieux de Hollywood ! » hurlait Ibn Aziz. Bousculé par la foule, il s'adressait aux caméras, le visage encore tuméfié et strié de cicatrices. Son œil mort avait laissé place à un trou béant qui lui dévorait la moitié du visage. « Ce soir, nous entendons montrer au monde que les musulmans s'opposent à un tel sacrilège, au cœur même de la capitale ! »

La foule des extrémistes se mit en marche en récitant des sourates, leurs pas se calquant sur le rythme impérieux des pierres entrechoquées. Un tremblement parcourut le

---

1. *« La Chair ou la Foi ». (N.d.T.)*

cordon policier, et les rangées d'hommes en armure se resserrèrent.

Rakkim et Stevens passèrent sans aucune difficulté les trois premiers périmètres de contrôle, mais ils se virent refuser l'accès à un quatrième, au cœur de l'auditorium. Deux agents des services secrets présidentiels s'opposèrent à ce que Rakkim passe sans vérification poussée de son identité. Tout contretemps était potentiellement dangereux. Stevens et lui auraient dû disposer d'une demi-heure pour se mettre en position, mais l'actrice qui se trouvait au firmament du box-office mondial avait fait comprendre, à cor et à cri, que la minirétrospective en images de la carrière de Jill Stanton cadrait mal avec son petit tour de chant. La star, qui avait une voix très médiocre malgré tous les efforts des ingénieurs du son, avait insisté pour que la rétrospective soit déplacée, afin de ne pas se faire éclipser par les talents de Jill, bien supérieurs aux siens. Rakkim et Stevens disposaient d'à peine quinze minutes pour entrer dans la régie principale.

Rakkim brandit son laissez-passer. « Vérifiez mon identité. Vérifiez par un scan de mon iris. Je suis autorisé à entrer. Redbeard en personne m'a mis sur la liste. »

L'agent aux cheveux blond cendré hocha la tête. « Mais moi, je ne vous ai pas autorisé à entrer. »

Le chauve s'était placé stratégiquement, en retrait de quelques pas, et sa main reposait sur son pistolet.

« Stevens, vous pouvez passer, dit le blond cendré. Monsieur Epps, veuillez attendre ici mon supérieur. »

Stevens refusait de lâcher le morceau. « Vous deux ne devriez même pas vous trouver ici. L'intérieur de l'amphithéâtre relève de la juridiction de la Sécurité nationale. Vous n'avez aucune autorité, ici.

– Nous n'avons pas à nous justifier auprès de vous, répliqua le blond cendré.

– Le président doit pouvoir accéder à six issues de secours minimum, les gars, dit le chauve. Il faut qu'on s'assure de la sécurité de chacune. »

Un écran de surveillance montrait la foule de fondamentalistes, massée à un mètre à peine du cordon policier. Les chaînes volaient, les visages se déformaient, alors que les plus extrémistes criaient aux policiers de les rejoindre.

« Passez-moi votre portable, dit Rakkim. Vous n'aurez qu'à demander à Redbeard en personne.

– J'emmerde Redbeard, répondit le blond cendré.

– Allez, Marx, dit le chauve tout en restant sur ses gardes. Quel mal ça peut faire ?

– Bordel, Beason, est-ce que Redbeard est président ? lança Marx. Non. Est-ce qu'on bosse pour le président ? Oui. » Il regarda Stevens. « Vous y allez ou vous restez ici ?

– Vas-y, je te rejoindrai une fois que le supérieur sera arrivé. » Rakkim redressa la veste de Stevens et, dans le même geste, lui passa le support numérique de la vidéo des aveux.

« Êtes-vous sûr d'avoir déployé assez d'hommes, monsieur ? dit Redbeard au téléphone de la limousine.

– Comme je vous l'ai déjà dit...

– Je sais très bien ce que vous m'avez dit, et je sais aussi ce que je suis en train de regarder à la télévision, et tout me laisse penser que vous n'avez pas assez d'hommes. » Redbeard sentait la nervosité de Sarah qui, assise près de lui, observait le remue-ménage qui se déchaînait au pied de l'auditorium.

« Je pourrais appeler des renforts...

– J'espérais que vous l'auriez déjà fait. Je vous ai prévenu hier qu'Ibn Aziz jouerait la provocation. » Redbeard raccrocha violemment, et regarda Colarusso. « Votre patron est un con.

– J'ai jamais connu un patron qui ne l'était pas », dit Colarusso, assis sur la banquette qui lui faisait face.

La voix d'Anthony Jr. se fit entendre par l'interphone du chauffeur. « Je peux faire quelque chose ?

– Reste tranquille », dirent Redbeard et Colarusso en même temps.

Colarusso haussa les épaules. « Dès qu'il y a du grabuge, il veut toujours se retrouver en première ligne.

– Très réactif, hein ? dit Redbeard. Ça me plaît. Avec l'entraînement qui convient, il pourrait aller très loin. » Redbeard regarda à travers la vitre fumée. « Ça m'embêterait de voir un jeune homme avec des qualités si évidentes se faire avaler tout rond par les feddayin.

– Nous pourrons peut-être parler de tout ça plus tard, lança Colarusso. Une fois que tout sera fini. »

Redbeard laissa sa proposition à ce stade en continuant à observer la rue. Ils se trouvaient dans un long cortège immobile de limousines toutes identiques, dans les rues annexes derrière l'auditorium. Des limousines réservées aux célébrités mineures et aux industriels de moyenne envergure. Celles des stars étaient garées dans le parking souterrain de l'auditorium. Un très mauvais endroit si une retraite subite s'imposait. Redbeard avait deux doublures sur place. L'une dans un salon VIP sécurisé à l'intérieur de l'auditorium, l'autre dans une limousine officielle conduite par son chauffeur habituel.

Redbeard décrocha à nouveau le téléphone, et composa un numéro impossible à reconnaître. Luc répondit dès la première sonnerie. Le combiné résonnait des bruits de la foule alors que Luc se frayait un chemin dans la marée humaine, en direction d'Ibn Aziz. « Dès que vous serez en position », dit Redbeard avant de raccrocher aussitôt. Il s'adossa au fauteuil, et sourit.

« Je vais aller me dégourdir les jambes, déclara Colarusso. Je connais le gars chargé de la circulation dans ce secteur. Je vais lui apporter un café.

– J'ai été content de vous revoir, inspecteur », dit Redbeard.

Colarusso sortit et se pencha, passant la tête dans l'encadrement de la portière. « Mon fils conduit très bien, vous n'avez aucune inquiétude à avoir.

– *Inch'Allah*, répondit Redbeard.

– Ouais, c'est ça, si Dieu le veut », lança Colarusso en refermant la portière dans un bruit sourd.

Leur limousine grise était identique à toutes les autres, à ceci près qu'elle disposait d'un blindage renforcé, d'un vitrage antiballes et antiexplosifs, et d'un système de climatisation indépendant en cas d'attaque au gaz lacrymogène, ou pire. Le blindage avait son importance, mais l'anonymat était essentiel. Si un ennemi sait où l'on est, peu importe notre carapace : il peut toujours nous avoir. Mieux vaut être un caméléon qu'une tortue. La limousine avait beau être l'endroit le plus sûr que l'on puisse trouver aux abords de l'auditorium, Redbeard était heureux d'avoir insisté pour que Katherine ne les accompagne pas. Il fallait que quelqu'un conserve une copie de la vidéo au cas où les choses tourneraient mal. C'était du reste ce qu'il lui avait dit. Il avait répété la même chose à Sarah, lui ordonnant de rester à l'écart, de rester à l'abri jusqu'à ce que les choses soient moins confuses. Elle l'avait embrassé, lui avait dit qu'elle l'aimait... et avait ajouté qu'elle était une grande fille qui venait de survivre deux mois toute seule, avec un assassin feddayin à ses trousses : elle survivrait à une cérémonie de remise des oscars.

Stevens pressait le pas dans le couloir. L'un des écrans installés dans le mur montrait cette jeune actrice maigrichonne qui recevait l'oscar de la meilleure actrice pour un second rôle, avec une voix très aiguë et un léger cheveu sur la langue. Il accéléra. Ses nouvelles bottes étaient encore un peu dures, mais elles étaient françaises. Ça valait bien quelques orteils un peu écrasés. À droite au nouvel embranchement, encore plus avant dans le labyrinthe. Il n'aurait jamais dû laisser Rakkim seul là-bas. Il saisit le support numérique dans sa poche. Il ne savait pas ce qu'il contenait, mais il savait ce qu'il devait en faire. Redbeard lui avait dit que si l'un d'entre eux était arrêté avec cet objet en sa possession, tous deux seraient exécutés, puis il lui avait laissé la liberté de refuser cette mission. Il lissa sa fine moustache. Si Redbeard lui avait ordonné de plonger dans un haut-fourneau, Stevens aurait avant tout demandé une boisson fraîche, mais il aurait sauté. Rakkim et lui étaient censés prendre le contrôle de la régie principale et s'y enfermer. Le support numérique devait être enfoncé dans le lecteur test de la console principale. Redbeard leur avait plusieurs fois passé une simulation sur son ordinateur afin que tous deux sachent comment s'y prendre. La procédure était simple. Lorsque la rétrospective en images préprogrammée commencerait à être diffusée, l'un d'eux devrait basculer du canal principal au canal test, et le contenu du support serait diffusé. C'était à la portée d'un singe savant. Alors pourquoi le cœur de Stevens battait-il si fort ?

Rakkim avait dû avoir le souffle coupé en apprenant qu'il ferait équipe avec lui. Les feddayin étaient tellement convaincus d'être le don d'Allah au monde. Et à présent, il était coincé au périmètre de sécurité avec ces gros lourdauds des services secrets. Malgré sa taille tout juste réglementaire, Stevens avait été accepté dès ses 18 ans chez les feddayin... mais une fracture de la cheville lors de la toute première semaine de formation l'avait mis sur la touche. Une fois la fracture guérie, on lui avait laissé une seconde chance, mais il était tombé en hypothermie durant une manœuvre d'hiver, et tout s'était arrêté là. Il avait une malchance incroyable. Sauf avec les femmes. Stevens toucha son nez. Cette fracture aussi avait parfaitement guéri, en ne laissant qu'une trace infime de l'incident. Stevens avait insisté pour qu'il en subsiste une marque, s'opposant à l'avis du chirurgien. Les femmes raffolaient des hommes qui avaient le nez cassé. Il regretta que Rakkim ne soit pas avec lui. Pas parce qu'il avait besoin de lui. Simplement pour lui montrer comment il s'y prendrait.

Kerenski et Faisal étaient postés face à la large vitre qui donnait sur la régie principale, très pimpants dans leur smoking.

« Redbeard m'a chargé de vous relever afin que vous alliez aider les flics, dit Stevens. Vous serez sous la tutelle de l'officier en charge, mais vous conserverez votre autonomie d'action.

– Et qui va s'occuper de la boutique, ici ? » lança Faisal.

Stevens jeta un coup d'œil à l'intérieur de la régie : une demi-douzaine de personnes étaient penchées sur leurs consoles. Deux jeunes femmes, dont une moderne aux mèches bleues. Vraiment très mignonne. « Moi.

– Eh bien, bon courage. » Kerenski indiqua d'un mouvement de tête l'écran mural où l'actrice maigrichonne n'en finissait pas de remercier la terre entière. « J'ai rarement eu une mission aussi chiante.

– Portier, c'est pas un peu au-dessous de ce que tu es censé faire, vu ton grade ? demanda Faisal.

– Redbeard n'a pas aimé la façon dont j'ai regardé sa nièce, répondit Stevens dans un large sourire, en passant une main sur ses favoris. À moins qu'il n'ait pas aimé la façon dont elle m'a regardé. » Son expression se fit soudain plus dure. « Code de la porte ? »

Faisal hésita. « Trois neuf neuf.

– Allez-y, dit Stevens. J'attends votre rapport une demi-heure après la fin de l'émission. » Il les vit se précipiter dans le couloir pour disparaître à un embranchement. Il se retourna, et surprit la jolie moderne qui l'observait. De l'autre côté de la vitre à l'épreuve des balles, il la salua, et elle se remit à sa tâche en rougissant. Il jeta un coup d'œil au couloir. Toujours pas de Rakkim en vue. Tant pis pour lui. La gloire reviendrait tout entière à Stevens.

C'était un honneur d'avoir été choisi par Redbeard pour une mission secrète, mais être celui qui engagerait l'action, c'était encore plus important. Inconsciemment, Stevens se raidit, quasiment au garde-à-vous. Aussi loin qu'il s'en souvînt, il avait toujours rêvé d'accomplir de hauts faits. Lorsque, enfant, il jouait aux Arabes et aux croisés, Stevens avait toujours choisi le camp des Arabes, dépassés par le nombre des assaillants, lançant l'ultime contre-attaque du désespoir contre les profanateurs des lieux saints. Il sourit à ce souvenir. Il avait eu le privilège de mettre sa vie en jeu pour sa patrie à maintes reprises, mais cette mission était tout à fait différente. Il l'avait compris au ton de Redbeard. À l'infime tremblement de la main qu'il avait posée sur son épaule. Quoi qu'Allah eût décidé d'exiger de lui, Stevens était résolu à accepter son destin. Un dernier coup d'œil dans le couloir, et Stevens se posta devant la porte pour composer les chiffres trois, neuf et neuf.

Les têtes se relevèrent, pour aussitôt revenir à leur console. À l'exception de la jolie moderne, qui le regarda un peu plus longtemps, et d'un homme qui se tenait derrière les consoles, les mains jointes dans le dos. Le producteur. Il fallait mettre d'emblée les choses au clair.

« Je m'appelle Stevens, dit-il en serrant la main du producteur. La régie est à présent sous ma responsabilité. Ordre de Redbeard, directeur de la Sécurité nationale. »

Le producteur tremblait. « Il y a un problème ? » Il considéra l'écran qui montrait la foule de Robes noires et de fanatiques agglutinés, hurlant dans des mégaphones. « Nous ne sommes pas en danger, n'est-ce pas ? »

Stevens se posta devant le lecteur test et y glissa le support numérique. « Débloquez la programmation automatique. Je vais diffuser ce document dans quelques minutes.

– Mais... mais c'est mon boulot, balbutia le producteur. Dites-moi simplement ce que je dois faire. »

Stevens croisa le regard de la jolie moderne posé sur lui, et aperçut la veine qui palpitait à son cou. « J'aimerais que vous fassiez sortir toute votre équipe. Vous pouvez rester. Vous et la moderne aux cheveux bleus. J'ai besoin de vous pour cette opération. Vous êtes bien en mesure de m'aider, non ?

– Oui... oui, bien sûr. On va faire un plan fixe avec la caméra 3...

– Dites simplement au reste de l'équipe de se rendre dans le plus proche salon réservé au personnel. » Stevens attendit que tous soient sortis et que la porte fût refermée. La moderne aux cheveux bleus n'arrêtait pas de lui lancer des regards en faisant semblant de se concentrer sur son travail. Elle avait un très beau sourire. Il s'approcha du producteur. « Cette jeune femme... comment s'appelle-t-elle ?

– Je n'en sais absolument rien. On m'a appelé à la dernière minute, le producteur engagé initialement est tombé malade. » L'homme semblait au bord des larmes. « Nous ne courons aucun danger, n'est-ce pas ?

– Détendez-vous, vous êtes entre de bonnes mains, répondit Stevens. Comment vous appelez-vous ?

– Darwin. »

Stevens s'assit en face du lecteur test, fixant la retransmission en direct de la cérémonie. L'actrice maigrichonne semblait se fatiguer. Encore quelques minutes avant le lancement de la rétrospective en images de la carrière de Jill Stanton. « Très bien, Darwin. Faites votre boulot, et moi je ferai le mien. »

62

« Appelez votre supérieur. » Rakkim avança d'un pas.
« Appelez-le ! »

Beason pointa son pistolet en direction de la poitrine
de Rakkim. « Je n'hésiterai pas à ouvrir le feu, monsieur
Epps. »

Marx, l'agent des services secrets aux cheveux blond
cendré, sortit une paire de menottes-méduses de sa ceinture. « Vous êtes en état d'arrestation. »

Beason posa un index sur son oreillette, écoutant attentivement. « Attends... »

Rakkim tendit les mains devant lui, reculant insensiblement, de sorte que lorsque Marx arriva à sa hauteur
pour lui passer les menottes, il entra dans la ligne de mire
de Beason. Rakkim s'empara des menottes, en fouetta la
gorge de Marx avant de se positionner derrière lui.

« Qu'est-ce que vous faites ? demanda Beason en pointant son pistolet sur Rakkim.

– Lâchez votre arme. » Rakkim s'accrochait au dos de
la veste de Marx, se servant de lui comme d'un bouclier
et l'empêchant de tirer son pistolet de son holster.

Mais Marx ne cherchait même pas à s'en emparer.
Il s'agrippait aux menottes-méduses qui se resserraient
autour de sa gorge. Constituées de polymères gélatineux à
mémoire de forme, les menottes se serraient automatiquement quand on les passait aux poignets d'un suspect, juste
avant le stade de la douleur. Passées autour de son cou,
elles l'étranglaient.

« Enlevez-lui ça, Epps ! lança Beason, dont l'arme trem-
blotait à présent. Nous devons de toute façon partir. »

Les yeux de Marx étaient exorbités, ses genoux fléchis par la douleur.

Beason posa son pistolet par terre.

Rakkim pinça le point de desserrage, et jeta les menottes plus loin. Elles laissèrent une profonde marque rouge autour du cou de Marx. Rakkim le poussa délicatement en direction de son collègue.

Beason l'aida tant bien que mal à rester debout, tandis que Marx tentait bruyamment d'inspirer. « C'était complètement inutile, cria Beason à Rakkim. Nous devons nous rendre au Quadrant B. Comment est-ce que je vais expliquer cette marque autour de son cou, moi ? »

« Ne t'inquiète pas, dit Redbeard. Rakkim sait se débrouiller tout seul.

– Je sais. » Sarah n'avait pas l'air convaincue.

Sur l'écran de télévision de la limousine, on pouvait voir Ibn Aziz se frayer un chemin jusqu'au cordon policier pour rejoindre ses fidèles. Les faisceaux de projecteurs balayaient la foule alors qu'il alimentait leur haine et leur colère.

Redbeard se pencha en avant. « C'est le moment... »

Ibn Aziz fut secoué d'un spasme, et la caméra opéra un gros plan sur son visage soudain totalement relâché. Il saisit son estomac à pleines mains, et se pencha légèrement en avant. Tous ceux qui l'entouraient se retournèrent, et même ses gardes du corps reculèrent tandis qu'Ibn Aziz perdait le contrôle de ses boyaux. Les caméras le filmèrent sous la lumière crue des projecteurs, les chaussures recouvertes de ses propres excréments, sa robe souillée. La voix off du commentateur se brouilla en ricanements, et la foule se mit aussi à rire. Tout le cordon policier était secoué de gloussements méprisants, et, tandis que certains fondamentalistes ne pouvaient contenir leur hilarité, l'image d'Ibn Aziz, qui continuait à se vider, la bouche secouée de tremblements incontrôlables, s'étalait sur les écrans géants à l'extérieur de l'auditorium. Un bref instant, on vit apparaître Luc dans le champ... il souriait également.

Le rire de Redbeard tonna à l'intérieur de la limousine.

Rakkim arriva devant la régie principale au beau milieu d'une publicité pour une voiture. Derrière la vitre, il aperçut aussitôt Darwin qui, d'un geste désinvolte de la main, l'invita à entrer.

Rakkim saisit toute la scène en un éclair. Darwin. Une fille aux mèches bleues penchée sur sa console, sanglotant tout en continuant à communiquer ses ordres aux cadreurs, et tournant le dos à une table. Stevens assis sur une chaise, posée sur la table. Bâillonné par du gaffeur argenté. Jambes et bras accrochés à la chaise par le même ruban adhésif. Un câble autour du cou, accroché à la structure du faux plafond. Un câble relativement long, mais pas assez pour toucher le sol. Juste assez pour lui casser les cervicales. Une chaise à roulettes. Le moindre éternuement pouvait le faire basculer.

« La porte est ouverte. » Darwin souriait de toutes ses dents, une main sur le dossier de la chaise, la faisant rouler d'avant en arrière. « Viens, Rikki. L'eau est superbonne. »

Redbeard regardait la publicité pour la nouvelle Ford Pèlerin, se remémorant les voitures de sa jeunesse, l'énorme berline Lincoln dans laquelle son père était un jour revenu à la maison, le monospace de sa mère avec son odeur de Coca renversé, et la meilleure voiture de tous les temps, la Mustang décapotable qu'il conduisait à la fac. Il n'était à l'époque qu'un jeune catholique turbulent, passionné par la vitesse et le hurlement du vent à ses oreilles. C'était avant sa conversion. Avant que son frère épouse Katherine.

Redbeard sentit une grande lassitude s'emparer de lui. Ce n'était pas ses souvenirs qui pesaient si lourdement sur sa poitrine. C'était autre chose. Cette autre chose face à laquelle les docteurs avaient avoué leur impuissance, la mine décomposée, et le regard fuyant.

Fin de la coupure publicité, et retour à l'intérieur de l'auditorium, aux stars qui bavardaient entre elles, en faisant de l'œil aux caméras.

Sarah consulta sa montre, mais ne dit rien.

Trop tard pour regretter. Redbeard se concentra sur Sarah. Elle ressemblait tellement à sa mère. Si Katherine et lui s'étaient mariés, auraient-ils eu une fille qui lui aurait ressemblé ? Sans doute pas. Il était peut-être bon que Redbeard n'ait pu transmettre les gènes de sa laideur. Et pourtant... il ne pouvait s'empêcher de se poser cette question.

« Qu'est-ce qu'il y a, mon oncle ?

– Je me disais simplement que tu es superbe. »

Sarah fronça les sourcils. « Un compliment ? De toi ? Tu es malade ? »

Redbeard s'adossa à la banquette. « Je ne me suis jamais senti aussi bien. » Il repensa encore à Katherine. Il n'avait pensé quasiment qu'à elle depuis qu'elle avait retiré sa burqa noire en arrivant dans son bureau. Tout ce temps perdu. Toutes ces choses qu'il aurait pu faire, qu'il aurait dû faire. Lorsqu'il avait exposé ses regrets à Katherine, elle avait posé son doigt sur ses lèvres, et lui avait demandé : « Qu'est-ce qui te fait penser que tout ne tenait qu'à toi ? » Elle avait raison. Cette constatation raviva ses regrets, et réveilla la douleur. La brûlure. *Non, pas maintenant. Pas encore.* Redbeard inspira profondément. Se rappela le parfum de cuir chaud de sa Mustang décapotable. Il avait fait ce qu'il convenait de faire. *Ils* avaient fait ce qu'il convenait de faire. Katherine était l'épouse de son frère. Cet amour impossible les honorait tous deux.

Sarah prit sa main. « Regarde, le président de l'académie. Ils vont diffuser le petit sujet sur la carrière de Jill. »

Cela n'intéressait pas Redbeard. Il avait déjà vu la vidéo. À présent, c'était au tour du reste du monde. Et que la vérité étouffe le Vieux. Le Vieux Sage. Conneries. Redbeard regarda à travers la vitre. La douleur lui tordait la poitrine, à présent plus vive. Plus insistante. Il avait passé beaucoup trop de temps durant sa vie à penser à Hassan Muhammed. Cela avait relevé de la nécessité la plus absolue, mais cet être abject ne méritait plus que Redbeard lui accorde la moindre attention. Allah s'occuperait du vieux conspirateur lorsque son heure viendrait. « Sarah ? »

Sarah quitta la télévision des yeux.

Redbeard voulut parler, mais la douleur était trop intense.

« Mon oncle ?

– Veux-tu... toujours épouser Rakkim ? » demanda Redbeard.

Elle parut surprise, et baissa les yeux un instant, rien qu'un bref instant. « Oui. »

Redbeard acquiesça. La pire des douleurs était supportable lorsque le paradis était à portée de main. « Ça me plairait aussi que tu l'épouses.

– Nous avons ta bénédiction ? »

Redbeard la dévorait du regard. Le visage de Sarah étincelait. Des étoiles brillaient tout autour d'elle. Sousoxygénation. C'était donc ça, de mourir. Une galaxie d'amour, et Sarah en son centre.

« Mon oncle ? Nous avons ta bénédiction ?

– La mienne et celle de ta mère. De tout notre cœur. De toute notre âme. » Redbeard sourit. Il eut le sentiment d'avoir attendu toute sa vie pour dire ces mots. *Notre* cœur. *Notre* âme. Son champ visuel se rétrécissait. Il ne voyait déjà plus Sarah, mais il sentit le baiser qu'elle posa sur sa main. Il sentit qu'il la pressait contre sa joue douce et chaude.

« Ma mère-grand, que vous avez un grand poignard », dit Darwin.

Rakkim rit. C'était une bonne réplique. Nul autre qu'un feddayin n'aurait pu remarquer le poignard dissimulé contre la face intérieure de son avant-bras.

Darwin poussa la chaise à roulettes, la bloquant juste au bord de la table. Ses yeux ne quittaient pas ceux de Rakkim.

« Caméra 5, gros plan, chuchota la fille aux cheveux bleus dans son casque. Caméra 1, préparez-vous à élargir le plan.

– C'est qui, le con sur la chaise ? demanda Rakkim.

– C'est le con qui va mourir si tu ne lâches pas ta lame. » Darwin saisit l'oreille de Stevens, et la tordit. « Quand un homme se rompt le cou, il éjacule comme une fontaine. Il en laisse toujours une mare par terre. » Stevens se retenait de hurler derrière son bâillon tandis que Darwin continuait à lui tordre l'oreille. « Si vous voulez mon avis, Dieu est un putain de détraqué.

– Il est loin d'être le seul. » Rakkim ouvrit sa main devant lui, le poignard en équilibre parfait dans sa paume. La pointe s'empourpra d'une goutte de sang. Le coup était jouable, mais Darwin était rapide, et s'il manquait... Il donna un coup sec du poignet, et la lame se planta dans la porte qui se trouvait derrière Darwin.

Ce dernier parut déçu. « J'ai visionné la vidéo que ton pote a amenée. Rien d'étonnant à ce que le vieux croulant soit en colère. »

La fille aux cheveux bleus ravalait ses sanglots tout en continuant à pianoter sur sa console. « Caméra 2. Caméra 8. Panoramique sur le premier rang, caméra 4.

– Tu es prête, Karla ? » demanda Darwin.

Rakkim pencha la tête. « Tu vas la diffuser ?

– Dès qu'ils lanceront la rétrospective. » Darwin fit tourner la chaise sur elle-même, et le câble s'enroula autour de la gorge de Stevens. « Dommage qu'on n'ait pas de pop-corn. »

Rakkim s'avança imperceptiblement.

« Je n'ai pas arrêté de me demander pourquoi le Vieux te voulait, toi, quand il m'avait, moi. Qu'est-ce qu'il pouvait bien mijoter ? » Darwin haussa les épaules. L'une des roulettes de la chaise grinça. Stevens écarquilla les yeux. « Si j'avais vraiment désiré rester dans l'ombre, je serais resté dans les rangs des feddayin. » Les enceintes de la régie résonnèrent d'un tonnerre d'applaudissements, le mur d'écrans présentait huit angles de vue différents, ainsi que des plans retransmis en direct des quatre coins du monde. Les films étaient un langage universel. « Ça ne t'arrive jamais de te lasser de tout cela, Rakkim ? Tu ne te demandes jamais à quoi bon ?

– Jamais. Ma vie est aussi douce qu'une portée de chatons sous un soleil de printemps. »

Darwin tapota la main de Stevens. « Regarde ça... » Il cassa l'un des doigts de Stevens, qui tira sur ses liens. Ses cris furent étouffés par le gaffeur qui le bâillonnait. « Longtemps, ce petit bruit sec suffisait à me faire ressentir un frisson de bonheur. » Darwin cassa un autre doigt. « Maintenant, ça ne rime plus à rien. »

Rakkim se rapprocha d'un centimètre. Stevens venait de s'évanouir.

« Je me suis pas mal amusé avec un jeune policier, il y a de cela quelques semaines... mais ça n'a pas duré. » Darwin se mit à jouer avec son propre poignard. « Ça ne dure jamais.

– Tu devrais peut-être te tuer, proposa Rakkim. Histoire de mettre fin à tes petites misères.

– Tu es le truc le plus amusant qui me soit arrivé depuis très longtemps. C'est pour ça que je te laisse en vie. » Darwin souligna légèrement les yeux de Stevens de la pointe de son poignard. Des lunettes de perles rouges. « Je t'ai vu à l'ambassade... tu m'as repéré sur le balcon ? Le Vieux m'avait dit de te supprimer. Juste là, en pleine réception. » Le poignard parcourut les lèvres de Stevens, qui rougirent de sang. « La sécurité des Suisses est exécrable. On dirait qu'ils s'en moquent éperdument, à moins qu'il ne s'agisse d'arrogance. C'est ce qui arrive quand on passe mille ans à remporter victoire sur victoire. Je t'ai vu de là-haut, et je me suis dit, pourquoi ne pas prolonger un peu la partie ? Pousser le Vieux à se demander ce que moi, je mijotais, inverser les rôles, pour changer un peu.

– Vidéo prête à être diffusée », dit Karla.

Rakkim avança d'un pas, en suivant à la perfection le rythme de la voix de la jeune femme. Darwin ne s'en rendit pas compte.

« Des joueurs de craps, voilà ce que nous sommes. Nous ne sommes pas du genre à nous asseoir bien gentiment pour compter les cartes sortant du sabot. Jouer au petit malin, ça finit toujours par rendre fou. » Darwin poussa la chaise, faisant rouler Stevens sur la table. « Des têtes brûlées, voilà ce que nous sommes, toi et moi. Des flambeurs. Et une fois que le monde aura jeté un coup d'œil à cette vidéo, tout sera merveilleusement sens dessus dessous. Nous allons jeter les dés, Rikki, sans nous soucier le moins du monde de la façon dont ils retomberont.

« *Jill Stanton débuta sa carrière avec un rôle de majorette dans le film* Eyes of Texas, *qui connut un assez maigre succès, mais, en l'espace de cinq ans, elle devint le visage le plus connu au monde.* »

La rétrospective en images venait de débuter, et l'adresse du site Internet des oscars défilait en bas de l'écran, invitant les spectateurs à télécharger la cérémonie. Si Spider avait bien fait son boulot...

« *Dans les derniers jours de l'ancien régime, ce fut la courageuse déclaration de Jill Stanton lors de la cérémonie des oscars de...* »

Rakkim entendit alors la voix de Richard Aaron Goldberg.

« Je parie que le vieux croulant vient de se renverser son thé sur les jambes. » Darwin fronça les sourcils. « Recule. »

Rakkim ne bougea pas. Il ne lui restait plus qu'un pas à faire. « Je parie qu'il fut un temps, pas si éloigné... je parie qu'il fut un temps où je n'aurais pas pu m'approcher à ce point.

– Oh, il t'en faut encore beaucoup pour être assez près. » Darwin poussa la chaise au bord de la table. La tête de Stevens bascula d'un côté. « Cesse ces enfantillages, Rikki. Tu ne veux sûrement pas que j'oublie tout d'un coup les bonnes manières. Tu as vu ce dont j'étais capable. Si je ne m'étais pas tenu, j'aurais massacré toute la régie et disposé leurs têtes le long de la fenêtre, rien que pour toi. »

Karla fondit en larmes, plaquant sa main devant sa bouche pour étouffer ses pleurs.

« *S KE TU KIFFES*, Darwin ? » Rakkim attendit qu'il cligne des yeux.

Darwin sourit. « J'ai horreur de me répéter.

– Tu ne sais faire que cela. C'est là ton problème. Tout est toujours pareil pour toi. La mort, la mort, et encore la mort. Pas étonnant que tu sois si las de la vie. »

« *Tu n'arrives pas à stabiliser la taille de ta pupille. Peu importe qu'elle soit légèrement dilatée ou pas, ce qui compte, c'est qu'elle reste du même diamètre. C'est le changement de taille qui est le signe d'un mensonge.* »

Sur le mur d'écrans, on pouvait voir la foule pressée devant l'auditorium, plongée dans le silence, scrutant attentivement les écrans géants.

« J'aimerais énormément rester là avec toi à papoter, mais j'ai quelque chose de prévu pour ce soir, dit Darwin. Une fois que tout se sera un peu calmé, tu auras tout le temps de partir à ma recherche, mais ce n'est pas là le meilleur dans ce qui nous attend. La prochaine fois qu'on se verra, tu nourriras un soupçon de doute à mon égard. Pour l'heure, je ne suis encore qu'un monstre à tes yeux, mais la prochaine fois tu te souviendras de Darwin comme d'un type qui, certes, a fait des trucs un peu bizarres, mais qui t'a également laissé vivre...

– Un peu bizarres ? C'est tout ce que tu trouves à dire ? »

Des retransmissions en direct montrèrent des attroupements qui se formaient à Chicago et Denver... la soirée des oscars qui tournait au vinaigre... des voitures en feu, une cacophonie de klaxons...

« Regarde ce que nous avons accompli ! C'est pas beau, ça ? lança Darwin. J'aurais pu te tuer, mais je ne l'ai pas fait. J'aurais pu tuer Jeri Lynn et ses gamins, mais je ne l'ai pas fait. Maintenant que tu sais ça, les choses vont changer entre nous. Nos relations vont gagner en profondeur.

– Pourquoi est-ce que tu ne restes pas ? » En fixant les yeux de Darwin, Rakkim eut la sensation de chuter sans fin dans un gouffre de ténèbres, mais il ne détourna pas le regard. « Reste au moins pour voir si ce que tu racontes est vrai. »

Darwin hocha la tête. « Je ne veux pas que nous nous précipitions. C'est le meilleur moment que je passe depuis des années. Allez, avoue, toi aussi, ça te plaît bien. Dis bonjour à madame de ma part. Dis-lui que j'ai hâte de la revoir.

« *Je m'appelle Richard Aaron Goldberg. Mes hommes et moi-même faisons partie d'une unité secrète du Mossad.* » Quelques applaudissements. « *C'est mieux. J'ai bien aimé la goutte de sueur. On la refait.* »

... des plans tremblotants de Rio et Lagos, la rage croissante... un reporter touché par un jet de brique... la tour Eiffel masquée par la fumée...

« Ne t'en va pas, dit Rakkim. Reste un peu. Tu n'as pas d'inquiétude à avoir.

– Bien sûr que si, grand fou. Je m'inquiète pour toi. » Darwin poussa alors Stevens au-delà du bord de la table.

Rakkim plongea en direction de la chaise et l'attrapa juste avant que le câble se tende et brise le cou de Stevens. Il jeta un coup d'œil par-dessus son épaule. Darwin avait déjà disparu. Rakkim posa doucement la chaise par terre. Stevens portait au cou la même marque rouge que l'agent des services secrets.

... la foule réunie au pied de l'auditorium, ivre de colère, criait aux étoiles mortes...

Plusieurs limousines quittaient à toute vitesse le cortège immobile pour disparaître au bout de la rue. Certaines tous phares éteints, laissant même leur client effrayé sur le trottoir.

« Ne bouge pas, Anthony », dit Sarah. Les larmes coulaient sur ses joues, mais sa voix était ferme.

« Je n'irai nulle part tant que Rakkim ne sera pas revenu, vous inquiétez pas », répondit Anthony Jr.

Sarah disposa les mains de Redbeard sur ses jambes de sorte qu'on aurait cru qu'il priait. Elle essuya ses larmes. Impossible de croire qu'il était mort ainsi. La télévision montrait le présentateur de la cérémonie des oscars, nerveux, au milieu de la scène. Il lança une plaisanterie, mais personne ne rit. Une caméra surprit l'assistance qui se précipitait vers les sorties, puis l'image revint au présentateur. Jill se tenait à son côté, pleurant, les mains posées sur sa bouche. C'était sans doute l'une de ses meilleures performances d'actrice, une combinaison parfaite de surprise et de confusion.

Des coups contre le toit de la limousine firent sursauter Sarah. Colarusso. Elle abaissa à moitié sa vitre.

« Cassez-vous tant que vous le pouvez, dit Colarusso.

– Rakkim n'est toujours pas là. Vous ne voulez pas entrer ? »

Colarusso hocha la tête. « Faut que j'aille aider les bleus. La hiérarchie est dépassée.

– P'pa, rentre dans cette caisse, lança Anthony Jr.

– Le devoir m'appelle, et toutes ces conneries, Junior. » Colarusso cogna à nouveau sur le toit pour leur souhaiter bonne chance avant de retraverser la rue.

L'écran de télévision s'obscurcit, et enchaîna sur un présentateur qui se mit à expliquer que la retransmission des oscars avait été piratée par des sionistes. Lui-même semblait ne pas en croire un mot.

Le téléphone de Sarah sonna. « Rakkim ?

– On a réussi ! s'écria Spider, la voix chevrotante. Le site Internet des oscars a enregistré sept millions de connexions avant que le serveur plante, mais il était déjà trop tard. Chaque personne qui s'est connectée a téléchargé à son insu un virus qui a envoyé la vidéo à tout son carnet d'adresses e-mail, et ainsi de suite. Une véritable réaction en chaîne ! Il faut que j'y aille ! »

Sarah raccrocha, et posa sa tête sur l'épaule de Redbeard.

La télévision diffusait à présent des images en direct du monde entier. Des émeutes à Chicago et Mandelaville, des embouteillages monstres à Paris, Bagdad et Delhi, des rues recouvertes de bris de verre et de corps, des mosquées en feu. Couvre-feu imposé sur tout San Francisco, le maire Miyoki vociférant contre les traîtres juifs de Hollywood, l'imam du quartier de Castro appelant au djihad.

Dix minutes plus tard, le verrou de sécurité de la portière émit un son électronique, et Rakkim s'assit sur la banquette arrière. « Sors-nous de là, Anthony. » Il embrassa Sarah. « Redbeard, j'espère que... » Sa phrase mourut là.

Sarah prit sa main alors que la limousine s'engageait dans la circulation.

Par les vitres, ils pouvaient apercevoir la lueur d'incendies allumés dans toute la capitale.

ÉPILOGUE

Allah est grand.
Rakkim fit le vide dans son esprit, debout dans la mosquée, laissant le monde derrière lui. Il faisait face à la qibla, la direction de La Mecque, et toute son attention était concentrée sur Allah. Il porta les mains à ses oreilles, les paumes vers l'avant, les pouces derrière les lobes. En arabe, il récita sa prière.

Allah est grand.
Je témoigne qu'il n'est de dieu qu'Allah, et que Mahomet est son messager.

Je cherche protection auprès d'Allah contre Satan, le maudit.
Au nom d'Allah, celui qui fait miséricorde, le Très-Miséricordieux,
Louange à Allah, Seigneur des mondes.

À la fin de ses prières, il s'accroupit, les mains sur les genoux. Il acheva le rite en regardant par-dessus son épaule droite, vers l'ange qui enregistrait ses bonnes actions, puis par-dessus la gauche, vers l'ange qui enregistrait ses mauvaises actions.

Le temps était à présent venu d'adresser à Dieu ses prières personnelles, mais Rakkim n'en avait aucune.

Les fidèles présents dans la grande mosquée de l'Épée du Prophète furent parcourus d'une certaine fébrilité lorsque Ibn Aziz s'apprêta à prendre la parole, et les murmures impatients résonnèrent contre les mosaïques immaculées. Plus de vingt mille croyants étaient réunis pour entendre son sermon. Rakkim était arrivé des heures auparavant afin de pouvoir choisir sa place, traversant les portiques de sécurité et se pliant aux palpations de rigueur. Rakkim avait assisté à tous les sermons d'Ibn Aziz depuis son arrivée en ville. Il connaissait les points forts et les failles de la sécurité du mollah borgne, et avait repéré au moins une douzaine d'espions des Robes noires disséminés parmi les croyants. Rakkim était assis parmi une vaste rangée de fidèles. Il écoutait les exhortations d'Ibn Aziz, mais se concentrait moins sur ses mots que sur son intonation, ses expressions, ses gestes brusques. C'était un orateur hors pair, dont la conviction était quasi palpable, et la foule ne cessait de grossir, alimentée par les extrémistes des quatre coins de la ville venus répondre à l'appel.

Cela faisait treize jours que Rakkim participait aux prières de la Grande Mosquée. L'avant-veille, il avait aperçu Darwin dans la masse des fidèles. Bien que Rakkim n'eût adressé aucune prière personnelle à Allah, Il avait répondu au désir qui brûlait dans son cœur.

Le monde entier avait tremblé au cours des mois qui avaient suivi la cérémonie des oscars, il avait changé de maintes façons que personne n'aurait pu prévoir. Des émeutes avaient éclaté dans une centaine de villes à la surface du globe, mais les questions qui s'étaient emparées de plusieurs milliards d'esprits face à la vidéo étaient autrement plus dérangeantes : si les attentats sionistes n'étaient qu'un mensonge... combien d'autres mensonges existait-il encore ?

Au début, de concert avec le président Kingsley, la communauté des pays musulmans avait condamné la répétition de l'interrogatoire comme une manipulation sioniste de plus, ou comme une tentative des États chrétiens pour remettre en question la légitimité du gouvernement de Seattle. Des spécialistes avaient été dépêchés pour expliquer que de telles manipulations numériques étaient extrêmement faciles à réaliser, et les journalistes eux-mêmes n'avaient pas hésité à faire connaître leurs propres conclusions aux spectateurs. Des humoristes s'étaient moqués de la théorie selon laquelle Lorne Macmillan, l'agent du FBI qui avait démantelé le réseau sioniste, aurait pris part au complot. Ils auraient pu réussir à tourner cet événement en dérision, les spécialistes auraient pu réussir à retourner l'opinion publique, si, dix jours après la diffusion mondiale de la vidéo, les autorités chinoises n'avaient rendu publique la découverte qu'elles avaient faite dans une grotte sur les bords du fleuve Yangzi.

Au cours de la conférence de presse mondiale, diffusée en direct, on avait vu la quatrième bombe atomique, entourée d'hommes en combinaisons antiradiations. La circulation sur les routes avait alors ralenti, pour s'immobiliser complètement, chaque conducteur ayant les yeux rivés sur l'écran de son téléphone portable. La bombe avait été retrouvée à soixante kilomètres au nord du barrage des Trois-Gorges, au-delà de la zone de sécurité du site : elle était incroyablement plus puissante que celles qui avaient dévasté New York et Washington. Ce n'était évidemment pas la bombe en soi qui prouvait la véracité de la vidéo : c'était les dépouilles de trois hommes morts d'irradiation qu'on avait trouvées dans la grotte. Les examens médico-légaux et l'analyse génétique des tissus avaient permis d'établir qu'il s'agissait de trois terroristes islamistes déjà connus pour d'autres méfaits. Pas un juif dans le lot. Deux d'entre eux avaient été incarcérés à Guantánamo, d'où ils étaient sortis par arrêt de la cour. Le troisième n'était autre qu'Issam Muhammed, le chef du réseau, un physicien issu du MIT arrêté lors d'une manifestation plusieurs années avant sa mort.

Hassan Muhammed, le Vieux Sage, avait quitté son repaire de Las Vegas quelques jours avant l'arrivée d'Interpol. Plusieurs de ses comptes avaient été bloqués et confisqués, pour des montants de plusieurs milliards de dollars, mais les enquêteurs avaient le sentiment que ces sommes n'étaient que la partie émergée de l'iceberg. Les États musulmans avaient été choqués par cette découverte, au même titre que le reste du monde, et avaient exigé qu'Hassan Muhammed comparaisse devant un tribunal pour répondre de la profanation de La Mecque par sa bombe « sale », appelant en outre tous les musulmans de la planète à collaborer activement à sa recherche. Malgré un mandat d'arrêt international, le Vieux était toujours en liberté. Les rumeurs prétendaient qu'il se cachait en Suisse, à Kuala Lumpur, au Pakistan. Partout et nulle part à la fois.

Rakkim espérait qu'il lui serait donné un jour de le revoir. Pour lui demander s'il aimait toujours autant regarder le soleil couchant. Lui demander si, là où il se trouvait, la vue était aussi superbe qu'au dix-neuvième étage de son gratte-ciel. Mais pour lors, d'autres choses requéraient l'attention de Rakkim.

« L'islam exige de nous que nous accomplissions notre devoir, criait Ibn Aziz en secouant les bras. Nous, musulmans, devons nous préparer à la conquête, afin que les lois de l'islam soient observées dans tous les pays du monde. Tous, sans exception ! »

Disposés en ligne de part et d'autre d'Ibn Aziz, ses gardes du corps scrutaient la foule d'un regard sombre, guettant le moindre signe suspect. Un panneau lumineux peut-être. Ou une main levée, pour demander la permission d'assassiner leur mollah. Les entrées et les sorties étaient également sous très lourde garde. Comme tous les faibles, Ibn Aziz confondait quantité et qualité. Deux de ses gardes du corps étaient des feddayin, certainement des hommes discrets et de formidables combattants, mais ils n'étaient que deux.

Rakkim ferma à moitié les yeux et pensa à des choses plus douces. Son épouse, Sarah, en était à son cinquième mois de grossesse. Son épouse. Béni soit Redbeard... où qu'il soit. Katherine s'était transformée en grand-mère gâteuse. Spider... Benjamin et elle déjeunaient régulièrement ensemble. Une amitié aussi forte qu'improbable. Colarusso était toujours inspecteur : il avait refusé une promotion, avançant que le pays avait plus besoin de bons flics que de mauvais gratte-papier. Comme d'habitude, il avait raison. Anthony Jr. avait finalement éconduit les feddayin, et était entré à la Sécurité nationale... sous les ordres du directeur suppléant, Stevens. Rakkim réprima un sourire. Il était fort probable qu'ils retravailleraient un jour ensemble, mais les deux hommes continuaient à se détester cordialement.

La plus grande des bénédictions était sans doute l'amélioration de l'état de santé du président Kingsley. Alors qu'on le croyait au chapitre de la mort depuis déjà des années, tous ces événements l'avaient requinqué. Trompé au début de la crise par ses conseillers qui lui avaient présenté la répétition des aveux comme une supercherie, il avait finalement accepté la vérité... et congédié ses conseillers. En un temps record, Kingsley avait assuré à la minorité chrétienne des droits qu'elle n'avait pas jusqu'alors, et avait fait abroger la loi félonne qui la forçait à s'acquitter d'un impôt religieux, évitant du même coup que le pays ne se scinde en une multitude de fiefs autonomes. Il avait également amnistié l'ensemble des juifs, un geste courageux qui avait poussé les extrémistes à se révolter. Le général Kidd et les feddayin étaient restés fidèles à leur président au plus dur de la crise, et les Robes noires, avec leurs sympathisants, s'étaient retranchés dans leurs bastions, San Francisco, Saint Louis et Cleveland. Bien que les luttes intestines n'eussent pas cessé, le plus grand triomphe de Kingsley avait été d'empêcher une guerre ouverte contre les États de la Bible. Depuis des années, Kingsley avait entretenu des relations diplomatiques secrètes avec le président des États chrétiens, relations qui avaient permis de calmer de part et d'autre les éléments les plus belliqueux, prêts à profiter de l'occasion pour en découdre. Grâce à ses propres contacts dans les États de la Bible, Rakkim avait contribué, à son échelle, à la poursuite du dialogue entre les deux États.

« Seuls ceux qui ne connaissent rien à l'islam, et j'y inclus particulièrement les Arabes qui au cœur de nos villes saintes appellent à la conciliation, seuls les ignorants proclament que les musulmans sont pour la paix, criait Ibn Aziz, d'une voix âpre et grinçante. Ceux qui prétendent cela sont des sots, voire pire. »

Les croyants acquiescèrent en silence. Darwin était agenouillé près de l'une des issues les plus éloignées, les mains jointes.

Bien que considérant elle aussi Ibn Aziz comme une menace croissante, Sarah s'était fâchée lorsque Rakkim l'avait informée qu'il partait pour San Francisco. Elle lui avait dit que sa place était près d'elle et de leur enfant. Il lui avait répondu qu'il serait de retour pour assister à la naissance de leur bébé. Il le lui avait promis, mais ça n'avait pas suffi à l'apaiser. Rakkim comprenait.

« Nous, musulmans, devons-nous rester sans rien faire, à attendre que les infidèles nous aient tous éliminés ? demanda Ibn Aziz d'un ton impérieux. Passons-les au fil de l'épée, et éparpillons leurs os ! Le seul bien qui existe en ce monde s'obtient par l'épée ! Transiger avec les infidèles, c'est s'écarter de la voie des justes ! L'épée est la clef du paradis ! »

Les croyants se relevèrent en mugissant « Dieu est grand, Dieu est grand, Dieu est grand », de plus en plus fort, jusqu'à ce que le dôme de la Grande Mosquée semblât sur le point de se fissurer. Alors que l'écho de leurs voix s'affaiblissait, Ibn Aziz les bénit, et disparut par une porte dérobée. La foule se pressa vers les sorties pour se répandre dans la rue. Darwin prit tout son temps. Rakkim le garda dans son champ visuel, le suivant à distance, sans faire le moindre effort pour réduire l'espace qui les séparait.

La foule se dispersa au bout d'un kilomètre, au détour du dédale des rues adjacentes. La pluie s'était mise à tomber, une bruine froide qui imbibait les robes des croyants, les forçant à marcher la tête basse. Darwin, lui, gardait la tête haute. Rakkim aussi. À deux reprises, Darwin regarda derrière lui, mais Rakkim gardait toujours un groupe de fidèles devant lui afin de rester invisible.

Darwin quitta Union Street pour prendre la direction du sud, suivit un chemin qui serpentait dans les bas-fonds de la ville, flanqué d'immeubles décatis, dont certains s'étaient écroulés en un tas de briques et d'armatures métalliques. Rakkim avait suivi Darwin jusqu'à cet endroit la première fois où il l'avait vu dans la Grande Mosquée et avait fini par le perdre. Mais pas aujourd'hui. Cette fois, il aperçut Darwin s'engouffrer dans une église abandonnée. Rakkim fit le tour du bâtiment, la capuche de sa robe dissimulant son visage. Il s'attendait à ce que Darwin ressorte et continue sa route, mais il l'aperçut à travers des vitraux brisés, grimpant deux à deux les marches jusqu'au deuxième étage de l'église. Rakkim se précipita vers une entrée latérale avant que Darwin puisse tirer profit de la plus grande visibilité que lui offrait sa position.

À l'intérieur de l'église régnaient un grand silence et une certaine fraîcheur. Des éclats de verre coloré et des livres de cantiques déchirés tapissaient le sol, ainsi qu'un crucifix de bois taillé en pièces et des bancs découpés pour faire du petit bois. On distinguait les restes d'un feu à la place de la chaire et, tout autour, des bouteilles et des cannettes vides. Des graffitis obscènes couvraient les murs. Rakkim traversa l'église sans un bruit, en direction de l'escalier. Au-dessus de sa tête, les pas de Darwin firent craquer le bois du plancher.

Il entendit au loin un ancien tramway bringuebaler sa carcasse dans Union Street, une attraction touristique dans une ville qui n'accueillait plus un seul touriste. Rakkim consulta sa montre. Quinze minutes plus tard, un autre tramway s'élançait dans Union Street, le conducteur sonnant cette fois la cloche. Quinze minutes après, Rakkim profita du bruit du tramway pour couvrir le bruit de ses pas alors qu'il gravissait les marches. Son poignard était comme un prolongement de sa main.

Au sommet de l'escalier, Rakkim recula soudain pour éviter la lame de Darwin, jaillissant de l'encadrement d'une porte, transperçant l'air à l'endroit où Rakkim aurait dû se trouver. Darwin s'avança, et Rakkim, déséquilibré, faillit tomber dans l'escalier. Il se stabilisa et fit un pas en arrière tandis que Darwin bondissait dans sa direction.

« Où est-ce que tu vas ? lança Darwin, secouant son poignard comme un bâton de sourcier. Quelle bonne surprise ça a été, de te voir à la Grande Mosquée. J'ai failli te faire coucou. »

Rakkim se sentait à bout de souffle, la poitrine vide. Il s'obligea à détendre ses doigts autour du manche de son poignard.

« Tout va bien, Rakkim ? Tu veux faire une petite pause ? Une tasse de thé, peut-être ? »

Rakkim se défit de sa cape. Les deux adversaires se mirent à marcher en cercle. « Qu'est-ce que tu fais à San Francisco ?

– Pareil que toi. Je m'apprête à tuer Ibn Aziz. »

Les vitraux craquaient sous les pas de Rakkim. Saints ou prophètes... il ne baissa pas les yeux pour vérifier. Il les gardait fixés sur Darwin. « Le Vieux t'a repris sous son aile ? demanda-t-il. Il a pardonné et oublié ?

– Il est incapable et de l'un et de l'autre. Ce n'est pas lui qui m'a envoyé... » Le poignard de Darwin scintilla droit devant lui, Rakkim pivota en contre-attaquant. « Je suis venu ici par moi-même. »

Ils reculèrent d'un pas, et s'aperçurent que leur poitrine était sillonnée de la même plaie. Ils se saluèrent en s'inclinant.

« Sang pour sang, murmura Darwin.

– Lame pour lame, dit Rakkim, répondant au salut.

– J'ai compris dès la première fois où je t'ai vu, lança Darwin. J'ai tout de suite su ce que tu étais. »

Rakkim ne répondit pas.

Ils se déplacèrent dans toute l'église, à pas de loup, écrivant leurs noms dans la chair, de la lame de leur poignard. Chacun toucha l'autre une douzaine de fois. Pas profondément. Des plaies superficielles pour la plupart, mais cette fois il ne s'agissait pas d'un exercice d'entraînement. Ça n'avait rien d'un jeu. Ils cherchaient le coup fatal. Une artère. Un tendon. Une botte au crâne. Les yeux de Darwin gardaient tout leur calme, sa bouche restait impassible, mais Rakkim n'était plus le seul à bout de souffle.

Darwin plia les jambes, clignant des yeux pour essuyer le sang qui, d'une entaille à l'arcade sourcilière, inondait sa paupière. Son poignard changea de main.

D'un coup de pied, Rakkim éloigna un cadavre de rat. « Moi aussi je sais qui tu es, Darwin. Je sais comment tu penses.

– Je suis sincèrement désolé pour toi, Rikki. Je ne souhaiterais... » Darwin lança une attaque et trancha dans le bras droit de Rakkim, mais son élan le mit un instant à découvert, et Rakkim plongea sa lame dans sa cuisse. Darwin se remit à tourner autour de lui, ignorant la blessure. « Savoir comment je pense... je ne souhaiterais pas ça à mon pire ennemi. »

Rakkim s'avança vers lui. « Tu te moques de qui gagne et de qui perd. Fondamentalistes ou modérés, chrétiens ou juifs, tous sont identiques à tes yeux. Ton seul désir est de tuer quelqu'un...

– Quelqu'un d'important. Quelqu'un de difficile à tuer. Comme Ibn Aziz. Comme toi. Le défi, voilà ce que je désire. Le seul péché au monde est de ne pas vivre selon sa vraie nature. Tu le sais parfaitement, Rikki.

– Je t'ai déjà dit de ne pas m'appeler comme ça. »

Leurs poignards allaient et venaient dans des sifflements soudains qui résonnaient dans l'église, tandis qu'ils continuaient à tourner l'un autour de l'autre, chacun imitant les mouvements de son adversaire. Les lames touchaient rarement leur but. Ce n'était que feintes et contre-attaques. Darwin avait des plaies aux mains, aux bras et au visage, mais aucune n'était assez profonde pour le ralentir. Rakkim aussi était blessé, et Darwin apprenait doucement son rythme, anticipant de plus en plus ses gestes, attendant patiemment le moment fatal.

« J'ai été entraîné pour éliminer de grands hommes. Des généraux et des ayatollahs, des papes et des princes, dit Darwin en hochant la tête. Depuis que je suis sorti des rangs des feddayin, je n'ai fait que gaspiller mon talent, mais toi... tu m'as poussé à me remettre en question. »

Rakkim s'approcha pour l'obliger à combattre. Il y était contraint. Le temps qui passait avantageait Darwin.

« Après t'avoir tué, je tuerai Ibn Aziz. » Darwin recula, le dos presque pressé contre une statue de Jésus décapitée. « Et après l'avoir tué... je tuerai le président. Peut-être tuerai-je aussi le vieux croulant. Ça te plairait ? » Il trébucha contre la statue et Rakkim s'empressa de l'attaquer. Le faux pas avait cependant été feint, et Darwin plongea sa lame pour la retirer aussitôt.

Rakkim saisit son flanc à pleine main, en étouffant un cri.

« Ouille, lâcha Darwin dans un éclat de rire. Tu connais un peu la Bible ? Jésus a reçu un coup de lance de centurion romain précisément au même endroit. Pauvre Jésus. Pauvre Rikki. Ça fait mal ? »

Rakkim sentit le sang couler sur le dos de sa main.

« Ne me claque pas entre les doigts. » Darwin écarta les bras. « Pas encore. »

Rakkim se mit à rire. Il retira la main de son flanc, laissant le sang couler abondamment.

« Qu'est-ce qu'il y a de si drôle ? demanda Darwin.

– Tu te prends pour le nombril de ce monde, celui qui modèle l'histoire selon ses désirs... » Rakkim s'appuya à un banc renversé. « Mais tu n'es personne. Tu disparaîtras sans laisser de trace. »

Darwin fit mine de sursauter de surprise face à cette révélation.

« Qui te pleurera, Darwin ?

– Ça n'a aucune importance. Je ne serai plus là pour l'entendre. »

Rakkim grimaça de douleur en se courbant en deux.

« Je suis celui qui va te soulager de ta douleur. » Darwin s'approcha. « Mon visage sera le dernier que tu verras. Ma voix, la dernière que tu entendras. Ça a une certaine importance, tout de même ? »

Rakkim se jeta sur lui et lui entailla la gorge. Darwin recula, appuyant son dos contre une colonne. Rakkim sentit la chaleur de son propre sang qui coulait de son cuir chevelu jusque sur sa nuque.

« Tu y étais presque. » Darwin restait appuyé contre la colonne de bois, pressant trois doigts sur le côté de sa gorge. « Deux centimètres et tu aurais vraiment fait du dégât.

– Enlève ta main, que je voie. »

Darwin sourit. « Rapproche-toi un peu. »

Rakkim hocha la tête.

« Tu n'as pas l'air très en forme, Rikki. Tu ferais peut-être mieux de t'asseoir pour te reposer un peu. »

Rakkim tangua. Le manche glissa entre ses doigts. Il faillit laisser tomber le poignard.

« As-tu peur de mourir, Rakkim ? » Darwin attendit sa réponse en vain. « Je suis au courant, pour le bébé. Es-tu bien certain d'être le père ? » Il pressait si fort que ses doigts étaient blancs, mais il restait parfaitement vigilant. Serein. « Ah, la paternité... quel refuge illusoire. Les enfants sucent toute l'énergie, toute la vie de leurs parents. On peut voir l'avenir se refléter dans leurs petits yeux cupides.

– C'est... c'est le seul avenir dont on peut rêver. » Rakkim le scruta intensément.

« Je transmettrai tes paroles à Sarah lorsque j'arracherai le bébé de son ventre... » Darwin tendit l'oreille, écoutant le bruit du tramway au loin. Un bref instant de distraction. « Je lui dirai... »

Rakkim enfonça son poignard dans la bouche ouverte de Darwin. Le planta contre la colonne.

Darwin se débattit, la lame enfoncée à la base de son cerveau. Il cracha un jet de sang. Les yeux écarquillés. Les lèvres remuant autour de la garde du poignard.

Rakkim le regarda mourir. Les yeux de Darwin semblèrent s'enflammer une dernière fois avant de s'éteindre. Le regard de Rakkim ne les quitta pas un seul instant. Il voulait être sûr. Lorsque Darwin eut cessé de bouger, il retira d'un coup sec le poignard de sa bouche.

Darwin glissa à terre, laissant le long de la colonne une traînée de sang.

Rakkim essuya son poignard sur la tunique de Darwin. Il était pris de vertiges, se vidait de son sang par une douzaine de plaies, mais il avait de quoi les refermer sur lui. Il guérirait. Il survivrait. D'ici quelques jours... une semaine, tout au plus, il serait en mesure de retourner à la Grande Mosquée. En mesure de tuer Ibn Aziz. En mesure de retourner chez lui, auprès de Sarah.

Rakkim baissa les yeux sur le corps de Darwin. Le saint Coran disait que deux anges suivaient chaque croyant. Un ange sur l'épaule droite, enregistrant les bonnes actions, un autre sur la gauche, enregistrant les mauvaises actions. Rakkim n'avait jamais senti le poids ni de l'un ni de l'autre. Pas une seule fois de toute sa vie. Pourtant, à cet instant... peut-être était-ce à cause du sang qu'il perdait... un sourire se dessina sur ses lèvres à cette pensée... à cet instant, pour la première fois, Rakkim sentait une douce caresse sur son épaule droite, un battement d'ailes qui l'entourait à présent tout entier en une étreinte délicate et aimante. Sa surprise fut presque aussi grande que sa joie.

REMERCIEMENTS

J'aimerais ici exprimer la dette que j'ai envers Simone de Beauvoir, écrivaine et philosophe athée, quant à l'origine même de ce roman. Un journaliste lui avait un jour demandé quelle impression elle éprouvait après avoir produit une œuvre qui niait tout entier l'existence de Dieu. Simone de Beauvoir avait alors répondu : « On peut abolir l'eau, mais on ne peut abolir la soif. » Je me suis mesuré des années à cette profonde observation, et j'espère que ce livre est digne d'elle.

Les sites Internet qui suivent ont fourni les principales informations d'ordre général utilisées dans l'écriture de ce roman :

www.askimam.com
www.islam.com
www.techcentralstation.com
www.virtuallyislamic.blogspot.com
www.memri.org
www.islamworld.net

En outre, l'ouvrage de H. John Poole, *Tactics of the Crescent Moon : Militant Muslim Combat Methods* (Posterity Press), l'article de Michael Scott Doran « The Saudi Paradox » paru dans le numéro de janvier/février 2004 de *Foreign Affairs*, ainsi que l'article d'Abdul Hadi Palazzi « The Islamists Have It Wrong » paru dans le numéro de l'été 2001 de *Middle East Quarterly*, m'ont fourni des points de vue extrêmement appréciables.

Je remercie également Colin Harrison, mon éditeur, pour avoir enrichi par ses questions ce roman, et pour m'avoir empêché de rater la fin.

Mes remerciements vont aussi à mon agente Mary Evans, pour sa force et son caractère.

Collection NéO
Dirigée par Hélène Oswald

Cette collection se propose de poursuivre le travail
d'édition réalisé par Pierre Jean et Hélène Oswald
au sein des Éditions NéO de 1978 à 1991 avec les
collections « Le Miroir obscur » et « Fantastique/Science-
fiction/Aventure », continué aux Éditions Les Belles
Lettres, de 1997 à 2003, avec leurs collections « Le
Cabinet noir/Poche » et « Le Grand Cabinet noir ».

Comme ses devancières, la collection NéO publie des
écrivains œuvrant dans tous les « mauvais genres » :
roman noir, thriller, horreur, fantastique, science-fiction,
avec une prédilection pour le genre « inclassable » et les
auteurs hors normes.

Collection NéO

Parus

Graham Masterton, *Le Complot Sweetman*
Traduit de l'anglais par François Truchaud

Un tueur en série sème la panique dans l'aggloméra-
tion de Los Angeles en tuant au hasard dans leur voiture
des personnes n'ayant apparemment aucun lien entre
elles. Mais s'agit-il vraiment d'un psychopathe ?
Un thriller percutant et inventif, qui traite de l'ambition,
des compromissions et... des élections présidentielles aux
États-Unis.

Michel de Pracontal, *La Femme sans nombril*

Londres 2222. Une mégapole de robots, dirigée par des
artefacts. Venus d'une autre planète, quatre visiteurs cher-
chent une espèce introuvable : l'humanité. Pourquoi a-t-elle
disparu d'une Terre qui ne porte aucun signe de destruction globale ? Ils finiront par découvrir l'incroyable vérité.
Un roman époustouflant, qui tient le lecteur en haleine
de la première page à la stupéfiante révélation finale.

Theodore Roszak, *Le Diable et Daniel Silverman*
Traduit de l'anglais (États-Unis) par Édith Ochs

Daniel Silverman, un romancier vivant à San Francisco,
dont les livres ne connaissent que des tirages confidentiels,
accepte de faire une conférence dans un collège religieux
d'une petite ville perdue du Minnesota, avec à la clé une
jolie rémunération.

Lorsqu'il arrive à destination, il découvre que les membres du collège sont des fondamentalistes chrétiens. Quel intérêt ont-ils à inviter un écrivain juif athée et homosexuel comme lui ? Alors que le blizzard se déchaîne, prisonnier de la ville, il va vivre un véritable cauchemar...

Un roman aussi palpitant qu'effrayant par l'auteur de *La Conspiration des ténèbres.*

Noirs Scalpels
anthologie présentée par Martin Winckler

Les médecins sont le plus souvent perçus comme des soignants, des guérisseurs, des magiciens bienveillants. Mais il arrive qu'ils soient associés au crime...

Les nouvelles de cette anthologie, d'une grande variété d'inspiration et d'écriture, qu'elles soient policières, fantastiques, historiques ou humoristiques, traitent de cette réalité ambivalente. Elles sont signées par des écrivains très divers (dont l'anthologiste lui-même), certains sont médecins, d'autres des spécialistes du domaine policier, fantastique ou de science-fiction.

Colin Wilson, *Black Room*
Traduit de l'anglais par François Truchaud

Au hasard d'une rencontre avec des amis, un musicien, Christopher Butler, accepte de participer, en Écosse, à un projet ultrasecret. Des scientifiques y expérimentent une installation appelée « Chambre noire ».

Très vite, Butler comprend que cela revient à leur faire subir un lavage de cerveau et que ce projet intéresse divers services de renseignements, dont la CIA.

Un roman d'espionnage qui transcende le genre, où Colin Wilson poursuit sa quête philosophique sur la signification de la vie.

Graham Masterton, *Génie maléfique*
Traduit de l'anglais par François Truchaud

Micky Frazier, plongeur dans un restaurant, se porte au secours d'un homme âgé victime d'une tentative d'enlèvement. Celui-ci, le Dr Lügner, pour le remercier, lui fait parvenir une cassette contenant des instructions : Micky doit s'injecter une substance censée augmenter ses facultés intellectuelles. Effectivement il se met à dévorer des ouvrages scientifiques, à résoudre des équations complexes... Il est devenu un génie ! Mais une mystérieuse organisation, OGRE, continue de traquer le Dr Lügner et s'en prend à Micky...
Un thriller psychologique mené tambour battant.

Michel de Pracontal, *Risques majeurs*

Mathématicien raté, Iohann Moritz est gardien d'immeuble dans un HLM parisien. Lorsqu'il découvre qu'un locataire a décampé sans laisser d'adresse, il croit à une banale crise familiale. Mais il apprend que le disparu était un spécialiste de la radioprotection et que deux experts de la Sûreté nucléaire ont été mystérieusement assassinés...
Propulsé au cœur d'un labyrinthe de faux-semblants et de vrais dangers, de complots et de mensonges d'État, Moritz va lutter contre un ennemi implacable. Qui est vraiment le locataire ? Il finira par découvrir l'incroyable vérité. Mais pourra-t-il éviter la catastrophe ? Encore faudrait-il qu'il sauve sa propre peau...

Charles Stross, *Jennifer Morgue*
Traduit de l'anglais par Édith Ochs

Bob Howard est employé par l'agence de renseignements la plus secrète du monde : la Laverie, située dans les sous-sols pouilleux d'une banlieue de Londres.

Cette fois, sa mission sera d'une importance dramatique. Un milliardaire américain de l'informatique, Ellis Billington, ayant réussi à s'emparer d'une arme secrète enfermée dans un sous-marin soviétique échoué au fond du Pacifique, Bob est chargé de s'introduire dans son yacht, mouillé dans la mer des Caraïbes, afin de le neutraliser.

Un roman étourdissant qui mêle allègrement espionnage, fantastique et nouvelles technologies.

Theodore Roszak, *Les Mémoires d'Elizabeth Frankenstein*
Traduit de l'anglais (États-Unis) par Édith Ochs

C'est par une lettre d'adieu que commence ce roman, la lettre d'adieu d'Elizabeth à Victor, la nuit de leurs noces. En digne héroïne romantique, Elizabeth sait qu'elle va mourir et elle adresse à celui qu'elle aime le *Journal* qu'elle a tenu en vue de son ultime geste.

Mais pourquoi Elizabeth doit-elle mourir ? Et comment ? Dans le *Frankenstein* de Mary Shelley, nous savons que la fiancée de Frankenstein meurt assassinée par le monstre. Theodore Roszak répond par un roman émouvant, à la fois romantique et... féministe.

Louis Bayard, *Un œil bleu pâle*
Traduit de l'anglais (États-Unis) par Jean-Luc Piningre

Landor, un vétéran de la police de New York à la retraite, personnage complexe, usé par ses années de service et des tragédies personnelles, répond à l'appel des autorités de l'Académie voisine de West Point lorsque la dépouille d'un élève officier retrouvé pendu est atrocement profanée.

Il accepte de mener l'enquête et prend pour assistant un élève de West Point, sombre et tourmenté, nommé Edgar Poe.

Un thriller gothique et érudit au suspense constant et au final stupéfiant, dont l'intrigue prend racine dans la vie et l'œuvre d'Edgar Poe.

Martin Winckler, *Le Numéro 7*

Été 2006. Pilote d'hélicoptère et mercenaire en Afrique, Eddie Dante convoie une cargaison dont il ignore la nature. Lorsque son hélicoptère se crashe, il n'est que blessé, mais les secours envoyés pour récupérer la cargaison l'abandonnent... Recueilli dans une mine où agonisent des centaines de personnes, il découvre que ses employeurs ne sont pas étrangers à l'existence de ce mouroir. Il tente de retourner en Europe pour révéler à la presse ce qu'il a vu. Mais les organisateurs de ce massacre médical lancent des tueurs à sa poursuite...

Septembre 2007. La multinationale WOPharma organise un grand congrès auquel sont conviés d'éminents scientifiques du monde entier afin d'y annoncer un progrès thérapeutique majeur... Pour l'accueillir les communicants de la multinationale ont choisi un lieu original : le village-hôtel de Portmeirion, au pays de Galles, qui servit de décor à la série télévisée *Le Prisonnier*. Et justement, toutes les caméras du monde seront braquées sur lui car les fans du monde entier y fêtent le 40ᵉ anniversaire de la série...

Philip K. Dick, *Les Voix de l'asphalte*
Traduit de l'anglais (États-Unis) par Nicolas Richard

Totalement inédit, écrit par Philip K. Dick en 1953, avant qu'il ne se consacre à la science-fiction, ce roman a dormi pendant plus de cinquante ans avant d'être découvert.

Il met en scène Stuart Hadley, un vendeur en électroménager en pleine crise existentielle, en proie à un malaise qui ne le quitte pas, bien qu'il ait tout pour être heureux : un bon job, une femme amoureuse... Mais aucune des valeurs prônées par la société – en pleine période du « rêve américain » de l'après-guerre – ne semble lui apporter la moindre solution... En quête d'un sens à donner à sa vie, il va connaître un destin des plus étranges...

Dans cet ouvrage, à fortes connotations autobiographiques, la vision des courants souterrains qui gangrènent la démocratie est d'une actualité proprement stupéfiante.

Theodore Roszak, *L'Enfant de cristal*
Traduit de l'anglais (États-Unis) par Édith Ochs

Julia Stein, une brillante gérontologue, se voit confier un cas exceptionnel : Aaron Lacey, un enfant de 9 ans atteint de progéria, qui présente tous les signes de la vieillesse. Julia se bat pour lui, cherche des méthodes innovantes... Une vieille femme lui donne un morceau de cristal pailleté avant de mourir... grâce auquel Aaron survivra à une crise cardiaque... Dès lors interviennent une série de transformations. Le hideux petit avorton donne naissance à un être jeune d'une beauté suprême, à laquelle succombent tous ceux qui l'approchent, Julia la première... qui, pour avoir eu une relation sexuelle avec cet enfant qui n'en est pas un, devra purger une peine d'un an de prison...

Aaron, de son côté, fugue et trouve refuge dans un spa de luxe tenu par un certain DeLeon, un charlatan qui a bâti sa fortune sur la découverte de la fontaine de jouvence...

Ce tout dernier roman de Roszak offre un concentré de tous ses univers, allié à une réflexion magnifique sur l'âge et le temps qui passe.

Complots capitaux d'hier et d'aujourd'hui
anthologie présentée par Olivier Delcroix

Kennedy a-t-il été assassiné par la Mafia, à Dallas, en 1963 ? A-t-on réellement marché sur la Lune en 1969 ? Marilyn s'est-elle vraiment suicidée ? Le chanteur Claude François est-il mort comme on le croit ? Et Diana ? Nous a-t-on tout révélé sur la tragédie du 11 Septembre ? Quelle vérité derrière l'affaire du *Rainbow Warrior* ? Quelle machination à l'origine des événements de Mai 68 ? Et si la saga *Star Wars* était l'une des plus énormes conspirations politiques du XXᵉ siècle ? Etc. Vingt écrivains (dont l'anthologiste) se sont « amusés » à livrer leur propre version de quelques complots capitaux d'hier et d'aujourd'hui.

Lucien-Jean Bord, *Dictionnaire Sherlock Holmes*

Œuvre d'un historien reconnu et holmésien passionné, cet imposant dictionnaire, à la fois étude littéraire et historique, réjouira et comblera par son exhaustivité et sa richesse iconographique (photos et documents d'époque) les lecteurs les plus exigeants des enquêtes du détective le plus connu dans le monde.

Ils y trouveront tous les personnages, principaux ou secondaires, peuplant les récits d'Arthur Conan Doyle, une description précise des lieux, réels ou imaginaires, où ils se déroulent, mais aussi une foule de renseignements sur l'Angleterre de la fin du XIXᵉ siècle et, parfois, sur le reste du monde. Lucien-Jean Bord accorde aussi une place importante à des détails révélateurs du cadre de vie et des techniques de l'époque, et il n'a oublié ni la faune ni la flore...

Il a aussi recensé les principaux illustrateurs ayant œuvré du vivant de Conan Doyle et les innombrables adaptations et principaux pastiches de l'œuvre, au théâtre, à la radio et à l'écran, grand ou petit, qui se sont succédé tout au long du XXᵉ siècle et se poursuivent de nos jours.

Michel de Pracontal, *Les Gènes de la violence*

Dans un parking parisien, un adolescent découvre un sac de plastique contenant le corps d'une femme. L'assassin lui a ouvert la poitrine, a retiré son cœur, l'a scalpée et écorchée. Lorsqu'un deuxième meurtre similaire se produit, la police et la presse comprennent qu'un serial killer opère dans Paris. D'une habileté diabolique, l'« Inca », comme le surnomment les médias, ne laisse aucune piste. L'enquête de la Brigade criminelle piétine. La psychose monte.

Le célèbre neurobiologiste Alfred Lacasse affirme que le meurtrier agit sous l'effet d'une hormone produite par un « gène tueur ». Partisan d'une politique ultrasécuritaire, Lacasse prétend que la science permettrait de dépister au berceau les futurs serial killers...

Paul Bertillon, journaliste scientifique à *L'Hebdo*, cherche à prouver que Lacasse est un imposteur. Sa compagne, Marie, qui travaille sous la direction du neurobiologiste, disparaît mystérieusement. Prêt à tout pour la sauver, Paul se lance dans une contre-enquête sur l'« Inca ». Il va faire une découverte stupéfiante : ce qui semblait une histoire criminelle est en réalité une affaire d'État ! Mais le journaliste pourra-t-il révéler au monde l'invraisemblable vérité ?

Arthur Phillips, *Angelica*
Traduit de l'anglais (Etats-Unis) par Edith Ochs

À Londres, en 1880, la famille Barton est au bord de la crise. Depuis que le père, Joseph, a décidé que sa fille de 4 ans, Angelica, devait quitter la chambre de ses parents pour dormir seule dans la sienne, de mystérieux événements se produisent. Constance, la mère d'Angelica, fait appel à Annie Montague, une ancienne actrice, pour veiller sur sa fille. Le quatuor est en place pour un drame qui sera relaté, chacun leur tour, par les protagonistes. Quatre versions qui parfois s'accordent, parfois se contredisent, chacune jetant une lumière nouvelle, mais aussi une part d'ombre, sur les personnages, leurs peurs, leurs désirs et leurs secrets.

Le lecteur, mi-enquêteur, mi-psychanalyste, participe activement à ce récit labyrinthique derrière lequel il doit essayer de percevoir la vérité avant l'époustouflant coup de théâtre final...

Découvert avec *L'Égyptologue*, Arthur Phillips offre avec ce récit diabolique en forme de puzzle une brillante relecture du roman victorien.

À paraître

Sophie Loubière, *Dans l'œil noir du corbeau*

Bill Rainbow ne réveillonne plus en famille depuis des lustres. Inspecteur de police de San Francisco retiré des Mœurs, l'homme est en manque d'affection. Son refuge, la bouffe. Mais au plus fort d'une crise économique mondiale, seul sur sa maison flottante à Sausalito, à jamais séparé de ses filles, le retraité célibataire peine à la confection de son repas de Noël.

Il ignore qu'à des milliers de kilomètres de là, pour fêter ses 40 ans d'une existence en demi-teinte, Anne Darney s'apprête à prendre l'avion à la recherche de son amour de jeunesse, afin de retrouver, plus de vingt après, ce garçon américain lui ayant fait la promesse, un jour, de venir la chercher.

Mais, pour connaître la vérité sur l'affaire Daniel Harlig, il lui faudra convaincre un fonctionnaire de police à la retraite au passé pas très net de reprendre du service et de rouvrir un dossier vieux de 22 ans. À trois jours de Noël, elle possède pour cela un argument de choc : Anne est présentatrice de fiches cuisine à la télévision. Bill et Anne feront donnant-donnant : entre la préparation d'un véritable festin et la reprise d'une enquête lamentablement bâclée, tous deux parviendront à satisfaire leurs appétits, découvrant une vérité stupéfiante à laquelle ni l'un ni l'autre ne pourront échapper.

Un roman policier hors normes, où l'on retrouve l'art de la construction éclatée et de la description minutieuse de l'auteur du *Dernier Parking avant la plage.*

Mis en pages par DV Arts Graphiques à La Rochelle
Imprimé en France par CPI Firmin Didot
Dépôt légal : avril 2009
N° d'édition : 1424 – N° d'impression : 94531
ISBN 978-2-7491-1424-8